신라 하대 국왕과 정치사

■ 김창겸金昌謙

·김천 출신
·영남대학교 국사학과 졸업, 성균관대학교대학원 사학과 졸업
 (문학박사, 한국고대사 전공)
·한국정신문화연구원 편수연구원, 한국학중앙연구원 동북아고대사연구소 고대
 문화연구실장, 한국학지식정보센터 백과사전편찬연구실장·문화콘텐츠편찬실장,
 성균관대·아주대·유한대·신구대 초빙교수·강사, 신라사학회 회장, 문화재청
 문화재위원회 전문위원 역임
·현재 한국학중앙연구원 한국학진흥사업단 부단장(수석연구원)

·주요 논저
『신라와 바다』, 『신라 하대 왕위계승 연구』, 『금석문을 통한 신라사 연구』, 『한국
 해양 신앙과 설화의 정체성 연구』, 『흥무대왕 김유신 연구』, 『한국 왕실여성
 인물사전』, 『일제강점기 언론의 신라상 왜곡』, 『한국사연표』 등 다수.

신라 하대 국왕과 정치사

초판 인쇄 2018년 12월 05일
초판 발행 2018년 12월 12일

지은이 김창겸
펴낸이 신학태
펴낸곳 도서출판 온샘

등 록 제2018-000042호
주 소 서울시 용산구 한강대로 208-6 1층
전 화 (02) 6338-1608   팩스 (02) 6455-1601
이메일 book1608@naver.com

ISBN 979-11-964308-6-3   93910
값 32,000원

신라 하대 국왕과 정치사

김창겸

도서출판 온샘

간 행 사

　盈科而後進이라 했던가? 이제는 또다른 삶의 무대로 옮겨갈 준비를 한다. 1983년 6월에 시작한 한국학중앙연구원(당시 한국정신문화연구원)에서의 직장 생활을 내년 여름이면 36년이란 자못 긴 세월로 마무리하고 정년퇴임할 예정이다. 일찍이 孔子가 '벼슬하면서 여력이 있으면 학문을 하고 학문을 하면서 여력이 있으면 벼슬하라[仕而優則學 學而優則仕]' 또 '도리를 하고 남는 힘이 있으면 학문을 하라[行有餘力 則以學文]'고 말하였던가! 지나온 삶을 뒤돌아보면, 학창시절부터 그토록 갈망했던 한국의 역사문화에 대한 연구를 직업상 자의반타의반 수행함으로써 나름대로 그렇게 살고자 노력했다고 자위해 본다. 이런 연유로 이 시점에서 필자의 학문연구의 한 부분을 스스로 정리하는 것도 의미가 있겠다는 생각을 갖게 되었다. 그 동안 발표했던 글 들 중에서, 특히 필자가 관심을 가지고 연구한 분야인 신라 하대 국왕과 정치사 관련 논문 몇 편을 골라 체계화하여, 한권의 연구서를 출간한다.

　이 책은 우리 역사에서의 연속과 단절이라는 명제를 시간상으로는 신라 하대 전환기를 대상으로 살펴본 연구서이다. 흔히들 엄격하게 지켜지던 골품제가 신라 멸망으로 없어졌고, 또 다른 한편으로 고려가 건국하여 국왕은 칭제건원한 것으로 말하고 있다. 즉 신라 하대에는 진골귀족 간에 왕위쟁탈전이 극심하여 왕위계승의 원칙이 없었고, 신라의 멸망시까지 골품제는 존속하였으며, 신라 국왕은 중국 唐 중심의 국제질서에서 제후적 위상에 있었던 것으로 이해한다. 그러나 필자는 신라 하대 왕위계승의 혼란상 속에서도 나름대로 원칙이 있었으며, 골품제는 왕위계승에서 이미 기능을 상실하여 국왕은 진골을 초월한 신분으로 격상되었으며, 그리고 신라 국왕과 왕실은 외형상 황제와 황족적 위상과 의식을 표방하였고, 이것은 泰封의 弓裔와 고려 태조를 비롯한 국왕들에게로 계승되었던 것으로 주장하였다. 즉, 통일신라와 후삼국, 고려에서 군주의 위상과 정치사의 발전을 계기적으로 이해하였다.

이 책은 모두 3부 12장으로 구성되었으며, 그 내용은 다음과 같다.

제1부에서는 신라 중대 무열왕계 왕통이 끝나고, 하대의 새로운 왕통인 '元聖王系'의 성립과정과 혼란했던 정치동향을 살펴보았다.

〈제1장 宣德王 즉위에 대한 재검토〉제37대 선덕왕의 즉위와 관련한 몇 가지 쟁점에 대하여 재검토하였다. 먼저 선덕왕(김양상)의 어머니 四炤夫人은 聖德王의 선비 成貞王后의 딸이다. 또 『삼국사기』에서 元聖王을 '선덕왕의 아우'라고 한 것은 서로 母系와 妻系에 의한 친족관계이다. 혜공왕 말의 정국은 父系로 성덕왕계인 金良相 세력과 섭정을 하였던 滿月太后와 연결된 金隱居 등의 귀족세력이 다투었고, 또 金志貞과 김양상은 혜공왕을 지지하는 인물들이었지만 정치적 경쟁에서 김양상 측이 승리한 것이다. 그리고 김양상은 반혜공왕파가 아니며 그를 직접 시해하지도 않았다. 그러므로 선덕왕의 즉위는 찬탈이 아니라 국정의 임시관리자로 추대된 것이다. 이런 까닭에 선덕왕대의 정치형태는 귀족연립적 성격을 띠었다.

〈제2장 원성왕의 先代와 혈연적 배경〉신라 하대의 왕통을 연 원성왕(김경신)의 선대와, 중대에서 그들의 정치사회적 위상을 알아봄으로써, 원성왕이 즉위할 수 있는 혈연적 배경에 대하여 탐구하였다. 김경신의 선대는 중대 무열왕계 왕실과 가까운 인척이며 정치권과 진골 귀족사회에서 상당한 위치를 차지하고 있었다. 특히 원성왕 어머니의 외숙이면서 동시에 왕비의 외조부인 金元良과 김양상의 할아버지 元訓이 형제에 해당하는 가까운 인척이었다. 김경신은 이러한 혈연적 배경으로 정계에 나아가 활동하였으며, 김양상과 혈연적으로 뿐만 아니라 정치적으로 밀접하게 연결되었고, 선대로부터 물려받은 경제력과 군사력을 바탕으로 정계에서 위상을 강화하면서 지지세력을 확보해 나갔다.

〈제3장 원성왕의 즉위와 김주원계의 동향〉원성왕의 즉위과정과, 즉위후 金周元系 동향, 그리고 원성왕의 이들에 대한 무마, 회유정책 등에 대해 살펴보았다. 金敬信은 선덕왕이 재위시 무열왕계의 최고 유력자였던 김주원에게 禪位하려는 것을 저지하며 기다리다가 선덕왕이 죽자, 김주원의 즉위가 자연재해로 지체됨을 틈타 자신의 지지세력으로 하여금 群臣會議의 결정을 번복시켜 왕위를 탈취하였다. 원성왕은 즉위직후부터 왕권의 확립을 위한 노력의 하나로 김주원을 溟州郡王으로 봉하여 독자적 지배를 허락하였다. 명주로 퇴거한 김주원 세력은 食邑과 친족세력을 기반으로 하여 신라의 북방 수비와 함께 발해와 일본의 동해연안 해로를 통한 통교를 견제하는 역할을 담당하였다. 그리고 명주군왕의 지위는 김주원의 嫡長子孫에게 계속적으로 주어졌다. 결국 김주원 후손들은 자신이 속한 소가계의 이익을 추구한 결과 가계의 분지화에 따라 분열되었다.

〈제4장 원성왕계 왕들의 황제·황족적 지위〉원성왕계 왕과 그 친족은 황제·황족의 지위와 의식을 가졌던 사실을 밝히고 그것의 역사적 의미를 추구하였다. 중대에는 일반 진골귀족에 불과한 가계에서 비정상적인 방법으로 즉위한 원성왕계 왕과 친족이 위상을 높이고 왕권을 강화할 목적에서 황제와 황족의식을 표방하였다. 그리하여 하대의 왕은 진골에서 초월화하여, 제도적으로는 황제라는 외투로 장식하고 실질적으로는 진골이라야 한다는 골품제 제약에서 벗어나, 오로지 왕손이라는 혈연적 요인에 의해 왕위를 계승케 되었다. 결국 신라는 대외적으로는 중국 당에 대하여 제후국의 자세를 하면서도 국내적으로는 독립된 황제국의 지위를 가졌던 이중체제의 국가였다. 그리고 통일신라에 존재하였던 황제·황족적 지위와 독자적 천하관은 태봉과 고려로 이어졌다.

제2부에서는 신라 하대 초기의 왕위쟁탈전의 혼란을 수습하고 소강기를 이루었던 경문왕계 왕권의 추이를 살펴보았다.

〈제5장 헌안왕의 즉위와 치적〉제47대 헌안왕의 즉위와 여러 가지 치적에 대한 하대 정치사에서의 의미를 부여하였다. 義正(헌안왕)은 신무왕의 이모제로서 또 문성왕의 숙부로서 여러 주요 관직을 역임하며 정치적으로 중요한 역할을 하였다. 문성왕은 태자가 일찍 죽어 왕위계승에 문제가 발생하자, 특별히 의정을 왕위계승자로 지명하는 유조를 내림으로써 비부자계승임에도 평화적인 왕위계승이 이루어졌다. 한편 즉위후 헌안왕은 사면과 인사조치를 행하여 국정쇄신과 왕권안정을 추구하였다. 그리고 왕족과 군신들의 화합을 도모하고, 또 화랑 출신인 사위 膺廉을 왕위계승자로 미리 정하여 왕위쟁탈전의 발생을 예방하였다. 게다가 유조를 내리어 응렴의 위상을 확고히 해주었다. 그 결과 헌안왕은 신라 하대의 정치적 혼란에서 경문왕가에 의한 평화와 안정으로 가는, 즉 신라 김씨왕통을 연장시킨 충실한 가교자의 역할을 하였다.

〈제6장 경문왕대 '수조역사'의 정치사적 고찰〉 경문왕이 추진한 여러 차례의 토목공사를 왕권강화라는 관점에서 살펴보았다. 경문왕은 아버지 啓明의 후원을 받아 헌안왕의 사위가 되어 왕위를 계승하였다. 그는 즉위 초부터 앞 시기에 있었던 소가계간의 왕위쟁탈전으로 분열된 원성왕계 왕족의 단합을 위한 방법으로 토목공사를 추진하였다. 전기에는 다른 세력들을 회유하고자 그들의 조상을 追崇福業하는 것이었으나, 후기에는 반대세력의 도전이 있을 때마다 국왕의 권위를 높이기 위한 궁궐 중수와 황룡사탑 개조 등 자신 위주의 방법을 채택하였다. 그러나 이것은 왕권의 강화라는 면에서는 긍정적인 효과를 가져왔다고 할지라도, 신라의 멸망이라는 측면에서 보면 신라 사회를 파탄으로 몰아간 중요한 하나의 요인이었다.

〈제7장 헌강왕과 의명왕후 그리고 야합과 효공왕〉 헌강왕과 야합한 김씨녀의 정체와 서자 孝恭王(嶢)의 신분이 진골이 아니었음을 구명하였다. 즉, 효공왕의 생모는 왕족도 진골귀족도 아니었고, 게다가 헌강왕과 야합으로 아들 요를 낳았으나 궁궐 밖에서 키워야만 하였다. 골품제의 원리에서 진골이 아닌 생모가 낳은 효공왕도 진골이 아니었다. 효공왕의 즉위는 골법의 특이성이라는 왕실 혈통, 즉 오로지 왕족이라는 신성성만을 내세워 비상조치로써 이루어진 왕위계승이었다. 결국 헌강왕과 비진골 김씨녀의 야합으로 출생한 효공왕의 즉위는 신라 왕위계승에서 가장 중요하게 작용하였던 요인인 반드시 진골이라야 하는 골품제 규정을 소멸시키는 중요한 분기점이었으며, 이것은 골품제의 바탕 위에 존립하였던 김씨 신라왕조의 종말이었다.

〈제8장 효공왕의 즉위와 비진골 왕의 왕위계승〉 제7장과 연계하여 효공왕은 비진골이고, 그의 즉위를 계기로 신라 왕위계승상 중요한 요건의 하나로써 작용하였던 골품제상 신분이 진골이라야 한다는 규정이 기능을 상실하게 되었고, 뒤이은 박씨왕과 경순왕도 진골이 아니었음을 주장하였다. 효공왕의 즉위는 혈연적으로 진성여왕과는 조카의 관계이고 여기에 경문왕계 왕통을 고수하려는 진성여왕의 의지가 반영되어 이루어졌으며, 진성여왕의 실정으로 인한 정치사회적 혼란에 대한 책임 추궁에 따른 禪位의 결단으로 이루어진 정치적 사건이었다. 이것은 골품제적 규정은 전혀 작용되지 않은 왕위계승이었다. 효공왕의 즉위로 비진골왕이 출현하였고, 뒤를 이은 박씨 신덕왕, 경명왕, 경애왕은 물론 김씨 경순왕도 진골이 아니었다.

제3부에서는 신라 하대 정치사의 특성을 살펴본 글들을 수록했다.

〈제9장 신라 하대 정치형태와 국왕의 위상〉 흔히 신라 하대의 정치형태를 '귀족연립'이라 말하나 그리 딱히 적합한 표현은 아니다. 국왕은 모든 관직과 진골 신분을 초월한 존재였다. 더구나 원성왕과 경문왕은 강한 전제적 왕권을 행사하여 황제의 위상을 추구하였다. 그리고 시간적으로 보아도 전체 780~889년 중 귀족연립적 성격을 보였던 것은 선덕왕(780~785)과 희강왕·민애왕·신무왕·문성왕 재위기(836~857)로 28년 정도에 불과하고, 대부분 시기는 그렇지 않았다. 한편 원성왕과 경문왕가기에 국왕이 외형상 황제적 위상을 가졌다고는 하나, 진골귀족들의 정권에서 이탈 현상으로 중앙 정부의 기능은 점점 약화되어 갔다.

〈제10장 신라 하대 왕위계승과 상대등〉 신라 하대의 상대등은 대체로 왕의 가까운 친족으로, 왕과 대립적 위치에 있지 않았고 왕으로부터 신임 하에 인사문제 등 통치권을 위임받아 수행하였던, 왕권을 적극적으로 보좌하는 친왕적인 고위관료였다. 그리고 상대등은 정당한 왕위계승자가 없을 경우에 가끔 왕위를 계승하였지만, 이것은 친족관계에 의한 것이지 결코 상대등직에 왕위계승권이 주어졌던 것은 아니었다.

〈제11장 김유신의 興武大王 추봉과 '新金氏'〉 신라시대 신김씨는 금관가야 왕족이면서 신라의 왕실과 혼인한 김유신가의 후손을 지칭하는 친족용어이며, 이것은 835년(흥덕왕 10) 김유신을 흥무대왕으로 추봉한 결과로 나타났다. 김유신의 흥무대왕 추봉은 원성왕의 즉위와 김헌창 난의 평정에 공을 세운 김유신 후손들의 현실적인 세력을 배경으로, 오묘제의 변화와 834년 골품제 규정의 반포에서 생긴 김유신계 후손들의 위상문제를 해결하여 일반 김씨 진골귀족과는 다른 특별한 예우를 하기 위해 취해진 조치였다. 다른 한편으로는 하대 원성왕계가 김헌창 난 이후 중대 왕실인 무열왕계 세력을 약화시키고자 이들과 동족의식을 갖고 있던 김유신계를 흥무대왕 후손이라 하여 구분시킨 것이다. 그리하여 김유신계 후손은 신김씨라 별칭되면서, 일통삼한 직후에 최고조를 누렸던 지위가 위축되어, 신라 정통 김씨와는 차별화되고 위상도 낮아져 갔다.

〈제12장 경문왕 연구의 현황과 제안〉 기왕의 경문왕에 대한 연구, 즉 그의 즉위에 대한 연구, 왕권강화에 대한 연구의 현황을 정리하고 그것이 가지고 있는 한계가 무엇인지 살펴보고, 아울러 필자 나름대로 새로운 연구 제안으로 몇 가지 생각을 언급하였다.

필자는 처음 발표시 견해와 논지를 그대로 지키고자 한다. 이런 이유로 필자의 논문들이 처음 발표된 뒤에 연구자들 사이에 논의가 활성화되어 관련한 여러 편의 논문들이 발표된 것을 알지만 그것들을 이 책에서 일일이 추가하여 거론하지는 않았다. 다만 한권의 책으로 꼴을 갖추다 보니 편집 체재를 통일하고 또 독자의 편의를 위해 한문과 한자를 가급적 한글화하였음을 밝힌다.

물론 이 책 한권으로 신라 하대 정치사의 새로운 전모가 밝혀진 것은 아니다. 또 그렇게 될 수도 없다. 하지만 필자가 왕과 왕위계승을 중심으로 연구한 신라 하대 정치사에 대한 견해와 주장의 대체를 밝혔다. 기존에는 언급조차 하지 않았거나 치지도외했던 것들에 관심을 가져줌으로써 조금이나마 이해의 폭을 넓혔고, 이와 더불어 향후 이 분야 연구와 논의 쟁점꺼리를 제시한다는 것만으로도 의미 있는 작업이라고 자평한다. 그러면서 앞으로 좀더 여유를 가지고, 필자가 관심을 가지고 고민해오던 신라의 역사문화에 대한 연구를 비롯하여, 그동안 이런 저런 기회를 통해 형성된 생각과 견해를 정리하는 작업을 계속 할 것이다.

한편 새로 사업을 시작한 출판사 온샘의 신학태 사장께서 이 책을 기획추진 중인 학술총서의 첫 작품으로 출간하겠다고 하니, 저자로서는 광영으로 여기며 고맙기가 그지없다.

특별히, 지난 7월 12일에 우리 가족으로 태어난 첫 손녀 金河璘의 百日을 맞이하여 건강하고 예쁘게 자라주기를 기원하면서, 기쁨과 행복한 마음으로 이 글을 쓴다.

2018년 10월

관악산 자락 香川書齋에서 金 昌 謙

차 례

*처음 발표시 논문 제목과 서지 사항

제1부
원성왕계 왕권의 성립과 정치 동향

제1장 宣德王 즉위에 대한 재검토

I. 머리말

『삼국사기』 신라본기 敬順王本紀의 말미에는 國人이 신라왕조사를 크게 3代로 구분했다는 기록이 실려 있다. 제1대 시조 赫居世居西干으로부터 제28대 眞德女王까지를 上代, 제29대 武烈王으로부터 제36대 惠恭王까지를 中代, 제37대 宣德王으로부터 마지막 제58대 敬順王까지를 下代로 구분함이 그것이다.[1]

연구자들은 이렇게 시기 구분의 기점이 되는 왕들에 대해서는 각별한 관심을 가지고 그 역사적 의미에 대해 연구 분석하였다. 『삼국사기』에는 하대의 첫 왕을 제37대 선덕왕이라고 하였다. 이런 이유로 연구자들은 선덕왕의 역사적 성격에 대해 큰 관심을 가졌고 많은 연구도 있었다.[2] 그럼에도 그의 즉위와 관련하여서는 연구자들 사이에 의견의 합치

---

[1] "國人自始祖至此 分爲三代 自初至眞德二十八王 謂之上代 自武烈至惠恭八王 謂之中代 自宣德至敬順二十王 謂之下代云"(『삼국사기』 권12, 경순왕본기 말미).

[2] 이기백은 혜공왕대에서 중대와 하대의 구분을 찾는다면 金良相이 상대등에 임명된 혜공왕 10년이라고 하였다(이기백, 1958, 「신라 혜공왕대 정치적 변혁」 『사회과학』 2 : 1974, 『신라정치사회사연구』, 일조각, 236~239쪽). 심지어 하대의 기원은 金邕이 중시로 임명된 760년(경덕왕 19)부터라는 주장도 있다(김수태, 1983, 「통일신라기 전제왕권의 붕괴와 김옹」 『역사학보』 99·100합집, 142~143쪽). 하지만 『삼국사기』가 왜 신라를 상대·중대·하대로 구분하였는가 하는 이유에 중점을 두어야 하며(이영호, 2014, 『신라 중대의 정치와 권력구조』, 지식산업사, 136쪽 주4), 하대의 기점은 『삼국사기』가 왕

를 보지 못하고 여전히 논란이 되고 있는 것들이 있다.

필자는 선덕왕의 즉위와 관련한 논란 중에서도 하대의 정치적 성격을 규정하는데 중요한 원인과 요인이 되고 있는 선덕왕(金良相)의 즉위 이전 정치적 활동과, 또 그의 즉위방법 등에 대해 재검토해 보겠다. 그리하여 이와 관련한 해석상의 논란을 조금이나마 整理해 보고자 한다.

먼저, 선덕왕의 가계는 어떠한가에 대한 것이다. 선덕왕 父系의 내력이 어떠한가와 어머니는 누구의 딸인가? 그리고 『삼국사기』에서 원성왕을 '선덕왕의 아우(前王之弟)'라고 한 것의 실체에 대해서 알아보겠다.

이어서, 선덕왕이 과연 혜공왕을 직접 시해하였는가와, 그렇다면 그의 즉위 방법과 절차가 찬탈의 형식인가 아니면 추대에 의한 것인가를 검토하겠다. 즉, 선덕왕의 즉위가 하대에는 上大等으로서 정당한 왕위 계승자가 없을 경우 왕위를 계승할 제1후보의 위상을 가졌던가를 살펴보면서 선덕왕대 정치형태에 대해 이야기하겠다.

Ⅱ. 선덕왕 가계와 '선덕왕의 아우' 원성왕

1. 선덕왕 가계와 어머니?

선덕왕(김양상)은 내물왕의 후손이기에, 父系로는 선대가 신라 중대에 직접 왕위를 계승하던 무열왕계가 아니었다. 그럼에도 부자계승을 원칙으로 하는 당시 상황에서 선덕왕이 실제 즉위하였기에, 그 즉위의 배경을 알아보기 위해서는 그의 친족적 기반에 대해 살펴볼 필요가 있다.

선덕왕의 가계에 대한 기록으로는 다음과 같은 것들이 있다.

A-① 宣德王이 즉위하였다. 姓은 金氏이고 이름은 良相이며 奈勿王의 10世

통을 기준으로 선덕왕대로부터 삼은 것을 준수해야 하겠다.

孫이다. 아버지는 海湌 孝芳이고, 어머니는 金氏 四炤夫人으로 聖德
王의 딸이다. 妃는 具足夫人으로 角干 良品의 딸이다(혹은 義恭 阿湌
의 딸이라 한다). 죄수를 大赦하고, 아버지를 추봉하여 開聖大王으로
하고, 어머니 金氏를 추존하여 貞懿太后로 하고, 妻를 王妃로 삼았다
(『삼국사기』 권9, 신라본기9, 선덕왕 즉위조).

② 제37대 宣德王은 金氏이고 이름은 亮相이다. 아버지는 孝方 海干인데
開聖大王으로 추봉된 곧 元訓 角干의 아들이다. 어머니는 四召夫人으
로 諡號는 貞懿太后로서 聖德王의 딸이다. 왕비는 具足王后로 狼品
角干의 딸이다(『삼국유사』 권1, 왕력).

선덕왕은 奈勿王의 10世孫으로, 金氏이고 이름은 良相(亮相)이다. 그
의 아버지는 孝芳 海湌(波珍湌)이다. 金孝芳은 734년에 在唐宿衛 金忠信
과 교대할 예정으로 있다가 赴任 직전에 갑자기 죽었다.[3] 그리고 할아
버지는 元訓 角干인데, 그는 702년(성덕왕 1) 9월 阿湌으로 執事部 中侍
에 임명되어 성덕왕 2년 7월까지 약 10개월간 재임하였다.[4]

이처럼 선덕왕의 부계는 신라 상대에는 왕위를 계승하였던 내물왕의
후손이기는 하지만 中代에는 직접 왕위를 계승하던 가계는 아니었다.[5]
그럼에도 선덕왕의 할아버지 원훈은 성덕왕 초기에 中侍를 역임하였고,

---

3) 金孝方으로 표기되어 있으나 동일인이다(이기동, 1984, 「신라 하대의 왕위
   계승과 정치과정」 『신라골품제사회와 화랑도』, 일조각, 147쪽).

4) 이 또한 동일인이다(이기동, 1984, 앞의 책, 147쪽). 한편 필사본 『화랑세기』
   에 의하면 제19대 풍월주 金欽純의 아홉째 아들이 元訓이라는 기록이 있
   다. 김흠순은 신라 통일전쟁의 명장 金庾信의 아우이다. 만약 양자가 동일
   인이라면 선덕왕은 『삼국사기』의 내물왕의 10세손이라 한 기록과 달리 부
   계로는 금관가야 왕족의 후손이라는 주장도 있으나(金台植, 2002, 『화랑세
   기, 또 하나의 신라』, 김영사, 173~179쪽) 따르기 어렵다.

5) 한편 신라김씨족보에는 선덕왕의 가계를 내물왕 - 미사흔(또는 복호) - 구
   천 - 칠부 - 순원 - 사다함 - 원훈 - 효방 - 양상으로 이어진다고 되어 있지만
   믿기 어렵다.

아버지 효방은 假王子로써 唐에 파견되는 宿衛學生團의 首席에 선발되는 경력을 가졌으며, 또 성덕왕의 딸과 혼인하여 왕의 女壻가 되었다.

다시 말해, 신라 중대 말에 정치적·사회적으로 유력한 진골 가문 출신인 선덕왕의 아버지 효방은 제33대 聖德王의 딸 四炤夫人과[6] 혼인하였다. 사소부인은 제34대 孝成王의 누이이다. 그러므로 선덕왕의 母系는 중대 왕실인 武烈王系의 정통가계이다.

선덕왕 어머니 사소부인의 어머니는 누구인가? 사소부인을 성덕왕의 庶女라고 명시한 기록은 없으므로, 그녀를 정식 왕비의 소생으로 보아도 될 것 같다. 하지만 선덕왕의 모계를 밝히는 데는 어려움이 있다. 성덕왕에게는 2명의 왕비가 있었다.

> B-① 5월 乘府令 蘇判 金元泰의 딸을 맞아들여 妃로 삼았다(『삼국사기』 권8,
>   신라본기8, 성덕왕 3년).
> ② 3월 伊湌 順元의 딸을 맞아들여 王妃로 삼았다. … 6월 王妃를 책봉하
>   여 王后로 삼았다(『삼국사기』 권8, 신라본기8, 성덕왕 19년).

이처럼 성덕왕은 김원태의 딸과 김순원의 딸을 각각 왕비로 취하였다. 『삼국사기』와 『삼국유사』의 관련 기록을 종합하면, 先妃 陪昭夫人(成貞王后)은 乘府令 蘇判 金元泰의 딸인데 704년(성덕왕 3) 5월에 王妃로 맞아들이고[7] 716년(성덕왕 15) 3월에 廢出하였으며,[8] 그리고 4년 뒤인 720년(성덕왕 19) 3월에 성덕왕은 後妃인 伊湌 金順元의 딸 占勿王后(炤德王后)를 맞아들인 것이다.[9] 이 기록만으로는 성덕왕의 선비와 후비 중 누가 사소부인의 어머니인지 알 수가 없다.[10]

---

6) 『삼국유사』에는 四刕夫人으로 표기되어 있다.
7) "夏五月 納乘府令蘇判金元泰之女爲妃"(『삼국사기』 권8, 성덕왕 3년).
8) "三月 遣使入唐獻方物 出成貞一云嚴貞王后 賜彩五百匹 田二百結 租一萬
   石 宅一區 宅買康申公舊居 賜之"(『삼국사기』 권8, 성덕왕 15년).
9) "三月 納伊湌順元之女爲王妃"(『삼국사기』 권8, 성덕왕 19년).

그래서 연구자들 사이에는 서로 입장이 나뉘어져 있다.

사소부인을 선비 성정왕후의 소생으로는 보는 견해는 이영호와[11] 서영교가 있다.[12] 반면에 후비 소덕왕후의 소생으로 보는 견해로는 末松保和, 濱田耕策, 박해현, 서정목과 조범환을 들 수 있다. 먼저 박해현은 성덕왕의 [가계도]에서 성덕왕과 엄정왕후 사이의 자식으로 중경·승경·無相·守忠이 있고, 성덕왕과 소덕왕후의 사이에는 헌영과 사소부인이 있다고 하였다.[13] 그리고 서정목은 "海湌(波珍湌) 김효방과 혼인하여 김양상(제37대 선덕왕)을 낳은 선덕왕의 딸 사소부인은 … 소덕왕후의 딸이라고 보아야 한다."고 하였다.[14] 한편 조범환은 성덕왕은 김순원의 딸인 소덕왕후와 혼인하였고 그 사이에서 승경(효성왕)과 헌영(경덕왕) 두

---

10) 『삼국유사』 권1, 王曆에는 보다 자세한 기록이 있다(第三十三 聖德王 名興光 本名隆基 孝昭之母弟也 先妃陪昭夫人 諡嚴貞 元大阿干之女也 後妃占勿王后 諡炤德 順元角干之女). 이에 의하면 聖德王의 先妃는 陪昭夫人으로서 元大의 딸이고, 後妃는 占勿王后로서 順元의 딸이다. 이는 『삼국사기』의 元泰가 여기의 元大와 同一人이므로 諡號가 成貞 또는 嚴貞王后인 妃가 곧 陪昭夫人과 동일인임을 알 수 있다. 그러므로 『삼국사기』에 이름이 기재되지 않은 次妃 順元의 딸은 여기의 占勿王后와 동일인이며 시호는 炤德王后인 것을 알 수 있다. 한편 원태와 원대를 703년(성덕왕 2) 7월에서 705년 1월까지 中侍를 지냈던 元文과 같은 인물로 보는 견해도 있으나(이기백, 1964, 「신라 집사부의 성립」 『진단학보』 25·26·27합집 : 1974, 앞의 책, 167쪽 주42), 元文은 705년 정월에 죽었으므로 716년 성정왕후의 출궁 이유에 대한 설명이 잘 맞지 않다.

11) 이영호, 2003, 「신라의 왕권과 귀족사회」 『신라문화』 22, 78쪽 ; 2014, 앞의 책, 88쪽.

12) 서영교는 [무열왕 직계존비속 계보도]에서 사소부인을 성덕왕과 성정왕후 사이의 소생으로 표기하였다(서영교, 2016, 「진골귀족의 반발과 개혁의 좌절」 『신라의 왕권강화의 발전』, 경상북도, 255쪽).

13) 박해현, 2003, 「신라 성덕왕대 정치세력의 추이」 『한국고대사연구』 31, 342쪽.

14) 서정목, 2016, 「신라 제34대 효성왕의 생모에 대하여」 『한국고대사탐구』 23, 137쪽. 그리고 사소부인은 金順元의 손자 忠信·孝信의 고종사촌이고, 信忠·義忠과 6촌이라고 하였다.

명의 아들과 한 명의 딸을 두었다고 하였는데,[15] 비록 딸이 누구인지에 대한 구체적인 언급이 없었으나 아마 海湌 孝芳과 혼인한, 즉 선덕왕의 어머니는 四炤夫人 金氏(貞懿太后)를 염두에 둔 것이라 추측하여, 사소부인을 소덕왕후의 출생으로 보고 있다.

그러면 사소부인은 누구의 딸일까? 이것은 선비와 후비가 각각 성덕왕과 혼인한 시기와 선덕왕의 관직 생활, 즉위, 사망시 나이 등으로 미루어 보면 어느 정도 추측은 가능하다. 신라 통일기의 지배층에서 혼인 연령은 대체로 20세 무렵이었으므로,[16] 이것을 기준으로 계산한다. 다만 왕실의 혼인은 조금 빨랐을 수도 있다.

성덕왕의 즉위시 나이는 12세설이 유력하다는 주장을[17] 참조하면, 704년(성덕왕 3) 5월의 첫 혼인은 그의 나이 14세 때 승부령 소판 김원태의 딸 성정왕후를 왕비로 맞이하였다. 그런데 四炤夫人은 약 20세 이전에 孝芳과 혼인하였을 것이고, 또 이 무렵 이후에 선덕왕을 출산하였을 것이다. 그렇다면 먼저 先妃의 경우 성덕왕과 함께 생활한 것이 704년 5월~716년 3월이므로, 이 시기에 四炤夫人이 태어나 약 20세에 달한 724~736년 사이에 효방과 혼인하여 곧 선덕왕을 출산하였다고 가정하면, 김양상(선덕왕)은 774년(혜공왕 10) 51~39세에 상대등이 되었다. 그리고 780년에는 57~45세로서 즉위하였고, 785년 사망시 나이는 62~50세에 해당하였던 것으로 추정할 수 있다.

한편 성덕왕은 선비 성정왕후를 폐출하고 4년 뒤인 720년(성덕왕 19) 3월 차비 소덕왕후를 왕비로 맞이하였으며, 그녀는 3개월 뒤인 6월에 왕후로 책봉되었다. 그러므로 사소부인을 소덕왕후의 소생이라면 그녀가 혼인을 한 720년 3월부터 죽은 724년 12월 이전 어느 시기에 사소부인이

---

15) 조범환, 2011, 「신라 중대 성덕왕대의 정치적 동향과 왕비의 교체」『신라사학보』22, 125쪽과 128쪽.

16) 『삼국사기』권45, 强首傳 참조.

17) 이기동, 1998, 「신라 성덕왕대의 정치와 사회」『역사학보』169, 5쪽.

출생하였고, 사소부인의 나이가 20세에 달한 740~744년 혼인하여 선덕왕을 출산한 것으로 보겠다. 이렇게 가정하면 선덕왕은 774년에 35~31세로서 상대등이 되고, 780년 41~37세에 즉위하여, 785년 나이 46~42세로 사망한 것에 해당한다.

그러나 김양상(선덕왕)이 상대등에 보임한 이력을 고려하거나 사망 시 고령으로 생각되는 만큼[18] 사소부인은 선비 성정왕후의 소생으로 보는 것이 타당성을 갖는 듯하다.[19]

그러면 성덕왕은 선덕왕의 외할머니에 해당하는 선비 성정왕후를 왜 출궁하였을까? 현전하는 기록만으로는 분명한 출궁 이유를 알기 어렵다. 혹자는 김원태는 성덕왕의 추대한 세력이라 딸이 왕비로 간택되었으나[20] 출궁도 정치적 문제가 개입되어 있었다는 견해가 있다. 즉 715년(성덕왕 14) 12월 중경이 태자로 책봉되고, 3개월 뒤 어머니 성정왕후가 출궁되었으며, 또 왕후 출궁 1년 남짓 지나 중경이 갑자기 죽었다는 점에서 태자책봉으로 인한 갈등으로 생각하기도 한다.[21] 결국 연구자들은 이 사건을 귀족간의 분쟁에서 김원태 일족이 패배하였기 때문에 일어난 것으로 보는 경향이 있다.

그리고 이 사건의 정치적 상대방으로는 성덕왕이 뒤이어 후비로 맞이한 소덕왕후의 아버지 김순원을 상정한다. 김순원은 698년(효소왕 7) 2월 大阿飡으로 中侍에 임명되었으나, 2년 뒤 700년(효소왕 9) 5월에 발생한 伊飡 慶永의 난에 연좌되어 파면 당했다. 그렇지만 706년(성덕왕 5) 작성된 '皇福寺金銅舍利函記'에 "蘇判 金順元"이란 이름이 등장하는 것

---

18) 그리고 선덕왕이 말년에 여러 차례 병 등을 이유로 禪位하고자 한 것 등에서도 그가 상당히 高齡이었을 것으로 보아도 좋을 듯하다.

19) 김창겸, 2003, 『신라 하대 왕위계승 연구』, 경인문화사, 28쪽.

20) 박해현, 2003, 앞의 논문, 335쪽.

21) 이영호, 2003, 앞의 논문, 56쪽. 한편 선비의 출궁은 왕당파 세력과 왕권을 제약하는 진골귀족과의 갈등에서 연유한 것이란 추측도 있다(김수태, 1996, 『신라중대정치사연구』, 일조각, 78~80쪽).

으로 보아, 아마 성덕왕 초에 중앙 정계에 복귀하였던 것을 알 수 있다. 그리고 720년(성덕왕 19) 딸 炤德王后를 성덕왕의 후비로 들여보냈으며, 739년(효성왕 3)에는 딸 惠明을 자신의 외손자인 효성왕에게 시집보냈다. 이처럼 김순원이 왕의 외척으로 위세를 떨쳤기에 그렇게 생각할 만도 하다.

그러나 성덕왕은 선비 성정왕후가 출궁될 때 거처할 곳으로 康申公의 집을 사서 주고 많은 재물을 하사하였다. 이처럼 성정왕후가 출궁할 당시 집을 비롯한 여러 재물이 주어진 것에서 보건대, 성정왕후의 출궁은 성덕왕에 의하여 폭압적으로 이루어진 것은 아니고 합의와 타협에 의한 조치로 보인다.[22] 그리하여 성덕왕은 720년 3월 김순원의 딸 소덕왕후를 후비로 맞이하였으나, 그녀는 724년 12월 죽고 말았다. 그러자 성덕왕은 세상을 떠날 때까지 13년 가까운 세월을 정식 왕비 없이 고독한 삶을 살았다. 한편 先妃 성정왕후의 소생으로 짐작되는 重慶은 715년 12월 태자로 책봉되었지만 717년 6월 어린 나이로 죽고 말았다. 이에 후비 소덕왕후의 소생인 承慶이 724년 봄에 태자로 책봉되었다.

이러한 이유로 김양상(선덕왕)의 어머니 사소부인은 성덕왕의 선비인 성정왕후의 소생으로 보겠다. 그리고 그녀의 친정, 즉 김양상의 진외가는 김원태의 가문이다.

2. '선덕왕의 아우' 원성왕?

한편 『삼국사기』 권10, 원성왕 즉위조에서는 원성왕(김경신)을 '전왕(선덕왕)의 아우'라고 하여,[23] 선덕왕과 원성왕의 父系를 이해하는데 많

---

22) 이러한 조치를 이혼에 따른 위자료로 보거나(이영호, 2011, 앞의 논문, 33쪽), 정치적 타협으로 보기도 한다(조범환, 2011, 앞의 논문, 112쪽).
23) "元聖王立 諱敬信 … 今上大等敬信 前王之弟"(『삼국사기』 권10, 원성왕 즉위조).

은 혼란을 야기하고 있다.[24] 즉 『삼국사기』에서는 원성왕을 내물왕의 12
세손이라고 하면서, 또 다른 곳에서는 내물왕의 10세손으로 표기되어 있
는[25] 선덕왕의 아우라고 하니, 부계로는 이들 두 사람이 동일세대가 아
님을 알 수 있다. 만약 여기의 세대수가 옳다면 선덕왕은 원성왕보다 2
세대 위로서 할아버지 行列이라야 한다.[26] 더구나 선덕왕의 아버지는
孝方이고, 할아버지는 元訓이다. 반면 원성왕의 아버지는 효양이고, 할
아버지는 위문이다. 그러므로 이 두 사람은 부계로는 형제관계가 성립
되지 못한다.

  그런데 원성왕을 『구당서』와 『册府元龜』에는 선덕왕의 '從兄弟', 『신
당서』에는 '從父弟'로 표기되어 있다. 이에 의하면 선덕왕과 원성왕의
관계는 형제이기는 하나 친형제가 아니라 從兄弟(4寸)의 관계에 해당한
다.[27] 사실 선덕왕의 아버지 이름이 孝芳이고, 원성왕의 아버지 이름이
孝讓이라 마치 '孝'자 항렬의 형제처럼 연상된다. 그러나 선덕왕의 할아
버지는 元訓이고, 원성왕의 할아버지는 魏文(또는 訓入)이므로 서로 할
아버지가 달라서 두 사람은 부계에 의한 同行列의 從兄弟는 아니다. 더
구나 내물왕을 기준으로 선덕왕은 10세손이고, 원성왕은 12세손이기 때
문에 從弟라는 기록도 부계로는 성립되지 못한다.[28] 이런 이유로 선덕

---

24) 김창겸, 2010, 「신라 원성왕의 선대와 혈연적 배경에 대한 재검토」『한국학
    논총』 34 참조.
25) 『삼국사기』 권9, 선덕왕 즉위조.
26) 이에 대하여 「興德王陵碑」의 검토를 통하여 元聖王을 奈勿王의 12代孫이
    라 한 것은 잘못이며, 奈勿王의 17代孫으로 수정되어야 한다는 견해도 있
    다(이기동, 1978, 「신라 태조성한의 문제와 흥덕왕비의 발견」『대구사학』 15·
    16합집 ; 1984, 앞의 책, 374쪽).
27) 한편 李丙燾는 "新王(敬信)을 前王(良相)의 弟라 함은 잘못인 듯하다. 이름
    으로 보아 혹 孝芳과 孝讓이 兄弟間으로 신왕과 전왕은 從兄弟間인지도
    알 수 없다."고 하였다(1977, 『국역삼국사기』, 을유문화사, 163쪽 주1).
28) 이에 대해 중국사료의 기록은 원성왕이 즉위한 뒤 唐에 책봉요청시 '從兄
    弟(從父弟)'라고 한 것에 원인이 있고, 『삼국사기』의 '弟'는 중국사료로부터
    2차적인 파생이라는 견해가 있다(濱田耕策, 2002, 「下代初期における王權の

왕과 원성왕이 형제간이라는 친족관계의 표기가 혹 母系에 의한 것일지
도 모른다는 추측도 있는데,29) 이는 타당성이 있는 것으로 보인다.

어쨌든 김양상과 김경신은 중대말 정치권 내에서 상당히 밀접한 친
족관계를 가지고 있다.30) 하지만 두 사람이 어떤 친족관계를 갖고 있었
는지 잘 알 수 없다. 더구나 김양상의 어머니 四炤夫人은 성덕왕의 딸로
김씨였고, 김경신의 어머니 繼烏夫人은 昌近의 딸로 박씨였다.31) 그러
므로 사소부인과 계오부인이 동일 부계친으로 자매형제라든가 그런 관
계는 성립되지 않는다.

그런데 김경신의 어머니 炤文王后(계오부인)의 외숙이 金元良이라고
한다.32) 元良과 김양상의 할아버지 元訓은 이름이 유사하다. 더구나 이
들이 생존하면서 활동한 시기도 비슷하다. 이에 더하여 이미 통일신라
사회에서 왕족과 진골 귀족층에서는 이름에 항렬자가 일부 사용되었음
을 고려하면33) 혹 이 두 사람은 형제 사이였을 가능성이 있다. 이에 따
라 선덕왕과 원성왕의 상호 친족관계를 구성하면 [그림]과 같다.

[그림]에서 보듯이 선덕왕의 할아버지 원훈은 원성왕의 외할머니와
남매간인 원량의 남자형제로 추정된다. 즉 원훈과 원량은 형제간이고,
소문태후의 어머니는 이들과 남매간으로 추정된다.

確立過程とその性格」『新羅國史の硏究』, 吉川弘文館, 244~245쪽).

29) 이기백, 1974, 「상대등고」, 앞의 책, 114쪽 주 38.

30) 김창겸, 2003, 앞의 책, 291쪽.

31) 『삼국사기』 권10, 원성왕 즉위조 ; 『삼국유사』 권1, 왕력 참조.

32) "波珍飡金元良者 炤文王后之元舅 肅貞王后之外祖也"(「숭복사비」『조선금
석총람』 상).

33) 성덕왕의 아들 重慶·承慶, 원성왕의 아들 義英·禮英, 예영의 아들 均貞·憲
貞, 允興·叔興·季興 형제, 김유신의 아들 元述·元貞·元望과 손자 允中·允
文, 그리고 金鉉·金鋭 형제의 이름에서 보듯이 통일신라시대에는 왕족과
귀족사회에서는 이름에 항렬자를 사용하였다.

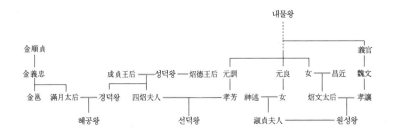

[그림] 원성왕과 선덕왕의 친족관계

　그렇다면 원성왕의 어머니 소문태후는 선덕왕의 아버지 효방과는 부계로 姑從男妹에 해당하고, 선덕왕의 아버지 효방은 소문태후와 모계로 姨從男妹에 해당한다. 그러므로 선덕왕은 원성왕에게는 모계로 형제 항렬이다. 더구나 신라시대는 근친혼이 활발하게 행해지던 사회라 상류층에서 이 정도의 친족관계라면 서로 쉽게 연결될 수 있었다. 사실상 선덕왕은 원성왕의 아내 淑貞夫人도 외가를 통해 선덕왕과 가까운 친척이었다. 결국 선덕왕과 숙정부인은 모계를 통해 남매간에 해당한다. 그러므로 선덕왕과 숙정부인의 남편인 김경신은 妻男妹弟 항렬에 해당하는 형제뻘의 인척관계가 성립된다. 결국 김양상과 김경신은 어머니와 아내를 통하여 二重으로 연결된 형제 항렬의 인척이었다.[34].

　선덕왕이 부계로는 내물왕의 후손이지만 모계로는 직전에 재위한 성덕왕의 딸인 사소부인의 아들이라는 혈통, 즉 현재 왕실에 가까운 혈연에 의하여 무열왕계 왕족에 속하는 의식을 갖는 것이 친족관념상 훨씬 유리하고 친숙한 입장이었을 것이다. 그렇지만 김경신은 비록 선대는 무열왕계와 가까운 친족이었으나, 자신에 이르러서는 이것보다는 현재 실력자인 김양상과 같은 연원을 가진 元訓과 元良, 그리고 이들 누이의 후손이라는 혈연의식으로 연계하였다.[35]

---

34) 김창겸, 2010, 앞의 논문.

이런 까닭에 비록『삼국사기』에서 원성왕을 선덕왕의 아우라고까지
표현하였으나, 사실은 이들의 정치적 연결은 모계와 처계에 의한 친족
적 기반 위에 형성된 것으로 이해하는 것이 좋겠다.

Ⅲ. 혜공왕 피살과 선덕왕의 즉위 방법

1. 혜공왕의 피살자?

경덕왕은 漢化政策을 통한 정치개혁을 실행하여 국왕의 권력 강화를
도모하였지만, 크게 성공하지 못한 채 죽었다. 경덕왕을 이어 혜공왕이
어린 나이로 즉위함에 母后 滿月太后가 攝政하였으나 정국은 안정되지
못하고 혼란에 빠졌다. 이러한 상황에서 여러 가지 정치사회적 갈등현
상이 표출되었다. 외척세력과 이에 반대하는 무열왕계 왕족들의 갈등,
그리고 모후의 섭정을 지지하는 세력과 혜공왕의 親政을 지지하는 세력
간의 대립은 혜공왕 재위기를 진골귀족들의 반란으로 점철케 하였다.
768년(혜공왕 4) 大恭의 난을 시작으로 96角干이 다투었으며, 결국에는
金志貞의 반란 와중에 혜공왕과 왕비가 시해되었다. 그리고 당시 상대
등의 자리에 있던 김양상이 즉위하니, 이가 곧 선덕왕이다.

그런데 선덕왕의 즉위방법에 대해서는 史料마다 그 표현이 달라 이
해하기에 따라 차이가 있을 수 있다.

C-① 4월 상대등 김양상이 이찬 경신과 함께 군사를 동원하여 지정 등을 죽

---

35) 이기동은 "그는 내물왕계라고는 하지만 부친이 성덕왕의 사위가 됨으로
해서 중대 말기 정계에서 두각을 나타낼 수 있었다. 그러니까 그는 모계로
본다면 결코 중대 왕실을 배반한다거나 더욱이 부정할 처지는 되지 못했
다."는(이기동, 1998, 앞의 논문, 18쪽) 매우 적합한 견해를 제기하였다.

였다. 왕과 왕비는 이 난리 중에 군사들에게 살해되었다. 양상 등이 왕
의 시호를 혜공왕이라 하였다(『삼국사기』 권9, 혜공왕 16년).

② 8세 때 왕이 죽어서 태자가 왕위에 오르니 이가 혜공대왕이다. 나이가
매우 어려 太后가 臨朝하였는데 정사가 다스려지지 못하고 도둑이 벌
떼처럼 일어나 이루 막을 수가 없었다. 表訓 大德의 말이 맞은 것이다.
왕은 이미 여자로서 남자가 되었기 때문에 돌날부터 왕위에 오르는 날
까지 항상 여자의 놀이를 하고 자랐다. 비단 주머니 차기를 좋아하고
道流와 어울려 희롱하고 노니 나라가 크게 어지러워지고 마침내 宣德
王과 金良相에게 죽음을 당했다(『삼국유사』 권2, 기이2, 景德王忠談寺
表訓大德).

③ 여름 4월 이찬 金志貞이 반란을 일으켜 왕궁을 포위하였다. 상대등 김양
상이 그를 토벌하여 죽이고, 마침내 왕을 弑害하고 왕위를 簒奪하였다.
혜공왕은 어려서 왕위를 계승하여 母后가 臨朝하고, 장성하여서는 聲
色에 빠져서 항상 부녀들의 유희 놀이를 하며 비단주머니 차기를 좋아
하고, 道流들과 어울려서 희롱하며 巡遊함이 법도가 없었다. 따라서
紀綱이 문란해지고 재앙과 이변이 자주 나타나며 반역이 잇달아 일어
나니 인심이 이반하였다. 이에 지정이 무리를 모아 반란을 일으켜 왕
궁을 포위하였다. 김양상이 이찬 김경신과 더불어 군사를 일으켜 이를
죽였는데, 왕과 후비는 亂兵에게 시해되니, 시호를 혜공이라 하였다.
在位는 16년간이다(『동사강목』 제5상, 경신년 혜공왕 16년 宣德王 원
년 당 德宗 建中 원년).

④ 김양상이 군사를 일으켜 김지정을 토벌하니 / 良相擧兵討志貞
명분은 역당 주살이었으나 진심은 아니었네 / 義憑誅逆意非誠
왕과 왕비가 반란군에 살해되었다 하지만 / 后王縱被亂軍害
찬시했다는 악명을 천고에 어찌 모면 하리오 / 千古焉逃簒弑名
신라의 上大等 金良相이 金敬信과 함께 군사를 일으켜 金志貞 등을
주살하였다. 왕과 왕비는 김지정의 반란군에게 살해되었다. 김양상이

스스로 서서 왕이 되니 바로 宣德王이다(『무명자집』 시고 제6책, 詩
영동사 312).

⑤ 伊飡 金志貞이 난을 일으켜 왕을 죽였다. 그러자 上大等 金良相이 거
병하여 김지정을 죽이고 자신이 왕위에 나아갔는데, 이가 宣德王이며,
奈勿의 10세손이다(『기언』 권33, 원집 외편, 東事 新羅世家 하).

⑥ 金志貞이 난을 일으켜 왕궁을 포위했다. 上大等 金良相이 敬信과 함
께 군사를 일으켜 지정을 죽였으며, 임금은 亂兵에게 시해당했다. 양
상이 마침내 스스로 왕이 되었다(『연려실기술』 별집 제19권, 歷代典故
新羅).

⑦ 살펴보건대, 혜공왕 16년에 金志貞이 난을 일으켜 왕궁을 포위하였는
데, 金良相이 김지정을 죽이고 이어 왕을 시해한 후 왕이 되었다. 德宗
建中 4년(宣德王 4) 金乾運이 죽었다. 살펴보건대 혜공왕이 건중 원년
에 피살되었다. 아들이 없어서 나라 사람들이 上相으로 있던 金良相을
세워 왕으로 삼았다(『구당서』 ; 『해동역사』 권10, 世紀10 新羅).

위에서 보듯이 혜공왕을 시해한 주체에 대해서는 사료에 따라 기록
을 달리하고 있다. 이런 연유로 현대의 연구자간에도 상반된 견해를 보
이고 있다.36) 『삼국유사』의 기록에 따라 태후의 섭정으로 국정이 혼란
해 졌고 선덕왕(金良相)이 직접 혜공왕을 시해하고 찬탈하였다는 주장
이 있는37) 반면에, 이와 달리 『삼국사기』의 기록대로 혜공왕의 실정으로
나라가 혼란에 빠져 김지정이 반란을 일으켰으며 亂兵에게 시해되었다
고 보는 견해가 있으며,38) 심지어는 『동사강목』처럼 양자를 다 기록한
경우도 있다.

---

36) 이에 대한 자세한 검토는 이영호, 2014, 앞의 책, 141~148쪽 참조 바람.
37) 旗田巍, 井上秀雄, 최병헌, 木村誠, 池內宏, 林泰輔, 이기백, 이호영, 김경애,
    권영오, 이문기 등이다.
38) 이홍직, 한우근, 문경현, 이영호 등이다.

이들 기록에서 어느 쪽이 사실인가에 따라, 즉 연구자가 어느 기록을 택하는가에 따라 신라의 중대 말과 하대 초라는 전환기 정치사 이해의 방향은 크게 달라진다. 이것은 단순히 혜공왕을 누가 죽였는가의 문제만이 아니라, 중요한 것은 이 사건 관계자들의 정치적 성격으로 끌어올려 해석할 경우, 서로 다른 주장과 해석을 제기할 수 있다.[39] 종래에는 김양상이 직접 혜공왕을 시해하고 즉위하였다는 입장에서 친위쿠데타를 일으킨 김지정을 친왕파로 보고, 반대로 그를 살해한 김양상의 정치적 성격을 反王派로서 反中代 내지 反專制的 성격을 가진 인물로 평가하는 경향이 강했다.[40] 하지만 최근에는 김양상을 반왕파가 아니라든가 반전제적인 인물이 아니라는 견해도 제기되었다. 이러한 견해의 차이는 김양상이란 개인에 대한 이해를 넘어 그가 보유하고 있던 上大等이란 지위에 대한 성격 규정과 함께, 나아가서는 신라사에서 신라 중대와 하대의 국왕 위상의 차이, 즉 정치형태에 대한 논쟁으로 확대되는 것이기에 매우 중요하다. 이것에 대해서는 뒷장에서 구체적으로 언급하겠다.

그러면 혜공왕을 죽인 세력은 누구인가? 김지정의 亂兵인가? 아니면 김양상인가? 여기서는 김양상이 재위중인 혜공왕을 시해하고 왕위를 찬탈하였는가에 대해 살펴보겠다.

김양상은 경덕왕대에 정계에 진출하여 경덕왕의 죽음(경덕왕 24년 6월) 직전인 764년(경덕왕 23) 1월 伊湌으로 執事部 侍中에 임명되어, 혜공왕 즉위 초기 만월태후의 섭정을 협조하였다.[41] 그러나 768년(혜공왕 4) 정월 唐으로부터 혜공왕이 '開府儀同三司新羅王'으로 책봉됨과 함께, 王母 만월태후가 大妃로 책봉되어 확실한 위상을 가지게 되자, 768년(혜

---

39) 이영호, 2016, 「개관」『신라의 왕권강화와 발전』, 경상북도, 17쪽
40) 이기백, 김수태, 이문기, 김경애가 그러하다.
41) 경덕왕의 후비 만월태후는 金義忠의 딸로서, 743년(경덕왕 2) 4월 왕비로 맞아들여져, 758년(경덕왕 17) 7월 23일 혜공왕을 낳았으며, 765년(경덕왕 24) 6월 경덕왕이 죽고 아들 혜공왕이 8살의 어린 나이로 즉위함에 태후로서 攝政하였다.

공왕 4) 10월 김양상은 시중에서 퇴직되고 대신에 만월태후의 세력인 金隱居가 임명되었다. 그리하여 김양상은 당시 정권의 최상급 실세에서는 밀려난 형편이 되었다. 특히 성덕대왕신종명문에 의하면 771년(혜공왕 7) 12월 무렵에는 金順貞의 손자이며 金義忠의 아들, 즉 만월태후와 남매로 추정되는 金邕이[42] 元舅로서 "檢校使兵部令兼殿中令司馭府令修城府令監四天王寺府令并檢校眞智大王寺使上相大角干"의 직위를 가지고, 執政하고 있었다.[43] 이것은 만월태후와 김옹 남매가 섭정과 집정의 위상으로 당시 정치적 실권을 모두 장악하고 행사했던 알 수 있다. 이에 비해 김양상은 "檢校使肅政臺令兼修城府令檢校感恩寺使角干"이라는 지위에 있었다.[44]

이에서 추측컨대 김양상이 시중에서 해직된 후로는, 최고 권력권에서 소외된 처지로서 만월태후와 외척의 전횡을 못마땅해 하는 입장을 가진, 다시 말해 어쩌면 만월태후의 섭정 통치에 적극적인 입장을 가지지 않은 인물이었던 것으로 추측된다.

그러다가 아마 774년(혜공왕 10) 후반기 무렵에 이르러 마침내 혜공왕이 親政으로 이행하게 되자[45] 김양상은 중용되었다. 김양상은 혜공왕의 姑從兄弟로서, 774년(혜공왕 10) 9월 伊湌으로 上大等에 임명되었다. 김양상의 상대등 임명은 혜공왕 친정의 대표적 상징성을 띤 사건의 하

---

42) 濱田耕策, 2002, 앞의 책, 186쪽 ; 이영호, 2011, 「통일신라시대의 왕과 왕비」 『신라사학보』 22, 21쪽.

43) 『續日本記』 권33, 寶龜 5년 3월.

44) 「新羅聖德王神鐘銘」 『朝鮮金石總覽』 上, 40쪽.

45) 혜공왕의 친정시기에 대한 명확한 기록은 없다. 다만, 만월태후 섭정기 최고 실세였던 김옹에 대한 기록이 774년(혜공왕 10) 3월 이후에는 보이지 않고, 9월에 김양상이 상대등에 임명되어 실력자가 된 듯하며, 더구나 혜공왕의 나이가 17세였기에, 아마 이해 후반기 쯤에서 시작하여 이행기를 거쳐, 이듬해(775, 혜공왕 11)에 전면 친정체제로 전환된 듯하다. 한편 775년(혜공왕 11)을 친정개시년으로 보려는 설도 있다(이문기, 1999, 「신라 혜공왕대 오묘제 개혁의 정치적 의미」 『백산학보』 52, 816쪽).

나로 보겠다. 즉, 만월태후와 함께 섭정을 주도했던 金邕이 정치 최일선에서 물러나고 외척을 비롯하여 그를 따르던 세력이 퇴조된 것이다. 반면에 혜공왕이 친정함에 이르러 김양상 등 혜공왕의 부계친족들이 중용되어 혜공왕을 보좌하게 된 것으로 보인다.

하지만 김양상이 상대등을 맡은 된 뒤에도, 만월태후의 섭정에 협력하였던 세력의 도전이 여전하였다. 775년(혜공왕 11) 6월 이찬 金隱居의 반란, 8월 이찬 廉相과 正門의 모반 사건이 있었다. 이것은 상대등 김양상 등(혜공왕 친정파)이 종전 만월태후의 추종세력(만월태후 섭정파)으로서 혜공왕의 친정과 자신들에게 불만을 가진 자들을 제거한 정치적 사건이라고 하겠다. 그러나 혜공왕의 친정에 대한 귀족들의 반발과 비판이 계속됨에, 심지어 776년(혜공왕 12) 정월에 百官 명칭을 환원하는 등 혜공왕은 漢化政策에서 후퇴하는 정책을 취할 수 밖에 없었다.

이에 김양상은 777년(혜공왕 13) 4월 당시 時政을 極論하는 上疏를 올렸다. 그 내용은 혜공왕에게 만월태후 섭정파의 세력권이랄가 영향력에서 벗어나 보다 강력한 국왕의 지위와 왕권의 필요성을 강조한 듯하다. 더욱이 10월에 당시 무열왕계 대표인 金周元이 시중에 임명되었는데, 이 또한 김양상의 영향에 의한 것으로 추측된다. 이처럼 김양상은 친혜공왕의 성격을 가진 인물이라 보겠다.[46]

특히 780년(혜공왕 16) 2월 伊湌 金志貞이 난을 일으키자, 2개월 뒤인

---

46) 김창겸, 2003, 앞의 책, 248~249쪽. 이와 달리 김양상을 反惠恭王派로 이해하여, 그의 상대등 취임으로 신라의 중대적 성격이 변질되는 계기로 보기도 한다(이기백, 1974, 앞의 책, 228~254쪽). 그러나 金良相은 反王派가 아니라 親王派라는 견해가 있다(이영호, 1990, 「신라 혜공왕대 정변의 새로운 해석」『역사교육논집』13·14합집, 342~351쪽). 한편 김양상은 反王派는 될 수 있어도 反專制主義派나 反中代派는 아니라거나(신형식, 1994, 「신라 중대 전제왕권의 전개과정」『산운사학』4, 25쪽), 반왕파이나 중대 왕실의 반대파로는 볼 수 없다는 견해도 있다(이문기, 2015, 『신라 하대정치와 사회 연구』, 학연문화사, 21쪽).

4월에 김양상은 '君側의 惡'을 제거하기 위해 김경신과 함께 거병하였다. 여기서 보건대 김양상이 거병한 것은 직접 君을 제거하겠다는 것, 곧 혜공왕을 시해하는 것이 목적이 아니라, 제거할 대상은 혜공왕 옆(側)에 있는 '惡'이었다.

그러면 김양상의 입장에서 보았을 때 당시 惡은 누구인가? 이는 아마 반란을 일으켜 궁궐을 에워싸고 침범했던 자들, 어쩌면 2개월 동안 혜공왕을 인질로 궁에 감금하고 옆에 붙어있으면서 권력을 농단하던 자들이라 하겠다. 결국 이들은 종전에는 만월태후를 중심으로 정권을 장악하고 있었으나, 혜공왕이 친정을 하고 김양상 등을 신임하면서 점차 권력의 중심에서 밀려났고, 그러자 다시 권력을 장악하려 한 김지정을 비롯한 만월부인 섭정기의 잔여 세력가들이라고 하겠다. 하지만 이들도 이미 만월태후가 물러난 뒤였기에 현실 권력의 頂点인 혜공왕을 폐위하거나 시해하려는 목적은 아니었다고 보겠다. 혜공왕의 존재를 인정하는 전제에서, 친정 이후 김양상 등에게 밀려 상실한 실제 권력을 되찾고자 했던 것이다. 결국 이 사건은 만월태후가 아니라 혜공왕을 내세워 권력을 장악하고자 시도했던 실패한 친위쿠데타였다.

780년 4월에 상대등 김양상과 이찬 김경신이 거병하여 김지정 등의 죽였으나, 왕과 후비는 이미 시해 당했다. 다시 말해 국가기강이 문란한 틈을 타 실권을 차지하고자 김지정 등이 쿠데타를 일으켰고, 상대등 김양상과 이찬 김경신이 쿠데타를 진압하였지만, 혜공왕은 亂兵에게 피살되었다. 여기서 난병은 김지정의 병사를 말한다. 그러므로 혜공왕은 김양상과 김경신의 연합세력이 아닌 김지정의 반란세력에게 시해된 것으로 보겠다.[47]

---

47) 김창겸, 2003, 앞의 책, 190쪽 : 이영호, 2014, 앞의 책, 138~139쪽.

2. 선덕왕의 즉위방법?

김지정이나 김양상이나 모두 큰 범주에서는 무열왕계 왕족이다. 그리고 다 같이 혜공왕 지지세력이었다. 그러나 이들의 차이는 만월부인 섭정이 끝나고 이후에 혜공왕 친정기에는 정치적 주도권을 다투었을 것이다. 다 같이 혜공왕을 지지하는 자들이면서도 혜공왕의 어머니 만월부인과 가까운 자들로서 종전 섭정기에 가지고 있던 기득권을 유지하려는 정치세력과, 이와 달리 혜공왕의 친정과 함께 상대등에 임명된 김양상을 비롯한 새로운 실세로 등장한 친혜공왕파 세력간의 갈등이 나타났을 것이다.

여기에는 정책과 정치노선의 차이도 있겠으나,[48] 그 최종 목적은 혜공왕을 정점으로 자신들의 정치사회적 지위를 확보하면서 이익을 챙기는 데 있었다. 구체적으로 이야기하면 부계친족(크게는 성덕왕계)으로 혜공왕을 지지하는 세력과, 이와 달리 섭정을 하였던 혜공왕의 어머니인 만월태후와 연결된 귀족세력(모계친족)으로 구분할 수 있다. 전자는 성덕왕의 딸 사소부인의 아들(성덕왕의 외손자)인 내물왕계 김양상 세력이 유독 강하였으며, 후자는 만월태후의 친족과 그녀의 섭정시 영화를 누렸던 金隱居 등의 세력을 들 수 있겠다.

하지만 혜공왕의 친정으로 이행하면서 김양상 등이 김은거를 제거한 뒤, 확고하게 권력을 장악해나감에, 구세력인 만월태후계가 반발하였다. 그리고 마침내 780년 2월 김지정이 군사를 동원하여 궁궐을 에워싸고 혜공왕을 볼모로 하여 실권을 장악하는데 성공하였던 것이다. 그러자 당황한 김양상 세력은 혜공왕을 감금한 쿠데타 세력을 진압한다는 명분으로 거병하여 마침내 김지정 세력을 제거하였다.

그러나 김양상이 金敬信과 함께 군사를 일으켜 난을 진압하였지만,

---

48) 이기백, 1974, 앞의 책 ; 김수태, 앞의 책, 126쪽 ; 전덕재, 1997,「신라 중대 대일외교의 추이와 진골귀족의 동향」『한국사론』37, 서울대학교 국사학과.

이 와중에 혜공왕과 후비는 발악하던 亂兵에게 시해 당한 뒤였다. 그러
므로 김양상이 직접 혜공왕을 시해하고 왕위를 찬탈한 것은 아니라고
보겠다.

　이와 관련하여서는 선덕왕이 스스로 즉위방법을 언급한 기사를 수록
하고 있는『삼국사기』기록이 가장 신빙성이 있을 것 같다.

> D. 詔書를 내려 말하기를 "과인은 본래 재주와 덕이 없어 왕위에 마음이 없
> 었으나 推戴를 피하지 못하여 즉위하였던 것인데, 즉위 이래로 농사가
> 잘 되지 않고 백성들이 곤궁하니 이것은 다 나의 덕이 백성들의 바라움
> 에 맞지 아니하고 정치가 하늘의 뜻에 합당되지 아니한 때문이다. 항상
> 왕위를 禪讓하고 밖으로 물러 나와 살고자 하였으나 여러 신하들이 매
> 양 정성껏 말려서 뜻과 같이 되지 못하였다. … "고 하였다(『삼국사기』
> 권9, 선덕왕 6년 정월).

　이 내용이 비록 의례적인 가식 요소가 있기는 하나, 선덕왕은 지지세
력에 의하여 왕으로 추대되었고, 즉위한 뒤에 늘 선양하려 하였지만 지
지세력의 저지로 퇴거하지 못하였다고[49] 말하고 있다.

　결국 김양상(선덕왕)이 혜공왕으로부터 왕위를 직접 찬탈한 것이 아
니라 780년(혜공왕 16) 2월 김지정이 난을 일으켰을 때, 당시 상대등으로
서 김경신과 함께 군사를 일으켜 반란군을 진압하던 중에 혜공왕과 왕
비가 난병에게 살해되어 정상적인 왕위계승자가 없음에, 김경신을 비롯
한 당시 군사적 실권을 쥐고 있던 자들에 의하여 추대되어 즉위하였
다.[50]

---

49) 특히 '선덕왕이 禪讓하려다가 群臣이 再三 上表하여 諫하므로 그만 두었
　　다.'고 한바(『삼국사기』권9, 선덕왕 5년 4월), 여기에는 선덕왕의 추대자와
　　지지자들의 정치적 이해관계가 작용하고 있었음을 보여주는 것이다.
50) 김창겸, 2003, 앞의 책, 190쪽. 또 김수태는 '혜공왕 이후 선덕왕은 과도적

이상에서 살펴보았듯이, 金良相은 진골 김씨로서 성덕왕의 외손자라
는 친족적 기반에서 출발하여 정치권에서 지위를 점차 상승시켜 나가다
가, 혜공왕이 친정을 하면서 상대등에 임명되어 혜공왕을 보좌하였다.
이런 정국에 불만을 가진 김지정 등이 쿠데타를 일으켜 혜공왕을 감금
하고 정권을 장악하려 함에, 김양상은 쿠데타 진압책임자로서 역할을
수행하는 과정에서 兵權까지 가지게 되었으며, 쿠데타 진압 뒤에는 국
왕으로 추대되어진 것이다.

그러므로 김양상은 상대등에서 왕위에 오른 첫 인물이라는 점에서,
신라 하대에 정당한 왕위계승자가 없을 때에는 상대등이 왕위를 계승할
제1후보로 되었다는[51] 주장은 적합하지 않다.[52] 김양상은 상대등으로서
스스로 왕위에 오른 것이 아니라 성덕왕의 외손이라는 친족적 요인을
바탕으로, 혜공왕대 후반기 정치권에서 宰相·上相으로 불리면서 최고의
세력을 가졌던 것이다. 그리고 780년(혜공왕 16) 2월 김지정의 난을 진압
한 최고사령관으로서, 혜공왕이 시해되어 闕位되고, 게다가 경덕왕의
남자손이 끊어진 상황이라, 김경신 등의 추대를 받아 즉위하였다.

그러므로 선덕왕의 역할은 중대와 확연하게 구분될만한 정치사회 변
화를 도출하지는 못하였고, 단지 왕통의 변화만을 낳은 과도적 성격의
인물로 당시 난국을 수습하는 임시관리자에 불과하였다. 이런 까닭에

성격을 가지고 귀족들의 추대를 통하여 즉위하였다'고 하였다(김수태,
1985, 「신라 선덕왕·원성왕의 왕위계승」『동아연구』6, 302쪽). 이와 달리 권
영오는 '김양상은 혜공왕 살해에 참여하고 있어 찬탈로 보는 것이 옳다.'
고 하면서(권영오, 2011, 『신라 하대 정치사연구』, 혜안, 84쪽 주106), '선덕
왕의 즉위는 비록 혜공왕의 피살에는 참여하였으나 상대등의 지위에 의해
정국을 주도한 것은 아니다. 혜공왕 16년(780) 김지정의 난을 진압한 주체
세력인 김경신 세력과 성덕왕의 외손이며 혜공왕과 고종형제간인 과도적
성격으로 추대되었다고 할 수 있다.'하여(앞의 책, 85~86쪽), 스스로 혼란을
보이고 있다.

51) 이기백, 1974, 앞의 책, 99~100쪽.
52) 김창겸, 2010, 앞의 논문.

비상 정국이 어느 정도 수습되자 선덕왕은 몇차례 왕위에서 물러나려는 뜻을 말하기도 했던 것이다. 그러므로 선덕왕대 정치형태는 왕과 上宰 김주원과 상대등으로서 次宰인 김경신 3인이 聯立으로 운영하는 성격을 띤 王政이었다고 보겠다.[53]

V. 맺음말

이 글에서는 신라 제37대 선덕왕의 즉위와 관련한 몇 가지 쟁점사항에 대해 재검토하였다. 그 결과 다음과 같은 것들을 알았다.

먼저 선덕왕의 어머니 사소부인은 성덕왕의 선비인 성정왕후의 소생이다. 그리고 그녀의 친정, 즉 김양상의 진외가는 김원태의 가문이다. 또 『삼국사기』에서 원성왕을 '전왕(선덕왕)의 아우'라고 한 것은 서로 모계와 처계에 의한 친족관계이다.

한편 혜공왕 친정기에 이르러, 정국은 부계로 성덕왕계 후손 - 성덕왕의 딸 사소부인의 아들인 김양상 세력과, 이와 달리 섭정을 하였던 혜공왕의 어머니인 만월태후계와 연결된 귀족세력 - 만월태후의 친족과 그녀의 섭정시 권력을 가졌던 김은거 등의 세력이 서로 갈등 대립한 결과, 김양상 측이 승리하여 실권을 장악하였다.

이러한 상황에 불만을 가진 金志貞이 친위 쿠데타를 일으켜 왕을 감금하고 정권을 농락함에, 김양상 등은 거병하여 쿠데타 세력을 진압하였다. 이 와중에 혜공왕은 叛亂軍에게 시해되었다. 결국 김지정과 선덕왕은 다같이 혜공왕을 지지하는 자들이었지만, 양세력이 주도권 경쟁에서 선덕왕측이 승리한 것이다.

선덕왕은 반왕파가 아니라 친혜공왕의 인물이며, 혜공왕을 시해하지

---

53) 김창겸, 2016, 「신라 하대 정치형태와 국왕의 위상」 『한국고대사연구』 83, 161~190쪽.

도 않았다. 그러므로 선덕왕의 즉위는 찬탈이 아니라 난국의 수습을 맡은 국정의 과도적 임시관리자로 추대된 것이다. 이런 까닭에 선덕왕대의 정치형태는 그를 추대한 자들과 협력으로 운영되는 귀족연립적 성격을 띠었다.

제2장 원성왕의 선대와 혈연적 배경

I. 머리말

 신라 하대의 왕통을 흔히 '元聖王系'라고 한다. 제36대 혜공왕이 金志
貞의 난을 진압하는 와중에 죽고 내물왕의 후손인 37대 宣德王(金良相)
이 즉위함으로써 중대 무열왕계 왕통은 단절되었다. 그리고 선덕왕이
죽고, 원성왕(金敬信)이 무열왕계에 속하는 金周元과 경쟁에서 승리하
여 왕위에 올랐다. 이후 원성왕의 후손들에 의하여 왕위가 계승되었기
때문에 신라사를 왕통의 변화를 기준으로 구분하기 위하여 이른바 '하
대 원성왕계'라고 지칭한다.

 원성왕의 선대는 비록 내물왕의 후손이기는 하나 중대에는 왕위계승
권을 가지지 못한 가계였다.[1] 그러다가 김경신이 즉위하여 원성왕계라
는 새로운 왕통이 성립되었다. 이로써 신라사에서 시기구분상 중대와
하대의 과도기적인 성격을 지닌 선덕왕을[2] 거쳐 실질적인 하대가 시작

---

1) 원성왕의 가계에 대해서는 김창겸, 1994,『신라하대왕위계승연구』, 성균관
  대학교 박사학위논문, 17~21쪽과 김창겸, 2003,『신라 하대 왕위계승 연구』,
  경인문화사, 29~34쪽에서 대략을 언급하였다. 이 글에서는 그것을 바탕으
  로 확대하여 심도있게 재검토하여 살펴본 것으로 내용상 부득이 약간의
  중복이 있음을 밝혀둔다.
2) 末松保和, 1949,「新羅三代考」『史學雜誌』 57-5·6 ; 1954,『新羅史の諸問題』,
  東洋文庫, 30쪽 ; 신형식, 1971,「신라왕위계승고」『유홍렬박사화갑기념논총』
  85쪽 ; 이기동, 1996,「신라하대의 사회변화」『한국사』 11, 국사편찬위원회,
  18쪽.

되었다.[3] 이러한 원성왕의 즉위는 신라 왕통의 변화는 물론 신라 역사상 큰 획이 되는 중요한 의미를 지녔다.

원성왕의 즉위는 외형상으로는 國人 추대의 절차가 있었지만 실제는 왕위계승예정자 김주원으로부터 찬탈(탈취)이었다.[4] 이 경우는 정치적 요인이 그 무엇보다도 우선하여 강하게 작용한 것이 분명하지만 여기에는 원성왕이 왕위를 찬탈하고 추대되어질 수 있는 혈연적인 배경이 있었기에 가능하였을 것이다.

이 글에서는 원성왕의 즉위를 가능케 한 배경으로 작용한 혈연적 기반인 그 先代와 그들이 신라 중대에서 가졌던 위상에 대해 살펴보고자 한다. 먼저 원성왕의 혈연적 기반, 즉 원성왕 선대의 내력을 살펴보겠다. 그리고 원성왕의 전왕 선덕왕과의 친족적 관계와 정치적 관계를 알아보면서, 원성왕가의 신라 중대에서 정치사회적 위상을 알아보겠다. 이 과정에서 원성왕 선대의 가계를 재구성하면서, 원성왕이 즉위할 수 있었던 친족적 기반을 언급할 것이다.

Ⅱ. 원성왕의 혈연적 배경 검토

1. 선대와 정치사회적 위상

원성왕의 즉위는 전적으로 전왕과의 혈연에 의한 정상적인 부자계승이 아니라 김주원과의 경쟁에서 승리하여 즉위한 비정상적인 왕위계승

---

3) 신형식, 1977, 「신라사의 시대구분」『한국사연구』 18, 42쪽 : 1990, 『통일신라사연구』, 삼지원, 120쪽 ; 김수태, 1996, 『신라중대정치사연구』, 일조각, 146~147쪽 ; 김창겸, 2003, 「신라 하대 왕실세력의 변천과 왕위계승」『신라문화』 22, 214쪽 : 2003, 앞의 책, 341쪽.
4) 김창겸, 2003, 앞의 책, 159~160쪽.

이다. 이러한 원성왕의 즉위에 대해서는 이미 많은 학자들이 관심을 가져왔고 또 연구도 있었으며, 그 결과 다양한 견해가 제시되었다.[5]

그 중에서도 가장 상반된 견해를 보이는 것의 하나가 원성왕 선대의 가계와 그들의 정치사회적 위상에 대한 것이다. 지금까지 연구자들의 견해를 살펴보면 크게는, 중대에는 원성왕계가 두드러지지 않았다는 입장과, 이와 달리 중대 진골귀족사회에서 상당한 위치에 있었다는 상반된 입장으로 나눌 수 있다.

전자로는 다음과 같은 견해가 있다. 우선 崔柄憲이 '원성왕 先祖의 관직이라든가 활동상은 일체 나타나지 않은 것은 중대에서는 원성왕의 가계가 별로 두드러지지 않은 것을 말한다.'고 추측하였다.[6] 또 朴海鉉은 "김경신 가문은 정치적으로 크게 성장한 것 같지 않다. 그의 아버지 孝讓이 일길찬의 관등에 머물렀던 점 등에서 중앙에서의 정치활동은 비

---

5) 이에 대한 연구로는 다음과 같은 글들이 참조가 된다. 이기백, 1958, 「신라 혜공왕대의 정치적 변혁」『사회과학』 2 ; 신형식, 1977, 「무열왕계의 성립과 활동」『한국사논총』 2 ; 오 성, 1979, 「신라 원성왕계의 왕위교체」『전해종 박사화갑기념 사학논총』 ; 윤병희, 1982, 「신라 하대 균정계의 왕위계승과 김양」『역사학보』 96 ; 이기동, 1996, 「신라 하대의 사회변화」『한국사』 11, 국사편찬위원회 ; 이기동, 1980, 「신라 하대의 왕위계승과 정치과정」『역사학보』 85 ; 이명식, 1984, 「신라 하대 김주원계의 정치적 입장」『대구사학』 26 ; 이영호, 1990, 「신라 혜공왕대 정변의 새로운 해석」『역사교육논집』 13·14 합집 ; 최병헌, 1978, 「신라 하대사회의 동요」『한국사』 3, 국사편찬위원회 ; 김수태, 1985, 「신라 선덕왕·원성왕의 왕위계승」『동아연구』 6 ; 김정숙, 1984, 「김주원세계의 성립과 그 변천」『백산학보』 28 ; 김창겸, 1997, 「신라 '명주군왕'고」『성대사림』 12·13합집 ; 김창겸, 1995, 「신라 원성왕의 즉위와 김주원계의 동향」『부촌신연철정년퇴임기념 사학논총』 ; 권영오, 1995, 「신라 원성왕의 즉위과정」『부대사학』 19 ; 김창겸, 2003, 『신라 하대 왕위계승 연구』, 경인문화사 ; 박해현, 2003, 『신라 중대 정치사 연구』, 국학자료원 ; 신정훈, 2004, 「신라 원성왕의 즉위초의 정치적 추이와 그 성격」『백산학보』 68 ; 김경애, 2006, 「신라 원성왕의 즉위와 하대왕실의 성립」『한국고대사연구』 41 ; 최의광, 2009, 「신라 원성왕의 왕위계승과 국인」『한국사학보』 37.
6) 최병헌, 1978, 앞의 논문, 431쪽.

교적 활발하지 않았던 것으로 여겨진다. 이렇게 된 것은 아무래도 대고 구려전쟁에서 그의 증조부인 義寬이 전쟁에서 패배를 이유로 면직되면 서부터였다고 생각된다. 따라서 김경신 가문은 중대 정국에서 크게 두 각을 나타내지 못하였다고 생각된다. 더욱 그의 모는 박씨였다. 박씨집 단은 중대에는 권력의 핵심에서 소외되어 있었다. 결국 김경신은 부모 모두 당시 정국에서 소외되어 있었다고 보인다."고 하였다.[7] 이 견해를 쫓아 金敬愛는 김경신 선대는 "중앙에서의 정치활동은 비교적 활발하지 않았던 것으로 여겨진다. 김경신이 혜공왕 15년 김유신묘에 치제하면서 다시금 중앙에서 두각을 나타내었다."고 하였다.[8]

반면에 후자로는 다음과 같은 견해가 있다. 李基東이 '원성왕의 증조 부인 의관과 조부인 위문이 중대 초기에 벼슬하면서 진골귀족사회에서 일정한 위치를 차지하고 있었을 것'이라 추측하였다.[9] 그리고 金昌謙은 '원성왕의 선대는 혈연적으로 凡奈勿王系의 후손으로서, 무열왕계와 가 까운 인척관계를 가지고 중대 전기 왕권에 협조한 대표적인 진골귀족가 로서 당시 정치계 내에서 상당히 유력한 가계'로 파악하였다.[10] 한편 郭 丞勳은 '김경신 가문의 원찰인 鍪藏寺의 군사적 성격을 소유'하였고, '이 러한 사찰경영을 위해서는 상당한 경제력이 뒷받침되어야 한다.'고 하 였다.[11] 심지어 權英五는 '김경신 가문은 무장사·갈항사·영묘사·숭복사 등의 사찰들과 직간접으로 연결되면서 상당한 세력을 부식시키고 있었 고, 그의 집안은 당시 신라 최고의 가문일 것'이라고[12] 해석하였다.

---

7) 박해현, 1997, 「혜공왕대 귀족세력과 중대 왕권」『전남사학』 11 : 2004, 앞의 책, 167쪽.
8) 김경애, 2006, 앞의 논문, 271쪽.
9) 이기동, 1980, 앞의 논문 : 1984, 『신라골품제사회와 화랑도』, 일조각, 151쪽 ; 1996, 앞의 논문, 20쪽.
10) 김창겸, 2003, 앞의 책, 32쪽.
11) 곽승훈, 1994, 「신라 중대 말기 귀족들의 불사활동」『이기백선생고희기념 한국사논총』 상, 372~374쪽.
12) 권영오, 1995, 앞의 논문, 162쪽.

그러면 원성왕의 가계를 심도 있게 천착하여 재검토하면서, 원성왕의 선대가 중대 신라사회에서 가졌던 혈연적 기반과 그들의 정치사회적 위상에 대해 살펴보겠다.

편의상 원성왕의 선대를 거슬러 올라가면서 차례로 살펴보도록 한다. 원성왕의 부계 선대를 포괄하여 언급한 기록으로는 다음과 같은 것들이 있다.

A-① 2월 왕의 高祖 大阿湌 法宣을 추봉하여 玄聖大王, 曾祖 伊湌 義寬을 神英大王, 할아버지 伊湌 魏文을 興平大王, 아버지 一吉湌 孝讓을 明德大王, 어머니 朴氏를 昭文太后라 하고, 아들 仁謙을 세워 太子로 삼았다(『삼국사기』 권10, 원성왕 즉위조).

② 이가 元聖大王이 되었으니 … 왕의 아버지 大角干 孝讓이 선조로부터 전해오던 萬波息笛을 왕에게 전하였더니 … 왕의 할아버지 訓入 迊干을 興平大王으로, 曾祖 義官 迊干를 神英大王으로, 高祖 法宣 大阿干을 玄聖大王으로 추봉하였는데, 玄聖의 아버지는 즉 摩叱次 迊干이다(『삼국유사』 권2, 원성대왕).

③ 제38 元聖王 : 金氏이고 이름은 敬愼이다. 혹은 敬信이다. 『唐書』에는 敬則이라 하였다. 아버지는 孝讓 大阿干인데 明德大王으로 추봉하였고, 어머니는 仁○이니 일명 知烏夫人인데 諡號는 昭文王后이고 昌近 伊己(伊干의 誤記)의 딸이다. 왕비는 淑貞夫人으로 神述 角干의 딸이다(『삼국유사』 권1, 왕력).

위의 인용문 A-①·②·③에 의하면 원성왕의 아버지는 孝讓이다.[13]

효양은 박씨인 昌近의 딸 소문태후(A-①)와[14] 혼인하였다. 그리고 효

---

13) 다만 사료에는 효양의 관등이 一吉湌(A-①), 大阿干(A-③, C), 大角干(A-②)으로 다르게 표기되어 있다.

14) 『삼국사기』에서는 繼烏夫人(G-①), 『삼국유사』에서는 仁○인데 일명 知烏夫

양은 중대 왕권의 상징인 만파식적을 원성왕에게 전하였으며(A-②), 뒤
에 명덕대왕으로 추봉되었다(A-①).

한편 원성왕의 어머니 소문태후는 3형제였다.

> B-① 두 塔은 天寶 17년 戊戌에 세우시니라, 남자형제와 여자형제 모두 3인
> 이 業으로 이루시니라, 남자형제는 零妙寺의 言寂法師이며 큰누이는
> 照文皇太后님이시며, 작은 누이는 敬信大王의 姨母이시다(「葛項寺石
> 塔記」『조선금석총람』 상, 43~44쪽).
> ② 옛날 波珍湌 金元良은 炤文王后의 元舅이며 肅貞王后의 외할아버지
> 이다(「崇福寺碑」『조선금석총람』 상, 120쪽).

즉, 소문태후에게는 남자형제인 零妙寺의 言寂法師와 여자형제인 敬
信大王의 姨母가 있었다(B-①).[15]

한편 소문태후의 어머니(창근의 처)는 이름은 알 수 없지만, 「崇福寺
碑」에 의하면 소문태후의 元舅는 波珍湌 金元良이라고 한다(B-②). 元舅
는 임금 또는 왕비의 外叔을 칭하는 것이다.[16] 결국 소문태후의 어머니

人이라고도 한다고(A-③) 하였다. 여기서 繼烏와 知烏는 동일인에 대한 표
기상의 차이 내지는 오류일 것이기에 크게 문제가 되지 않으므로 『삼국사
기』에 따라 繼烏夫人으로 본다. 그리고 시호 또한 『삼국사기』에는 昭文太
后(A-①), 『삼국유사』에는 昭文王后(A-③), 「갈항사석탑기」에는 照文皇太后
(B-①), 「大崇福寺碑」에는 炤文王后(B-②)로 달리 표기되어 있지만, 이 역시
모두가 동일인에 대한 同音異寫이므로, 여기서는 『삼국사기』의 昭文太后
에 따른다.

15) 이 文句에 대하여 원성왕의 姨母·乳母로 보는 견해(문명대, 1981, 「김천갈
항사석불좌상의 고찰」『동국사학』 15·16합집, 55쪽 및 남풍현, 1993, 「신라
시대 이두문의 해독」『서지학보』 9, 22~23쪽)와 친어머니로 보는 견해(고유
섭, 1975, 『한국탑파의 연구』, 동화출판공사, 201쪽)가 있으나, 전자의 견해
에 따른다.

16) 최영성, 1987, 『주해사산비명』 아세아문화사, 131쪽 주12 참조. 이와 달리 金
元良은 원성왕의 外叔(문경현, 1990, 「신라 박씨의 골품에 대하여」『역사교

의 남자형제는 金元良이고 관등은 파진찬이었다. 김원량은 귀족으로서 재산을 희사하여 사찰을 창건하였는데, 곧 鵠寺가 그것이다. 곡사는 후에 崇福寺로 중창되었다.[17]

더구나 김원량의 딸은 혜공왕대 중신인 金神述과 혼인하였고, 그의 누이는 창근과 혼인하는 등 상당한 위상을 가진 인물이었던 것으로 생각된다. 이에서 추측컨대 김원량은 신라 중대 사회에서 유력한 김씨 진골귀족이었던 것으로 보겠다.

이상을 통해서 볼 때, 원성왕의 어머니의 부계는 박씨가이었고, 어머니의 모계는 김씨로 중대 무열왕계의 왕실과 가까운 사이에 있었던 가계인 듯하다.

그런데 특이한 사실은 원성왕의 왕비 숙정부인의 외할아버지 또한 김원량이라고 한다. 淑貞夫人(肅貞夫人)의 성은 김씨이고, 그녀의 아버지는 神述 角干이다. 그렇다면 그녀의 아버지인 각간 김신술은 김원량의 딸과 혼인한 부부임을 알 수 있다. 즉 원성왕비의 모계는 곧 김원량의 가계이다. 그러므로 원성왕비의 부계는 각간의 관등을 가지는 등 상당한 정치사회적 지위를 누렸던 진골김씨가의 하나였다.

김원량은 소문태후의 元舅이며 숙정왕후의 外祖父이다. 이처럼 김원량의 가계는 원성왕의 어머니 소문태후의 모계인 동시에 원성왕의 비인 숙정왕후의 모계였다. 원성왕은 모와 비를 통하여 김원량과 중첩으로

육논집』13·14합집, 224쪽 주36)이라 하였으나 사실은 원성왕 어머니의 외숙이다. 또 金元良과 言寂法師는 형제(한기문, 1990, 「고려시대 관인의 원당(상)」『대구사학』39, 71쪽)라는 해석도 있으나 원성왕의 外家는 박씨이므로 言寂 또한 俗姓은 박씨이기에 김원량과 친형제가 될 수 없다.

17) "伽藍號崇福者乃先朝嗣位之初載奉爲烈祖元聖大王園陵追福之所修建也 粤若稽古寺之濫觴審新刹之覆簀則昔波珍湌金元良者炤文王后之元舅肅貞王后之外祖也身雖貴公子心實眞古人始則謝安縱賞於東山儼作歌堂舞館終乃慧遠同期於西境捨爲像殿經臺當年之鳳管鸚絃此日之金鍾玉磬隨時變改出世因緣寺之所枕倚也嚴有鵠狀仍爲戶牓"(「숭복사비」).

맺어진 인척관계에 있었다. 결국 김원량가는 김경신을 적극 지원한 유력한 진골귀족세력임을 추측할 수 있다.

한편 위의 인용문 A-①에서 말하듯이 원성왕의 할아버지는 伊湌 魏文(訓入)이다.[18] 위문은 712년(성덕왕 11) 3월에 執事部 中侍에 임명되어 713년(성덕왕 12) 10월에 늙음을 이유로 스스로 물러났다.[19]

아울러 위문에게는 파진찬의 관등을 가졌던 형제가 있었다.

> C. 京城의 동북 20리쯤 되는 곳인 暗谷村 북쪽에 鍪藏寺가 있는데, 제38대 元聖大王의 아버지 大阿干 孝讓 즉 추봉된 明德大王이 숙부 波珍湌을 추모하여 받들기 위해 세운 것이다. … 세간에 전하는 말에는 '태종이 삼국을 통일한 후에 병기와 투구를 이 골짜기 속에 감추어 두었기에 이에서 이름 한 것이다.'고 한다(『삼국유사』 권3, 무장사미타전).

이처럼 鍪藏寺는 원성왕의 아버지인 孝讓이 파진찬의 관등을 가졌던 숙부를 추모하여 받들기 위해 세운 추모사찰이다.

이에서 우리는 원성왕이 즉위하기 이전 시기에 그의 아버지 효양은 가족을 위해 하나의 사찰을 건립할 정도라면 그의 경제력이 풍부했음을 짐작할 수 있다. 더구나 무장사란 이름의 유래에서 짐작되듯이 원성왕의 선대는 군사력도 소유하고 있었다고 여겨진다.[20]

그리고 원성왕의 曾祖는 伊湌 義寬(義官)이다. 그는 삼국통일전쟁 중에 將軍으로 활약하였고, 특히 670년(문무왕 10) 7월에는 백제 舊領에 진

---

18) 이름이 『삼국사기』에는 魏文(A-①), 『삼국유사』에는 訓入(A-②)으로 되어 있으나 여기서는 魏文을 따른다. 당시 初名을 뒤에 고친 사례가 더러 있는데, 아마 이것도 그 경우에 해당하는지 아니면 기록자의 착오인지 알 수 없다.

19) 『삼국사기』 권8, 성덕왕 11년 3월 및 12년 10월.

20) 무장사란 이름이 군사적 특성을 지니고 있다(곽승훈, 1995, 앞의 논문, 52쪽).

격해 들어갔다가 퇴각하여 衆臣·達官·興元 등과 함께 사형을 받을 뻔하고 면직된 일이 있다.[21]

그런데 흥미로운 일은 680년 의관의 딸을 신라에 귀부한 報德王 安勝의 妻로 삼게 한 바 있다.

> D. 3월 報德王 安勝에게 금은으로 만든 그릇과 여러 가지 채색 비단 100단을 내려주고 왕의 누이[또 이르기를 迊湌 金義官의 딸이라고도 한대로써 아내를 삼게 하였다(遂以王妹妻之 一云迊湌金義官之女也). 다음과 같은 교서를 내렸다. "인륜의 근본은 부부가 무엇보다도 우선하고 … 지금 좋은 날에 옛 법도를 따라 내 누이의 딸로써(寡人妹女) 배필을 삼게 하니 왕은 마땅히 마음과 뜻을 … " 하였다(『삼국사기』 권7, 문무왕 20년 3월).

물론 인용문 D에서 보듯이 『삼국사기』 문무왕 20년 3월조의 기사에서는 안승에게 내려준 여자를 문무왕의 누이(王妹)라고 하였다.[22] 그러나 바로 이어진 교서에서는 왕의 누이의 딸(寡人妹女)이라고 하였다. 또 본문의 細註로 김의관의 딸이라고 하였다. 위의 기록을 두고 연구자간에 안승의 처를 문무왕의 누이, 김의관의 딸, 문무왕 누이의 딸로 해석을 달리한다.

그러나 인용문 D에서 안승의 처를 문무왕의 妹라고 한 것은 사실이

---

21) 『삼국사기』 권6, 문무왕 10년 7월. 한편 이들이 단지 패퇴하였다는 이유만으로 파면된 것은 문무왕측이 반대세력을 제거하기 위해서 취한 조치라는 해석도 있다(박해현, 2003, 앞의 책, 29쪽).

22) 이에 따라 『증보문헌비고』 권44, 제계고5 王女 新羅에는, 太宗王의 딸 4명을 '딸1 : 郎幢 金歆運에게 시집감. 딸2 : 金品釋에게 시집감. 딸3 : 智照는 大角干 金庾信에게 시집감. 딸4 : 報德王 安勝에게 시집감, 문무왕이 妹로 아내를 삼게 함.'이라고 기록하였다. 또 문무왕이 자기의 누이 동생을 안승에게 시집보낸 것으로 보는 견해도 있다(사회과학원 력사연구소, 1979, 『조선전사』 5, 북한 과학백과사전출판사, 15쪽).

아니라고 생각한다. 이것은 "王妹女妻之"라고 할 것을 기록하는 과정에서 착오로 "女"자를 누락한 것이라고 보겠다. 뒤이어 기록된 교서 내용에서 보듯이 그녀는 문무왕의 누이의 딸인 것이다. 그리고 이에 대해『삼국사절요』에는 "王兄之女"와 "寡人兄女"라고[23] 하였다. 즉 문무왕의 형의 딸이라는 것이다. 그러나 문무왕에게는 남자 형이 없었다. 여기서 형이란 손위의 누이를 의미하거나, 아니면 손위 누이의 남편인 妹兄을 표기한 것이라고 보겠다. 그러므로 안승의 처는 문무왕 누이의 딸이 옳다.

이러한 사실은 인용문 D에서 "寡人妹女"라고 하였을 뿐만 아니라, 다른 기록에는 '外生公', '外生女' 또는 '姻親'이라고 한 것에서도 확인된다.

> E. 여름 5월에 고구려왕이 大將軍 延武 등을 보내 표를 올려 "신 안승은 말씀을 올립니다. 大阿湌 金官長이 이르러 교지를 받들어 선포하고 아울러 교서를 내려 생질로써(外生公) 저의 안주인을 삼으라 하셨습니다. … 그럼에도 거듭 대왕의 총애를 입어 대왕의 인척을 내려주었습니다(降此姻親). … "고 하였다(『삼국사기』 권7, 문무왕 20년 5월).

위의 인용문 E에서 '外生公'은 사실은 『삼국사절요』와[24] 趙炳舜 校監本『삼국사기』에서 '外生女'임이 확인되었다. 외생녀는 생질녀를 말한다. 그리고 인용문 E의 姻親은 '사돈 또는 姻戚'으로 外家와 妻家의 一族(姻屬)을 말하는 친족호칭이다.

한편『동국통감』에는 문무왕이 "外妹女를 보덕왕 안승에게 시집보내고 이어 금은기와 잡채 100단을 하사하니, 안승이 그의 장수 延武를 보내어 표문을 올려 사례하였다."고[25] 기록되어 있다. 여기서도 '문무왕의

---

23) "垂王兄之女妻之 下敎日 … 以寡人兄女爲伉儷"(『삼국사절요』 권11, 문무왕 20년 3월).
24) "賜敎書以外生女爲下邑內主"(『삼국사절요』 권11, 문무왕 20년 5월).
25) "三月以外妹女歸于報德王安勝 仍賜金銀器雜綵百段 安勝其將延武 上表陳

外妹女'라 하여 문무왕의 친가가 아니라 시집간 누이의 딸이라고 하였다.[26] 이로써 外妹女는 앞의 인용문 D에 실린 敎書에서 "寡人妹女"란 표현과 같은 것으로, 보다 구체적으로 外妹女라고 기록한 것이다.

결국 安勝에게 출가한 여자는 문무왕의 外妹女, 즉 외조카녀(外甥)이다. 그렇다면 인용문 D의 세주에서 그녀는 金義官의 딸이라고 한 것은 충분히 신뢰성을 갖는 것이라 하겠다. 최근의 연구자들은 이 기록을 신뢰하여, 안승의 처는 김의관의 딸이라고 한 것을 사실로 보고 있다.[27]

이것이 사실이라면 안승에게 시집간 여인은 문무왕의 누이의 딸이면서 동시에 김의관의 딸인 것이다. 즉, 그녀의 아버지는 김의관이고 어머니는 문무왕의 누이인 것을 말해주는 것이다. 여기서 문무왕의 누이는 김의관과 혼인하였음을 알 수 있다. 다시 말해 김의관은 무열왕의 딸(문무왕의 누이)과 혼인하여 무열왕의 女壻이고 동시에 문무왕의 妹夫였던 것이다.[28] 그러므로 문무왕은 자신의 누이와 매부 김의관 사이에서 태

謝"(『東國通鑑』 권9, 신라기 문무왕 20년).

26) 外妹女는 문무왕의 누이의 딸(甥姪女), 출가한 누이의 딸로 해석하는 것이 순리이다.

27) 이병도, 1977, 『역주삼국사기』, 을유문화사, 155쪽 주65 ; 이기동, 1994, 앞의 책, 151쪽 ; 김수태, 앞의 책, 17쪽 주21 ; 김경애, 앞의 논문, 271쪽. 심지어 의관의 둘째 딸이라는 견해도 있다(주보돈, 1991, 「김의관」 『한국민족문화대백과사전』 3, 한국정신문화연구원).

28) 필자는 이미 박사학위논문 『신라하대왕위계승연구』(성균관대학교대학원, 1994.2)와 연구저서 2003, 『신라 하대 왕위계승 연구』, 경인문화사, 32쪽)에서 의관은 무열왕의 女壻이고 또 문무왕의 妹夫라고 하였다. 이에 대해 전덕재는 필자의 저서에 대한 서평에서, 이 인용 문구를 "보덕국왕의 아내가 문무왕의 여동생 또는 김의관의 딸이라는 의미로 해석하는 것이 타당하다. 이 기록을 근거로 의관이 태종무열왕의 여서라고 주장하는 것은 재고의 여지가 있다."고 한 바 있다(전덕재, 2003, 「서평 김창겸 저 '신라하대 왕위계승 연구'」 『한국사연구』 123, 391쪽). 친절하게 장문의 서평을 해준 것에 대한 감사의 마음은 변함이 없다. 다만 서평자가 이 문구에 집착하여 인용문 전체에 대한 사료분석을 간과하여, 이것에 대한 올바른 이해를 갖지 못한 점이 안타깝다.

어난 딸을 안승에게 시집보냈던 것이다. 결국 안승은 신라 무열왕의 외
손녀 사위이며, 문무왕의 외질녀 사위이다.[29] 이처럼 원성왕의 증조인
의관은 중대 왕실과 아주 가까운 관계를 가진 인물이었고, 그의 집안은
당시 정치사회에서 최상위에 속하는 진골귀족이었다.

한편 원성왕의 고조는 大阿湌 法宣이고, 법선의 아버지는 摩叱次 匝
干이다. 그러나 불행하게도 법선과 마질차에 대한 기록은 더 이상 없어,
이들에 대해 보다 자세하게 알기는 어렵다.

게다가 앞에서 언급한 인용문 A의 내용만으로는 원성왕의 5대조 이
상에 대해서 알 수 없다. 그러나 원성왕이 내물왕의 12세손이라(G-①) 하
였다. 그렇다면 원성왕의 5대조 마질차에서 12대조 내물왕 사이의 선대
가 있었고, 가계가 분명히 이어졌을 것이다.

이를 밝히기 위하여, 비록 후대의 기록이기는 하나 「신라경순왕전비」
의 내용을 통해 원성왕의 선대에 대한 기록을 차용해 보도록 한다.

F. (경순)왕의 이름은 傳이고 新羅人이다. 그 始祖는 閼智이고, … 8세 내물
   왕, 9세 복호, 10세 習寶는 …, 11세 智證王은 …, 12세 眞宗, 13세 欽運, 14

---

29) 한편 김수태는 '681년(신문왕 1) 8월 8일 金欽突의 난이 일어났을 때, 의관
   은 興元과 마찬가지로 난에 가담하였을 가능성이 크며, 또한 중대말 원성
   왕계의 무열왕계에 대한 반발의 기원은 여기에까지 찾아질 수 있는 것이
   아닌가 한다.'고 추측하였다(김수태, 앞의 책, 17쪽 주21). 그 근거로 보덕왕
   안승의 처의 爻인 義官이 흥원과 함께 670년(문무왕 10) 면직된 사실이 있
   는데, 의관이 흥원과 마찬가지로 김흠돌 세력에 포함된다면 그러한 사실
   도 영향이 미쳤던 것이 아닌가 한다. 이것은 보덕왕 안승이 흠돌 등이 복주
   된 5일 후 小兄 首德皆를 사신으로 보내어 역적의 평정을 하례하였다는 이
   례적인 사실에서도(『삼국사기』 권8, 신문왕 원년 8월 13일) 미루어 지는데,
   '이때 안승이 사신을 보낸 것은 의관 등이 여기에 관련된 책임을 면하기 위
   한 것으로 생각된다.'고 하였다(김수태, 앞의 책, 29~30쪽 주55). 그러나 의관
   이 김흠돌의 난에 직접 관여하지는 않았다고 보겠다. 그러기에 그의 아들
   위문이 712년(성덕왕 11) 3월 집사부 시중에 임명될 수 있었다고 본다.

세 摩次, 15세 法宣으로 추봉된 玄聖王, 16세는 義寬으로 추봉된 神英王, 17세는 魏文으로 興平王, 18세는 孝讓으로 추봉된 明德王, 19세는 元聖王으로 처음 讀書出身科를 설치하였다(「新羅敬順王殿碑」 『조선금석총람』 下, 1264~1265쪽).

신라 김씨의 계보에서, 시조 關智로부터 18세에 해당하는 효양이 원성왕의 아버지이다. 그러므로 위의 비문에서 원성왕의 선대는 5대조인 마(질)차에서 다시 위로 6대조 흠운 → 7대조 진종 → 8대조 습보 → 9대조 지증왕 → 10대조 복호 → 11대조 내물왕으로 이어짐을 알 수 있다. 그렇다면 원성왕은 내물왕의 12세손에 해당한다. 결국 이러한 사실은 『삼국사기』에 원성왕은 내물왕 12세손이라고 한 것(G-①)과 합치한다.

이 비문에 보이는 歆運이라는 이름을 문헌자료에서 찾으면, '歆運'을 혹은 '欽運'으로도 표기한다고 되어 있다. 그런데 『삼국사기』에 따르면 歆運은 내물마립간의 8대손으로, 그의 아버지는 匝飡 達福이고, 태종무열왕의 사위이며, 신문왕의 장인으로 기록되어 있다. 그는 어려서는 화랑 文努의 낭도로서 수행하였으며, 명예와 기개를 중시하였다. 655년 신라가 고구려와 백제에 북쪽 변방 33성을 빼앗기자 郎幢大監으로 출전하여, 병사들과 고락을 같이하며 전쟁에 참여하였다.[30]

하지만 삼국통일전쟁기에 활동한 화랑 출신 歆運과 인용문 F에서 원성왕의 6대조에 해당하는 欽運은 서로 생존연대가 다르고, 뿐만 아니라 전자의 아버지는 達福이고 후자의 아버지는 眞宗이라 함으로, 양자는 동일인이 아니다. 그러므로 원성왕의 선대 欽運이 누구인지 알 수 없다.

---

30) 백제 땅 陽山 밑에서 진을 치고 助川城을 공략하려다가 백제군의 기습을 받아 패배, 大舍 詮知가 일단 후퇴하여 후일을 기약하자고 권유하는 것을 뿌리치고 적과 싸우다가 끝내 大監 穢破와 小監 狄得과 함께 전사하였다. 죽은 뒤 一吉飡에 추증되었으며, 사람들은 「陽山歌」를 지어 그의 죽음을 슬퍼하였다고 한다. 딸은 683년(신문왕 3) 신문왕의 왕후가 되어 효소왕을 낳았다.

그러면 眞宗은 누구인가? 진종에 대한 기록을 찾기가 어렵다. 비록『삼국유사』에 효성왕의 왕비인 惠明王后의 아버지가 진종이라는 기록이 있으나,[31] 이 인물은 인용문 F에서 원성왕의 7대조라는 한 진종과는 생존 연대가 너무 차이가 난다. 이 진종은 훨씬 후대에 활동한 다른 인물이다. 이런 까닭에 원성왕의 7대조 진종에 대해서는 명확한 것을 알 수가 없다.

한편 지증왕은 우리가 잘 알듯이, 신라 제22대 왕(재위 500~514)으로, 국호를 신라로 바꾸고 왕호를 개정하였다. 순장법 폐지, 우경법 시행, 상복제도 제정, 주·군 정비 등을 통해 신라가 중앙집권적 귀족국가체제를 갖추는 데 초석을 마련한 위대한 영주이다. 그러면 왜 원성왕은 그의 직계조 중에서 가장 마지막으로 재위하였던 지증왕을 기준으로 하여 지증왕의 9세손이라고 하지 않고 내물왕의 12세손이라고 하였을까? 이것은 이른바 내물왕계의 혈연의식이라 하겠다. 특히 이때에 이르러 혜공왕을 이어 내물왕의 10세손 선덕왕이 즉위한 결과 신라왕실의 가계가 바뀌었다. 그러기에 원성왕도 내물왕계를 표방하였을 것이다.

이상에서 살펴본 바에 의하면 원성왕의 선대는 혈연적으로 범내물왕계의 후손이며, 무열왕의 사위, 문무왕의 매부로서 무열왕계와 가까운 인척관계를 갖는 등 중대 전기 왕권에 협조한 대표 진골귀족 가문의 하나였다. 그리고 정치 사회적으로도 伊飡, 迊干, 一吉飡, 大阿飡의 관등과 中侍, 將軍의 관직을 역임하는 등 진골귀족가로서 당시 신라 정치계 내에서 상당히 유력한 가계였다.[32]

그러므로 중대에는 원성왕의 가계가 별로 두드러지지 않았다거나 다

---

31)『삼국유사』권1, 왕력. "효성왕은 김씨이며 승경이다. 아버지는 성덕왕이며 어머니는 소덕태후이다. 비는 해명왕후이며 진종 각간의 딸이다."고 하였으나,『삼국사기』권9, 효성왕 3년조에는 "이찬 순원의 딸 해명을 받아들여 왕비로 삼았다."고 하였다. 그러므로『삼국사기』에 따르면 해명왕후의 아버지는 순원이고 진종이 아니다.
32) 김창겸, 2003, 앞의 책, 32쪽.

른 방계 귀족들과 마찬가지로 억압받아[33] 정치적으로 크게 성장하지 못하여 두각을 드러내지 못하였다는 이해는 잘못이고, 대단히 우월한 위치에 있었다고 보겠다. 더구나 혹자는 원성왕의 조부 위문 이후 정치계에서 위축된 것으로 보려는 견해가 있으나, 이와는 달리 아버지 효양 역시 일길찬 또는 대각간의 관등에다 이에 더하여 사찰을 바탕으로 상당한 군사력과 경제력을 소유한 유력가였다.

그러나 무열왕의 직계가 아니라 外孫系로서, 중대의 왕위계승과는 별다른 관련을 갖지 못하여 무열왕계 왕족에 비하면 그 위상에 차이가 있었다. 하지만 그럴지언정 중대 무열왕계 왕실과 매우 가까운 인척관계를 가진 진골귀족가문으로서 최고의 상층에 속하였던 것이다.

결국 김경신은 이러한 혈연적 기반과 선대의 경제력과 군사력을 바탕으로 중앙정계에 진출하였고, 또 조부 위문 및 아버지 효양의 후광에 도움받아 당시 최고의 실력자 중의 한 명인 金神述의 딸 숙정부인과 혼인함으로써 자신의 지위를 한층 상승시켰다.

특히 최근에 경남 사천 선진리에서 발견된 신라고비에 의하면 "國主祇雲大王上大等○ ⋯ 神述時州總官蘇干○ ⋯ "이란 구절이 있다. 이에서 추측컨대 신술은 혜공왕대에 蘇干(蘇判)의 관등으로서 康州 지역의 통치책임자인 總官 관직을 역임하였음을 알 수 있다. 그리고 이후에는 더 이상의 위상을 가졌고, 그리하여 사위 김경신이 즉위하는데 상당한 영향력을 행사한 듯하다.[34] 다시 말해 김신술이 강주총관으로 재직하면서 이 지역에 형성한 세력기반은 뒷날 그의 사위인 김경신의 즉위에 기여하였을 것으로 생각할 수도 있겠다.

---

33) 최병헌, 앞의 논문, 431쪽 ; 김경애, 앞의 논문, 279쪽.
34) 이처럼 이 비문에 보이는 '神述'은 원성왕의 장인, 즉 숙정부인의 아버지인 김신술이다. 이 비문은 신술이 혜공왕대 강주총관을 역임한 새로운 사실을 알려주는 소중한 자료이다(김창겸, 2005, 「최근 발견 사천선진리신라비 검토」『금석문을 통한 신라사 연구』, 한국학중앙연구원, 95~142쪽).

2. 선덕왕과의 친족관계와 연계

흔히 김경신이 혜공왕대에 상대등인 김양상과 관련을 맺으면서 정치적으로 크게 성장하였고, 그리하여 양자는 정치 노선도 함께 한 것으로 설명하고 있다. 그러면 이들이 연계될 수 있었던 이유와 배경은 무엇이었을까? 관점에 따라 이해를 달리할 수도 있지만, 필자는 이들이 혈연적으로 친족이라는 것으로 이야기하고 싶다.

우리가 잘 알다시피 김경신(원성왕)은 실제 즉위하였다. 그런데 신라에서는 왕위계승에 가장 우선하여 작용하는 요소가 혈연조건이다. 특히 왕위계승에는 계승자 본인과 전왕과의 혈연관계가 무엇보다도 중요한 요소이다. 그러므로 원성왕 역시 전왕 선덕왕과의 혈연관계를 다시한번 치밀하게 검토할 필요가 있다.

G-① 원성왕이 즉위하였다. 이름은 敬信이며 奈勿王의 12世孫이다. 어머니는 朴氏 繼烏夫人이고 왕비는 金氏로 神述 角干의 딸이다. … 어느 사람이 "임금의 큰 지위는 본디 사람이 어떻게 할 수 있는 것이 아니다. 오늘의 폭우는 하늘이 혹시 周元을 왕으로 세우려 하지 않는 것이 아닌가? 지금의 上大等 敬信은 전 임금의 아우로 본디부터 덕망이 높고 임금의 체모를 가졌다."고 하였다(『삼국사기』 권10, 원성왕 즉위조).

② 貞元元年 … 그 해에 良相이 죽으매, 上相 敬信을 세워 왕으로 삼고 그 官爵을 승습케 하였다. 敬信은 곧 (전왕 宣德王의) 從兄弟이다(『구당서』 권199, 동이전 신라조).

③ 貞元元年에 戶部郎中 蓋塤에게 符節을 주어 보내어 良相을 책봉하였다. 이 해에 죽음에 良相의 從父弟인 敬信을 세워 왕위를 잇게 하였다(『신당서』 권220, 동이전 신라조).

④ 이 해에 新羅王 金良相이 죽음에 그 나라의 上相 金敬信을 왕으로 삼고 詔書를 보내어 그 官爵을 승습케 하였다. 敬信은 곧 (金良相의) 從

兄弟이다(『책부원구』 권965, 외신부 봉책3).

　위의 인용문에서는 원성왕을 전왕인 선덕왕의 弟(G-①), 從兄弟(G-②·
④), 從父弟(G-③)라고 다르게 표기하였다.

　특히 인용문 G-①에는 원성왕과 선덕왕의 혈연관계를 "前王之弟"라
고 하여 원성왕의 부계를 이해하는데 많은 혼란을 야기하고 있다. 『삼국
사기』에서는 원성왕이 내물왕의 12세손이라고 하면서, 또 다른 곳에서
는 내물왕의 10세손으로 표기되어 있는[35] 선덕왕의 아우라고 하니, 부계
로는 이들 두 사람이 동일세대가 아님을 알 수 있다. 만약 여기의 세대
수가 옳다면 원성왕은 선덕왕의 2세대 아래로서 孫子行列이라야 한다.
더구나 선덕왕의 아버지는 효방이고, 할아버지는 원문이다. 반면 원성
왕의 아버지는 효양이고, 할아버지는 위문이다. 그러므로 이 두 사람은
부계로는 형제관계가 성립되지 못한다.

　그런데 『신당서』에는 선덕왕의 '從父弟', 『구당서』와 『册府元龜』에는
'從兄弟'로 표기되어 있다. 이에 의하면 선덕왕과 원성왕의 관계는 형제
이기는 하나 친형제가 아니라 從兄弟(4寸)의 관계에 해당한다. 사실 선
덕왕의 아버지 이름이 孝芳이고 원성왕의 아버지 이름이 孝讓이라 마치
'孝'자 항렬의 형제처럼 연상된다.[36] 그러나 내물왕을 기준으로 선덕왕
은 10세손이고, 원성왕은 12세손이기 때문에 중국사서의 從兄弟라는 기
록도 부계로는 성립되지 못한다는 문제점을 갖고 있다.[37] 그리고 『구당

---

35) 『삼국사기』 권9, 선덕왕 즉위조.
36) 이병도는 "新王(敬信)을 前王(良相)의 弟라 함은 잘못인 듯하다. 이름으로
　　보아 혹 孝芳과 孝讓이 兄弟間으로 신왕과 전왕은 從兄弟間인지도 알 수
　　없다"(이병도, 1977, 앞의 책, 163쪽 주1)고 하였다.
37) 「興德王陵碑」의 검토를 통하여 『삼국사기』에서 원성왕을 내물왕의 12대손
　　이라 한 것은 잘못이며, 내물왕의 17대손으로 수정되어야 한다는 견해도
　　있다(이기동, 1978, 「신라 태조성한의 문제와 흥덕왕비의 발견」 『대구사학』
　　15·16합집 ; 1984, 앞의 책, 374쪽).

서』와 『신당서』에 從兄弟·從父弟라고 기록되어 있지만, 선덕왕의 할아
버지는 元訓이고, 원성왕의 할아버지는 魏文(訓入)이므로 서로 할아버지
가 달라서 두 사람은 부계에 의한 同行列의 從兄弟는 아니다. 그래서 선
덕왕과 원성왕이 형제간이라는 친족관계의 표기가 혹시 모계에 의한 것
일지도 모른다는 추측도 있었는데,[38] 이는 타당성이 있는 것으로 보인다.

그래서 필자 또한 원성왕은 선덕왕의 弟, 從兄弟, 從父弟로 표기되어
있는 것에서 어쩌면 원성왕은 선덕왕의 모계에 의한 형제로 추정되는
데, 어쨌든 원성왕 당시 정치권 내에서 선덕왕과 상당히 밀접한 친족관
계를 가지고 있다고[39] 한 바가 있다.

하지만 두 사람이 모계로 어떻게 연결되었는지, 즉 어떤 친족관계를
갖고 있었는지를 잘 알 수 없다. 더구나 선덕왕의 어머니 四炤夫人은 성
덕왕의 딸로 김씨였고, 원성왕의 어머니 繼烏夫人은 昌近의 딸로 박씨
이다. 그러므로 사소부인과 계오부인이 동일 부계친으로 자매형제라든
가 그런 관계는 성립되지 않는다. 그런데 앞에서도 언급하였듯이 계오
부인의 외숙이 金元良이라고 한다. 그의 이름 元良과 선덕왕의 할아버
지 元訓은 이름이 유사하다. 더구나 이들이 생존하면서 활동한 시기도
비슷하다. 이에 더하여 이미 통일신라 사회에서 왕족과 진골 귀족층에
서는 이름에 항렬자가 일부 사용되었음을 고려하면[40] 혹 이 두 사람은
형제 사이였을 가능성이 있다.

이러한 가정을 전제로 선덕왕과 원성왕의 친족관계를 구성해 보면
다음 [그림 1]과 같다.

---

38) 이기백, 1974, 「상대등고」, 앞의 책, 114쪽 주38.
39) 김창겸, 2003, 앞의 책, 291쪽.
40) 성덕왕의 아들 重慶·承慶, 원성왕의 아들 義英·禮英, 예영의 아들 均貞·憲
貞, 允興·叔興·季興 형제, 김유신의 아들 元述·元貞·元望과 손자 允中·允
文, 그리고 金鉉·金銳 형제의 이름에서 보듯이 통일신라시대에는 왕족과
귀족사회에서는 이름에 항렬자를 사용하였다.

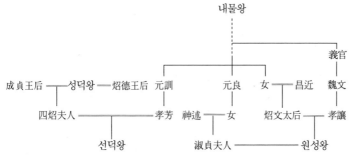

[그림 1] 원성왕과 선덕왕의 친족관계 추정도

　[그림 1]을 바탕으로 선덕왕과 원성왕의 관계를 설명해 보겠다. 선덕왕의 할아버지 원훈은 원성왕의 외할머니와 남매간인 원량의 남자형제로 추정된다. 다시 말해 원훈과 원량은 형제간이고, 소문태후의 어머니는 이들과 남매간으로 추정된다.

　만약 이러한 추정이 가능하다면, 원성왕의 어머니 소문태후는 선덕왕의 아버지 효방에게 부계로 姑從男妹에 해당하고, 선덕왕의 아버지 효방은 소문태후와 모계로 姨從男妹에 해당한다. 그러므로 선덕왕은 원성왕에게는 모계로 형제 항렬이다. 더구나 신라시대는 근친혼이 활발하게 행해지던 사회라 상류층에서 이 정도의 친족관계라면 서로 쉽게 연결될 수 있었다. 사실상 원성왕의 아내 숙정부인도 외가를 통해 선덕왕과 가까운 친척이었다. [그림 1]에서 보듯이 선덕왕과 숙정부인은 모계를 통해 남매간에 해당한다. 그러므로 선덕왕과 숙정부인의 남편인 원성왕은 妻男妹弟 항렬에 해당하는 형제뻘의 인척관계가 성립된다. 결국 원성왕은 어머니와 아내를 통하여 선덕왕과는 이중으로 연결된 형제 항렬의 인척이었다.

　선덕왕이야 부계로는 내물왕의 후손이지만 모계로는 직전에 재위한 성덕왕의 딸인 사소부인의 아들이라는 혈통, 즉 현재 왕실에 가까운 혈연에 의하여 무열왕계 왕족에 속하는 의식을 갖는 것이 친족관념상 훨씬 유리하고 친숙한 입장이었을 것이다. 그렇지만 원성왕은 비록 선대

는 무열왕계와 가까운 친족이었으나, 자신에 이르러서는 이것보다는 현
재 실력자인 김양상과 같은 연원을 가진 원훈과 원량, 그리고 이들 누이
의 후손이라는 혈연의식으로 연계하였다.[41) 그러므로 이들의 연결은 실
제는 모계와 처계에 의한 것으로 이해하는 것이 좋겠다.

더구나 선덕왕을 이어 원성왕이 실제 왕위를 계승하였다. 당시 신라
에서는 왕위가 교체되면 외교상 의례적으로 이 사실을 唐에 알렸고, 당
은 그 통보사항을 접수하고 인정하는 형식으로 책봉을 하였다. 간혹 이
때에 당은 정치적·문화적인 이유로 신라에 제약을 가하려 하고, 신라는
그 빌미를 사전에 대비하였다.[42) 특히 혈연상 부자계승이 아닌 비정상
적인 왕위계승이 이루어진 경우에는 왕위계승자를 전왕의 아주 가까운
친족으로 속이는 경우가 있었다.[43)

---

41) 반면에 선덕왕은 내물왕 10대손, 원성왕은 내물왕 12대손이라는 『삼국사기』
의 기록을 더 신뢰하여 이것으로는 양자의 혈연관계를 밝히고 이를 바탕
으로 그들의 연결 배경을 추정하는 것은 한계가 있고, 단지 이들은 내물왕
계를 표방했다는 점에서 동일한 혈연의식을 갖고 있었을 것이란 주장도
있다(김경애, 2006, 앞의 논문, 273쪽). 그러나 부계를 달리하는 선덕왕은 임
시 국정관리자였고 자신도 성덕왕 외손으로서 모계인 무열왕계를 존중하
였던 것 같다. 李基東은 "그는 내물왕계라고는 하지만 부친이 성덕왕의 사
위가 됨으로 해서 중대 말기 정계에서 두각을 나타낼 수 있었다. 그러니까
그는 모계로 본다면 결코 중대 왕실을 배반한다거나 더욱이 부정할 처지
는 되지 못했다."는(이기동, 1996, 앞의 논문, 18쪽) 매우 적합한 견해를 제
기하였다. 이에 선덕왕 재위기 다음 왕위계승자로 내물왕 12대손인 김경
신보다는 무열왕계 김주원이 당연시되었던 것이라 하겠다.
42) 『삼국사기』를 비롯한 여러 문헌에 기록되어 있듯이, 신라 왕실의 근친혼을
들어 당이 유교문화의 관점에서 내려다보자, 신라는 당에 왕과 왕비의 책
봉을 요청할 때, 왕비의 성을 김씨가 아니라 박씨를 가칭하거나 또는 아버
지의 이름에서 한자를 성으로 삼아 표기하였다(김창겸, 2003, 앞의 책, 25~
90쪽).
43) 때로는 弟를 子라고 한 경우도 있다. 예를 들면 헌덕왕의 동모제인 흥덕왕
을 子라고 하였다(『구당서』 권199, 동이전 신라 ; 『신당서』 권220, 동이전 신
라 ; 『책부원구』 권963, 외신부 봉책3 ; 『자치통감』 244, 唐紀 60 文宗 上之下).

원성왕도 전왕인 선덕왕의 아들이 아닐 뿐만 아니라 가까운 부계친이 아니었다. 더구나 정치적인 권력투쟁에서 왕위를 차지한 것이었다. 이런 원성왕으로서는 당으로부터 책봉을 받기에 너무나 큰 트집꺼리를 가진 것이다. 오직 부계로는 선덕왕과는 같은 내물왕계라는 요소가 있을 뿐이다. 다행히 양자가 모계로 형제 항렬에 친족이었다. 이 두 요건을 합쳐 원성왕이 선덕왕의 從弟라고 당에 알렸을 것이다. 그리하여 중국 문헌에는 양자의 관계를 從兄弟 또는 從父弟라고 기록되어져 있는 것이다.[44]

결국 김경신은 이와 같은 친족관계로 연결된 김양상에게 선대로부터 물려받은 경제력과 군사력을 제공하여 정치적 후원세력으로서 급성장했을 것으로 추측된다.

Ⅲ. 맺음말

내물왕의 후손인 원성왕의 선대는 비록 신라 중대에는 왕위계승에 직접 참여할 정도는 아니었으나, 진골 김씨로서 정치사회에서 상당한 위상을 갖고 있었다.

원성왕의 증조부 의관은 무열왕의 女壻로서 또 문무왕의 妹夫로서 삼국통일전쟁 중에 장군으로 활약하였다. 그리고 할아버지 위문은 성덕왕대 전반기에 집사부 중시를 역임하였다. 아버지 孝讓은 一吉湌 또는 大阿干의 관등을 보유하였다. 이처럼 김경신의 선대는 중대 무열왕계 왕실과 가까운 인척이며, 당시 정치권과 진골 귀족사회에서 상당한 위

---

44) 중국사료의 기록은 원성왕이 즉위한 뒤 唐에 책봉요청시 '從兄弟·從父弟'라고 한 것에 원인이 있고,『삼국사기』의 '弟'는 중국사료로부터 2차적인 파생이라는 견해가 있다(濱田耕策, 2002,『新羅國史の硏究』, 吉川弘文館, 244~245쪽)

치를 차지하고 있었다.

게다가 김경신은 어머니 소문태후의 외숙이면서 동시에 왕비 숙정부인의 외조부인 재력가 元良과 김양상의 할아버지 元訓이 형제에 해당하는 동항렬의 가까운 친족이었던 것 같다. 즉 원성왕은 어머니와 아내를 통하여 김양상의 弟 또는 從兄弟의 관계였다.

김경신은 이러한 혈연적 배경으로 일찍부터 정계에 나아가 활동하였다. 더욱이 혜공왕대 774년(혜공왕 10) 9월 상대등에 취임하여 권력을 장악한 김양상을 따르면서 친족관계에 의한 배려와 후원으로 고속 성장해 갔다. 당시 김양상은 정치권력의 핵심에서 활동하던 최고의 실력자요 정치가였다. 아울러 김경신은 경제력과 군사력을 바탕으로 김양상의 정치적 후원자로 밀접하게 연결되었고, 이를 이용하여 정계에서 자신의 위상을 확고히 해가면서 지위를 더욱 상승하였다.

한편 김경신은 779년(혜공왕 15) 4월 大臣으로서 왕명을 받들어 金庾信墓의 異變에 대한 사과를 하여 魂을 위로한 것을[45] 기회로 김유신의 후손인 신김씨세력과 관계를 맺고 있었다.[46] 이어서 780년(혜공왕 16) 2월 金志貞이 난을 일으킴에 780년(혜공왕 16) 4월 上大等 金良相이 이를 진압코자 거병을 하자 김경신은 김양상의 인척으로서 군사력을 제공하고 참가하여 亂의 진압에 공을 세웠다. 그리고 김양상을 추대하여 그의 즉위에 크게 공헌을 하였다.

그리하여 선덕왕이 즉위하자 김경신은 상대등에 임명되어[47] 선덕왕 몰년까지 재임하면서 二후로서, 당시 정치권내에서 최고의 실력자 중의

---

45) 『삼국사기』 권43, 김유신전 ; 『삼국유사』 권1, 기이 미추왕죽엽군.
46) 김창겸, 2010, 「신라시대 김유신의 흥무대왕 추봉과 신김씨」 『신라사학보』 18, 63쪽 ; 김수태, 앞의 책, 145~146쪽 ; 김경애, 앞의 논문, 286쪽 ; 신정훈, 2001, 「신라 선덕왕대의 정치적 추이와 그 성격」 『대구사학』 65, 31~32쪽. 특히 원성왕과 김유신의 庶孫인 金巖이 연결되었다는 주장도 있다(권영오, 앞의 논문, 158쪽).
47) 『삼국사기』 권10, 원성왕 즉위년조.

한명으로써 두각을 드러내게 되었다. 하지만 선덕왕 말년에 김주원은[48]
上宰, 김경신은 二宰의 위치에 있었기에, 왕위를 계승하기에는 혈연적
조건상으로나 정치적 위상에서나 무열왕계로 상재인 김주원에 비하면
후순위였다.

이러한 여건에도 불구하고 김경신은 785년 1월 선덕왕이 죽자 國人
의 추대를 받아 왕위계승의 우선 순위에 있던 김주원보다 먼저 즉위하
여 원성왕이 되었다.[49]

---

48) 김주원은 태종무열왕의 후손으로서 혜공왕의 妻男이며(김창겸, 2003, 앞의
책, 163쪽), 더욱이 777년(혜공왕 13) 10월 伊湌으로 侍中이 되어, 780년 4월
宣德王이 즉위한 직후까지 재임하고, 785년(선덕왕 6) 당시 上宰에 지위에
있었다.

49) 최근에 원성왕의 즉위를 찬탈이라기보다는 추대라고 하는 견해가 있기는
하나(최의광, 2009, 「신라 원성왕의 왕위계승과 국인」 『한국사학보』 37), 이
는 왕위계승을 종합적이며 객관적으로 이해하지 못하고, 오로지 승자의
입장에서 정당화한 것을 단편적인 면모로 보는 시각의 오류라 하겠다. 찬
탈도 때로는 시대적 상황과 여론의 무마를 통한 정치적 제스츄어가 요구
되는 것이다. 고려 태조 王建도 弓裔로부터 찬탈을 하였으나 지지세력으
로부터 추대를 받았다고 기록되어 있고, 조선 태조 李成桂도 고려 恭讓王
으로부터 찬탈을 하였으나 왕대비의 교지와 지지세력의 추대를 받아 공양
왕으로부터 선위의 절차를 거쳤다. 하지만 이것은 정권탈취자로서 추대의
절차를 통해 즉위를 합리화한 정치적 형식에 불과하기에, 우리는 탈취·찬
탈이라 하는 것이다. 원성왕의 즉위 역시 마찬가지이다.

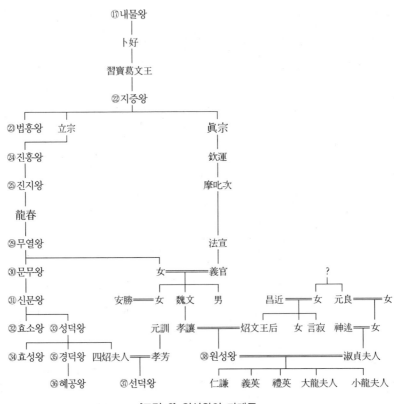

[그림 2] 원성왕의 가계도

제3장 원성왕의 즉위와 김주원계의 동향

I. 머리말

신라 하대의 왕통을 일반적으로 '元聖王系'라고 한다. 이것은 원성왕
(金敬信)이 金周元과 경쟁에서 승리하여 왕위에 오른 뒤, 그의 후손들에
의하여 왕위가 계승되었기 때문에 신라사를 왕통의 혈연적 변화를 기준
으로 구분하기 위하여 지칭하는 용어이다.

사실 원성왕의 즉위는 혈연에 의한 정상적인 것이 아니라 당시 왕위
계승자로 예정되어 있던 김주원으로부터 탈취하였다. 이러한 원성왕의
비정상적인 즉위에 대해서는 이미 많은 학자들이 관심을 가져왔고 또
연구도 있었으며, 그 결과 다양한 견해가 제시되었다.[1]

---

1) 이에 대한 대표적인 연구로는 다음과 같은 글이 있다. 이기백, 1958, 「신라
혜공왕대의 정치적 변혁」『사회과학』2 ; 이기백, 1962, 「상대등고」『역사학
보』19 : 1974, 『신라정치사회사연구』, 일조각 ; 신형식 1977, 「무열왕계의 성
립과 활동」『한국사논총』2 ; 최병헌, 1978, 「신라 하대 사회의 동요」『한국
사』3, 국사편찬위원회 ; 이기동, 1980, 「신라 하대의 왕위계승과 정치과정」
『역사학보』85 : 1984, 『신라 골품제사회와 화랑도』, 일조각 ; 오 성, 1979, 「신
라 원성왕계의 왕위교체」『전해종박사화갑기념 사학논총』 ; 윤병희, 1982,
「신라 하대 균정계의 왕위계승과 김양」『역사학보』96 ; 김정숙, 1984, 「김
주원계의 성립과 변천」『백산학보』28 ; 김수태, 1985, 「신라 선덕왕·원성왕
의 왕위계승」『동아연구』6 ; 이영호, 1990, 「신라 혜공왕대 정변의 새로운
해석」『역사교육논집』13·14합집 ; 이명식, 1984, 「신라 하대 김주원계의 정
치적 입장」『대구사학』26 ; 이명식, 1992, 신라 하대의 정치양상』『신라정
치사연구』, 형설출판사 ; 김창겸, 1994, 『신라하대왕위계승연구』, 성균관대
학교대학원 박사학위논문.

이 글에서는 원성왕이 왕위계승상 자신보다 우월한 위치에 있었던 김
주원을 물리치고 즉위한 과정과, 즉위후에 어떻게 김주원을 예우하여
그들 세력의 반발을 무마하면서 왕으로서의 지위를 확고히 해나갔던가
선생님 반대로 왕위를 탈취당한 김주원과 그 친족(金周元系)의 동향과 추이
를 알아보고자 한다. 아울러 중앙의 원성왕계가 김주원과 그 자손을
'溟州郡王'에 책봉하고 일정 지역을 食邑으로 주어 독립적인 지배권과
지위를 보장해준 것은 어떠한 의미가 있는가도 함께 살펴보겠다.

Ⅱ. 원성왕의 즉위과정

1. 즉위 전의 세력기반

원성왕의 즉위가 정상적인 부자계승에 의한 즉위가 아니라 비정상적
인 계승의 한 형식인 찬탈에 의하였으므로, 그의 즉위배경과 과정을 이
해하기 위해서는 우선 그의 혈연적, 정치적 배경과 경력을 살펴볼 필요
가 있다. 먼저 그의 가계, 즉 혈연적 관계에 대하여 알아보도록 한다.

A. 元聖王이 즉위하였다. 이름은 敬信이며 奈勿王의 12世孫이다. 어머니는
朴氏 繼鳥夫人이고 왕비는 金氏로 神述 角干의 딸이다. … 누구가 말하
기를 "임금의 큰 지위는 본디 사람이 도모할 수 없는 것이니 오늘의 폭
우는 하늘이 혹시 주원을 왕으로 세우려 하지 않는 것이 아닐까, 지금의
上大等 敬信은 前王의 아우로 덕망이 본디 높아 人君의 體를 가졌다."
하니, 이때 여러 사람들의 논의가 단번에 일치되어 그를 세워 왕위를 계
승케 하였다. 얼마 뒤에 비가 그치니 國人이 모두 만세를 불렀다. 2월 왕
의 高祖 大阿飡 法宣을 추봉하여 玄聖大王, 曾祖 伊飡 義寬을 神英大王,
할아버지 伊飡 魏文을 興平大王, 아버지 一吉飡 孝讓을 明德大王, 어머

니 朴氏를 昭文太后라 하고, 아들 仁謙을 세워 太子로 삼았다(『삼국사기』
권10, 원성왕 즉위조).

B. 제38 元聖王 : 金氏이고 이름은 敬愼이다. 혹은 敬信이다. 『唐書』에는 敬
則이라 하였다. 아버지는 孝讓 大阿干인데 明德大王으로 추봉하였고, 어
머니는 仁○이니 일명 知烏夫人인데 諡號는 昭文王后이고 昌近 伊己(伊
干의 誤記)의 딸이다. 왕비는 淑貞夫人으로 神述 角干의 딸이다(『삼국유
사』 권1, 왕력).

C. 이가 元聖大王이 되었으니 이름은 敬信이고 성은 金武(武는 氏의 誤字)
이다. 대개 좋은 꿈을 꾼 것이 들어맞은 것이다. 周元은 溟州로 물러나
있게 되고 … 王의 자손으로는 다섯 명이 있었으니 惠忠太子, 憲平太子,
禮英 迊干, 大龍夫人, 小龍夫人 등이다. … 왕의 아버지 大角干 孝讓이
선조로부터 전해오던 萬波息笛을 왕에게 전하였더니 … 왕의 할아버지
訓入 迊干을 興平大王으로, 曾祖 義官 迊干를 神英大王으로, 高祖 法宣
大阿干을 玄聖大王으로 추봉하였는데, 玄聖의 아버지는 즉 摩叱次 迊干
이다(『삼국유사』 권2, 원성대왕).

D. 京城의 東北 20리쯤 되는 곳인 暗谷村의 북쪽에 鍪藏寺가 있는데, 제38
대 元聖大王의 아버지 大阿干 孝讓 즉 추봉된 明德大王이 그의 叔父인
波珍湌을 추모하여 받들기 위해 세운 것이다(『삼국유사』 권3, 무장사미
타전).

E. 貞元元年 … 그 해에 良相이 죽으매, 上相 敬信을 세워 왕으로 삼고 그
官爵을 승습케 하였다. 敬信은 곧 (전왕 宣德王의) 從兄弟이다(『구당서』
권199, 동이전 신라조).

F. 貞元元年에 戶部郎中 蓋塡에게 符節을 주어 보내어 良相을 책봉하였다.
이 해에 죽음에 良相의 從父弟인 敬信을 세워 왕위를 잇게 하였다(『신당
서』 권220, 동이전 신라조).

G. 이 해에 新羅王 金良相이 죽음에 그 나라의 上相 金敬信을 왕으로 삼고
詔書를 보내어 그 官爵을 승습케 하였다. 敬信은 곧 (金良相의) 從兄弟

이다(『책부원구』 권965, 외신부 봉책3).

H. 두 塔은 天寶 17년 戊戌에 세우시니라, 남자형제와 여자형제 모두 3인이
   業으로 이루시니라, 남자형제는 零妙寺의 言寂法師이며 큰누이는 照文
   皇太后님이시며, 작은 누이는 敬信大王의 姨母이시다(「葛項寺石塔記」『조
   선금석총람』 상, 43~44쪽).

I. 옛날 波珍湌 金元良은 炤文王后의 元舅이며 肅貞王后의 외할아버지이다
   (「崇福寺碑」『조선금석총람』 상, 120쪽).

위의 사료들을 종합하여 원성왕의 가계를 살펴보면 다음과 같다. 원
성왕은 김씨이고 이름은 敬信(敬愼·敬則)이며, 내물왕의 12대손이다. 그
리고 전왕인 선덕왕과는 모계에 의한 從兄弟의 관계에 있었다.[2] 원성왕
의 아버지는 孝讓인데 昌近 伊干의 딸과 혼인하였고, 또 그에게는 波珍
湌의 관등을 가졌던 叔父가 있었고(D) 그를 위해 鍪藏寺를 세웠다. 원성
왕의 할아버지는 魏文(『삼국유사』에는 訓入)인데, 그는 712년(성덕왕 11)
3월에 執事部 中侍에 임명되어 713년(성덕왕 12) 10월에 늙음을 이유로
스스로 물러났다.[3] 아울러 그에게는 波珍湌의 관등을 가졌던 형제가 있

---

2) 원성왕의 前王 宣德王과의 혈연적 관계를 인용문 A에서는 "前王之弟"라고
   하여 元聖王의 父系를 이해하는데 많은 혼란을 야기하고 있다. 즉 元聖王
   이 奈勿王의 12世孫이라고 하면서 동시에 奈勿王의 10世孫으로 표기되어
   있는(『삼국사기』 권9, 선덕왕 즉위조) 宣德王의 弟라고 한 것은 모순이다.
   여기의 세대수가 옳다면 원성왕은 선덕왕의 孫子行列이라야 한다. 그런데
   『구당서』 권199, 동이전 신라에는 선덕왕의 '從兄弟'와 『신당서』 권220, 동
   이전 신라와 『책부원구』 권965, 외신부 봉책3에는 '從兄弟'로 표기되어 있
   다. 이에 의하면 선덕왕과 원성왕의 관계는 『삼국사기』에서 말하듯이 형
   제이기는 하나 친형제가 아니라 從兄弟(4촌)의 관계가 된다. 그러나 내물
   왕을 기준으로 선덕왕은 10세손이고 원성왕은 12세손이기 때문에 中國史
   書의 종형제라는 기록에도 문제점을 갖고 있다. 그래서 이 형제간이라는
   것이 혹시 모계에 의한 것일지도 모른다는 추측도 있는데(이기백, 「상대등
   고」, 앞의 책, 114쪽 주38), 이는 타당성이 있는 것으로 사료된다.
3) 『삼국사기』 권8, 성덕왕 11년 3월 및 12년 10월.

었다(D). 원성왕의 증조는 義寬(義官)이며, 그는 삼국통일전쟁 중에 將軍
으로 활약하였고, 특히 670년(문무왕 10) 7월에는 백제 舊領에 진격해 들
어갔다가 퇴각하여 면직된 일이 있고, 그 뒤 680년에는 그의 딸을 신라
에 귀복한 報德王 安勝의 妻로 삼게 한 바 있다. 그런데 그녀가 문무왕
의 妹女이므로, 義寬이 곧 무열왕의 女壻이고 또 문무왕의 妹夫임을 알
수 있다.[4] 한편 원성왕의 高祖는 法宣 大阿飡이고, 法宣의 아버지는 摩
叱次 迊干이다.

이상에서 살펴본 바에 의하면 원성왕의 선대는 신라 중대에 伊飡·迊
干·一吉飡·大阿飡 등의 관등과 中侍·將軍 등의 관직을 역임한 진골귀족
가로서 당시 신라 정치계 내에서 어느 정도 유력가계였다.[5] 한편 원성
왕의 자녀로는 惠忠太子(仁謙)·憲平太子(義英)·禮英·大龍夫人·小龍夫人
이 있었다.

다음엔 원성왕의 모계에 대해 살펴보도록 한다. 어머니는 繼烏夫人
(昭文太后)인데,[6] 그녀의 성은 朴氏이며 아버지는 昌近 伊干이다. 그리
고 昭文太后에게는 남자형제인 零妙寺의 言寂法師와 여자형제인 敬信
大王의 姨母가 있었다(H).[7] 또 그녀의 모계를 살펴보면 昭文太后의 어
머니의 - 즉 昌近의 妻 - 이름은 알 수 없지만, 昭文太后의 元舅는 波

---

4) 『삼국사기』 권7, 문무왕 20년 3월 ; 김창겸, 2010, 「신라 원성왕의 선대와 혈
   연적 배경에 대한 재검토」 『한국학논총』 34, 398~400쪽.
5) 중대에는 원성왕의 가계가 별로 두드러지지 않았을 것이라는 추측도 있다
   (최병헌, 앞의 논문, 431쪽). 그러나 비록 중대의 왕위계승과는 일정한 거리
   가 있어 무열왕계 왕족에 비하면 차이가 있었을지언정 당시 귀족층에 속
   하는 진골가계였음에는 틀림없다.
6) 또는 '仁〇 일명 知烏夫人'. 謚號 또한 昭文太后·昭文王后·照文皇太后·炤文
   王后로 달리 표기되어 있지만, 이 모두 동일인에 同音異寫에 불과하다.
7) 이 文句에 대하여 원성왕의 姨母·乳母로 보는 견해(문명대, 1981, 「김천갈
   항사석불좌상의 고찰」 『동국사학』 15·16합집, 55쪽 및 남풍현, 1993, 「신라
   시대 이두문의 해독」 『서지학보』 9, 22~23쪽)와 친어머니로 보는 견해가(고
   유섭, 1975, 『한국탑파의 연구』, 동화출판공사, 201쪽) 있으나, 전자의 견해
   에 따른다.

珍湌 金元良이라고 한다(I). 元舅는 임금 또는 왕비의 外叔을 칭하는 것
이다.[8] 결국 昭文太后의 어머니의 남자형제 - 즉 昭文太后의 外叔 -
는 金元良이고 그의 관등은 파진찬이었다. 이상을 통해서 볼 때 원성왕
의 어머니의 부계는 朴氏家이었고, 모계는 김씨로서 중대 무열왕계의
왕가와 가까운 사이에 있었던 가계인 듯하다.

한편 원성왕의 왕비는 淑貞夫人(또는 肅貞夫人)인데, 그녀의 성은 김
씨이고, 아버지는 神述 角干이다. 그러므로 원성왕비의 부계는 당시 각
간의 관등을 가지는 등 상당한 정치사회적 지위를 누렸던 진골김씨가계
의 하나였다. 그리고 원성왕비의 모계는 이미 원성왕의 어머니의 가계
와 인척으로 맺어져 있던 김원량을 外家로 하는 가계였다. 다시 말하면
김원량은 바로 淑貞夫人의 外祖였다(I). 그러므로 원성왕의 왕비의 모계
는 바로 김원량의 가계이다. 결국 김원량의 가계는 원성왕의 어머니 昭
文王后의 모계인 동시에 왕비 숙정왕후의 모계였다. 즉 원성왕과 김원
량은 모와 비를 통하여 이중으로 맺어진 인척관계에 있었다. 이상에서
살펴보았듯이 원성왕의 妃系는 비의 부계는 물론 모계도 당시 신라에서
정치사회적으로 매우 높은 위치에 있었던 가계였음을 알 수 있다.

한편 김경신의 정치적 기반을 살펴보면 다음과 같다. 김경신의 즉위
전 정치적 경력에 대해서는 그다지 알 수 없다. 먼저 김경신은 大臣으로
서 왕명을 받들어 779년(혜공왕 15) 4월 金庾信墓의 異變에 대한 사과를
하여 魂을 위로한 적이 있다.[9] 그리고 金志貞의 난이 일어났을 때인 780
년(혜공왕 16) 4월 伊湌으로서, 당시 上大等 金良相이 이른바 '君側의 惡'
을 제거하기 위하여 군사를 일으키자 여기에 참가하여 난의 진압에 공
을 세우고, 또 김양상을 추대하여 그의 즉위에 절대적인 공헌을 하여,
곧 상대등에 임명되어[10] 선덕왕 몰년까지 재임하면서 二宰의 위치에 있

---

8) 최영성, 1987, 『주해사산비명』, 아세아문화사, 131쪽 주 12.
9) 『삼국사기』 권43, 김유신전 ; 『삼국유사』 권1, 기이, 미추왕죽엽군.
10) 『삼국사기』 권10, 원성왕 즉위년조.

었다.

이러한 사실을 바탕으로 김경신의 정치적 기반과 성향을 살펴볼 수 있다. 그가 780년 김지정의 난이 발생하자 이 난을 진압하는 당시 상대등 김양상의 군에 참여하여 공을 세웠고, 드디어 김양상을 추대하여 즉위케 하는 데 절대적인 역할을 한 결과 상대등에 임명됨으로써 당시 정치권내에서 두각을 드러내게 된 것이다. 그리하여 김경신은 당시 태종무열왕의 후손으로서 동시에 혜공왕의 妻男이며[11] 더욱이 777년(혜공왕 13) 10월 伊湌으로 侍中이 되어[12] 780년 4월 선덕왕이 즉위한 직후까지 재임하고[13] 나아가 785년(선덕왕 6) 1월 13일 당시 上宰에 지위에 있던 김주원과 비견될 수 있는 지위를 확보하였다. 이와 함께 그의 혈연관계로 맺어진 김원량·김신술계의 친족세력과 이들을 따르던 귀족들, 그리고 지역적으로는 王京에서 동북으로 20리 이내 즉 무장사에 거주하던 귀족(D), 그리고 餘三(K) 및 김경신이 즉위 후 讀書三品科를 시행할 때 적극적인 태도를 취하게 될 일부 6두품 계층의 세력을 자신의 지지세력으로[14] 포섭하여 정치적 세력을 확대해 나갔다.

그래서 기존의 연구자들은 흔히 김경신을 혜공왕대에 반혜공왕파 내지는 반중대적 성격의 대표적인 한 인물로 보기도 한다.[15] 그러나 이것은 선덕왕과 원성왕의 즉위에 의하여 신라사의 성격이 앞 시기(中代)에

---

11) 金周元의 父 惟正은 혜공왕의 元妃 新寶王后의 父인 維誠(『삼국사기』 권9, 혜공왕 16년 4월)과 동일인으로 추측된다. 그리고 김주원 역시 혜공왕 말기 정권에 대해서는 비판적인 입장에 있었던 것같다. 이것은 혜공왕이 次妃를 맞아들이자 그녀의 아버지인 伊湌 金璋에게 밀리어 점차 정권의 핵심부에서 탈락하는 처지에서 나온 반발이었을 것이다.

12) 『삼국사기』 권9, 혜공왕 13년 10월조.

13) 이기백, 「신라 집사부의 성립」, 앞의 책, 157쪽 〈표 나〉 참조.

14) 김경신과 결합된 세력은 모계의 박씨 세력, 김유신 후손의 신김씨 세력, 6두품 세력 등이었을 것이다(김수태, 앞의 논문, 307~309쪽).

15) 이기백, 1974, 「신라 혜공왕대의 정치적 변혁」, 앞의 책 : 김수태, 앞의 논문 참조.

비하여 크게 변화되었고, 이 결과 하대가 열렸다는 것을 강조하다보니
이들의 정치적 성격마저도 중대 왕실인 武烈王系와는 달리했음을 부각
하려는 입장에서 사용되고 있는 용어이다. 물론 김경신이 반혜공왕 내
지는 반무열왕계적 성격의 인물임에는 틀림없다. 그러나 그의 정치적
성향이 反專制的이었다고 보기에는 곤란하다. 김경신이 즉위후 행한 통
치과정과 그 성격은 전제적 왕권의 형성을 지지하면서 그 스스로가 추
구하고 있다. 오히려 김경신은 나이 어린 혜공왕이 왕으로서 권한을 행
사하지 못하고 태후가 섭정한 결과 외척과 왕비족 등의 귀족세력들이
정권을 장악하여 이들에 의하여 통치가 행해지던 정치형태에 대해서는
강한 비판의식을 가졌던 것같다. 다시 말하면 김경신은 혈연적으로는
반무열왕계이면서, 정치적 성향은 반혜공왕권으로 도리어 전제화된 왕
권을 추구하였다.

2. 金周元으로부터 왕위 탈취

일찍이 혜공왕이 金志貞의 亂을 진압하는 와중에 왕비와 함께 시해
되자 당시 상대등으로서 반란진압군의 최고지휘관 역할을 하던 김양상
이 즉위하니, 이가 선덕왕이다. 그러나 선덕왕의 즉위는 자신의 적극적
인 야망에 의한 것은 아니었다, 다시 말하면 당시 시대적 여건과 상황에
서 추대되어[16] 왕위에 올랐던 것이다.[17] 그리하여 그는 재위중에 禪讓
의 의사를 표시하기도 하였으나 당시 群臣이 두세 번 거듭 上表하여 諫
하므로 그만 두었다.

---

16) 『삼국사기』 권9, 선덕왕 6년 5월.
17) 무열계인 金周元을 견제하고 이들의 반발을 무마하기 위한 정략에서 김경
　　신이 왕위에 야망이 없던 김양상을 추대한 것인 듯하다(신형식, 1984, 앞의
　　논문, 131~132쪽).

J. 왕이 禪位코자 하였으나 群臣이 세 번이나 表를 올려 諫함에 그만두었다 (『삼국사기』 권9, 선덕왕 5년 4월).

K. 이 달에 왕이 병으로 누워 위독함에 조서를 내리길 "과인은 본디 재능이 없고 덕이 적어 왕위(大寶)에 오를 마음이 없었으나, 추대를 피할 수 없어 왕위에 올랐다. … 과인은 항상 왕위를 물러나 궁궐 밖에 살고자 하였으나, 많은 신하들(群官百辟)이 매번 정성으로 멈추라고 하여 뜻을 이루지 못하고, 지금까지 주저하고 있었다. … " 하였다(『삼국사기』 권9, 선덕왕 6년 정월).

여기에서 '군신' 또는 '군관백벽'라 함은 이들은 아마 群臣會議을 구성하는 세력집단이었던 것 같다. 즉 상대등을 비롯한 중앙관부의 장관 등 고위관료들이었다. 그렇다면 여기서의 군신은 당시 상대등 김경신과 그를 따르는 관료집단임을 알 수 있다.

이들이 선덕왕의 선위를 왜 만류하였을까? 그리고 실제 만류하였을까. 아니면 재위중인 왕에 대한 충성의 표시로써 형식상 만류한 것일까.[18] 이들의 만류가 만약 선덕왕이 김경신에게 선위한다면 형식적인 만류는 있었을 것이나 실제 만류는 없었을 것이다. 그런데 선덕왕이 사망시까지 재위한 것에서 보아 실질적 만류였다. 다시 말하면 이들의 만류는 강력한 것이어서 선덕왕이 선위를 못하였다. 결국 이는 실제 그들의 정치적 운명을 건 적극적인 것이었다고 보겠다. 그러면 그 만류의 이유와 배경은 무엇이었을까? 그것은 선덕왕이 선위하려 한 대상이 그들이 원하는 인물이 아니었기 때문이다. 즉 선덕왕이 선위하려는 김주원이 즉위하게 되면 그들이 유지하고 있는 기존의 정치사회적 지위를 상실할 우려가 있었기 때문에 적극 저지하였다고 생각된다. 결국 선덕왕이 선위하려한 대상은 김주원이었다.[19]

---

18) 이러한 문제는 朝鮮의 太宗·世祖·英祖가 禪位問題를 빌미로 오히려 정치적 반대세력 제거에 이용하였음을 볼 수 있다.

이처럼 김경신은 선덕왕이 김주원에게 왕위계승시키는 것을 연기, 저지하면서, 다른 한편으로는 자신의 세력을 키워가며 왕위에 대한 야욕을 실행해가고 있었다.

L. 伊湌 金周元이 맨처음 上宰가 되고 (원성)왕은 角干으로서 二宰이었는데, 꿈에 복두를 벗고 흰 갓을 쓰고 열두 줄 거문고를 들고 天官寺 우물 속으로 들어갔다. 꿈을 깨어 사람을 시켜 점을 쳤더니 점장이가 말하기를 "두건을 벗은 것은 관직에서 쫓겨날 조짐이고, 12현금을 잡은 것은 칼을 쓸 징조이고 우물에 들어간 것은 옥에 들어갈 조짐이다."고 하였다. 왕이 이 말을 듣고 매우 걱정하여 문을 잠그고 출입을 하지 않았다. 이때 … 阿湌(餘三)에게 해몽하기를 청하니, 阿湌이 말하기를 "복두를 벗은 것은 면류관을 쓸 징조요. 열두 줄 거문고를 든 것은 12代孫이 왕위를 이어받을 조짐이요. 天官寺 우물에 들어간 것은 궁궐로 들어갈 상서로운 조짐입니다." 하였다. 이에 왕(敬信)이 말하기를 "위에 周元이 있는데 어떻게 上位에 있을 수 있는가." 하니, 아찬이 "비밀히 北川神에게 제사 지내면 좋을 것이다."고 하매 이에 따랐다. 얼마 안 되어 宣德王이 세상을 떠나자 나라 사람들은 金周元을 왕으로 삼아 장차 궁중으로 맞아들이려 하였다. 그의 집이 北川 북쪽에 있었는데 갑자기 냇물이 불어서 건널 수가 없었다. 이에 왕이 먼저 宮에 들어가 왕위에 오르자, 上宰의 무리들도 모두 와서 붙어 새로운 임금에게 축하를 드리니, 이가 元聖大王이다(『삼국유사』 권2, 원성대왕).

인용문 L에 의하면, 김경신이 왕위에 상당한 관심을 가지고 있었으나 당시 입장으로서는 왕위를 차지하기에 어려운 형편이었다. 사실 이것이 실패하면 처음 점장이의 해몽 내용에서 표현된 것처럼 (상대등)직을 잃

---

19) 선덕왕이 김주원으로 하여금 무열왕계를 계승케 하려는 의도였을 것이란 견해도 있다(신형식, 앞의 논문, 132쪽).

고 칼을 쓰고 감옥에 갈 수 있는 것이었다. 그러나 그의 왕위에 대한 욕망은 꿈을 빌어 표출하고 그것을 여삼의 해몽을 통하여 가능성을 확인한 뒤, 드디어 왕위에 대한 욕심을 현실화시켜 나갔다. 우선 자연의 초능력을 빌리고자 北川神에게 기도하였다고 한다. 이것은 아마 당시 김주원의 세력근거지가 있는 北川(閼川)을 경계로 하여 王京 근처의 세력을 비밀리 자신의 지지세력으로 규합, 포섭하였음을 나타낸 것이라 하겠다. 그리고 김경신은 餘三으로 대표되는 당시 6두품 세력의 일부도 역시 자신의 지지세력집단으로 형성해 나간 것이라 하겠다.

김경신이 선덕왕의 김주원에게 선위하려는 것을 群臣을 이용하여 저지하고 있는 상황에서 드디어 선덕왕이 재위 약 5년만인 785년(선덕왕 6) 1월 13일 아들이 없이 죽었다. 그러자 당시 群臣(또는 國人)이 논의한 뒤 처음에는 무열왕의 후손인 김주원을 왕으로 추대하여 즉위케 하려 하였다.

> M. 앞서 혜공왕 말년에 逆臣이 발호할 때에 前王 宣德이 상대등의 직에 있어 君側의 惡을 숙청하기를 선창하매 敬信이 참여하여 난의 진압에 공이 있고 선덕이 즉위함에 이르러 그는 곧 상대등이 되었다. 선덕이 죽고 아들이 없으므로 群臣은 후사를 의논하여 왕의 族子 周元을 세우려 하였다(『삼국사기』권10, 원성왕 즉위조).

그러나 이러한 군신의 논의로 김주원이 왕위계승자로 결정된 것이 아니라 그들은 추천을 한 것이고 실제 최종 결정은 죽은 선덕왕의 어머니 貞懿太后의 명에 의하였다. 비록 후대의 기록이라 신뢰도에서는 다소 뒤지지만, 이 당시 상황은 『신증동국여지승람』의 기록에는 보다 구체적이고 소상히 언급되어 있어 참고가 된다.

> N. 金周元 太宗의 후손이다. 처음에 宣德王이 죽고 후사가 없으므로, 여러

신하가 貞懿太后의 교지를 받들어, 주원을 왕으로 세우려 하였다. 그러나 족자인 上大長等 敬信이 뭇사람을 위협하고, 먼저 궁에 들어가서 왕이 되었다(『신증동국여지승람』권44, 江陵都護府 人物).

여기서의 貞懿太后란 선덕왕의 어머니, 즉 성덕왕의 딸인 四炤夫人金氏의 추봉된 칭호이다. 결국 선덕왕의 사망시까지 그의 태후가 생존해 있으면서 다음 왕위의 계승자로 김주원이 즉위하라는 敎書(令)을 내렸던 것이다. 그리하여 김주원은 명실상부한 왕위계승자로 확정되어 왕궁에 들어가 즉위식을 거행하려 하였다. 그러나 이때 뜻밖의 天變地異가 발생하여, 홍수로 北川이 범람하여 길이 막혔다. 이름을 타 김경신이 먼저 王宮에 들어가 稱制하였다.[20]

O. 周元은 그 집이 서울 북쪽 20里에 있었는데, 그때 마침 큰비가 와서 閼川의 물이 불어 周元이 건너오지 못하니, 혹자는 말하기를 "人君의 큰 자리는 人謀로 되는 것이 아니다. 오늘의 폭우는 하늘이 혹시 주원을 세우지 못하게 하려함이 아닌가. 지금 上大等 敬信은 前王의 아우로서 덕망이 본래 높고 인군의 자격이 있다." 하였다. 이에 衆議는 만장일치하여 그를 세워 왕위를 계승하게 하니 얼마 아니하여 비가 그치어 國人은 다 만세를 불렀다(『삼국사기』권10, 원성왕 즉위조).

이처럼 자연재해로 길이 막힌 김주원이 王宮에 도착하기에 앞서 김경신이 먼저 群臣會議의 의결을[21] 거쳐 즉위하였다. 그렇다면 여기서의

---

20) "金周元 太宗王之孫 初宣德王薨無嗣 群臣奉貞懿太后之敎 立周元爲王 族子上大長等敬信 劫衆自立 先入宮稱制"에서 '稱制'는 '天子를 대신하여 정치를 행한다.'의 뜻이다.

21) 이 회의는 일반적으로 '和白會議'라 불러왔다. 그런데 '群臣會議'라고 고쳐 불러야 한다는 견해(이인철, 1991, 「신라의 군신회의와 재상제도」『한국학보』65, 36~37쪽)가 제시되어 논란이 되고 있다(이기백, 1993, 「통일신라시

군신회의는 상대등이 주관하는 고위관료회의라고 할 수 있다. 즉 上宰
인 金周元이 참석치 않은 군신회의에서 상대등직을 가졌던 金敬信이 의
장으로서 회의를 주재하였으며, 그는 위압적 분위기에서 왕위계승자를
번복하여[22] 외형상 群臣의 추대를 받았다는 빌미를 내세워 먼저 왕궁에
들어가 독단적으로 즉위식을 거행하고 왕위에 올랐던 것이다.[23] 김주원
이 비가 그친 뒤 뒤늦게 왕궁에 도착했지만 이미 김경신이 즉위한 뒤였
다. 그리하여 김주원은 화가 미칠 것을 두려워하여 溟州로 물러갔다.

　김경신은 당시 왕위계승서열상 자신보다 우위에 있던 김주원을 제치
고 國人(群臣)으로 지칭된 자신의 지지자들의 추대를 받아 즉위하였다.
이것은 외형상으로는 추대에 의하였지만 실질상으로는 權道로써 왕위
계승예정자 김주원으로부터의 탈취였다.[24] 그러면서도 형식적으로는 추

대의 전제정치」『한국사상의 정치형태』, 일조각, 91~94쪽). 이 회의의 중요
　한 기능 중의 하나가 국왕의 추대와 폐위에 관한 것이었다(김인곤, 1980, 「화
　백회의의 기능」『사회과학』, 영남대학교 ; 박남수, 1992, 「신라 화백회의의
　기능과 성격」『수촌박영석교수화갑기념 한국사학논총』 및 이인철, 앞의
　논문 참조 바람).

22) 한편 이에 대해서 '김경신이 즉위할 수 있었던 배후에는 모종의 암투와 억
　지'(이기동, 1984, 앞의 책, 150쪽), '당시 金敬信이 가졌던 上大等이 가지는
　정치적인 힘에 의한 억지'(이기백, 1974, 「상대등고」, 앞의 책, 119~120쪽), 또
　는 '비상수단으로 실력에 의한 金周元의 축출'(신형식, 1971, 「신라왕위계승
　고」『유홍렬박사화갑기념논총』, 80쪽), '和白會議 議長이라는 직책을 이용
　하여'(김정숙, 앞의 논문, 166쪽), 그리고 '群臣會議에 金敬信계통의 大等들
　만이 참가하여 변칙적으로 推戴'(이인철, 앞의 논문, 63~64쪽) 등 여러 견해
　가 있다.

23) 하늘의 뜻으로 비를 내려 재선출한 결과 김경신이 왕이 되었다고 한 표현
　은 김경신의 즉위를 합리화하기 위한 의도에서 나온 것이다(최병헌, 앞의
　논문, 433쪽 주6).

24) 이와 달리 선덕왕의 사후 김주원이 먼저 왕위에 추대된 것은 김경신보다
　는 오히려 김주원이 당시 그가 가지고 있던 정치적 힘을 이용하여 김경신
　대신에 부당하게 왕위에 오르려고 하였지만, 김경신이 김주원보다 下代的
　인 정치성격을 가졌기에 보다 많은 귀족세력의 지지를 획득하여 즉위가
　가능했고, 반면에 김주원은 中代末 태종무열왕계로서 왕위에 오름으로써

대를 받아 즉위한 것은 上古期와 같은 추대로 자신의 계승을 미화시켰을 뿐, 분명히 정치력을 이용한 비정상적인 왕위계승이었다.

Ⅲ. 溟州郡王과 金周元系의 동향

1. 溟州郡王 책봉과 실체

원성왕은 즉위 직후부터 여러 제도의 개혁을 통하여 정국의 분위기를 쇄신하면서 왕권의 확보, 강화를 꾀하여 나갔다.

먼저 원성왕의 즉위 직후인 785년(원성왕 1) 2월 자신의 先代를 추봉하여 五廟를 새로 정하고, 아울러 文武百官에게 爵 1급씩을 더하여 주어 일종의 논공행상을 행한 다음, 兵部令 伊湌 忠廉을 上大等으로 승진시키고, 또 總管을 都督으로 바꾸고, 僧官을 두어 政法典이라 하였다. 그리고 788년에는 讀書三品科를 설치하여 골품제의 제약을 벗어나 유교적 지식에 의한 인재의 등용을 통하여 유교적 이념으로 맺은 군신관계를 숭상하는 새로운 관료들을 만들어 내려고 시도하였으며,[25] 王과 王太子를 頂点으로 한 극히 좁은 범위의 근친왕족들이 上大等·兵部令·宰相 등의 요직을 독점하여 점차 王室親族集團이 핵심관료가 되는 것에 의한 권력장악을 확립해 나갔다.[26] 한편 790년에는 碧骨堤을 증축하고, 渤海

중대 전제왕권의 전통을 계승한다는 정치적 성격 때문에 다른 귀족세력의 반발과 함께 많은 지지세력을 얻지 못하여 왕위에 오르지 못한 것으로 본 견해도 있다(김수태, 앞의 논문, 306~307쪽). 그러나 김주원은 무열왕계이기에 중대 전제왕권적이고 즉위후 더욱 왕권의 전제화를 추진한 김경신은 그렇지 않아서 당시 귀족세력들로부터 보다 많은 지지를 받았다는 식의 논리는 지나친 감이 있다.

25) 이상은 『삼국사기』 권10, 원성왕본기 참조.
26) 이기동, 1984, 앞의 책, 153쪽.

와 통교를 시도하는 등 나름대로 독자적인 대내외정책을 시행하면서 왕
권의 확립과 강화를 위해 노력하였다.

원성왕이 즉위 직후 해결해야 할 시급한 문제 가운데 하나가 자신의
즉위과정에서 가장 대립관계에 있었던 김주원 세력을 회유 무마하는 것
이다. 비록 왕으로 즉위함에는 실패하였으나 여전히 막강한 세력을 유
지하고 있는 김주원[27]과 그의 친족집단이 원성왕에게는 매우 위협적인
존재이었다.[28] 그리하여 원성왕은 김주원에게 적절한 예우를 해주어 그
로 하여금 왕위에 대한 욕심을 포기하게 하고 자신을 왕으로 인정하게
할 필요가 있었다.

그것은 上代의 왕들이 왕위에서 탈락한 자를 葛文王으로 책봉하여
주어 그들을 회유하였듯이, 그리고 문무왕이 고구려의 安勝을 報德國王
에 책봉하여 반발을 무마하면서 안정된 생활을 보장하여 주었듯이, 김
주원 또한 왕에 버금가는 지위와 세력을 유지시켜 주어 그것에 만족하
는 대신에, 원성왕을 제도상의 왕으로 인정하게 만들어서 그에 대한 도
전의사를 포기하게 할 필요가 있었다. 그리하여 착안한 방법이 그에게
명주를 중심으로 한 지방의 小地域을 독립적으로 지배통치하게 하였다.

P. 족자 上大長等 敬信이 뭇사람을 위협하고, 먼저 궁에 들어가서 왕이 되

27) 金周元의 정치적 경력에 대해 알려주는 자세한 자료는 없다. 비록 『江陵金
氏世譜』에는 김주원이 혜공왕 14년 9월 迎湌으로 伊湌이 되고, 12년 10월
侍中에 임명되고, 16년 2월 角干이 되었다가, 뒤에 兵部令, 溟州都督, 舒弗
邯 등의 관직을 역임하였는데, 특히 선덕왕 3년 7월에는 병부령으로서 12
幢의 精兵 약 6만인을 관장하였다고 하여, 그의 경력에 대해서 자세히 기
록하고 있으나, 誤字도 있고 하여 그 사실 여부는 알 수 없다.

28) 「溟州郡王神道碑文」에 의하면 '비가 그쳐서 周元이 宮中에 들어가 臨喪을
하니 원성왕이 왕위를 내어 주었으나 그는 굳이 받지 않고 兵卒을 해산하
고 물러나와 살면서 나라의 부름에 응하지 않았다. 또 그는 崔大奈, 咸信,
朴榮 등이 入宮擧事하려고 하였으나 이를 말려 家屬을 거느리고 溟州로
내려왔다.'고 한다.

었다. 周元은 화를 두려워하여 溟州로 물러가고 서울에 가지 않았다. 2
년 후에 주원을 명주군왕으로 봉하고 명주 속현인 三陟·斤乙於·蔚珍 등
고을을 떼어서 食邑으로 삼게 하였다. 자손이 인하여 府를 貫鄕으로 하
였다(『신증동국여지승람』 권44, 강릉도호부 인물).

위의 인용문 P에 의하면 원성왕이 즉위후 김주원을 명주군왕에 封하
고 부근의 지역을 떼어서 食邑을 주었고, 이것으로 인하여 김주원의 후
손들은 江陵都護府를 貫鄕으로 하였다고 한다.

그러면 김주원에게 당시 신라 영역 내에서 명주라는 특정지역을 할
양해 준 배경이 무엇이었던가를 살펴보자. 우선 김주원이 원성왕과의
왕위계승에서 패한 뒤 자신에게 미칠 화가 두려워 퇴거한 곳이 명주이
다. 그의 퇴거는 자발적인 것으로 보이는 바,[29] 그가 이곳을 택한 데에
는 어떤 배경이 있었던 것 같다. 곧 명주지역이 김주원의 선대부터 긴밀
한 관계에 있었던[30] 것에서 연유한다. 이와 아울러 명주는 悉直과 함께
신라 중대 말에 있어서 북방과의 관계상 군사적으로 매우 중요한 곳이
었다.[31] 이러한 점을 고려하면 명주는 김주원이 선대부터 연고권이 있

---

29) 김정숙, 앞의 논문, 169쪽.
30) 「溟州郡王古都紀積碑文」에 "王之母鄕也"라는 기록이 있고, 『강릉김씨세보』
    에 '김주원의 어머니 蓮花夫人 朴氏는 집이 溟州 大川 남쪽 蓮花峰 밑에
    있었고, 無月郎(惟正)이 벼슬로 명주에 왔을 때 인연이 되었다.'고 한다.
31) 신라시대 명주는 일찍부터 군사적으로 대단히 중요한 곳이었다. 원래는
    고구려의 영토였는데, 내물왕대에 신라의 영토로 편입되어 고구려와의 관
    계에서 군사적 요충지가 되었으며(『삼국사기』 권3, 눌지마립간 34년, 자비
    마립간 11년, 소지마립간 3년 및 18년 참조), 512년(지증왕 13)에는 이사부가
    하슬라군주로 임명되어 우산국을 정벌하였다(『삼국사기』 권4, 지증마립간
    13년). 뒤에 639년(선덕왕 8) 2월 州를 파하고 北小京이 설치되었다가(『삼국
    사기』 권5, 선덕왕 8년), 다시 658년(무열왕 5) 3월에 주로 환원되고(『삼국사
    기』 권5, 무열왕 5년) 河西停이 설치되었다. 이 하서정은 신라 6停의 하나
    로 將軍 2, 大官大監 4, 弟監 4, 監舍知 1, 小監 12, 火尺 10, 軍師幢主 1, 大匠
    尺幢主 1, 軍師監 2, 大匠尺監 1 등 軍官이 배치되었다. 河西州에는 이와 더

는 곳이었기에 자진하여 퇴거한 지역이고, 원성왕은 이곳을 김주원의
봉지로 하사하여 그에게 국방의 책임을 떠맡긴 것으로 보인다.

　다음엔 溟州郡王이란 직위는 어떠한 것인가를 살펴볼 필요가 있다.
우선 말 그대로 '溟州郡의 王' 또는 '溟州의 郡王'이다. 그런데 일반적으
로 江陵 지역에 명주군이 설치된 것은 현대 사회에 있었던 것이면, 신라
시대에는 溟州郡이란 행정구획은 없었다. 다만 신라시대 溟州라는 명
칭은 9州의 하나를 나타내던 것이다.[32] 결국 여기서 명주군왕은 溟州의
郡王을 말한다. 郡王이란 관작의 명칭으로 중국의 後魏가 시작하여 隋
가 완비하고 唐에서 淸까지 이어졌다. 다시 말하면 군왕은 後魏에 처음
封해진 뒤, 隋의 開皇年間(581~600)에 9等制로 완비되었는데,[33] 여러 봉
작 중에서 親王(王의 兄弟와 王子의 稱號)의 다음가는 지위이다.[34] 그러

　불어 5州誓의 하나인 河西州誓와 萬步幢, 河西州弓尺과 3邊守幢의 하나인
　河西邊이 주둔하였다. 이처럼 명주는 북방과 관계상 신라의 군사적 중심
　지의 기능을 담당하였다.
32) 참고로『삼국사기』권35, 지리4 '명주'를 소개하면 다음과 같다. "溟州本高
　　句麗 河西良一作 何瑟羅 後屬新羅 賈耽古今郡國志云 今新羅北界溟州 蓋
　　濊之古國 前史以扶餘爲濊地 蓋誤 善德王時爲小京置仕臣 太宗武烈王五年
　　唐顯慶三年 以何瑟羅地連靺鞨 罷小京爲州 置軍主以鎭之 景德王十六年改
　　爲溟州 今因之 領縣四"
33) ① 事始云 後魏始封 功臣爲郡王 以爲王封 郡之始 按晉書宗室傳 太康九年
　　益封子邁爲隋郡王 則其事自晉始矣 然庶姓功臣之封而稱某郡王 當自元魏
　　始也(『事物紀原』官爵封建部 郡王) ; ② 開皇中 置國王郡王國公郡公縣公侯
　　伯子男 凡九等者(『隋書』百官志 下).
34) 참고로 唐의 封爵制度를 [그림]으로 나타내면 다음과 같다.

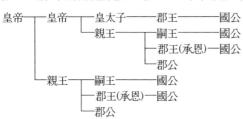

므로 봉작제는 신라 중고기에 소개되어 시행되었으며,[35] 그 실례의 하나가 바로 명주군왕의 책봉이다.

결국 김주원이 낙향한 지 2년후에 원성왕은 그를 명주군왕으로 봉하고 명주와 翼領(지금 襄陽), 三陟, 斤乙於(지금의 平海), 蔚珍을 食邑으로 주었다고 하였다. 食邑이란 국가에서 王族·功臣·封爵者 등에게 지급하던 일정한 지역 또는 收租地 내지 收租戶를 말하는데,[36] 이를 받은 자는 그 지역의 토지뿐 아니라 주민에 대한 지배도 인정되어서 租稅와 貢賦·力役의 수취까지도 가능하였다. 신라시대 식읍은 귀족 중 특별한 공로가 있는 자나[37] 특별하고도 예외적인 신분·지위 또는 관직을 획득한 자에게[38] 주었다. 그리고 수여대상지는 대체로 이들과 직접적인 관계가 있는 일정한 지역을 주었다.[39] 김주원도 그의 先代로부터 연고권이 있었던 명주 일대를 식읍으로 지급받아 莊園을 형성하여 실질적으로 오늘날의 嶺東 지방 일대를 통괄하게 되었다. 그리고 김주원은 당시 귀족과 지방세력가와 마찬가지로 사병적 성격의[40] 군사력을 보유하고 있었다. 그리하여 명주에 이주한 김주원은 이곳에 城을 축조하고 나름대로의 治

---

35) 신라에 봉작제가 소개된 것은 北齊 武成帝가 565년(진흥왕 26) 진흥왕을 使持節東夷校尉樂浪郡新羅王에 책봉한 것을 비롯하여, 隋가 594년(진평왕 16) 진평왕을 上開府樂浪郡新羅王에 책봉한 바 있고, 특히 金仁問은 唐으로부터 臨海公에 책봉되고 지금의 충남 보령지역을 受封하였다.

36) 식읍제는 중국에서 封建制度의 한 변형으로 시작되어 발달한 제도였다. 즉 周代에는 王族과 功臣들에게 領土를 分封하여 그 지역을 직접 통치하게 하던 지방분권적인 봉건제도를 채택하였으나 그 결함이 드러나 멸망하게 되자, 다음 秦을 거쳐 漢代에 이르러서는 중앙집권적인 제도 확립의 일환으로 왕족과 공신들을 중앙에 있게 하는 대신에, 그들을 회유 우대하기 위한 경제적 뒷받침으로써 食邑制를 案出해 내었던 것이다. 특히 唐代에는 각각 皇后·公主 및 功臣 등에게는 응분의 實封(食實封)을 지급하였다.

37) 강진철, 1980, 『고려토지제도사연구』, 고려대학교출판국, 14쪽.

38) 박춘식, 1987, 「나말려초의 식읍에 대한 고찰」, 『사총』 32, 50쪽.

39) 하현강, 1965, 「고려식읍고」 『역사학보』 26, 108~109쪽.

40) 신라 하대 私兵에 대해서는 이기백, 1957, 「신라사병고」 『역사학보』 9 참조.

所를 갖추었다. 지금도 (溟州山)城 안은 상하 2개의 동리로 구분되는데,
즉 上長安과 下長安이 그것으로, 이것은 아마 명주군왕 김주원이 여기
에다 수도를 정한 것으로 추측되며, 그리고 河西國이란 國號를 사용하
였다.[41] 이는 신라·고려의 식읍제가 漢의 제도를 채용하여 중앙에 있는
왕족·공신 등에게 지방의 토지를 하사한 것에 비해 김주원의 경우, 명주
에 낙향한 김주원에게 명주 일대의 토지를 하사한 특수한 사례로서, 마
치 周代의 지방분권적인 봉건제도와 같은 유형이다. 이러한 봉작제와
식읍제는 신라 하대 원성왕계의 초기 왕권이 제후국으로서의 제도가 아
니라 그 형식에 있어서는 물론이고 부분적으로는 실질에 있어서[42] 제도
면에서도 황제적 지위를 가지고 황제 통치하의 정치체제를 취하고 있음
을[43] 말해주는 증좌이다.

---

41) "元聖王二年 封金周元于州 爲溟州郡王 割溟州翼領三陟蔚珍近乙於 爲食邑
憲德王十四年 國除 歷四世三十七年 詳歷代諸國"(『大東地志』 권16, 江陵沿
革條). 특히 『삼국유사』에 의하면 795년(원성왕 11) 唐의 사신이 河西國 사
람 둘을 데리고 와 신라의 護國龍을 잡아갔다고 하는데, 여기서의 河西國
은 中國이 아니라 江陵인 河西良(何瑟羅)와 관계가 있는 듯하며, 그리고
이는 당시 김주원 세력과 원성왕과의 갈등·대립적 측면을 설화로써 표현
한 것인 듯하다(김갑동, 1990, 『나말려초의 호족과 사회변동연구』, 고려대
학교 민족문화연구소, 60~61쪽).

42) 8세기에 있어서 신라는 국호를 "王城國"으로 개칭하여("新羅使入朝旨而新
羅國輒改本號曰王城國因玆返却其使"『續日本紀』 권12, 天平 7년 2월) 스스
로를 종주국으로 인식하여 주변제국을 번국으로 보는 중화사상을 갖고 있
었다(酒寄雅志, 1983, 「古代東アジア帝國の國際意識」 歷史硏究別冊 『東アジ
ア世界の再編と民衆意識』 ; 김은숙, 1991, 「8세기의 신라와 일본의 관계」 『국
사관논총』 29, 119쪽 ; 이병로, 1992, 「8세기의 나·일관계사」 『일본학연보』 4,
240~241쪽).

43) 중국에 가장 근접한 외국은 중국에 향해서는 藩屬의, 국내에 대해서는 독
립의 二重體制를 취하였는데, 이는 중국에 대해서는 어느 정도 체면상으
로 양보하지 않으면 討伐을 당할 위험이 있었고, 아울러 국내에 대해서는
君主는 絶對尊嚴하지 않으면 그 지위가 보존되지 않았던 것이다(宮崎市定,
1959, 「三韓時代の位階制について」 『朝鮮學報』 14, 275쪽).

결국 김주원 일파는 강릉지역으로 낙향하여 莊園과 그에 연결된 下
級 親族共同體 勢力을 중심으로 토착화되어 반독립적 세력을 형성하였
다. 그리하여 이 지역은 신라 중앙정부의 직접적인 행정력이 미치지 못
하는 특수구역화되었다.[44] 이는 당시 중앙정부에서 지방을 통제할 수
있는 능력이 없었다는 측면도 있었겠지만, 왕실로부터 추출된 세력으로
하여금 변방의 군사적 책임을 지우는 한편 그 지역의 땅을 식읍으로 주
어 경제적 자체조달을 도모한 것으로써, 직접적 국경에서 긴장감을 회
피한 것이라 하겠다.[45] 즉 이들이 보유한 군사력으로 남하하는 渤海와
靺鞨 등을 방어하고,[46] 아울러 신라를 공격할 우려가 있는 일본과 발해
의 동해연안 해로를 통한 연결을 제어하는 역활도 하였을 것이다. 이러
한 이해는 당시 동아시아 국제관계에서도 유추할 수 있다.[47] 원성왕은

---

44) 이것은 822년(헌덕왕 14) 김주원의 아들 김헌창이 김주원이 왕이 되지 못한
   것을 원한으로 삼아 반란을 일으켰으며, 825년(헌덕왕 17) 헌창의 아들 범
   문이 모반하였을 때도 중앙정부에서 그 반란의 근원지라고 할 수 있는 강
   릉에 대하여 별다른 조치를 취한 기록이 없는 점에서 명백해 진다(신천식,
   1982, 「강릉지방의 역사적 변천」 『임영문화대관』, 강릉문화원, 177~ 178쪽).
45) 방동인, 1981, 「한국인의 국경의식」 『월간조선』 12월호, 86쪽.
46) 757년(경덕왕 16) 무렵에는 三陟에 있던 北鎭을 泉井郡으로 移置하였는데,
   이것은 동북변경에 대한 狄敵 및 渤海의 위협에 대처하려는 것이었다(이
   문기, 1994, 「통일신라기의 북진과 군사적 위상」 『황종동교수정년기념 사학
   논총』). 그리하여 북진 이남 지역 동해연안의 방비를 맡을 군사력이 필요
   해졌고, 이것을 김주원계가 떠맡은 것이라 하겠다.
47) 발해의 일본과의 교류항로는 이른바 日本道라는 교통로인데, 이는 上京 -
   東京 - 長嶺子 山口關隘 - 毛口崴(kraskino) - 海路 - 日本의 出羽 일대
   (지금 秋田縣) 또는 能登·加賀·越前(지금 石川·新瀉·福井)이었다. 그리고
   다른 길은 毛口崴에서 출발하여 한반도 동남해안을 따라 남쪽으로 가다가
   일본의 筑紫(지금 北九州)로 가는 길이다(王承禮, 1984, 『渤海簡史』, 黑龍江
   人民出版社 ; 송기호 역, 1987, 『발해의 역사』, 한림대학 아시아문화연구소,
   111쪽 및 192~193쪽). 특히 발해는 776년 使臣 史都蒙이 南京의 吐號浦를 출
   발하여 對馬島를 거쳐 일본에 도착함으로써 한반도 동해안 해로를 알게
   된 뒤로 아마 이것을 이용하려 했을 것이고, 더욱이 일본은 759년부터 762
   년까지 藤原仲麻呂 정권에 의해 추진된 新羅征討計劃에(和田軍一, 1924, 「淳

김주원에게 명주군왕의 지위를 주어 정치사회적으로 예우와 신분보장
을 해 줌과 더불어 동북방과 해안에 대한 국방상의 임무를 부과한 것이
라 추측된다.

이러한 독립적인 김주원계 세력의 보장은 그뒤에도 계속 유지되었다.

> Q. 金宗基는 周元의 아들인데 대를 이어서 왕이 되었다. 金貞茹는 종기의
> 아들인데 비로소 朝廷에 벼슬하여 上大等에 이르렀고 溟源公으로 봉함
> 을 받았다. 金陽은 정여의 아들인데 金明의 반란 때에 신무왕을 도와서
> 사직을 안정시켰고 벼슬이 시중 겸 병부령에 이르렀고 죽은 뒤에 溟源
> 郡王으로 봉하여 졌다(『신증동국여지승람』 권44, 강릉도호부 인물).

이처럼 김주원이 溟州郡王, 김주원의 아들 金宗基는 溟州郡王, 김종
기의 아들 金貞如는 溟源公, 김정여의 아들 金陽은 溟源郡王 등으로 봉
하여 졌다는[48] 것은 김주원계가 명주군왕의 작위를 대대로 가지면서 독
립적인 지위를 유지한 것으로 보아도 되겠다.

결국 명주군왕이 자신의 가신집단으로써 독립된 자치적 통치조직을

仁朝における新羅征討計劃について」『史學雜誌』 35-10·11.) 신라와 발해의
대립관계를 이용하려 하였으며(酒寄雅志, 1977, 「八世紀における日本外交
と東アジア政勢」『國史學』 103 ; 한규철, 1993, 「발해와 일본의 신라협공계
획」『중국문제연구』 5, 경성대학교), 그리고 786년(원성왕 2) 10월 11일에는
일본왕 文慶이 신라를 공격하려다가 萬波息笛이 있다는 소문을 듣고 군대
를 철수한 바 있다(『삼국유사』 권2, 원성대왕). 이러한 당시 상황을 인식하
고 있던 신라 중앙정부는 동북방에 대해 국방상 상당한 위협으로 느꼈고
특히 동해연안에서 발해와 일본의 연결과 침공에 대비할 필요가 있었을
것이다.
48) 溟州郡王陵이 있는 곳이 강릉시 성산면 보광리(삼왕리)인데, 三王里라고
부르게 된 것은 김주원과 후손 三代가 郡王號를 받은 때문이며, 이로써 미
루어보면 三代를 모두 이곳에 장사지낸 것으로 생각된다(명주군, 1981, 『명
주의 향기』, 49쪽).

구성하고 있었고, 또 식읍이라는 봉지를 소유하고서, 방어를 위한 자체
적 군사조직을 보유하였으며, 아울러 郡王의 지위가 자손에게 세습되었
다면 식읍 역시 중앙정부에 반납되지 않고 실질적으로 보유에 의하여
세습되었을 것이고, 중앙정부 역시 묵인되었을 것이다. 즉 신라국 내에
서 중앙정부와는 일정한 관계를 유지하면서도 溟州를 중심으로 하는 일
정 지역에 대한 독립된 지배구조를 가지고 4대 37년간에 걸쳐 하나의 왕
국으로서 생활한 특수한 통치구조였다. 그리고 이것은 신라 하대 원성
왕계 초기 왕권이 皇帝的 地位를 가졌고 제도적으로도 외형상 皇帝國을
표방하면서 封爵制를 시행하였던 것을 보여주는 것이다.

2. 金周元系의 동향

원성왕이 즉위한 뒤, 김주원계의 동향은 각각 小家系의 정치적 입장
의 차이에 의해 여러 가지로 형태를 달리하였다.[49] 먼저 한 부류는 원성
왕의 배려로 金周元이 명주군왕에 봉해지면서 그의 친족집단과 추종세
력 역시 낙향하여 명주군왕 휘하의 家臣集團으로 편재되었다. 둘째는
이와는 달리 金宗基 등처럼 김주원의 친족이면서도 계속 王京에 남아
생활하면서 원성왕 정권에 등용되어 관직에 임용된 자들도 있었다. 그
리고 셋째는 처음에는 왕경에 거주하다가 나중에 다시 김주원의 기반이

---

49) 김주원 직계손의 동향을 崔柄憲과 金貞淑은 ① 金憲昌·梵文의 父子와 같
　　이 직접 왕위에 도전하여 왕위쟁탈전을 전개한 부류, ② 溟州와 같이 인연
　　있는 지방에 퇴거하여 지방세력화한 부류, ③ 金宗基의 자손과 같이 중앙
　　귀족으로 의연히 남아서 대대로 侍中職을 역임한 부류로 분류하였다(최병
　　헌, 앞의 논문, 466쪽 ; 김정숙, 앞의 글, 179쪽). 한편 李明植은 ① 새로 중앙
　　정계에 진출하여 侍中의 직을 역임함으로써 상당한 위치에 오르게 된 경
　　우, ② 정치의 중심권에서 밀려난 울분을 참지 못하여 叛亂을 도모한 경우,
　　③ 다른 세력집단과 결탁하여 왕위찬탈에 일익을 담당하기도 한 경우 등
　　으로 나누었다(이명식, 1984, 「신라 하대 김주원계의 정치적 입장」『대구사
　　학』 26, 61쪽).

확고해진 명주로 이주해간 친족도 있었을 것이다. 넷째는 金憲昌과 그의 아들 梵文처럼 처음에는 원성왕 정권에 등용되어 관직생활을 하다가 추후에 원성왕계 정권에 직접적으로 반발한 세력도 있었다.

첫째, 김주원과 함께 명주지역으로 퇴거한 자들부터 살펴보자. 앞의 인용문(P)에서 보듯이 김주원은 왕위를 빼앗긴 뒤 자진하여 명주로 퇴거하였다. 그리고 비록 후대의 기록이기는 하나 강원도 강릉시 성산면 보광리 소재의 「溟州郡王古都紀績碑文」에 의하면 김주원이 명주로 낙향할 때 家屬들과 함께 近侍 4인(崔大奈, 咸信, 朴榮, 郭吉)을 거느리고 왔다고 한다. 이들은 원성왕의 즉위 직후에 擧事를 하려했던 김주원의 심복세력이다.[50] 그렇다면 김주원의 퇴거시 많은 무리가 함께 이주하였음을 추측할 수 있다. 아울러 『삼국사기』 등에는 보이지 않으나 「강릉김씨세보」에 김주원의 아들로 기재되어 있는 金身 등도 이주하였다. 이들은 대체로 원성왕으로부터 주어진 溟州郡王이라는 작위와 식읍에 나름대로 자위하면서 원성왕을 중앙정부의 國王으로 인정하면서 아울러 원성왕계와의 직접적인 충돌을 포기한 채 王京과는 유리된 독립적인 생활을 영위하였다.

둘째, 王京의 원성왕 정권에 등용되어 관직에 임용된 자로는 金憲昌을 비롯하여 金宗基, 그리고 그의 아들 金貞茹와 金璋如, 손자 金陽과 金昕을 들 수 있다. 김헌창에 대해서는 뒤에서 따로 다루기로 하고, 여기서는 여타 인물에 대하여 살펴보자. 우선 김종기는 김주원의 아들로서 뒷날 반란을 일으킨 김헌창의 형이다. 그는 790년(원성왕 6) 1월 蘇判으로 執事部 侍中에 임용되어 원성왕의 왕권에 협조하다가 그해 10월 天變地異를 책임지고 사임하였다. 또 김정여는 김종기의 아들로서 시중을 비롯한 여러 관직을 역임한 듯하다.[51] 김장여는 侍中 波珍飡에 이르

---

50) 임영지증보발간위원회, 1975, 「溟州郡王神道碑文」『臨瀛誌』, 291쪽. 그리고 『신증동국여지승람』 권44, 강릉도호부 성씨조의 本府 姓으로 金, 崔, 咸, 朴, 郭氏가 기재되어 있는 것으로 보아 연관성이 있는 듯하다.

렀다.[52] 또 김정여의 아들 金陽은 828년(홍덕왕 3) 固城郡太守가 되고 이어 中原京大尹, 武州都督을 역임하였으며, 839년 신무왕의 즉위에 큰 공헌을 하여 7월 蘇判 兼 倉部令, 8월 이찬으로 시중이 되었다가 퇴임 후 병부령이 되었다.[53] 그리고 김장여의 아들 金昕은 헌덕왕대 唐에 宿衛로 다녀왔고, 그 공로로 南原太守로 임명되었다가 여러 관직을 거쳐 康州大都督, 얼마 뒤 伊湌 兼 相國이 되었으며, 839년 신무왕의 찬탈시 閔哀王軍의 大將軍으로 출전하였다가 패하여 小白山에 들어가[54] 山中宰相으로 일컬어지다가[55] 일생을 마쳤다. 그러나 원성왕계가 이들을 최고 권력직인 상대등에는 임명하지 않고 오히려 행정실무직적 성격이 큰 시중에 대부분 임명한 것은 중앙에 잔류한 김주원계를 포섭한 것이며,[56] 동시에 김주원계는 이로써 여전히 중앙에서 정치사회적 지위를 보장받을 수 있었다.[57] 그러면서 이들은 명주를 근거지로 한 김주원계의 반발에 대비한 볼모적 성격을 갖는 존재들이었음을 추측할 수 있다.

셋째, 처음에는 王京에서 원성왕 정권에 협조하거나 혹은 용인하고 있다가 또다른 변수에 의하여 김주원계의 세력근거지인 명주 지역으로 이주해간 자로는 金宗基와 金貞茹, 金陽을 들 수 있다. 이들이 명주로 퇴거해간 직접적인 기록은 없지만, 앞의 인용문 Q에서 보듯이, 모두가

---

51) 이것은 『삼국사기』 권44, 金陽傳의 "金陽 字魏昕 太宗武烈王九世孫也 曾祖 周元伊湌 祖宗基蘇判 考貞茹波珍湌 皆以世家爲將相"에서 추측된다.

52) "從父兄昕 字泰 父璋如 仕至侍中波珍湌"(『삼국사기』 권44, 金陽傳附金昕傳).

53) 『삼국사기』 권44, 김양전.

54) 『삼국사기』 권44, 金陽傳附金昕傳.

55) 「성주사낭혜화상비문」 참조.

56) 仁謙系가 金周元系에게 侍中職을 할애함으로써 그들의 정치적 반발을 무마시키고자 한 것이다(오 성, 앞의 논문, 615쪽).

57) 김주원의 후손들은 중앙에 있으면서 적어도 김헌창 부자의 반역으로 인하여 그들의 세력이 위축될 때까지는 원성왕계의 정권 안에서 상당한 위치에 있었다(윤병희, 앞의 논문, 58-60쪽).

김주원을 이어서 차례로 溟州(源)郡王에 봉해졌다고 한다. 이들이 명주 군왕에 책봉된 것이 사실이라면, 자의에 의해거나 혹은 명주군왕 책봉에 의한 것이었던 간에, 이들의 무덤이 모두 오늘날 강원도 강릉시 성산면 보광리에 있다고 한 것에서 추측되듯이, 모두 명주지역으로 이주 내지는 퇴거해간 것을 알 수 있다. 즉 이들은 모두 김주원의 長子孫으로서, 처음에는 위의 첫번째 부류와는 달리 두번째 부류에 속하는 자들이었다가, 명주군왕의 지위를 세습하기 위하여 낙향한 가계와 그 인물들이다. 그리고 이와는 반대로 중앙에서 여유 있는 생활을 하다가 원성왕계가 왕권강화를 기하면서 또 김헌창 부자의 반역으로 인하여 무열왕계에 홀대를 가하자 명주로 옮겨간 자들도 있었을 것이다.

그리고 넷째, 원성왕계 정권에 직접 반발의 형상을 보인 인물로는 김헌창과 그의 아들 梵文이 대표적이다. 김헌창은 김주원이 명주로 퇴거한 뒤에도 계속 왕경에 머물렀다. 그리고 官界에 나아가 여러 관직을 보임하였다. 807년(애장왕 8) 1월 侍中에 임용되었다가[58] 물러난 뒤, 813년 (헌덕왕 5) 정월 武珍州都督이 되고,[59] 중앙으로 들어와 다시 814년(헌덕왕 6) 8월 侍中에 임명되어[60] 1년 5개월 동안 재직하다가 퇴임하였으며,[61] 816년(헌덕왕 8) 정월 다시 외직으로 나가 菁州都督이 되고,[62] 821년(헌덕왕 13) 4월 熊川州都督이 되었다.[63] 그러나 김헌창은 이듬해 3월 반역을 일으켜 國號를 長安이라 하고, 年號를 慶雲이라 하면서 새로운 왕조를 개창하였다.[64] 기록에 의하면 金憲昌이 반란을 일으킨 이유는

---

58) 『삼국사기』 권10, 애장왕 5년 정월.
59) 『삼국사기』 권10, 헌덕왕 5년 정월.
60) 『삼국사기』 권10, 헌덕왕 6년 8월.
61) 그 이유는 당시 天變地異를 책임지고 물러난 듯하다(이기백, 1974, 「신라하대의 집사성」『신라정치사회사연구』, 일조각, 177쪽).
62) 『삼국사기』 권10, 헌덕왕 8년 정월.
63) 『삼국사기』 권10, 헌덕왕 13년 4월.
64) 3월 熊川州都督 憲昌은 아버지 周元이 앞서 왕위에 오르지 못한 것을 이유로 반란하여 國號를 長安이라, 年號를 慶雲元年이라 하고, 武州·完山·菁

일찍이 아버지 金周元의 즉위가 원성왕에 의하여 좌절된 것에 대한 불
만이라고 하였다. 이것은 반란의 명분상 이유에 불과하고 직접적인 원
인은 당시 헌덕왕과 秀宗·忠恭 등에 의하여 추진되는 개혁정치에 대한
반발과 金憲昌 자신을 지방직인 都督으로 임명하여 보내는 등의 인사조
치에 대한 불만, 특히 822년(헌덕왕 14)에 있었던 헌덕왕의 同母弟 秀宗
이 副君에 임명되어 月池宮에 들어감으로써 왕위계승자로 확정된 것에
대한 불만이 원인이 되었다고 봄이 옳겠다. 그리고 난이 진압된 뒤에 김
헌창의 宗族과 黨與 239여명이 살해되었다. 이것은 당시 김헌창을 중심
으로 하는 무열왕계 후손들의 상당수가, 즉 武州·完山州·菁州·沙伐州
및 國原京·西原京·金官京과 주위의 여러 郡縣에 존재하던 무열왕계가
여기에 참여하였음을 알 수 있다. 그러므로 이것은 무열왕계와 원성왕계
의 대립의 의미를 지니는 것이다. 특히 金憲昌 亂의 진압 지휘자들인 衛
恭·悌凌·金均貞·金雄元·金祐徵·金忠恭·允膺 등이 대부분 원성왕계의 인
물인 점에서 더욱 그러하다.[65] 결국 이 난의 원인은 헌덕왕이 同母弟 金
秀宗에게 왕위계승을 확정하자 다른 여러 가지 복합적인 불만과 아울러
이제는 완전히 왕위계승 범주에서 벗어나게 된 金憲昌을 비롯한 무열왕
계 후손들이 왕위계승권을 되찾을 수 없다는 절망감에서 비롯된 것이며,
지방에 새로운 왕조를 건국하여 종래 무열왕계 왕통을 복구함으로써 신
라왕실의 정통성을 회복하려 한 무열왕계의 왕위부흥운동이었다.[66]

州·沙伐의 4州 都督과 國原京·西原京·金官京의 仕臣과 여러 郡縣의 守令
을 협박하여 자기의 소속으로 삼았다(『삼국사기』 권10, 헌덕왕 14년).

65) "遂差員將八人 王都八方 然後出帥一吉湌張雄先發 迊湌衛恭波珍湌悌陵繼
之 伊湌均貞迊湌雄元大阿湌祐徵等掌三軍徂征 角干忠恭迊湌允膺守蚊火關
門 明基安樂二郞各請從軍"(『삼국사기』 권10, 헌덕왕 14년 2월). 이처럼 진
압군에 참가한 인물들이 거의 모두 元聖王의 直系孫이거나 그와 밀접한
관계에 있었던 것으로 볼 때, 이는 金周元系와 金敬信系 사이의 왕위쟁탈
전의 연장으로서 이 兩大 親族共同體勢力 사이의 두 번째 대결의 성격을
갖는 것이다(최병헌, 앞의 논문, 464~465쪽).
66) 김창겸, 1994, 「신라 하대 왕위찬탈형 반역에 대한 일고찰」『한국상고사학보』

한편 비록 김헌창의 난은 진압되었지만, 김헌창계 세력은 포기하지 않았다. 김헌창의 난이 발생한 지 3년 뒤인 825년(헌덕왕 17) 김헌창의 아들 梵文이 또 난을 일으켰다.[67] 이 난의 성격은 앞서 있었던 김헌창 난의 연장선상에서 이해할 수 있다. 그것은 난의 주체세력 뿐만 아니라 首都를 平壤(지금 서울)에 정하여 새로운 왕조의 건국을 도모한 점에서도 같다. 다만 당시 流移民集團인 山賊을 이용하였다는 점에서는 한층 지방세력의 형성과 이들의 중앙세력에 대한 반항적 움직임의 길을 열어 놓았다. 결국 범문의 난 역시 김헌창의 난으로 몰락하고 남은 김주원계 후손의 일부가 주동이 되어, 원성왕계로 넘어간 왕위계승권을 회복하기 어렵다는 것을 인식하고 김헌창 난의 의지를 이어받아 원성왕계 왕통을 부정하고 새로운 왕조를 열어 그것이 신라왕조의 정통성을 갖는 王家임을 표방하였으나, 곧 진압되어 실패하였다.[68]

이처럼 김주원계의 인물들은 같은 김주원의 친족이면서도 그들의 추이를 달리하게 되어, 결국에는 각자의 정치적 입장에 따라 상호간에 직접간접으로 대립하는 양상으로까지 변화하였다. 특히 대표적인 경우가 金宗基系와 金憲昌系, 그리고 김종기계 내에서 金陽系와 金昕系이다. 그 원인은 중앙정계에서의 정치적 입장의 차이, 즉 자신들의 생존을 위하여 당시 원성왕계 내에서 仁謙系과 禮英系의 정치적 갈등을 이용하려 했던 것에도 원인이 있지만, 더 직접적인 것은 김주원계 내에서 입장의 차이에서 비롯된 것인 듯하다. 우선 원성왕계 왕권을 인정하면서 중앙에서는 고위 관직의 임명을 통하여, 그리고 지방에서는 長子에게 세습적으로 책봉되어지는[69] 명주군왕이라는 특수한 지위를 가짐으로써 안

17, 241~242쪽.

67) "正月 憲昌子梵文與高達山賊壽神等百餘人同謀叛 欲立都於平壤 攻北漢山 州 都督聰明率兵捕殺之"(『삼국사기』 권10, 헌덕왕 17년).

68) 원성왕 7년 1월 悌恭의 반란 역시 그가 비록 金周元의 直系尊屬은 아니지만 같은 武烈王系의 인물로서 원성왕에 대한 반발이었던 것같다.

69) 신라 중고기부터 『禮記』을 비롯한 儒敎經典과 「唐律」의 전래로 인하여 중

정된 정치경제적 대우를 보장받고서 이것에 만족하려는 김종기계와는
달리, 次子이기에 명주군왕의 지위가 주어지지 않을 뿐만 아니라 중앙
에서조차 헌덕왕 형제가 개혁정치를 추진하는 과정에서 그들에게 주어
진 차별 대우에 불만을 가지고 종래 무열왕계 왕통을 회복해 보고자하
는 金周元系 사이에는 상당한 정치적 입장의 차이가 있었던 것이다. 그
리고 김종기계 내에서도 嫡長孫인 金陽은 흥덕왕 말년 上大等으로 왕위
계승 예정 인물인 金均貞을 지지한 반면, 그의 從父兄 金昕은 김종기의
次子 金璋如의 아들로서 명주군왕의 세습이 불가능한 가계였기에 김양
과는 달리 김균정을 밀어낸 金明을 지지하여, 결국에는 이들 양인이 군
대를 이끌고 출전하여 직접 무력 대결을 벌리기까지 하였다.

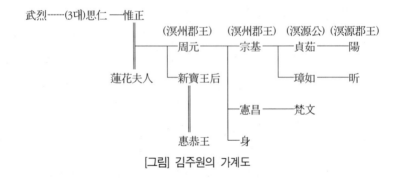

[그림] 김주원의 가계도

이상에서 보았듯이, 김주원 후손들은 원성왕의 회유포섭 노력의 결
과 원성왕을 신라 중앙정부의 통치자로 일단 인정하면서 김주원을 비롯
한 일부친족세력은 4대(아마 金周元, 金宗基, 金貞茹, 金陽인듯) 37년간
에 걸쳐 河西國이란 國號를 가지고서 명주 지역의 독립적 세력을 보장
받는 것으로 만족하였고, 또다른 친족세력은 중앙정부에 侍中・倉部令・

국식 宗法이 수용되어 적장자계승원칙이 도입 시행되었다(김두헌, 1980, 『한
국가족제도연구』, 서울대학교출판부, 88쪽).

兵部令·將軍 등의 고위 관료로서 자신들의 지위를 예우받음으로써 타협을 이루었다. 그러나 원성왕이 죽고 그 後孫代에 이르러 김주원계에게 홀대가 가해지자, 명주군왕과 같은 독자적 세력을 가질 수 없었던 김헌창계는 반발을 보였다. 그러자 이 난을 진압한 원성왕계 정권은 김주원 후손의 또다른 소가계인 김종기계에 대해서는 고위 관직을 양보하여 이들을 무마 포섭하였다. 결국 김주원계는 반발하기도 하였으나 대부분의 소가계가 원성왕계의 포섭 회유에 이용되면서 자신들의 세력을 유지해 나갔다.[70] 특히 명주군왕이라는 특수 官爵을 두고 각자 서로의 정치적 이해관계가 상반되는 입장을 취한 결과 김주원계 내에서 分枝化 현상이 심화되었다.

Ⅳ. 맺음말

지금까지 신라 하대의 실질적 첫 왕인 원성왕의 즉위과정과 즉위후 그의 즉위과정에서 대립세력이었던 김주원과 친족세력의 동향, 그리고 원성왕의 이들에 대한 무마, 회유 및 포섭정책 등에 대해 살펴보았다. 이를 간략하게 정리하여 맺음말에 대신하겠다.

원성왕의 즉위전 세력기반으로는 혈연적 기반과 정치사회적 기반을 들 수 있다. 원성왕은 선덕왕의 모계에 의한 從兄弟로서, 부계는 先代가 신라 중대에 伊湌·迊干·一吉湌·大阿湌 등의 관등과 中侍·將軍 등의 관직을 역임하는 등 진골귀족가로서 정치계 내에서 유력한 가계 중의 하나였고, 모계는 朴氏이고, 비계는 金氏이며, 비계의 모계는 원성왕의 어머니의 가계와 인척으로 맺어져 있던 김원량을 外家로 하는 가계였다. 즉 원성왕과 김원량은 모와 비를 통하여 이중으로 맺어져 있었다.

---

70) 이것이 신라 말기 명주지방의 호족세력이 형성된 기반으로 이어졌던 것같다(이에 대해서는 金甲童, 앞의 책 참조 바람).

정치사회적 기반으로는 金敬信이 혜공왕 말년에 있었던 김지정의 난
을 진압하는 과정에서 두각을 드러내고, 곧이은 선덕왕의 즉위과정에서
그를 적극적으로 추대한 공로로 인하여 상대등이 되고, 또 二宰의 지위
를 갖게 되어 당시 정계의 최고 실력자 중위 한 사람이 되었다. 이에 더
해 김경신은 反金周元 성향의 귀족과 그의 인척인 金元良·金神述 등의
세력, 아울러 일부 6두품 계층을 지지세력으로 점차 포섭, 확보하여 나
갔다. 그리고 김경신은 선덕왕이 재위시 무열왕계의 최고 유력자였던
김주원에게 禪位하려는 것을 저지하며 기다리던 중 선덕왕이 아들이 없
이 죽었다. 그러자 群臣들이 김주원을 왕위계승자로 추대하고 선덕왕의
어머니 貞懿太后가 왕위계승에 대한 명령을 내렸다. 하지만 김주원의
즉위가 자연재해로 지체됨을 틈타, 김경신은 자신의 지지세력으로 하여
금 群臣會議의 결정을 번복시켜 왕위를 탈취하였다.

원성왕은 즉위직 후부터 여러 가지 방법을 통하여 왕권의 안정을 위
한 노력을 하였다. 그 중의 하나로써 원성왕 2년 김주원을 명주군왕으로
봉하여 오늘날 嶺東 지역 일대를 독자적 지배를 허락하였다. 그리하여
명주로 퇴거한 김주원 세력은 食邑을 경제적 기반으로 莊園을 형성하고
이곳에 城을 쌓아 首都 형태의 治所를 마련하고, 4대 37년간에 걸쳐 河
西國이란 독자적 國號를 갖기도 하였으며, 사병과 친족세력을 군사적
기반으로 하여 北鎭 이남 지역에 대한 신라의 北方 수비와 일본의 동해
안 일대의 침공을 대비하면서, 아울러 당시 발해와 일본의 동해연안해
로를 통한 통교를 견제하는 역할을 담당하였다. 그리고 이러한 특수 구
역의 관리자인 명주군왕의 지위는 김주원의 적장자손에게 계속적으로
주어졌다.

원성왕의 즉위후 김주원계의 동향은 크게 네 부류로 나누어 보았다.
첫째, 김주원과 함께 명주지역으로 퇴거하여 중앙의 정치적 변동과는
대체로 무관하게 반독립적인 위치를 유지해 나간 자들이 있었다. 둘째,
김주원이 명주로 퇴거한 뒤에도 계속 왕경에 머물면서 더욱이 원성왕계

의 정권에 등용되어 侍中 등의 관직을 역임한 자들도 있었다. 그리고 셋째, 이처럼 왕경에 머물거나 또는 관직에 임용되었다가 나중에 또다른 변수에 의하여 명주 지역으로 이주해간 자들도 있었다. 넷째, 원성왕계 왕권에 직접적인 반발 방법으로 반란을 일으켜 김주원계(크게는 무열왕계) 왕통을 회복하려는 자들도 있었다.

　김주원계 친족들의 이러한 여러 형태의 동향은 처음에는 원성왕계에 의한 무열왕계의 왕위 상실과 원성왕의 회유책에 의해서 비롯된 것이지만, 점차 원성왕계 내에서 仁謙系와 禮英系의 갈등을 자신들의 이해관계에 이용하려 했던 것에도 영향을 받았고, 특히 명주군왕의 작위를 김주원의 直系子孫이 계속적으로 갖게 됨으로써 이에서 벗어난 가계의 인물들은 극단적인 방법인 반란을 통하여 보다 나은 지위를 획득코자 하였으나 실패하였다. 결국 김주원계 후손들은 자신이 속한 소가계의 이익 추구를 도모한 결과 가계의 분지화에 따라 세력이 분산되고, 반대로 원성왕계는 내부적으로 자기항쟁의 현상을 보이면서도 김주원계보다 우월한 위치에서 계속적으로 왕통을 이어갈 수 있었다.

제4장 원성왕계 왕의 황제·황족적 지위

I. 머리말

일반적으로 왕조국가에서는 최고통치자인 君主의 지위에 따라 권력구조가 皇帝國의 틀을 취하거나 諸侯國의 틀을 취하여 그 형식을 달리하였다. 그리고 이에 따라 국가의 대외적 지위가 달라지고 그것이 국가의 위력을 표현하고 있었다.[1]

전통시대 동아시아에 있어서 중국에 가장 근접한 외국은 중국에 향해서는 蕃國의, 국내에 대해서는 독립의 二重體制를 취하였다. 이것은 중국에 대해서는 어느 정도 체면상으로 양보하지 않으면 토벌을 당할 위험이 있었고, 아울러 국내에 대해서는 군주는 절대 존엄하지 않으면 그 지위가 보존되지 않았던 것에[2] 이유가 있다. 실제로 중국의 주변국들은 황제국에 예속되었던 王國에 만족하지 않고 비록 정도는 달랐지만 각각 나름대로 자기중심의 독자적인 국제질서를 상정하고 있었다.[3] 한국사상의 역대왕조들도 역시 그러하였다. 그리고 대체로 그 독립성의 정도는 고려 중기 이전에는 이후에 비하면 훨씬 높았다. 그래서 고려 중기, 즉 元의 간섭을 받기 이전까지는 제도적으로 황제국의 체제였다는

---

1) 물론 왕조국가에서 그것이 어떤 형식을 취하든지 君主的인 통치형식이라는 점에서는 변함이 없다(윤국일, 1990, 「고구려 최고통치자의 황제적 지위」 『력사과학』 1990-1, 사회과학출판사, 46쪽).
2) 宮崎市定, 1959, 「三國時代の位階制について」 『朝鮮學報』 14, 275쪽.
3) 酒寄雅志, 1993, 「華夷思想の諸相」 『アジアのなかの日本史』, 東京大學出版部.

지적이 이미 있었다.[4]

통일기 신라는 대외적으로는 당시 중국의 唐 중심적 국제 질서의 번국에 속하였고, 내부적으로도 여러 면에서 제후국의 체제를 유지하고 있었다. 그러나 신라가 단순히 당의 번국에 불과하였던 것은 아니었다. 사실 고구려와 백제는 물론 신라도 중고기부터는 '大王' 칭호와[5] 독자적 年號의 사용을 통하여 황제국을 표방하였다. 그리고 신라 하대 원성왕계 왕과 그 친족도 황제적 지위와 황족의식을 가졌던 것으로 보인다.[6]

이미 몇몇 연구자에 의하여 신라 하대의 원성왕계가 황제적 지위에 있었음이 부분적으로 언급되었다. 武田幸男은 골품제에 대한 논의를 하는 과정에서 834년(흥덕왕 9)에 반포된 사치금지령, '이 규제에 제약을 받지 않는 집단으로서 국왕과 그 친족집단이 진골귀족 위에 중국 황제의 지위에 대응하는 초월적 존재로서 君臨하고 있는 것이 간파되며, 이것이 이 시대에 있어 골품제의 특질이다.'고 하였다.[7] 한편 李基東은 '현실의 국왕과 그 친족집단이 정치적, 사회적으로 보다 우월한 입장에 있

---

4) 김기덕, 1986, 「고려조의 왕족봉작제」『한국사연구』52, 65쪽 ; 김기덕, 1997, 「고려의 제왕제와 황제국체제」『국사관논총』78, 159~172쪽 ; 하현강, 1965, 「고려식읍고」『역사학보』26, 112쪽.

5) 노태돈, 1988, 「5세기 금석문에 보이는 고구려인의 천하관」『한국사론』19, 서울대학교 ; 濱田耕策, 1987, 「朝鮮古代の大王と太王」『响沫集』5 ; 양기석, 1983, 「4-5세기 고구려 왕자의 천하관」『호서사학』11 ; 양기석, 1984, 「5세기 백제의 왕·후·태수제에 대하여」『사학연구』38 ; 坂元義種, 1978, 『古代東アジアの日本と朝鮮』, 吉川弘文館.

6) 그러나 엄격한 의미에서 보면, 중고기 내물왕계나 중대 무열계가 가졌던 황제·황족의 지위와 하대 원성왕계의 그것과는 차이가 있었던 것같다.

7) 나아가 중국 皇帝의 지위에 대응하는 초월적 존재로서의 국왕의 창출은 金憲昌의 大亂 이래 혼미를 거듭하고 있던 政局에서 국왕의 권위를 높임으로써 그 위기를 탈출하기 위한 것이며, 골품제의 포섭에서부터 이탈하는 초월적 존재의 창출 그 자체 골품제가 붕괴기에 들어선 것을 의미하는 것으로 보았다(武田幸男, 1975, 「新羅骨品制の再檢討」『東洋文化研究所紀要』67, 東京大學, 130~136쪽과 206~212쪽).

었던 것은 사실이며, 실제 하대에 들어와 王室親族集團이 일반 진골귀
족 위에 군림하려는 시도가 끊임없이 되풀이되기도 하였다.'고[8] 보았다.
그리고 李昊榮은 '통일신라는 신라의 천하관인 신라중심사상을 완결하
여, 신라왕은 중국의 황제와 같이 중앙에 자리잡고 있으면서 주변의 토
지와 인민을 지배한다.'고 하였다.[9] 이러한 고견들은 필자가 신라 하대
원성왕계 왕들의 지위와 왕위계승에서 골품제의 붕괴에 대한 입장을 정
리하는데 많은 시사를 주었다.

　　본고에서는 원성왕계 왕과 그 친족이 외형상으로 황제적 지위와 황
족의식을 가졌던 것을 검토하여 신라 하대가 황제국체제의 君主國家였
음을 밝혀 보겠다. 먼저 신라 하대에 사용된 각종 용어와 제도에서의 황
제·황족 관련 자료를 추출, 검토하여 원성왕계 왕이 황제적 지위와 그
친족이 황족적 의식을 가졌음을 살펴본 다음, 이들이 이러한 입장을 취
한 배경과 목적은 무엇인가를 살펴보겠다. 그리고 이들의 황제적 지위
와 황족의식은 신라의 왕위계승에 결정적 요건의 하나로서 작용하였던
진골 신분의 조건을 초월하게 되어 골품제 규정이 왕위계승에서조차 기
능을 상실해 갔음을 밝히고자 한다.

II. 원성왕계와 황제·황족 관련 자료

1. 원성왕의 황제 칭호 사용

　신라 하대의 실질적 첫 왕인 원성왕은[10] 황제 칭호를 사용한 듯하다.

---

8) 아울러 국왕과 그 친족집단이 일반 진골귀족 위에 군림하고 있는 것이 이
　때 비로소 나타난 현상이 아니며, 그들의 정치적 우월성은 이미 원성왕대
　에 보이고 있다고 하였다(이기동, 1984, 「신라하대의 왕위계승과 정치과정」
　『신라 골품제사회와 화랑도』, 일조각, 162쪽과 181쪽).
9) 이호영, 1996, 「신라의 통일의식과 '일통삼한'의식의 성장」『동양학』 26.

우선 元聖王이라는 시호는 聖王 중에서도 으뜸이 되는 始祖 聖王을 의
미한다고 보겠다. 즉 원성왕은 신라 하대의 새로운 왕통을 일으킨 '中始
祖' 내지 中興君主로 인식되어 있었다. 이것은 그의 諡號가 그러하고,
하대의 새로운 五廟制의 제정에서 그를 시조 太祖大王과 더불어 모신
것에서도 알 수 있다. 그리고 원성왕은 「숭복사비」에서 '임금의 뛰어난
선조'인 "聖祖"와 '공훈이 큰 先祖 - 특히 開國의 基業을 닦은 帝王'을[11]
의미하는 "烈祖"로 표현되고 존숭되었다.

『삼국사기』에는 문성왕의 遺詔(顧命)에서 先代를 皇帝라고 지칭하였
는데, 이는 원성왕에 대한 지칭인 듯하다.

> A. 9월 왕이 질환으로 편치 못하여 유조를 내리기를, " … 舒弗邯 誼靖은 선
> 황의 영손으로(先皇之令孫) 과인의 叔父이며 효우가 있고 명민하고 관후
> 하고 인자하며 오랫동안 古衡에 있으면서 王政을 협찬하였으니 위로는
> 가히 宗廟를 받들 만하고 아래로는 가히 蒼生을 撫育할 만하다. … " 하
> 고, 그 뒤 이레만에 죽으니, 諡號를 文聖이라 하고 孔雀趾에 장사하였다
> (『삼국사기』 권11, 문성왕 19년).

이것은 문성왕이 죽기 직전에 숙부인 誼靖(헌안왕)으로 하여금 왕위
를 계승토록 하라는 유조의 일부분이다. 그런데 헌안왕에게 왕위를 계
승시키는 이유를 말하면서 무엇보다도 먼저 그가 혈연적으로 '先皇의
令孫'임을 강조하고 있다. 선황의 영손이란 약칭하여 皇孫이라고도 하
는데, 이는 '天子의 孫子, 또는 天子의 子孫'을 말한다. 先皇이란 先皇帝
의 약칭, 즉 先代의 皇帝를 일컫는 용어로서 先帝와 같은 말이다. 그리

---

10) 김수태, 1996, 『신라중대정치사연구』, 일조각, 1쪽과 124쪽 ; 신형식, 1990, 『통
    일신라사연구』, 삼지원, 120쪽.
11) 방학봉, 1991, 「정효공주묘지의 '대왕''성인''황상'」『발해문화연구』, 이론과
    실천, 163쪽.

고 孫孫이란 '아들의 아들, 孫子'를 말한다. 그러므로 문성왕보다 앞선 시기에 신라에는 황제를 칭한 군주가 있었고, 誼靖은 그의 후손임을 알 수 있다.

『삼국사기』에는 신라시대 君主의 호칭를 직접 황제로 지칭한 기록은 없다. 특히 『삼국사기』에는 유교적 慕華思想에 치중하여, 즉 중국식 제도·문화의 모방으로 인하여 우리 고유의 제도·습속·언어를 폐기 매몰시켰는데, 통일신라 이후 모든 정치제도가 중국식 모방의 漢化主義를 취하여[12] 더욱 그러하다. 그럼에도 불구하고 위의 예문은 『삼국사기』의 일반 서술문이 아닌 직접 인용문이기에 편찬자들이 改作하지 않고 사실 그대로를 옮겨 놓음으로써 드러날 수 있음으로 인하여,[13] 신라에 황제로 지칭된 君主가 있었던 것을 짐작할 수 있다.

그러면 황제를 칭했던 자, 즉 '先皇'이 누구인가에 대해서 살펴보자. 헌안왕을 선황의 영손이라 한만큼, 이를 알기 위해서는 헌안왕의 선대를 살펴볼 필요가 있다. 헌안왕의 선대는 父系와 母系가 있는데 양쪽 모두가 皇家일 수도 있고, 혹은 한쪽만 그러할 수도 있다. 헌안왕은 김씨로 아버지는 均貞이다.[14] 그리고 김균정의 아버지, 즉 헌안왕의 할아버

---

12) 이재호, 1969, 「삼국사기와 삼국유사에 나타난 국가의식」『논문집』 10, 부산 대학교, 4쪽.
13) 사실 완전히 개작치는 못했다. 예를 들면 『삼국사기』 권3, 소지마립간 22년 9월조에 "今王以萬乘之位 不自愼重此 而聖孰非聖乎"라는 기록도 있다.
14) 헌안왕은 神武王의 異母弟라고 하니(B. 憲安王立 諱誼靖一云祐靖 神武王 之異母弟也 母照明夫人 宣康王之女 以文聖顧命卽位 『삼국사기』 권11, 헌 안왕 즉위조), 신무왕과 어머니는 달라도 아버지는 동일인이다. 그러므로 憲安王의 아버지 역시 김균정이다(C-① "神武王立 諱祐徵 元聖大王孫 均貞 上大等之子 僖康王之從弟也 禮徵等 旣淸宮禁 備禮迎之卽位 追尊祖伊飡禮 英一云孝眞爲惠康大王 考爲成德大王 母朴氏眞矯夫人爲憲穆太后"(『삼국사 기』 권10, 신무왕 즉위조), C-② "第四十五 神虎王 金氏 名祐徵 父均貞角干 追封成德大王 母貞矯夫人 追封祖禮英 爲惠康大王 妃貞從一作繼太后 明海 之女"(『삼국유사』 권1, 왕력)].

지는 원성왕의 세째 아들인 禮英이다. 그러므로 헌안왕은 원성왕의 증손자이다. 결국 헌안왕의 부계는 원성왕계 내의 禮英系에 속한다. 한편 인용문 B에서 볼 때 헌안왕의 어머니는 照明夫人(昕明夫人)이며, 그녀는 宣康(大)王으로 추봉된 金忠恭의 딸이다. 김충공은 민애왕의 아버지인 동시에 희강왕의 妃인 文穆夫人의 아버지이고, 또 헌안왕의 어머니의 아버지이기도 한 인물이다. 그런데 인용문 C에 의하면, 헌안왕의 아버지 金均貞에게는 신무왕의 어머니로서 眞矯夫人(貞矯夫人) 朴氏가 있었다. 그리고 조명부인으로 불리는 김충공의 딸 역시 김균정의 부인이라고 하니, 그에게 2명의 부인이 있었음을 알 수 있다. 결국 2명의 부인 가운데 조명부인이 헌안왕의 어머니이고, 그녀의 아버지는 김충공이며 할아버지는 惠忠太子 仁謙이며 증조부는 원성왕이다. 그러므로 헌안왕의 아버지 균정과 어머니 조명부인은 당숙과 당질녀 사이의 원성왕계 내에서 이루어진 근친혼이다.

헌안왕과 관계가 손자로 지칭되는 친족의 범위에 있는 선대는 부계로는 조부 예영과 증조부 원성왕이며, 모계로는 외조부 충공과 외증조부 인겸 그리고 외고조부 원성왕 등이다. 결국 부계의 증조부와 모계의 외고조부가 다같이 동일인 원성왕으로 귀착된다.[15)]

그러면 이들 선대 중에서 황제를 칭하였던 인물은 누구일까? 부계의 예영과 균정은 실제 왕위에 오른 적이 없고, 다만 신무왕이 즉위한 뒤에 아버지 균정은 成德大王, 할아버지 예영은 惠康大王으로 追尊되었을 뿐이다.[16)] 한편 모계의 외조부 충공은 제44대 민애왕이 즉위한 뒤 宣康大王으로,[17)] 외증조부 인겸은 제39대 소성왕이 즉위한 뒤 惠忠大王으로 추봉되었다.[18)] 그러나 이들은 실제 즉위한 적이 없는 인물들이기에 비록 대왕으로 추봉은 되었지만 황제로 지칭될만한 선대는 아니다. 재위한 적이 없는 이들을 황제로 칭하면서 선황의 영손이라고는 하지 않은 듯

---

15) 헌안왕의 가계도를 [그림]으로 나타내면 다음과 같다.

하다. 아무래도 황제라고 지칭될 선대라면 실제 재위한 국왕이라야 할 것 같다. 헌안왕의 선대 중에서 부계로든 모계로든 다같이 실제 재위한 선대는 제38대 원성왕뿐이다. 그러므로 여기서 선황으로 지칭되는 인물은 원성왕으로 보아야 될 것 같다.

이상에서 원성왕이 칭제되었고 황제적 지위를 가졌던 것을 확인하였다.

2. 황제·황족 관련 자료의 검토

신라 하대 원성왕계의 왕과 친족은 황제와 황족의식을 表出하였다. 일반적으로 王者 개념은 稱帝建元, 神聖族 관념과 더불어,[19] '(廟號의) 祖·宗'과 함께 '帝·聖上·聖王·太王·大王·陛下' 및 '太后·后·太子·節日·制詔'類의 용어로 표현하였다.[20] 이러한 전제하에 신라 하대의 왕자

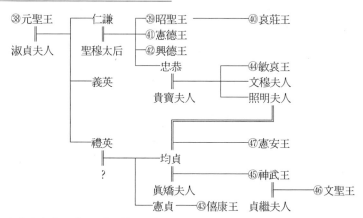

16) 『삼국사기』 권10, 신무왕 즉위조.
17) 『삼국사기』 권10, 민애왕 즉위조.
18) 『삼국사기』 권10, 소성왕 원년.
19) 朝貢개념으로는 征服개념인 征討·巡狩와 服屬개념은 守天·人質·屬民·朝貢이 있다.
20) 이러한 용어는 고려시대에도 그대로 사용되었으며, 『高麗史』에도 그대로 直書되었다("凡稱宗 稱陛下·太后·太子·節日·制詔之類 雖涉僭踰 今從當時

개념과 관련한 자료를 검출하여, 황제와 황족을 나타내는 호칭과 이에 준하는 특수용어들로 나누어 살펴본 뒤, 그리고 諸侯國의 존재함과 신라의 天下觀에 관련한 자료와 내용을 차례로 살펴보겠다.

1) 황제·황족 관련 용어들

현전하는 자료에 의하면, 元聖王을 비롯한 그 후손의 왕과 친족들을 표현한 호칭용어 중에는 그들을 황제 및 황족으로 예우, 상징한 것들이 산견된다.

D. 二塔天寶十七年戊戌中立在之 娚姉妹三人業以成在之 娚者零妙寺言寂法師在旀 姉者照文皇太后君妳在旀 妹者敬信大王妳在也(「葛項寺石塔記」)

E. 皇王兮念道崇師(「月光寺圓朗禪師塔碑」)

F-① 聖上聆風慕德(「沙林寺弘覺禪師碑」)

  ② 聖上慕眞宗之里 憫嚴師之心(「寶林寺普照禪師碑」)

  ③ 聖上定康大王 當璧嘉徵 嗣膺寶位 … (「上宰國戚大臣等奉爲獻康大王結華嚴經社願文」)

G-① 景文大王主 文懿皇后主 大娘主(「開仙寺石燈記」)

  ② 无容皇后 永公角干之女(『삼국유사』 권1, 王曆)

  ③ 妃文資皇后 憲安王之女(『삼국유사』 권1, 王曆)

  ④ 春正月 封妃金氏爲王后(『삼국사기』 권10, 소성왕 2년)

  ⑤ 春正月 封母金氏爲大王后 妃朴氏爲王后(『삼국사기』 권10, 애장왕 6년)

  ⑥ 元年 正月 … 妃爲義成王后(『삼국사기』 권11, 신덕왕 즉위조)

H-① 及見 先大王冕服拜爲師 君夫人 世子 旣太弟相國 追封尊諡惠成大王群公子·公孫(「聖住寺朗慧和尙白月葆光塔碑」)

所稱 書之 以存其實"『고려사』 纂修高麗史凡例).

② 遂命太弟相國 追奉尊諡惠成大王 致齋淸廟代謁玄扃(「大崇福寺碑」)

I-① 咸通五年冬 端儀長翁主 未亡人 爲稱當來佛(「鳳巖寺智證大師寂照塔碑」)

② 特敎勅端儀長翁主 深源山寺 請居禪師(「深源寺秀澈和尙塔碑」)

③ 北宮長公主 聞之 仍捨淨財 爲標帶 曁軸之旨 美矣哉(「上宰國戚大臣等 奉爲獻康大王結華嚴經社願文」)

J. 宇努連 新羅皇子 金庭興之後也(『新撰姓氏錄』 未定 雜姓 河內國)

K. 泊貞元戊寅年冬 遺敎窆窆之事 因山是命 擇地尤難 乃指淨居(「崇福寺碑」)

L-① 秋九月 王不豫降遺詔曰 寡人以眇末之資(『삼국사기』 권11, 문성왕 19년)

② 情王 ○八月二十二日 勅下令○躬作(「寶林寺毘盧遮那佛座像」)

③ 造塔時 咸通十一年 庚寅 五月日 … 奉勅伯士及干珎鈕(「寶林寺石塔北塔誌」)

④ 特敎勅 端儀長翁主 深源山寺 請居禪師(「深源寺秀徹和尙楞伽寶月塔碑」)

⑤ 翌日又詔微臣 修撰碑讚(「寶林寺普照禪師彰聖塔碑」)

⑥ 聖上聆風慕德寤寐○禪躅仍昇內筵演若談如是乎龍顔以覩靑天復不踰旬而告辭詔餞路上亦遣使衛送至山 … (「沙林寺弘覺禪師碑」)

⑦ 景文大王 … 金詔慰勞山門 穎月光寺 永令禪師主持 … 又詔微臣 修撰碑讚(「月光寺圓朗禪師大寶禪光塔碑」)

당대에 작성된 금석문은 그 당시 인간의 표현과 기술이므로, 후대에 쓰여진 문헌기록의 표기보다 한층 사실에 가깝다. 758년(경덕왕 17, 천보 17) 탑이 건립되고, 그 뒤 원성왕대에 記文이 새겨진 것으로 추정되는 「갈항사석탑기」에는[21] 원성왕을 "敬信大王", 그의 어머니를 "照文皇太后"라

21) 塔記의 記刻을 高裕燮은 塔의 造成으로부터 약 30년 내지 40년에(1975, 「김천폐갈항사동서삼층석탑」 『한국탑파의 연구』, 동화출판공사, 20쪽), 鄭炳三은 30여년 후인 원성왕 재위중(1992, 『역주한국고대금석문』 3, 한국고대사

고 표기하였다(D). 원성왕이 재위시 大王으로 지칭되었고, 그의 어머니를 皇太后로 표기된 것은 원성왕이 재위시 황제적 칭호와 지위를 가졌던 것을 말해주는 것이다.

大王이라는 칭호는 이미 삼국시대 고구려·백제는 물론 신라 중고기의 君主들은 국내적으로는 자신의 지위와 입장을 강화하고 대외적으로는 자주성을 나타낼 필요를 느끼면서 皇帝나 天子 또는 일본의 天皇과 같은 직접적인 표현은 쓰지 않았으나 의미상으로는 같은 내용의 "大王(太王)"이라는 명칭을 사용한[22] 바 있다.[23] 그런데 신라 하대의 왕족이 사용한 대왕은 크게 두 가지 의미가 있다. 그 하나는 실재 재위한 군주의 대왕이고, 또 하나는 왕의 선대 중 후대에 추봉된 대왕이다. 그리고 전자는 ① 王中王의 의미, ② 王 또는 使臣이 상대방의 왕에게 儀禮上 敬意, ③ 王妃·臣民이 자기나라 왕을 존대하는 표시 등의 경우로 나눌 수 있다.[24]

신라 하대의 실제 재위한 왕을 여러 곳에서 대왕이라 지칭하였다. 우선 『삼국사기』의 元聖大王·昭聖大王과 『삼국유사』의 원성대왕·소성대왕·신무대왕·경문대왕·진성여대왕·헌강대왕·헌안대왕·金傅大王 등으로 '大王'을 칭하고 있다. 일층 양보하여 후대의 문헌에서는 찬자의 인식이 투영된 호칭일 수도 있으므로 전적으로 믿기에는 어려움이 있다는 주장

회연구소, 276~277쪽), 許興植은 798년(원성왕 14) 追刻된 것으로 추정하였다(1984, 『한국금석전문』 고대, 아세아문화사, 147쪽).

22) 김영하, 1987, 「신라중고기의 중국인식」『고대한중관계사의 연구』, 한국사연구회편 ; 濱田耕策, 1990, 「新羅'大王'號の成立とその特質」『年報朝鮮學』 創刊號, 九州大學 ; 이문기, 1988, 「6세기 신라 '대왕'의 성립과 그 국제적 계기」『신라문화제학술발표회논문집』 9 ; 坂元義種, 1978, 앞의 책, 120~165쪽.
23) 진흥왕순수비에는 "太王·朕·帝王" 용어와 함께 독자 연호도 사용되었다.
24) 한편 崔在錫은 삼국 및 통일신라의 대왕을 ①왕의 정식칭호, ②왕이 아닌 사람을 추봉할 때, ③왕을 직접 호칭할 때와 왕을 간접 인용할 때 등으로 분류하였다(1987, 「고대삼국의 왕호와 사회」『한국고대사회사연구』, 일지사, 169~175쪽.

이 있을 수도 있다. 그러나 금석문은 앞에서도 언급했듯이 당대의 양상
과 사고가 그대로 반영된 표기이므로 더욱 신빙성이 있다. 당시 금석문
에는 '元聖大王', '敬信大王(원성왕)', '憲德大王', '興德大王', '敏哀大王',
'文聖大王', '慶膺大王(문성왕)', '景文大王', '定康大王', '獻康大王', '眞聖
大王', '孝恭大王'이라 하여 大王의 칭호를 사용하였다. 이것들은 시호로
표기된 대왕을 주로 하지만, 앞에서 언급한 재위시 칭호인 敬信大王처
럼 대왕은 신라 하대 국왕의 정식칭호였음을 보여주는 것이 분명하다.

특히 890년(진성여왕 4) 건립된 「月光寺圓朗禪師塔碑」에는 경문왕을
'皇王'으로(E) 표현하고 있다. 皇王이란 皇帝 혹은 天帝를 기본 뜻으로
하는데, 여기서는 皇帝와 王의 복합어라고 보겠다. 그렇다면 신라 경문
왕을 직접 황제라 칭하지는 못하였지만 황제와 대왕의 복합어, 아니면
황제와 제후국의 군주인 君王의 중간 복합어를 취하고 있다. 그리고 元
聖王, 昭聖王, 文聖王, 眞聖王 등의 시호에서 아마 원성왕계의 왕들은 聖
王적인 존재로 의식하고 있었음을 알 수 있다. 聖王은 지덕을 구비한 훌
륭한 天子와 帝王에 대한 존칭이다.[25] 그렇다면 하대 왕들의 시호가 모
두 (大)王으로 되어 있지만, 그 중에는 실제 황제를 칭한 경우도 있었던
것으로 추측할 수 있다.[26]

또 聖上이라 불리기도 하였다.[27] 884년(헌강왕 10) 건립된 「보림사보
조선사탑비」와 886년(정강왕 1) 건립된 「사림사홍각선사비」에는 헌강왕
을(F-①·②), 崔致遠의 「上宰國戚大臣等奉爲憲康大王結華嚴經社願文」에
는 정강왕을(F-③) 聖上으로 표현하였다. 성상은 聖王과 같은 말로서 지
덕을 구비한 훌륭한 천자와 제왕에 대한 경칭이다. 이에서 신라 하대,

---

25) 방학봉, 앞의 논문, 161쪽.
26) 중고기의 진지왕은 "聖帝"로 불리고, 중대의 무열왕 金春秋의 경우 廟號를
    太宗이라 하였는데, 이는 天子의 명칭을 사용한 것으로, 당과 외교문제가
    되기도 하였다(『삼국사기』 권8, 신문왕 12년 및 『삼국유사』 권1, 기이2, 太
    宗春秋公 참조).
27) 聖上은 이미 聖德大王神鐘銘에서도 보인다("我聖上行合").

특히 경문왕계의 왕들은 황제국 군주의 경칭인 성상으로 칭해졌음을 알
수 있다.

한편 대왕 칭호와 함께 그들의 배우자를 皇后라고 표기한 것이 곳곳
에 보인다. 그 예를 들면, 「開仙寺石燈記」에는 '文懿皇后'라고(G-①),[28] 『삼
국유사』 권1 王曆에는 제44대 민애왕비를 '无容皇后'(G-②)와 제48대 경
문왕비를 '文資皇后'라고(G-③) 하였다.[29] 皇后라는 것은 그녀가 황제의
아내라는 사실을 나타내는 칭호이다. 일반적으로 황제의 정실 아내는
(王)后라 하고 그 외의 여자는 妃라 하였고, 諸侯의 정실 아내는 (王)妃
라 하고 그외의 여자는 嬪이라 하였다. 신라 하대 왕의 아내를 살펴보면
王后라 한 경우는 허다하며,[30] 더욱이 처음에는 王妃로 하였다가 뒤에
王后로 책봉되고 있는데(G-④·⑤·⑥),[31] 이는 신라의 왕후가 왕비보다 격
이 높은 지위임을 나타내는 것이며, 이러한 것은 황제국의 제도이다. 특
히 위에서 예로 든 皇后의 경우는, 분명 남편은 皇帝이고 아내는 皇后로
지칭되는 지위를 가졌던 것을 확인할 수 있다.[32]

---

28) 文懿皇后는 『삼국유사』 왕력의 "文資皇后"와 동일인으로 헌안왕의 딸이고,
   경문왕이 즉위하기 전에 혼인하였다(『삼국사기』 권11, 헌안왕 4년조).
29) 『삼국유사』 권1, 기이2 智哲老王에는 '封爲皇后', 『가락국기』에는 태종무열
   왕의 비를 '文明皇后文姬', 수로왕의 아내를 '許皇后名黃玉'이라 하였다.
   한편 고려 景宗의 王妃를 '憲承皇后'(『삼국유사』 권2, 김부대왕)라 한 것에
   서 고려 초까지 황후가 사용되었음을 볼 수 있다.
30) 『삼국사기』에서는 具足王后(권10, 원성왕 1년 3월), 文懿王后(권11, 경문왕
   6년 1월), 允容王后(권10, 민애왕 즉위조), 義成王后(권12, 신덕왕 1년 5월),
   定穆王后(권10, 흥덕왕 1년 12월) 등의 왕후 사례를 찾을 수 있다.
31) 성덕왕의 경우, 19년 3월 伊飡 順元의 딸을 들이어 왕비로 삼았다가, 6월
   왕후로 책봉하였다(『삼국사기』 권8, 성덕왕 19년).
32) 최근 공개된 필사본 『花郞世記』의 龍春公傳에는 "我太宗皇也", 春秋公傳에
   는 "我武烈大王也"·"我之武帝也" 등의 칭호가 보인다. 그리고 『화랑세기』
   에 나오는 왕들의 칭호에 皇帝·大王을 사용하였고, 王妃에 皇后의 칭호를
   사용하고 있다(이종욱, 1997, 「화랑세기의 신빙성과 저술에 대한 고찰」 『한
   국사연구』 97, 29쪽).

한편 인용문 D에 의하면 원성왕의 어머니를 王太后·太后라고 표기하기 보다는 "皇太后"라고 표기하고 있다. 일반적으로 황제의 어머니는 太后라 하고 제후의 어머니는 大妃라 하는데,『삼국사기』에서 신라 하대왕의 어머니를 '(王)太后'라 한 경우는 허다하며,[33] 나아가 皇太后라고 지칭한 경우까지 있었다.[34] 이에 의하면 원성왕은 황제였고, 그의 어머니는 황태후였으며, 할아버지와 아버지는 실재 재위치는 않았으나 대왕으로 추봉되어 종묘에 모셔지는 등, 황제국의 제도에서 황제적 지위와 황족의식을 표방하였음을 알 수 있다.

군주의 아들로서 왕위를 이을 아들을 황제국에서는 太子라 하고 제후국에서는 世子라 칭한다. 신라에서는 世子라는 용례는 거의 없고 대체로 (王)太子라고 하였다.[35] 더구나 원성왕은 즉위 직후인 785년(원성왕 1)에 맏아들 仁謙을 태자로 책봉하였다가, 그가 죽자 792년(원성왕 8) 8월 다시 둘째 아들 의영을 책봉하였으며, 義英마저 죽자 이번에는 795년(원성왕 11) 정월에 또다시 嫡孫 俊邕(소성왕)을 책봉하였다. 그리고

---

33) 『삼국사기』에는 憲穆太后(권10, 신무왕 1년), 桂娥太后(권12, 경순왕 1년 11월), 光懿王太后(권11, 경문왕 6년 1월), 昭文太后(권10, 원성왕 1년), 聖穆太后(권10, 소성왕 1년 8월), 順成太后(권10, 희강왕 2년 1월), 貞懿太后(권9, 선덕왕 1년), 義明王太后(권12, 효공왕 2년), 定宗太后(권11, 문성왕 1년) 등 많은 용례가 있으며, 인용문 G-⑤에는 大王后라고도 하였다.

34) 중고기의 일이기는 하나 善德女王을 "聖祖皇姑"(『삼국사기』 권5, 선덕여왕 1년)라 尊崇하기도 하였다.

35) 진흥왕이 556년(진흥왕 27) 3월 王子 銅輪을 태자책봉한 것을 계기로 하여 중대 무열왕이 元子 法敏을 태자책봉함으로써 제도적 확립이 된 뒤, 대부분의 왕들이 태자책봉을 하였다. 비록 직접 황태자라고 하지는 않았지만 신라의 왕태자는 같은 의미이다. 그리고 『삼국유사』 권3, 五臺山萬眞身의 '二太子, 兄太子, 弟太子'와 溟州五臺山寶叱徒太子傳記의 '淨神太子寶叱徒 與弟孝明太子, 兄太子, 兩太子'라 하여 아들 모두를 太子라 칭하였는데, 이는 태자의 父가 황제임을 나타내는 것이다. 이는 『삼국사기』가 유교적 합리주의를 택하여 책봉된 인물만을 태자라 한 반면 『삼국유사』는 실제를 그대로 반영하여 직서한 까닭에 이러한 것이 드러날 수 있다.

헌덕왕은 同母弟 秀宗(흥덕왕)을 副君(儲貳)으로, 흥덕왕은 동모제 忠恭을 宣康太子로, 또 진성여왕은 姪인 헌강왕의 庶子 嶢(뒤에 효공왕)를 태자로 책봉하였다. 이처럼 신라에서는 왕의 장자는 물론 차자, 심지어는 동모제와 질(조카)도 태자로 책봉하였다. 이러한 신라의 태자제도는 처음엔 중국의 제도를 도입하여 행하였지만 실질 운용상에 있어서는 중국의 세계관에 편입되지 않고 신라 자신이 하나의 독립체로 자긍하는 독자적인 태자제로 운용되었음을 보여주는 것이다.[36] 결국 태자제도를 통하여 살펴볼 때, 신라 하대는 제도적으로 황제국이며, 왕위의 적장자·부자계승을 이상으로 하는 부계친계승을 통해 왕통을 유지하였다고 하겠다.

한편 신라왕의 아우는 太弟로 호칭되었다. H-①·②에서 보듯이 경문왕의 아우 魏弘은 황제국 군주의 아우을 나타내는 태제로 불렸음을 알 수 있다. 또 왕의 누이에 대하여 帝王의 누이를 나타내는 칭호가 사용되었다. 인용 사료 I-①·②에 의하면 경문왕의 누이를 "端儀長翁主"라 하였다. 長翁主는 중국에서 帝王의 姉妹를 '長公主'라 칭한 것과[37] 같은 의미이다. 다시 말하면 경문왕이 帝王의 지위를 가졌던 것을 보여주는 것인데, 이는 경문왕비를 "文懿皇后(文資皇后)"라 불렸던 것과 같은 맥락이다. 결국 경문왕의 누이가 단의장옹주로 불렸다는 것은 경문왕이 황제적인 존재였음을 보여주는 것이다. 그리고 그의 자식인 헌강왕·정강왕 대에 경문왕의 딸로서 이들에게 누이가 되는 진성여왕도 즉위전에는 "北宮長公主"로 불리고 있었다(I-③). 이는 경문왕은 물론 헌강왕·정강왕도 황제적 지위에 있었음을 말해준다. 더구나 太弟, 長翁主, 長公主라는 용어가 황제국인 唐에 유학한 崔致遠의 입장에서 쓴 것이라, 당시 신라의 사정을 좀더 잘 반영한 것이라 하겠다.

---

36) 김창겸, 1993, 「신라시대 태자제도의 성격」『한국상고사학보』 13.
37) "漢時帝之姉妹稱長公主 唐時帝之姉妹爲長公主 帝之姑稱大長公主"(『漢文大辭典』, 15179쪽의 42022.48 참조)

신라 하대 왕실이 황족의식을 가지고 있었음은 당시 국제관계상 일본에서도 인정하고 있었다. 『新撰姓氏錄』에 의하면(J) 宇努連의 성씨는 그 조상이 新羅皇子 金庭興이라고 기록되어 있다. 김정흥에 대해서는 더 이상 관련 기록이 보이지 않지만, 8세기 후반이후 渡來系 氏族들이 자신의 조상을 왕족으로 하는 系譜를 만들 때, 일본에 있던 신라계 사람들 내지는 당시 일본인들은 신라의 왕족을 황족으로 인식하고 있었던 것을 보여준다. 그리하여 신라에서 건너온 신라왕족의 성인 김씨를 사용한 金庭興을 황제의 아들 내지 황족의 아들을 의미하는 '皇子'로 표기하였던 것이다.[38]

한편『삼국유사』권3, 塔像南月山조에 의하면 신라왕실의 계보를 '帝系'로 이해하여, 황제의 계보로 여기고 있다.[39] 이러한 제계인식은 신라 말까지 이어졌다. 신라 말에 최치원의 저서 중에는『帝王年代曆』이라는 것이 있는데, 이는 신라사를 중심으로 한 고대의 우리나라와 중국의 年表로 보인다. 그 제목에 '帝王'이란 용어를 사용하였는데, 여기서 제왕이란 왕을 뜻하는 것이며, 특히 이는 우리 '삼국 및 신라통일기의 왕·대왕과 황제적 군주'를 통칭하는 의미를[40] 가진 것으로 보인다.

이상에서 신라 하대에 사용된 황제와 황족을 의미하는 호칭을 검출하여 살펴봄으로써 원성왕계 왕들이 비록 天子나 皇帝의 칭호를 사용한 직접적인 자료는 없으나, 간접 자료를 통하여 그들이 황제적 지위에 있

---

38) 866년(경문왕 6) 10월 반란을 일으킨 尹興 형제가(『삼국사기』권11, 경문왕 6년) 尹興·叔興·季興으로 모두 '興'자를 이름의 行列로 사용하였음을 참고하면(김창겸, 1994, 「신라 하대 왕위찬탈형 반역에 대한 일고찰」『한국상고사학보』17, 251쪽 및 256쪽 참조), 金庭興도 이들과 兄弟 내지는 同行列의 친족인 듯하고, 그는 金尹興 형제의 반란 실패에 위협을 느끼고 日本으로 건너간 것으로 추측된다.

39) "按帝系 金愷元乃太宗金春秋之弟大子愷元角干也"(『삼국유사』권3, 塔像4, 南月山).

40) 이와 달리 帝王을 중국의 帝와 우리의 王으로 구분해 보려는 견해도 있다(고병익, 1976, 『우리 역사를 어떻게 볼 것인가』, 삼성문화문고, 29쪽).

었음을 밝혔다.

그러면 원성왕계가 황제와 황족의 지위와 황족적 의식을 갖고 있었음을 보여주는 상징적인 특수용어들에 대해 살펴보자.

원성왕계 왕들은 스스로 칭하기를 제후의 용어인 '孤'가 아니라 천자의 용어인 '朕'이라는 표현과[41] 왕들의 죽음을 諸侯의 '薨'字가 아니라 天子·皇帝의 '崩'字를 사용하였다. 『삼국유사』 권1, 왕력에서 하대의 제39대 소성왕, 제40대 애장왕, 제44대 민애왕, 제45대 신무왕, 제50대 정강왕, 제51대 진성여왕 등의 죽음을 천자의 죽음을 나타내는 용어인 '崩'으로 표기하였고, 또 기이편에는 제37대 선덕왕, 제48대 경문왕, 제56대 경순왕에 이르는 왕들의 죽음을 모두 '崩'자를 썼다.[42] 그리고 이들의 장례를 因山이라 하였다. 인용문 K에서 보듯이 원성왕의 장례를 인산으로 표현하였다. 인산은 帝王과 그 妃의 葬禮를 말한다.[43] 이에서 원성왕계 왕들이 황제적 지위의 존재였음을 간접적으로 확인할 수 있다.

---

41) 朕은 신라 중고기부터 사용되고 있었다. ① "朕歷數當躬 仰紹太祖之基"(「磨雲嶺新羅眞興王巡狩碑」) ; ② "王無恙時謂群臣曰 朕死於某年某月日"(『삼국유사』 권1, 기이2, 善德王知幾三事) ; ③ "大王 … 平時常謂智義法師曰 朕身後願爲護國大龍"(『삼국유사』 권1, 기이2, 文虎王法敏).

42) "天子死曰崩 諸侯曰薨 大夫曰卒 士曰不祿 庶人曰死"(『禮記』 권2, 曲禮 下). 그리고 『삼국유사』 왕력에는 제4대 탈해왕, 기이편에는 제4대 탈해왕을 비롯하여 제13대 미추왕, 제25대 진지왕, 제27대 선덕여왕, 제29대 태종대왕, 제30대 문무왕, 제35대 경덕왕의 죽음을 崩이라 하였고, 또 『삼국유사』 권1, 文虎王에는 "大王御國二十一年 以永隆二年辛巳崩", 『삼국유사』 「가락국기」에는 "靈帝中平六年己巳 三月一日後崩 壽一百五十七 國人如嘆坤崩葬於 …"라 하였으며, 또한 가락국의 모든 王은 "崩"으로 표기하였다. 그리고 우리나라에서도 옛날부터 建國의 始祖는 존엄의 상징어인 "天子"란 칭호를 사용한 사실과 또 "天子"의 칭호에 따른 죽음에 "崩"字를 사용한 것은, 우리나라의 역사는 中國에 종속되지 않은 자주국의 역사임을 나타내고, 우리나라의 君主도 중국의 帝王과 동등한 지위에 놓여 있었음을 시사한 것이다(이재호, 1983, 「삼국유사에 나타난 자주의식」 『삼국유사연구』 상, 영남대학교민족문화연구소).

43) "帝王之葬 因其山 而不復起墳"(『通鑑綱目』 注).

그리고 황제가 내리는 명령을 나타내는 '詔'와 '勅'이라는 기록도 보인다. '勅'과 '詔'는 황제의 명령을 표현한다. 칙과 조는 원래 制·策처럼 황제의 명령을 가리키고, 令은 皇太子의 명령, 敎는 親王이나 公主의 명령을 의미한다.[44] 詔는 인용문 L-①에서 보듯이 『삼국사기』에도 사용되었고,[45] 금석문에서는 詔(L-⑤·⑥·⑦)와 勅(L-②·③)이 사용되었는데, 특이하게 敎勅(L-④)이라는 표기도 있다.[46]

한편 신라는 하대에 唐의 3省6部制를 모방하여 시행하였다. 9세기 중엽(경문왕·헌강왕대)에 이르러 中事省과 宣敎省이 등장하여, 829년(흥덕왕 4) 종래 執事部에서 개편된 執事省과 더불어 3省體制를 이루었다. 이는 당의 中書省·門下省·上書省과 발해의 中臺省·宣詔省·政堂省에 상당한다.[47] 또 신라 하대의 관직 중에는 '翰林待詔'라는 것이 있었는데, 이는 翰林院의 待詔를 일컬으며, 대조란 중국 漢 이후의 관직으로 經學·文章이 뛰어난 文士가 임명되어 문장을 취급하고 天子의 下文에 응대하는 관직이었다.[48] 결국 3성제와 대조직의 존재는 곧 신라의 관직체제에는 천자국의 요소가 있었음을 말해주는 것이다.

원성왕이 즉위직후 취한 정책 중에는 785년(원성왕 1) 2월에 五廟의 새로운 제정이 있었다. 이는 원성왕이 始祖大王과 太宗大王, 文武大王,

---

44) 『史記』 권6, 秦始皇 26년조 ; 『新唐書』 권46, 百官志1 尙書令.

45) 이외에 "秋七月一日 王薨諡曰文武 群臣以遺言 葬東海口大石上谷 傳王化 爲龍 仍指其石爲大王石 遺詔曰寡人 …"(『삼국사기』 권7, 문무왕 21년 7월)도 있다.

46) 詔는 이미 중대의 금석문에도 사용되었다(「聖德大王神鐘銘」, 771년). 한편 신라와 발해에서는 모두 詔와 敎를 섞어 적었지만, 발해의 宣詔省과 신라의 宣敎省에서 발해가 대외적으로까지 적극적으로 황제적 용어를 사용하였는데 비해 신라는 내부에 국한하여 詔란 용어를 사용하였던 것으로 본 견해도 있다(송기호, 1995, 『발해정치사연구』, 일조각, 191~192쪽).

47) 이기동, 1984, 「나말려초 근시기구와 문한기구의 확장」, 앞의 책, 242~243쪽.

48) "學士之職 本以文學言語 被顧問 出入待從 因得參謀議 納諫諍 其禮尤寵 而 翰林院者 待詔之所任也"(『文獻通考』 職官考 學士院).

祖 興平大王, 考 明德大王을 오묘에 배향하여 계보상 완전한 분파의식을 드러낸 것이지만, 구성상으로는 혜공왕대 제정된 오묘의 원칙을 지켜서 祖와 考만을 시조묘에 祔廟하였다. 그런데 애장왕대가 되면 宗廟制의 또 한번의 변화가 있었다. 이때에는 태종대왕과 문무대왕의 2묘를 따로 세우고 시조대왕과 왕의 고조 明德大王, 증조 元聖大王, 조 惠忠大王, 고 昭聖大王을 5묘로 삼았다.[49] 여기서 태종대왕과 문무대왕의 2묘를 따로 세웠다는 것은 이 두 왕의 廟를 혜공왕대의 원칙을 지키면서 시조대왕과 마찬가지로 不毀之廟로 삼았던 것을 의미한다고 보면, 鄭鉉이 제시한 시조와 문무대왕의 불훼지묘, 그리고 4親廟로 구성된 주제에서 비롯된 천자7묘의 묘수와 구성면에서 거의 같게 된다. 그렇다면 신라의 종묘 구성은 혜공왕대부터 천자7묘의 구성 원리를 참조하였고 애장왕대에 가면 아주 흡사하게 되었음을 알 수 있다.[50] 그러므로 신라 하대의 宗廟制는 외형상으로 오묘제를 행한 것이지만 실제는 시조묘와 4親廟, 그리고 不遷의 文·武 2王의 2祖가 7묘를 구성한 천자의 7묘제였다.

이상에서 하대 원성왕계의 왕은 황제를 직접 칭하지는 않았지만 동등한 의미를 가진 大王을 사용하면서 朕·陛下·聖上·皇王이라는 용어로써 황제적 지위를 표방하였고, 그리고 그의 아내는 皇后, 어머니는 皇太后, 아들은 (王)太子, 남자아우는 太弟, 누이는 長翁主, 나아가 친족은 皇子로 칭하는 등 황족적 의식을 가졌으며, 한편 왕의 죽음과 장례를 崩과 因山, 명령을 詔·勅으로 표현하여 황제를 상징하는 특수용어가 사용되었고, 한편 관부의 3성제는 물론 종묘제에서조차 실제는 천자7묘제였음을 확인하였다. 그러므로 원성왕계 왕은 국내적으로는 황제적 지위를 가진 군주이고, 그 친족은 황족의식을 가졌었다. 결국 신라 하대의 왕은 비록 외교상으로는 중국 왕조로부터 책봉을 받고 중국의 연호를 사용하고 또 통치기구의 명칭을 漢字化하면서 제후국의 제도를 표방하여, 당

---

49) 『삼국사기』 권10, 애장왕 2년.
50) 나희라, 1997, 「신라의 종묘제수용과 그 내용」 『한국사연구』 98, 78쪽.

시 중국 唐 중심의 국제질서에 편재되었지만, 국내적으로는 나름대로
독립국의 위치를 유지하였음을 알 수 있다.

2) 諸侯國·蕃國과 新羅中心觀

통일기 신라인들은 나름대로의 천하관을 가지고 있었다. 그 내용은
관점에 따라 달리할 수도 있으나, 대체로 ①중국의 唐만을 천하의 중심
으로 보는 것과, 이와는 달리 ②신라를 천하의 중심으로 보는 입장과 ③
신라도 중국의 당과 병존하는 또하나 천하의 중심이라는 多元的인 중심
의 천하관이 있었던[51] 것 같다. 먼저 ①은 종래부터 중국의 왕조를 천하
의 중심으로 보면서 이로부터 冊封과 朝貢을 행하는 華夷論的 天下觀이
다. 그러나 ②는 방위관에서 중국 당과 나아가 인도의 竺을 西로, 渤海를
北으로, 日本을 南으로 본 것은 신라를 중심하는 것이며, 여기에는 신라
중심관이 있었음을 볼 수 있다. ③은 신라국내에 적용된 것으로 좁은 공
간에 대한 중심관념이다.

이에 대해서는 다음에서 좀더 자세히 살펴보자. 통일기 신라의 지방
통치제도는 九州五小京을 근간으로 하였는데, 이는 황제국의 체제를 표
방한 것이다. 신문왕대 정비된 9주는 天子國의 지방제도로서 禹의 9주
를 모방한 것이며, 군사제도의 九誓幢 역시 같은 의미인듯하며, 신라 五
岳도 先秦의 오악을 모방한 것이다. 5소경은 신라 영토를 하나의 小天下
로 본 것이며, 中原京이란 명칭은 西原京·南原京·北原京 그리고 東京과
함께 동서남북의 방위 개념에서 중심의 의미를 가진 것이다.[52] 이는 신

---

51) 고려 사회에서도 이러한 관점에서의 천하관이 존재했었다(노명호, 1997, 「동
   명왕편과 이규보의 천하관」『진단학보』83, 303쪽).
52) 충주시(옛 중원군) 가금면 탑평리에 있는 국보 6호로 지정된 7층석탑을 '中
   央塔'이라고 하는데, 이는 탑이 건립된 시기에 이곳이 국토의 중앙지에 해
   당한다는 것을 나타냄과 中原京이 신라의 중심이라는 의식이 있었음을 알
   수 있다(김현길, 1992, 「중앙탑의 건립연유에 대한 고찰」『중원경과 중앙탑』,

라 자체를 하나의 천하로 보는 신라의 중심사상이었다. 신라는 그 발전
과정에 중앙의 왕이 四方을 지배한다는 천하관이 형성되어 가고 있었
다. 즉 신라의 왕은 중국의 황제와 같이 중앙에 자리하고 있으면서 주변
의 토지와 인민을 지배한다는 그것이다. 이러한 신라중심사상은 통일후
9주·5소경이나 九誓幢·十停 그리고 5악과 같은 통치제도 위에 상징적으
로 반영했다.[53] 이것은 신라의 천하사상으로, 한반도의 지배는 신라의
왕이 중앙에서 지역적 종족적으로 천하를 지배한다고 상정했던 것이다.

　한편 신라 하대 황제국체제를 취한 현상의 하나로써 제후국의 존재
와 藩國의 설정을 들 수 있다. 통일기 신라는 황제를 칭하기 위해서 교
화가 직접적으로 미치는 內地와 대비되는 藩國을 상정하였다. 安勝을
高句麗王(報德國王)으로 책봉하고 表文을 받았고, 耽羅國을 屬國으로
삼고 朝貢을 받았던 것과[54] 발해를 건국한 大祚榮에게 관직을 수여하였
던 것은 보덕국과 탐라국은 물론 발해를 번국으로 인식하고 상정하였음
을 보여준다.

　원성왕과 후손 왕들은 封爵制에 의한 諸侯制度를 시행하였다.[55] 그

충주공업전문대학박물관, 186쪽). 그런데 이 탑에는 "新羅元聖王十二年 朝
鮮中央位置表示"라는 문구가 후대에 새겨져 있다. 이 탑의 건립시기와 배
경에 관한 여러 설은 최근영, 1997, 「'중원탑평리칠층석탑' 건립배경에 대한
추론」『한국사학보』2 참조 바람.

53) 삼국시대 신라는 자주의식과 호국의식을 갖는 한편 왕권이 강화되면서 신
라왕은 주변의 사방을 지배한다는 천하관, 즉 신라중심사상을 창출하기
시작하여, 이후 통일을 달성하자 중국의 천하관인 中華思想을 모방하여
신라의 천하관인 신라중심사상을 지방의 여러 가지 제도 개편에 직접 반
영하여 나타냈다(이호영, 앞의 논문, 129쪽).

54) 『삼국사기』권6, 문무왕 2월 2월 및 권10, 애장왕 2년 10월 참조. 이외에도
신라국내에 萇山國(일명 萊山國, 『삼국유사』권3, 塔像4, 靈鷲寺)·蔚珍國
(『삼국유사』권3, 塔像4, 臺山五萬眞身)도 있었다.

55) 아울러 필사본 『화랑세기』未珍夫公傳에는 法興大王이 英失公을 龍陽君으
로, 庾信傳에는 眞平大王이 舒鉉을 萬弩公으로 봉했다는 기록이 있어, 이
를 인정한다면 이미 신라 중고기에 봉작제가 있었던 것을 알 수 있다.

대표적인 사례는 자신의 즉위시 경쟁자였던 김주원을 786년(원성왕 2) 溟州郡王에 책봉한 것을 들 수 있다.[56] 김주원이 왕위계승전에서 실패한 뒤, 선대부터 긴밀한 관계에 있었던 명주지역으로 퇴거하자, 원성왕은 그를 명주군왕으로 봉하고 溟州와 翼領(지금 襄陽), 三陟, 斤乙於(지금 平海), 蔚珍을 食邑으로 주었다. 오늘날 영동지방 일대를 식읍으로 지급받은 김주원은 명주를 중심으로 실질적인 통치를 하였다. 김주원은 명주에 城을 축조하고 '長安'이라는 나름대로의 治所를 갖추었다. 그리고 溟州(郡)國이란 國號를 사용하였다.[57]

이러한 독립적인 김주원계 세력의 보장은 그 뒤에도 계속되었다. 김주원이 溟州郡王, 김주원의 아들 金宗基는 溟州郡王, 김종기의 아들 金貞如는 溟源公으로 책봉되고, 김정여의 아들 金陽이 溟源郡王으로 추봉된 것은 김주원계가 명주군왕의 작위를 대로 가지면서 독립적인 지위를 계속한 것으로 보아도 되겠다. 즉 신라국 내에서 중앙정부와는 일정한 관계를 유지하면서도 명주를 중심으로 하는 일정 지역에 대한 독립된 지배구조를 가지고 4대 37년간에 걸쳐 하나의 왕국으로서 존재한 특수한 통치구조였다. 그리고 봉작제와 식읍제는 하대 원성왕계의 초기 왕권이 제후국으로서의 제도가 아니라 그 형식에 있어서는 물론이고 부분적으로는 실질에 있어서 제도면에서도 황제적 지위를 가지고 황제통치하의 정치체제를 취하고 있었음을 말해주는 것이며,[58] 아울러 親王制度에 기반을 둔 봉건제를 시행했던 것을 보여주는 것이다.

신라 하대 왕들이 직접 독자적인 연호를 사용하였다는 기록은 찾을 수 없다. 그러나 김헌창의 경우에서 보듯이 '慶雲'이라는 나름대로의 독

---

56) "上大長等 敬信劫衆 自立先入宮 稱制 周元懼禍 退去溟州 遂不朝請 後二年 封周元爲溟州郡王 割溟州翼領三陟斤乙於蔚珍等 官爲食邑 子孫因以府爲 鄕"(『신증동국여지승람』 권44, 강릉도호부 인물조).

57) 김창겸, 1997, 「신라 '명주군왕'고」 『성대사림』 12·13합집, 44~52쪽.

58) 김창겸, 1995, 「신라 원성왕의 즉위와 김주원계의 동향」 『부촌신연철교수정 년퇴임기념 사학논총』, 461~462쪽.

자적 연호를 채택하고 당시 세계의 중심을 의미하는 중국 역대 왕조의
首都 명칭인 長安을 國號로 내세워 새로운 자기중심사상을 표방하였다.
여기에서 짐작하건대 당시 신라인들이 독자적 연호에 대한 인식은 있었
으나, 중국과의 외교에서 의례상 사용을 피했거나, 또는 고구려에 독자
적인 연호가 있었음에도 『삼국사기』에서는 보이지 않듯이 편찬자들에
의해 기록의 누락이 이루어졌을 수도 있다.

한편 신라 하대에는 지방의 제후국이 존재함은 물론, 당시 동아시아
의 발해와 일본이 자기 나름대로의 중화의식을 가지고 있었듯이[59] 신라
역시 발해·일본 등 주변국에 대해서도 번국으로 인식, 상정하는[60] 나름
대로의 천하관과 신라중심의 국제질서를 설정하였으며 주체의식을 가
지고 있었다.[61] 이는 이미 신라 중고기와 중대에도 있었다. 황룡사9층탑
의 "九韓來朝"는 중국에 있어서 中華思想을 모범으로 취하여 신라중심
사상을 갖고자 하였으며, 일본 사료에 의하면 735년(성덕왕 34)에 신라는
국호를 '王城國'으로 개칭하여,[62] 스스로 종주국으로 인식하며 주변 여
러 나라를 蕃國으로 보는 중화사상을 가지고 있었다.[63] 그리고 황제국
체제의 신라를 당시 일본은 大國으로 여기고 있었다.[64]

---

59) 한편 발해와 활발하게 교류하였던 일본에서도 8세기 초부터 율령국가체제
　　와 결부되어 독자적인 중화사상이 형성되어 있었다(酒寄雅志, 앞의 책, 41
　　쪽). 그리고 이처럼 황제를 칭하는 것은 동아시아에서 그 기풍이 유행하기
　　도 하였다. 일례로 12세기 초를 들 수 있다(이병도, 1980, 『고려시대의 연구』,
　　아세아문화사, 216쪽 주9 참조).
60) 송기호, 앞의 책, 194쪽.
61) 최치원을 비롯한 신라 하대 후반의 지식인들은 東人意識을 가지고 있었다
　　(유승국, 1981, 「최치원의 동인의식에 관한 고찰」『제4회국제불교학술회의
　　논문집』, 한국전통불교연구원 ; 최영성, 1990, 『최치원의 사상연구』, 아세아
　　문화사, 110~120쪽).
62) "新羅使入朝旨 而新羅國輒改本號曰王城國 因玆返却其使"(『續日本紀』 권12,
　　天平 7년 2월).
63) 김은숙, 1991, 「8세기의 신라와 일본의 관계」『국사관논총』 29, 119쪽 ; 이병
　　로, 1992, 「8세기의 나·일관계사」『일본학연보』 4, 계명대학교, 240~241쪽.

이상에서 살펴볼 때, 신라 하대의 원성왕계 왕들은 稱帝의 외형으로 大王과 그에 준하는 호칭용어와 제도를, 왕족들은 하대의 새로운 왕족으로서 神聖族意識에 바탕을 둔 황족관념을 가지고, 신라중심의 천하관을 표방하였다.

Ⅲ. 원성왕계의 황제·황족 표방과 골품 초월화

1. 황제·황족 표방의 배경과 목적

원성왕이 황제적 지위와 의식을 표방한 시점은 언제부터일까? 물론 즉위초 무렵일 것이라 보겠다. 그러면서도 좀더 정확하게는 아마 즉위직후 그의 선대를 추봉하여 새로이 오묘제를 정립하면서부터인[65] 듯하다.

원성왕이 이처럼 황제적 지위를 취한 배경과 목적에 대하여 살펴보자. 신라시대에는 왕권강화를 위하여 여러 차례 개혁정치를 시도하였는데, 비록 방법은 시기에 따라 조금씩 차이는 있으나, 그 하나가 왕실혈통의 신성성 강조를 통하여 왕권의 안정을 추구하고 왕실의 고착화를 꾀하는 것이었다.

주지하듯이, 원성왕은 혈연에 의한 정상적인 왕위계승이 아니라 정치적 권력을 이용하여 비정상적인 방법으로 즉위하였다. 제37대 선덕왕

---

64) "恕小人荒迫之罪 申大國寬弘之理"(『續日本後紀』 承和 3년 乙未朔 丁酉). 이는 836년 12월 3일에 해당하며, 바로 신라 희강왕이 즉위한 해이다. 즉 애장왕·헌덕왕·흥덕왕대의 개혁정치를 거친 신라가 대외적으로도 그 인지도가 달라졌음을 보여준다. 그러나 신라의 이러한 大國意識은 9세기에 갑자기 형성된 것이 아니고 오히려 8세기에 있어서의 신라 지배층의 對日意識이 그대로 9세기에 계승되었다고 보겠다(이병로, 1996, 「일본 지배층의 대신라관 정책 변화의 고찰」『대구사학』 51, 157쪽).

65) 『삼국사기』 권10, 원성왕 즉위년 2월.

이 왕위를 이을 아들이 없자 당시 상대등 金敬信은, 왕위계승 서열상 자신보다 우위에 있던 김주원이 폭우로 길이 막혀 王宮에 도착함이 늦어지는 틈을 타, 群臣會議의 議決을 번복시켜 國人(群臣)으로 지칭되는 지지자들의 추대를 받아, 먼저 즉위하였다.[66] 이것은 외형상으로는 추대에 의하였지만 실질상으로는 權道로써 김주원으로부터 탈취한 것이다.[67]

비정상적으로 즉위한 원성왕은 여러 가지 방법을 통하여 왕권의 확보와 강화를 추구해 나갔다. 즉위 직후인 785년(원성왕 1) 2월 자신의 先代를 추봉하여 오묘를 새로 정하고, 아울러 문무백관에게 爵 1급씩을 더하여 주는 일종의 논공행상을 행한 다음, 兵部令 伊飡 忠廉을 상대등으로 승진시키고, 또 摠管을 都督으로 바꾸었다.[68] 이듬해 僧官을 두어 政法典이라 하였다.[69] 그리고 788년 讀書三品科를 설치하여[70] 골품제의 제약에서 벗어나 유교적 지식에 의한 인재의 등용을 시도하면서,[71] 한편 790년 碧骨提을 증축하고, 발해와 통교를 시도하는 등 나름대로 개혁적인 대내외정책을 시행하면서, 계속적으로 왕권의 확립과 강화를 위해 노력하였다.

특히, 전제적 왕권의 확립을 위하여 왕위의 부자계승을 강조하였다. 원성왕은 즉위직후인 785년(원성왕 1)에 맏아들 仁謙을 태자로 책봉하였다. 하지만 그가 791년(원성왕 7) 정월에 죽자, 792년(원성왕 8) 8월 다시 둘째 아들 義英을 태자로 책봉하였다. 그러나 의영마저 794년(원성왕 10) 2월에 죽자, 이번에는 795년(원성왕 11) 정월에 嫡孫 俊邕을 태자에 책봉

---

66) 『삼국사기』 권10, 원성왕 즉위조.
67) 김수태, 1985, 「신라 선덕왕·원성왕의 왕위계승」 『동아연구』 6, 306~307쪽 ; 김창겸, 앞의 논문, 457쪽.
68) 『삼국사기』 권10, 원성왕 1년조.
69) 곽승훈, 1995, 「신라 원성왕의 정법전 정비와 그 의의」 『진단학보』 80.
70) 『삼국사기』 권10, 원성왕 4년 봄.
71) 홍기자, 1998, 「신라 하대 독서삼품과」 『신라문화제학술발표회논문집』 19, 122쪽.

하였다. 이러한 계속적인 태자책봉은 비정상적 왕위계승을 한 원성왕이 왕권강화의 한 수단으로 원성왕의 부자계승에 대한 강한 집착을 보여주는 것이며,[72] 즉 왕권의 전제화를 추구한 것이다.[73] 그리고 그는 극히 좁은 범위의 친족정치를 도모하여 子와 孫을 중요 관직에 임명하여 왕과 왕태자를 정점으로 한 근친왕족들이 上大等, 兵部令, 宰相 등의 요직을 독점하여 점차 왕실친족집단이 핵심관료가 되는 것에 의한 권력 장악을 확립해 나갔다.[74]

이처럼 원성왕이 즉위 직후부터 여러 가지 방법과 수단을 통하여 왕권의 강화와 왕실의 권위를 높이고자 노력한 이유는 중대 정통왕가인 武烈王系와는 혈통을 달리하는, 즉 종래에는 하나의 진골귀족에 불과하던 奈勿王의 傍系에서 이제는 새로운 왕과 왕가가 된 이상 계속적으로 왕과 왕실을 유지시켜 나가려는 의도에서 왕통 확립의 도모한 것이다. 그러기 위해서는 당시 신라 정치사회에서 정당성과 권위를 가진 새로운 왕가로 인정받고, 반면에 종래 왕가인 무열왕계의 위상을 일반 진골귀족으로 격하시키는 것이 가장 시급하고도 필요한 과제였다.

사실, 실질적인 하대의 왕실을 연 원성왕은 새로운 왕실로서의 지위를 확보하고자 노력하였다. 비록 원성왕의 선대는 내물왕계로서 중대 진골귀족사회에서 일정한 위치를 차지하고는 있었으나[75] 대단하게 두드러졌던 가계는 아니라,[76] 직접 왕위계승에 참여하지는 못했다. 이런 까닭에 원성왕은 즉위와 동시에 왕실의 신성화에 고심하였다. 이것은 하대 왕실도 내물왕의 10세손 또는 12세손이라고 자처한 만큼 내물왕의 후손이라는 점에서는 중대 왕실과 공통의 혈연의식을 가졌으면서도[77]

---

72) 김창겸, 1997, 앞의 논문, 40쪽.
73) 이기백, 1974, 「상대등고」『신라정치사회사연구』, 일조각, 121쪽.
74) 이기동, 1984, 앞의 책, 151~153쪽.
75) 이기동, 1984, 앞의 논문, 151책.
76) 최병헌, 1978, 「신라 하대사회의 동요」『한국사』 3, 국사편찬위원회, 431쪽.
77) 이기동, 1972, 「신라 내물왕계의 혈연의식」『역사학보』 53·54합집 : 1984, 앞

오히려 다른 가계에 대하여 分派意識을 보여 차별화를 꾀하는 것이다.

그리고 왕권의 진골귀족에 대한 특전의 배제를 위한 노력은 신라 하대에 심화되고 있었다. 특히 하대의 성립과 함께 이루어진 왕통의 변화는 이를 더욱 필요로 하였다. 일반적으로 신라 국왕의 혈연 신분은 골품제에 있어서 중대 이전에는 성골, 중대 이후에는 진골이었던 것으로 이해되고 있다. 사실 신라 중고기에 골품제가 갖추어진 뒤부터는 성골로 칭해지던 김씨 왕통이 이어지다가, 성골의 소멸로 인하여 진골남자에게 왕위계승되어 제29대 태종무열왕이 즉위함으로써 진골김씨의 왕통, 이른바 중대의 무열왕계가 형성되었다. 하지만 제36대 혜공왕의 피살로 무열왕계의 왕통이 끝나고 새로운 왕통이 등장하였다. 새로이 즉위한 제37대 宣德王은 내물왕의 10대손이라고 한다. 또 제38대 元聖王은 내물왕의 12대손이라고 한다. 그리고 이들 역시 진골이었다. 그 결과 하대 진골김씨의 원성왕계 왕통이 성립되어 이들 가계 내에서 왕위계승이 이루어졌다. 그러나 이제는 종전의 일반 진골귀족이 아니라 왕실을 이루게 된 원성왕계는 새로운 왕족으로서 자존적 의식을 가지면서 일반진골과의 차별화를 꾀할 필요를 갖게 되었다.[78]

그 방법의 하나로 새로운 전제군주적인 위상을 가진 왕과 왕실로서의 외형적 권위를 한층 높이기 위하여 황제와 황족의식을 도입하였다. 먼저 실질적 하대 왕계를 연 원성왕은 자신의 위상을 격상시키려 노력하고, 그리하여 원성왕은 한국 고대의 건국시조들이 天子란 칭호로 불려진 것처럼 하대 왕통의 中始祖로서 천자의식을 빌려 신성성을 드높이어 졌다.[79]

의 책, 88쪽.

78) 중대·하대에 걸쳐 계속된 왕들의 개혁정치와 왕권강화는 골품제의 진골귀족으로부터 초월화된 지위를 추구한 것이다.

79) 원성왕계 왕들은 원성왕·소성왕·문성왕·진성왕이라 한 諡號에서 보듯이 "聖王"의식을 가지고 있었다. 중대 일반진골에서 하대의 왕과 왕통이 된 이들로서는 혈통에 대한 새로운 왕족의식을 과시하려 하였고, 이것이 신

2. "聖而"와 골품 초월화

원성왕은 자신의 가계를 신성화하기 위하여 노력하였다.

원성왕은 그의 아버지로부터 萬波息笛을 받았다고[80] 한다. 만파식적은 중대 무열왕계에 있어서 신라의 평화를 의미하여 주는 것뿐 아니라, 통일기 전제왕권하 왕위계승의 상징물로서 인식되었고,[81] 그 정당성과 신성성을 대변해 주는[82] 의미를 지닌 것으로, 이것은 곧 원성왕의 왕위계승에 대한 정당화와 왕실의 신성화를 위한 상징적 행위였다. 그리고 즉위 직후에는 자신의 선대를 大王으로 추봉하고, 祖父와 考를 포함하는 오묘를 새로 정하고, 아들 仁謙을 왕태자로 삼아 왕실로서 면모를 갖추었다.[83] 앞에서도 언급하였듯이, 이것은 천자7묘로의 변화를 꾀하는 과정으로, 아울러 왕위계승에 있어서 直系相續이 중요시되었고, 직계의 존숭은 자연히 傍系와의 차이를 강조하여 점차 가족 규모의 분지화의 요인이 되었다.[84] 그리고 점차 자신의 손자 俊邕, 崇斌, 彦昇을 차례로 시중에 임명하였고, 준옹과 언승을 병부령에 임명하는 등 친족에게 중앙의 요직을 맡기어 자신을 중심으로 한 소가계의 친족에 의한 권력독점을 통하여 왕권을 강화해 나갔다. 그러면서 자신의 가계를 여타 진골가계보다 초월적 존재로 부각시키기 위하여 황실과 황족을 표방하였다.

성스러운 왕과 왕족을 의미하는 '聖王'의 시호와 「낭혜화상비」의 '聖而'라는 신분층을 낳은 듯하다.

80) 『삼국유사』 권2, 기이2, 元聖大王.

81) 김수태, 1996, 앞의 책, 38쪽.

82) 권영오, 1995, 「신라 원성왕의 즉위과정」 『부대사학』 19, 165쪽 ; 김상현, 1981, 「만파식적설화의 형성과 의의」 『한국사연구』 34.

83) 『삼국사기』 권10, 원성왕 즉위년 2월. 특히 五廟制의 시행은 하대 왕실도 奈勿王의 直系孫이면서도 타가계와의 分派意識을 보인 것은 차별화를 꾀한 것이다. 이는 앞서 선덕왕은 그렇지 못하였던 것과는 다르다(신형식, 1971, 「신라왕위계승고」 『유홍렬박사화갑기념논총』).

84) 이기동, 1984, 「신라 하대의 왕위계승과 정치과정」, 앞의 책, 179~180쪽.

애장왕대에도 개혁정치의 시행을 통하여 이러한 노력이 계속되었다. 805년(애장왕 6) 公式二十餘條를 頒示하여 왕권의 권력집중을 도모하고, 806년 佛寺 新創과 奢侈를 금지하는 敎書를 발표하였다. 그런데 이 당시 願刹은 바로 一族一門 내지 일개인의 祈福禳災를 위한 것이므로, 이러한 조치는 바로 이들이 귀족들의 정치싸움에 직접 개입하는 것을 금지하고 원성왕계 스스로 좁은 범위의 족벌정치를 행하여 타가계와 구분화를 시도한 것이다. 그리고 사치금지는 진골귀족들의 향락과 사회적 부패상을 제거하여 사회기강을 확립함으로써 정치적 불안을 제거하고 왕권 안정의 기반을 조성하고자 한 것이다.[85]

또 애장왕을 시해하고 즉위한 헌덕왕·흥덕왕도 개혁정치를 시도하였다. 우선 822년(헌덕왕 14) 인사제도의 개혁을 추진하였다. 헌덕왕은 아우 秀宗을 副君(儲貳)으로 삼아 月池宮에 들게 하였고, 대신 상대등을 맡은 金忠恭이 政事堂에서 人事를 관장할 때, 祿眞이 올린 시정을 요구한 건의를 받아들였다.[86] 그리고 834년(흥덕왕 9) 사치금지령을 반포하였는데, 이는 骨品의 尊卑에 따라 服色·車騎·器用·屋舍의 제한규정으로, 그 목적은 사치금지와 골품제도의 재정비로서, 다시 말하면 해이해진 사회기강을 바로잡고 무너져가는 골품제를 재정비하기 위한 것이면서도, 좀더 근본적인 의도는 진골과 그 이하 신분의 생활규정을 정하여 제약함으로써 왕실과 차별화시키려는 의도였다. 결국 헌덕왕·흥덕왕대의 개혁은 王室 一門에 의한 권력의 독점을 추구한 것이다. 그리하여 이러한 제한규정에 구속받지 않는 특정한 집단의 존재, 즉 국왕을 정점으로 한 왕실의 지위를 상대적으로 상승시켜 골품제를 초월하게 해준 것으로 보아도 되겠다.[87] 그 결과 신라 하대의 왕과 그 친족은 진골 이상의 신

---

85) 이 개혁의 주체는 金彦昇과 金秀宗으로, 애장왕의 왕권강화를 위한 것이라기보다는 위 兩人勢力의 强固化를 위한 것이란 견해도 있다(김동수, 1982, 「신라 헌덕·흥덕왕대의 개혁정치」『한국사연구』 39, 34쪽).

86) 『삼국사기』 권45, 祿眞傳 참조.

분충으로 격상하였다.

신라 하대의 신분제를 최치원은 「낭혜화상비」에 다음과 같이 적었다.

M. 國有五品曰聖而曰眞骨曰得難言貴姓之難得文賦云或求易而得難從言六豆
品數多爲貴猶一命至九其四五品不足言(「聖住寺朗慧和尙塔碑」).

이 문구에 대한 해석은 연구자에 따라 차이가 있다.[88] 그러나 필자는
여기서 '聖而'가 신라 골품제도에서 반드시 聖骨을 의미하는 것은 아니
라고 본다. 성골은 신라 중고기의 진덕여왕을 끝으로 소멸되었다. 그러
므로 이미 소멸된 지 약 250년이 지난 9세기 말엽에 이르러 최치원이 존
재하지도 않은 성골을 당시 신분 계층으로 언급하지는 않았다고 보겠
다. 하지만 이때의 聖而란 바로 뒤에 언급된 眞骨보다는 높은 신분을 지
칭함이 분명하다.

그러면 성골이 존재치 않은 상황에서 진골보다 상위에 해당하는 계
층은 누구인가? 이는 당시 왕족으로 보아야 하겠다.[89] 이러한 추측이 타
당성이 있는 것이라면 왜 왕족을 聖而라 하였을까? 이것은 '神聖한 家
系', 또는 '聖上·聖王의 親族'을 의미한다는[90] 해석이 있듯이, 당시 일반
진골귀족으로부터 격상된 신성한 왕족을 뜻하는 표현이라고 하겠다. 그
리고 이러한 현상은 신라 하대에 이르러서 국왕을 비롯한 왕실은 진골

---

87) 武田幸男, 1975, 앞의 논문, 111~214쪽.
88) 윤선태, 1993, 「신라 골품제의 구조와 기능」 『한국사론』 30, 서울대학교,
　　11~18쪽 ; 조인성, 1994, 「최치원찬술비명의 주석에 대한 일고」 『가라문화』
　　11, 경남대학교, 92쪽.
89) 이종욱, 1985, 「신라시대의 진골」 『동아연구』 6, 288쪽.
90) 徐毅植은 '國有五品曰聖而曰眞骨曰得難'에서 "聖而曰"의 曰자는 崔致遠의
　　원고에 없던 글자인데 立碑가 완료된 이후의 후대인에 의해 추기된 것으
　　로 추측하여 '聖而眞骨'로 보면서, 이것을 '王과 王族인 眞骨'이라 해석하
　　고자 하였다(1995, 「9세기말 신라의 '득난'과 그 성립과정」 『한국사의 시대
　　구분』, 한국고대사연구회편, 244~254쪽).

귀족으로부터 초월된 지위를 가지고 있었던 것을 말해주는 것이며, 아울러 골품제상 진골에서 분화, 격상된 또하나의 새로운 신분층의 성립을 의미하는 것이라 하겠다.

그 결과 실제로 진성여왕대 직후에는 왕위계승이 진골이라는 신분과는 무관하고 혈연적 요인과 정치적 요인에 의해서만 이루어지게 되었다. 이것은 찬탈과 추대, 유조 등의 방법을 통하여 즉위한 왕들에 의하여 하대 초기부터 꾸준히 계속된 왕실의 다른 진골 가계와의 차별화를 통한 신성화 노력의 결과이며, 이 과정에서 왕실은 골품제 규정에서 점차 초월하였고, 왕위계승에서도 반드시 진골 이상이라야 한다는 골품제 규정은 기능을 상실하였다.[91]

그러나 점차 원성왕계 내에서도 직계와 각 방계 사이에 차이가 생기면서 이들 간에 왕위계승권을 보유하는 가계와 이에서 멀어진 가계 간에 왕위계승을 둘러싸고 정치적 대립이 야기되었다. 그리하여 정상적 즉위를 하였건 비정상적 즉위를 하였건 간에 일단 왕위를 가진 특정 가계는 왕위계승권을 독점화하기 위하여 近親婚 등을 통하여 왕실세력의 범위를 狹小化시켰고, 또 그 친족이 상대등을 비롯한 여러 관부의 장관직의 兼職과 관원의 複數制를 통하여 중앙 중요 관직을 독점화하여 특정 가계 중심의 왕권을 추구하였다.

그리고 중대의 일반 진골귀족에서 하대의 새로운 왕계로 등장한 원성왕계가 타가계와, 그리고 원성왕계 내에서 찬탈과 추대 및 유조 등을 통하여 또다른 새로운 왕실이 된 小家系가 여타 소가계와의 차별화를 위하여 가계의 신성화를 추구하는 과정에서 그들과의 항쟁을 낳았다. 더욱이 하대 前半期의 격심한 왕위쟁탈전의 결과로 빚어진 많은 진골왕족의 도태와 이탈현상은 신라왕실의 지지기반의 상실과 붕괴를 낳았고, 또 왕위를 차지한 王系는 왕통의 독점적 유지를 위하여 동일가계 내에

---

91) 이것에 대해서는 김창겸, 1999,「신라 하대 효공왕의 즉위와 비진골왕의 왕위계승」『사학연구』58·59합집 참조 바람.

서 근친혼을 행하면서 가계의 분지화가 심화되어 왕통의 혈족범위를 협
소화시켰고, 그리하여 王家의 고립화를 초래하였다. 그러자 이에 대한
대책으로 왕위계승의 비상조치를 취하면서 중대 이후 확립된 왕위의 父
系男孫原則이 무너져 형제계승·숙부계승이 시행되기도 하였다. 그러나
결국에는 이러한 男系繼承은 무너지고 女壻繼承과 女弟繼承이라는 예
외적 현상이 나타났고, 또 庶子 출신의 非眞骨 신분의 왕이 즉위하기도
하고, 급기야는 여서계승을 표방한 異姓親의 계승이 이루어졌다. 그리
고 경순왕의 경우, 후백제의 甄萱이라는 외부세력에 의한 비진골 왕의
추대가 있었다.

결국 왕통의 연장을 위한 비정상적인 왕위계승의 시행은 마침내 골
품제적 원칙을 무시해야만 하였고, 그 과정에서 왕위계승에 있어서 골
품제의 기능은 자연히 상실 소멸되어 갔다. 그러므로 왕위계승에서 골
품제가 생명력을 가졌던 것은 진성여왕을 마지막으로 한 듯하다.[92]

Ⅳ. 맺음말

지금까지 신라 하대 원성왕계 왕과 친족은 황제·황족의 지위와 의식
을 가져, 마침내는 진골을 초월하는 존재가 되었음을 살펴보았다.

원성왕계 통치기에는 先皇의 令孫, 大王, 皇王, 皇后, 王后, 皇太后,
太子, 太弟, 長公主, 皇子, 帝王 등의 호칭용어와 崩, 因山, 勅과 詔, 帝系
등 황제를 상징하는 특수용어가 사용되었다. 또 제도적으로는 3성제와

---

92) 이것은 신라 골품제 소멸의 마지막 과정이며 나아가 신라사회체제의 종말
이다. 왕통의 단절과 변화에 따른 새로운 왕가의 신성화 추구는 계속적으
로 기득권을 유지하려는 세력들과 갈등·마찰로 인하여, 그 결과 중앙왕실
은 지지기반의 상실과 국가 통치체제의 이완을 낳았으며, 결국 이것은 신
라 정치사회의 여러 면에서 이루어진 다각적인 골품제의 붕괴현상과 맞물
려, 마침내 신라 김씨왕조의 붕괴를 가져왔다.

더불어 宗廟制에 있어서 중국과의 대외관계상 제후국의 5묘를 표방했으나 실제는 천자국의 7묘가 있었다. 한편 지방통치는 천자국의 상징인 9州5小京과 五岳이 편재되어 있었고, 지방에는 溟州國 등의 제후국이 존재하였으며, 아울러 북쪽의 발해와 남쪽의 일본 등을 蕃國으로 상정한 신라중심의 독자적 천하관이 형성되어 있었다. 이러한 것들은 원성왕계 왕과 그 친족이 황제적 지위와 의식을 가진 천자국의 체제였음을 확인시켜 주는 것이다.

하대의 원성왕계 왕과 그 친족이 황제를 표방하고 황족의식을 취한 배경과 목적은 중대에는 하나의 일반 진골귀족에 불과한 가계에서 비정상적인 방법으로 즉위한 원성왕이 자신의 위상을 높이고 왕권을 강화할 목적에서 취한 하나의 방법이었다.

원성왕계는 황제·황족의식을 표현한 결과 이들은 종전의 일반 진골에서 분화, 격상된 '聖而'로 지칭된 초월적 신분이 되었고, 그리하여 왕위계승에 있어서조차 신분적 자격요건인 진골만이 왕이 될 수 있는 골품제 규정을 벗어나, 드디어는 왕의 아들이면 신분이 비진골이라도 왕위를 계승할 수 있게 되었다. 그 결과 하대의 왕은 진골에서 초월화하여, 제도적으로는 황제라는 외투로 장식하고 실질적으로는 진골이라야 한다는 골품제 제약에서 벗어나, 오로지 왕손이라는 혈연적 요인에 의해 왕위를 계승케 되었다.

이렇듯 신라는 중국 唐 중심으로 편재된 동아시아의 국제질서 속에서도 발해나 일본이 그러했던 것처럼 자신도 신라 중심의 세계관을 가지고, 비록 외교상 당에 대해서는 제후국의 입장을 보이면서 국내에 대해서는 독립된 황제국체제를 취하였고, 아울러 발해와 일본에 대해서는 나름대로의 종주국의 입장을 가졌던 것을 확인하였다. 결국 신라는 대외적으로는 중국 당에 대하여 제후국의 취하면서도 국내적으로는 하나의 독립된 황제국의 지위를 가졌던 이중체제의 국가였다.

그러나 비록 당시 신라가 제도적으로는 황제국체제였고 외형적으로 최고통치자가 황제적 위상을 가졌다고는 하나, 실제는 하대 초와 경문 왕가기를 제외하고는 강력한 왕권을 이루지 못하고 귀족연립으로 유지 되는 왕권이었고, 내부 구조는 체계적인 황제국의 통치체제나 구조를 확립하지 못하여 매우 피상적인 양상이었다. 이것은 빈번한 왕위쟁탈전 에 의한 왕통의 변화와, 그것에 의한 왕권의 약화에 따른 것이었다. 더 욱이 중앙귀족들을 장악치 못한 왕권으로서는 당연히 통치력이 지방에 까지 미치지 못하였고, 이런 이유로 중앙과 지방의 괴리는 지방세력의 대두와 경제, 문화적인 파탄과 변화를 초래하여 결국 신라왕조의 멸망 을 가져오고 있었다.

신라 하대 왕들의 황제적 지위와 인식은 거의 신라말까지 유지된 듯 하다. 그것은 후삼국쟁패기에 後百濟의 甄萱과 高麗의 王建이 서로 주 고받은 서신에서도 보여주듯이[93] 이들이 신라왕실을 중심체계로 인식 하는 尊王意識을 가지고[94] 있었던 것에서도 알 수 있다. 그리고 통일신 라에 존재하였던 황제·황족적 지위와 독자적인 국제질서를 상정한 천하 관은 고려왕조로 이어졌다.[95]

---

93) 『삼국사기』 권50, 甄萱傳.
94) 신호철, 1996, 『한국사』 11, 국사편찬위원회, 116~117쪽 ; 황선영, 1988, 『고려 초기왕권연구』, 동아대학교출판부, 49~53쪽.
95) 고려의 二重體制에 통일신라와 함께 발해의 의식도 이어져 이루어졌다는 견해도 있다(송기호, 1995, 앞의 책, 197쪽). 하지만 발해의 의식이 얼마만큼 작용하였는지는 좀더 살펴볼 문제라 하겠다.

제2부
경문왕계의 왕권과 골품제

제5장 헌안왕의 즉위와 치적

Ⅰ. 머리말

군주국가에서 국왕은 권력과 사회구성의 정점에 해당하는 까닭에 왕위의 계승은 대단히 중요한 일이었다. 그러므로 왕위의 계승은 왕조의 수성이요 연속이며, 왕위의 단절은 곧 왕조의 멸망인 것이다.

신라시대에도 왕위의 계승은 왕조의 보존을 위해 가장 중요한 것으로 인식되었다.[1] 특히 문성왕은 죽음에 이르러 "祖宗의 大業은 임금이 없어서는 안 되며 군사와 나라의 모든 일은 잠시도 버려둘 수 없다."고 하면서 숙부 誼靖에게 왕위를 계승하라 하였다. 이에 따라 의정이 즉위하니, 그가 신라 제47대 헌안왕이다.

헌안왕의 즉위는 단순한 왕위계승을 넘어 신라 하대 정치사의 한 획을 긋는 중요한 의미가 있다고 보겠다. 하대 전기에 원성왕계 내에서 왕위를 둘러싼 대립과 갈등이 신무왕대에 이르러 일단락되어, 헌안왕대에는 범원성왕계의 대타협의 실마리가 마련되었기 때문이다. 신라 하대, 즉 830년대의 원성왕계 내에서 치열하게 전개되었던 왕위계승전이 淸海鎭 張保皐 세력의 지원을 받은 신무왕·문성왕 부자의 즉위로 종결되고, 뒤이어 즉위한 헌안왕에 의하여 점차적으로 憲貞系와 均貞系(이른바 凡禮英系)의 타협, 그리고 경문왕에 의하여 仁謙系와 禮英系(이른바 凡元聖王系)의 타협이 이루어졌다. 다시 말해 헌안왕은 제48대 경문왕의 즉

---

[1] 더욱이 문무왕은 "宗廟之主 不可暫空 太子卽於柩前 嗣立王位"고 유언할 정도였다(『삼국사기』 권7, 문무왕 21년 7월).

위와, 또 그가 즉위후 추진한 왕권강화와 개혁정치를 가능하게끔 토대
를 마련해준 왕이다.

그리하여 신라 하대 초기에 있었던 치열한 왕위계승전과 급격한 혼
란 및 변화에도 불구하고 중반기 이후에는, 비록 중대의 전제적 정치체
제로까지 복귀는 하지 못했지만, 어느 정도 안정되어 왕조를 유지, 연장
할 수 있었다. 이것은 하대 중반기에 이르러 특별히 몇 차례 遺詔에 의
한 평화적인 왕위계승이 이루어진 결과이다. 헌안왕의 즉위는 이 시기
의 유조에 의한 왕위계승의 시초이며 대표적인 경우라, 이것이 갖는 의
미는 대단한 것이라 하겠다.

기존에는 신라 하대 정치사에서 헌안왕대가 갖는 의의가 중요하다는
것은 인식하면서도 그의 재위기간이 짧아 자연히 관련 기록이 영성한
까닭에 이것에 대한 본격적인 연구는 이루어지지 못했다. 그저 이전 시
기의 치열하였던 원성왕계 내 소가계간의 왕위계승전, 청해진의 장보고
세력, 이후 경문왕의 즉위 및 화랑 세력, 또는 왕실과 불교계의 관계 등
과 관련한 연구를 통해서 부분적으로 언급된 정도이다.[2]

필자는 지금부터 헌안왕의 즉위와 그것이 갖는 역사적 의의에 대해
살펴보고자 한다. 먼저 헌안왕의 즉위와 관련하여 그의 가계와 즉위전
정치적 활동에 대하여 검토함으로써 즉위할 수 있었던 배경을 밝히고,
이어 그의 즉위방법과 형태를 통해서 그것이 신라 하대의 왕위계승과
정치사에서 갖는 의미를 찾아보겠다. 그리고 헌안왕이 재위중에 행한

---

2) 헌안왕에 대하여 언급한 연구로는 다음과 같은 것들이 있다. 이기동, 1980,
「신라 하대 왕위계승과 정치과정」『역사학보』85 : 1984,『신라 골품제사회
와 화랑도』, 일조각 ; 윤병희, 1982「신라 하대 균정계의 왕위계승과 김양」
『역사학보』96 ; 전기웅, 1989,「신라 하대말 정치사회와 경문왕가」『부산사
학』16 ; 전기웅, 1994,「신라 하대의 화랑세력」『신라문화』10·11합집 ; 조범
환, 1998,「나말 성주산문과 신라왕실」『국사관논총』82 : 2001,『신라선종연
구』, 일조각 ; 김창겸, 2003,『신라 하대 왕위계승 연구』, 경인문화사 ; 송은
일, 2004,「신라 하대 경문왕계의 성립」『전남사학』22.

치적을 분석하여 그 역사적 의의와 더불어 후대에 미친 영향에 대해서 살펴보겠다.

Ⅱ. 헌안왕의 가계와 경력

1. 헌안왕의 가계

제47대 헌안왕은 조카인 제46대 문성왕의 유조에 의해 왕위를 계승하였다.[3] 그러므로 헌안왕의 즉위는 특이하게도 신라 중대 이래로 시행된 적이 없었던 유조라는 형식을 이용한 것으로 비부자계승이면서도 외형상 평화적인 계승이었다.

그러면 먼저 문성왕이 내린 유조의 내용을 중심으로 헌안왕의 즉위 전 경력과 혈연적 배경, 그의 즉위가 갖는 신라 하대의 왕위계승에서의 의미 등에 대해서 살펴보겠다.

A. 9월 왕이 병환이 났으므로 遺詔를 내리기를, "과인이 미미한 자질로 높은 자리에 있어, 위로는 하늘에 죄를 지을까 두렵고 아래로는 사람들 마음으로부터 기대를 잃을까 염려하여 아침부터 저녁까지 긍긍함이 마치 깊은 연못과 얇은 얼음을 건너는 것과 같다. 다행히 三事大夫와 百辟卿士가 좌우에서 도와준데 힘입어 왕위를 떨어뜨리지 않았는데, 지금 갑자기 병이 들어 열흘이나 되었으니 정신이 혼몽하여 아침이슬보다 먼저 사라질지 모르겠다. 생각하건대 선조로부터 전해져온 큰 사업에 임금이 없어서는 안 되고, 군사와 정치의 중요한 일들은 잠시도 버려둘 수가 없다. 돌아보건대 舒弗邯 誼靖은 先皇의 令孫으로 나의 叔父이며, 효성과 우

---

3) 『삼국사기』 권11, 헌안왕 즉위조에는 '문성왕의 顧命으로 즉위하였다.'고 하였는데, 顧命과 遺詔는 같은 용어이다.

애가 있고 총명하며 민첩하고 너그럽고 인자하다. 오랫동안 재상의 자리 (台衡)에 있으면서 왕의 정치를 도와 위로는 가히 宗廟를 받들만하고 아래로는 가히 백성을 돌보고 기를만하다. 이에 무거운 짐을 풀어 이 어질고 덕 있는 사람에게 맡기려 하는데, 부탁할 사람을 얻었으니 또 무엇이 한스러우랴. … "하였다(『삼국사기』 권11, 문성왕 19년).

이것은 문성왕이 죽기 직전에 내린 유조의 일부분이다. 이 내용을 보면 문성왕은 숙부 誼靖에게 왕위를 이어라고 하면서, 먼저 문성왕 자신과 의정의 혈연적 관계를 언급한 뒤, 의정의 인품과 능력 및 정치적 경력을 언급하여 군주로서의 타당성을 부여해 주고 있다.

그렇지만 이것은 중대에 이르러 태자제가 확립된 이후로 일반적으로 행해진 왕위의 부자계승이 아니라 숙부계승이었다. 그러므로 헌안왕이 왕위계승자로 정해질 수 있었던 혈연적 요건에 대해 우선적으로 살펴볼 필요가 있다

위의 인용문 A에서 문성왕은 헌안왕에게 왕위계승 시키는 이유를 이야기하면서 무엇보다도 그가 혈연적으로 '先皇의 令孫이고 자기의 叔父'임을 강조하고 있다.[4] 그러면 헌안왕은 문성왕의 숙부이고 황제의 영손이라는 전제하에서, 그의 가계에 대해 살펴보겠다.

헌안왕은 문성왕의 아버지인 신무왕의 異母弟라고 하니, 헌안왕은 문성왕의 친숙부는 아니다. 하지만 헌안왕과 신무왕은 서로 어머니는

---

4) 여기서 헌안왕을 '先皇의 令孫'이라 한 것은 흥미로운 표현이다. 선황의 영손이란 약칭하여 皇孫이라고도 하는데, 이것은 '天子의 孫子, 또는 天子의 子孫'을 말한다. 先皇이란 先皇帝의 약칭, 즉 先代의 皇帝를 일컫는 용어로서 先帝와 같은 말이다. 그리고 令孫이란 '아들의 아들, 孫子'를 말한다. 그러므로 문성왕보다 앞선 시기에 신라에는 황제를 칭한 군주가 있었고, 誼靖은 그의 후손임을 알 수 있다. 결국 헌안왕의 선대 중에는 황제가 있었다는 것이다(김창겸, 1999, 「신라 원성왕계 왕의 황제·황족적 지위와 骨品 초월화」 『백산학보』 52).

달라도 아버지는 동일인이다.[5] 신무왕의 아버지는 金均貞이다.[6] 김균정
의 아버지, 즉 신무왕의 할아버지는 원성왕의 셋째 아들 禮英이다. 그러
므로 신무왕은 원성왕의 증손자이다. 그리고 그는 희강왕의 從弟라고
한다. 그렇다면 신무왕의 아버지 均貞과 희강왕의 아버지 憲貞은 형제
간으로, 신무왕과 희강왕은 모두 예영의 손자들이다. 즉 신무왕의 父系
는 원성왕계 내에서 예영계에 속한다. 결국 신무왕의 즉위는, 직전에 희
강왕이 민애왕에게 시해당하여 인겸계에게 빼앗겼던 왕위를 되찾아온
것으로, 이후로는 예영계가 왕위를 계승할 수 있는 길을 열어준 것이다.

헌안왕의 어머니 照明夫人(昕明夫人[7])은 宣康王의 딸이다. 宣康王이
란 宣康大王으로 추봉된 김충공을 말한다. 충공은 민애왕의 아버지인
동시에 희강왕의 왕비인 文穆夫人의 아버지이고, 또 헌안왕의 어머니의
아버지이기도 한 인물이다.[8] 그런데 헌안왕의 아버지 김균정에게는 眞

---

5) 神武王(祐徵)의 아버지는 均貞(成德大王), 할아버지는 禮英(惠康大王), 어
   머니는 朴氏 眞矯夫人(憲穆太后)이다(『삼국사기』 권10, 신무왕 즉위조와 『삼
   국유사』 권1, 왕력 참조).
6) 김균정은 802년(애장왕 3) 大阿湌이 되었으며, 이때 그를 假王子로 삼아 日
   本에 인질로 보내려 함에 이를 사양하였다. 그리고 812년(헌덕왕 4) 봄 시
   중으로 승진하였다가 814년 3월 金憲昌과 교체되었다. 또 822년 3월 熊川州
   都督 김헌창이 반란을 일으키자 伊湌으로서 金雄元, 아들인 大阿湌 祐徵
   과 함께 三軍을 장악, 단시일 안에 반란 토벌을 성공적으로 지휘하였다.
   828년(흥덕왕 3) 7월에는 一家의 願刹인 法光寺에 3층석탑을 건립하였다.
   835년 2월 金忠恭의 후임으로 상대등이 되었으나, 이듬해 12월 흥덕왕이
   아들이 없이 죽자 아들 祐徵과 妹壻 禮徵 그리고 金陽 등의 추대를 받아
   從姪 悌隆과 왕위쟁탈전을 벌렸지만 패배하여 살해되었다. 그는 처음에
   眞矯夫人(貞矯夫人)과 혼인하고, 뒤에 從兄 金忠恭의 딸 照明夫人(昕明夫
   人)과 혼인하였다.
7) 『삼국유사』 권1, 왕력, 제47 憲安王.
8) 민애왕의 아버지는 忠恭(또는 忠孝·仲恭이라고 하였으나 이것은 동일인물
   의 이름에 대한 同音異寫에 불과하다)은 원성왕의 長子로서 太子에 책봉
   된 바 있는 仁謙(惠忠太子)의 넷째 아들이다. 비록 『삼국사기』에는 헌덕왕
   13년에 죽었다는 기록이 있어 忠恭이 同名異人이라는 설도 있지만(이기동,

矯夫人(貞矯夫人)과 照明夫人으로 불리는 2명의 부인이 있었다. 이 중 조명부인이 헌안왕의 어머니이고, 그녀의 아버지는 김충공이며, 또 할아버지는 惠忠太子 仁謙이며, 증조는 원성왕이다. 그러므로 헌안왕의 아버지 균정과 어머니 조명부인은 堂叔과 堂姪女 사이의 원성왕계 내에서 이루어진 근친혼이다.

이처럼 의정의 부계는 원성왕 → 예영 → 균정 → 헌안왕(의정)이고, 모계는 원성왕 → 인겸 → 충공 → 조명부인으로 이어진다. 즉 의정은 원성왕계 내에서 최대가계인 인겸계와 예영계의 결합으로 이루어진 혼인에서 태어난 진골왕족으로, 당시 왕실내에서 문성왕과는 숙부라는 아주 밀접한 혈연관계에 있었다.

결국 헌안왕이 손자 이상의 범위에 속하는 선대는, 부계로는 조부 예영과 증조부 원성왕이며, 모계로는 외조부 충공과 외증조부 인겸 및 외고조부 원성왕 등이다. 결국 [그림]에서 보듯이 헌안왕은 부계의 증조부와

앞의 책, 162쪽 주59), 사실은 동일인이다(이기백, 1974, 「신라 하대의 집사성」『신라정치사회사연구』, 일조각, 183쪽 〈표 라〉 및 문경현, 1992, 「신무왕의 등극과 김흔」, 『조항래교수화갑기념 한국사학논총』, 68~70쪽). 그러므로 忠恭은 817년(헌덕왕 9) 1월부터 821년까지 약 4년간 執事部 侍中을, 그리고 822년부터 835년까지 약 13년간 상대등을 역임하였다. 그리고 그와 소성왕·헌덕왕·흥덕왕은 형제간이다. 결국 그는 형들이 재위하는 동안 시중과 상대등 등을 역임하면서 822년에는 김헌창의 난을 진압하는데 공을 세웠고, 또 흥덕왕대에는 太子로 책봉되어(「鳳巖寺智證大師寂照塔碑文」『조선금석총람』상, 90쪽 참조) 왕위계승 예정자로서 政事堂에서 內外官의 銓注를 맡아보면서 人事問題를 처리하는 등(『삼국사기』권37, 녹진전) 당시 최고의 정치적 실권자로 군림하였다. 이러한 혈연적·정치적 배경의 충공도 마땅히 왕위에 오를 자격과 능력을 가졌지만, 아마 형인 흥덕왕보다 먼저 죽었기 때문에 즉위치는 못하였다. 그러나 희강왕의 丈人이므로 희강왕이 왕위에 오르자 葛文王으로 추봉되었고, 뒤에 아들 민애왕(金明)이 즉위하자 大王으로 또다시 추봉된 듯하다. 그리고 충공의 아버지, 즉 민애왕의 할아버지는 仁謙이다. 인겸 또한 원성왕에 의하여 태자로 책봉되어 왕위계승권을 가졌으나 일찍 죽었기에 즉위치 못하였고, 뒷날 宣康大王으로 추봉되었다.

모계의 외고조부가 다같이 동일인 원성왕으로 귀착된다. 그러므로 여기
서 先皇은 그저 大王으로만 추봉된 인물들보다는 실제 재위하였던 원성
왕으로 보아야 되겠다. 한편 헌안왕 또한 재위시 황제적 위상을 보였다.[9]

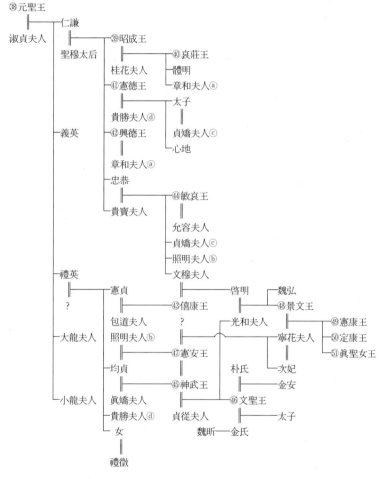

[그림] 신라 하대 원성왕계 왕실 계보도

---

9) 일례로 헌안왕의 명령을 勅이라 하였다("憲王 ○八月卄二日 勅下令"「寶林
   寺鐵造毘盧舍那佛坐像造像記」).

2. 문성왕대 정치동향과 誼靖의 활동

지금부터 헌안왕의 즉위 배경과 과정을 파악하기 위하여 그가 주로
활동하였던 문성왕대의 정치적 동향과 함께 그의 정치적 경력을 살펴보
기로 한다.

균정의 아들이며 충공의 외손자라는 혈연적 기반을 가진 의정은 일
찍이 정계에 진출하여 활동한 듯하다. 우선 의정(헌안왕)은 836년(홍덕
왕 11) 1월 新羅王子로 唐에 謝恩 겸 宿衛로 갔다.[10] 그런데 의정이 당에
서 숙위하는 동안은 신라는 격동의 시기였다. 무엇보다도 836년 12월 홍
덕왕이 '無敵嗣'로 죽자, 왕위를 두고 의정의 아버지인 상대등 均貞과 의
정의 외삼촌인 金明이 지원하는 균정의 조카 金悌隆 사이의[11] 무력 충
돌이 있었다. 이 싸움에서 김균정은 패하여 죽음을 당하였다. 이 시기에

---

10) 『삼국사기』 권10, 홍덕왕 11년 정월. 그런데 『구당서』와 더불어 이 기사에
   는 金義琮을 '新羅王子'라고 하였다. 그러나 신라시대에는 당과 일본에 보
   내는 사신의 신분을 사실여부와는 별개로 신라왕자라고 한 경우가 많았
   다. 만약 앞의 기록에 따르면 홍덕왕대의 왕자라고 표현된 김의종은 홍덕
   왕의 아들이라고 보아야 한다. 그래서 심지어는 이것에 근거하여 김의종
   이 홍덕왕의 아들이므로 문성왕의 7촌 숙부라고 해석한 연구자도 있다(이
   기백, 1974, 「신라 하대의 집사성」, 앞의 책, 179쪽 주3). 그러나 잘못이다.
   만약 김의종이 홍덕왕의 아들이라면 홍덕왕의 사후에 嗣子가 없어 발생한
   金均貞과 金明의 왕위쟁탈전에 대한 해석은 어렵게 된다. 더구나 이보다
   조금 앞선 시기인 헌덕왕대 당에 사신으로 파견되었던 金憲章·金張廉·金
   昕이 한국과 중국의 사서에는 모두 王子로 기록되어 있으나, 사실은 이들
   이 헌덕왕의 아들이 아니었다. 가령 金昕은 태종무열왕의 9세손이고, 金憲
   章은 金憲貞과 동일인으로 헌덕왕의 4촌형제일뿐이다. 이처럼 王子의 신
   분을 띠고 唐에 宿衛學生 혹은 使臣으로 파견된 사람들은 실제로 王族 이
   상의 의미는 없는 것이다(이기동, 1997, 「신라 홍덕왕대의 정치와 사회」『신
   라사회사연구』, 일조각, 159~160쪽).
11) 균정과 제륭은 부계로 숙부와 조카이면서, 동시에 모두 충공의 딸들과 혼
   인한 동서간이므로, 결국 이들은 충공의 아들인 김명과는 매부와 처남 사
   이이다([그림] 참조).

의정은 당에 체류하였다. 그리하여 의정은 아버지 균정이 자신의 외삼촌 김명 및 종형 김제륭의 연합세력과 벌렸던 왕위쟁탈전에 직접 참여는 하지 않았다. 이 싸움이 종료된 뒤인 837년(희강왕 2) 4월 의정이 신라로 귀국하였다.[12] 그의 귀국에 힘을 얻은 이복형 김우징은 김명 일파에 대한 불만을 표출하다가 도리어 해를 당할 위험에 처하게 되자, 5월에 부득이 청해진의 장보고에게로 망명하였다. 아마 이때 의정은 청해진으로 망명하지 않았던 것으로 여겨진다.

우리가 잘 알듯이, 중앙에서 세력이 상대적으로 취약했던 신무왕(김우징)은 희강왕의 원수를 갚는다는 명분을 내세워 839년 1월 청해진의 장보고 세력과 김주원계에 속하는 金陽의 지원을 받아 인겸계의 민애왕을 살해하고, 마침내 4월에 즉위하였다. 신무왕은 즉위 직후 곧바로 先祖를 추봉하고 아들 慶膺을 태자로 책봉하여 왕실의 면모와 체통을 갖추고자 하였다. 그리하여 왕과 태자 그리고 공신 김양 등을 중심으로 정치권을 새로이 재편하고자 하였는데, 그 배후에는 感義軍師로 임명된 장보고의 막강한 군사적 후원을 받고 있었다. 그러나 신무왕은 겨우 재위 3개월 남짓한 이해 7월 23일에 죽었다. 이에 태자 경응이 즉위하니, 그가 문성왕이다.

하지만 신무왕의 재위기간이 워낙 짧아 앞 시기에 있었던 왕위계승전의 후유증이 완전히 청산되지 못한 상태에서 즉위한 문성왕은 여러 가지 어려움을 직면하자 이에 대비하고자 노력하였다. 우선 즉위 직후인 8월에 장보고를 淸海鎭將軍으로 삼아 예우하면서,[13] 또 金陽을 蘇判 兼 倉部令에 제수하여[14] 신무왕을 추대한 공신들에 대한 논공행상의 성격을 지닌 인사조치를 하였다. 그리고 다음해인 840년 1월 禮徵을 상대등, 또 義琮을 시중으로 삼았다.[15] 이때 禮徵은 均貞의 妹壻, 즉 문성왕

---

12) 『삼국사기』 권10, 희강왕 2년 4월.
13) 『삼국사기』 권11, 문성왕 즉위년 8월.
14) 『삼국사기』 권44, 金陽傳.

의 大姑母夫로서 신무왕의 즉위를 도운 최고 공신 중의 한 명이고,[16] 誼靖(琮)은 신무왕의 異母弟로서 문성왕의 叔父이다. 그리므로 이러한 인사조치는 신무왕의 즉위과정에서 새로이 등장한 장보고 세력에 대한 견제의 의도를 내포한 것으로, 결국 문성왕은 귀족공신들과 자신의 至近親에게 중요 관직을 집중케 하여 왕권을 보다 강화해 나가려 하였던 것 같다.

그러나 문성왕의 이러한 체제 확립에 대한 반발도 만만치 않았던 것 같다. 『삼국사기』에 보이는 840년 4~6월 가뭄, 841년 봄 왕경에 질병 유행, 또 일길찬 弘弼의 반란[17] 등의 기록은 당시 분위기를 잘 말해주는 것이라 하겠다.

한편 문성왕과 중앙귀족들의 권력강화 조치는 또다른 공신세력인 지방의 장보고에게 소외감이 들게 하였을 것이다. 그러자 장보고는 신무왕의 찬탈시 군사력을 지원하는 조건으로 약조한 자신의 딸을 왕비로 받아들일 것을 요구하였던 것같다.[18] 그리고 문성왕도 막강한 군사력과 경제력을 가진 장보고를 이용하고자 이 요구를 실행하려 하였다. 그러

---

15) "二年春正月 以禮徵爲上大等 義琮爲侍中"(『삼국사기』 권11, 문성왕 2년 1월). 여기서 義琮은 849년(문성왕 11) 1월 上大等이 된 義正과 동일인이며 (이기백, 1974, 앞의 책, 182쪽), 더욱이 836년(흥덕왕 11)에 唐에 使行한 金義琮과, 857년 문성왕의 顧命에 따라 즉위한 誼靖(헌안왕)이 모두 동일인으로 추측된다(이기동, 1984, 『신라골품제사회와 화랑도』, 일조각, 170~171쪽).

16) 예징은 원성왕의 셋째 아들인 禮英의 사위이며 金均貞의 妹壻로서, 836년에 벌어진 균정과 悌隆의 왕위쟁탈전에서 균정의 아들 祐徵과 함께 균정을 받들었다가 실패하자, 祐徵·良順 등과 함께 청해진의 장보고에게 몸을 의탁하였고, 839년(민애왕 2) 金陽 등과 함께 신무왕을 즉위시키는 데 공이 큰 인물이다.

17) 『삼국사기』 권11, 문성왕 3년. 그리고 弘弼은 2년 전에 축출된 민애왕을 지지하던 仁謙系의 잔여세력으로 추측된다(김창겸, 앞의 책, 304쪽).

18) 이것에 대해 장보고가 중앙 진골귀족들의 결속과 공세에 대한 대책으로 신무왕이 약속했던 혼인문제를 거론하여 이들과의 일정한 타협을 모색하려 했던 것으로 본 견해도 있다(송은일, 앞의 논문, 129쪽).

나 중앙의 귀족들은 막강한 군사력을 소유한 장보고가 왕의 장인이 되면 더욱 권력이 커질 것을 우려하여 그의 출신을 내세워 반대하였다. 이 일을 빌미로 841년 11월에 장보고는 암살되었고, 반발한 그의 副將 李昌珍 또한 토평되었다.[19] 즉 장보고 세력의 제거시에는 김양과 의정이 의기투합했던 것으로 보인다.

그러나 장보고를 제거한 뒤, 842년 3월 魏昕(김양)이 딸을 왕비로 들여보내는[20] 등, 그를 중심으로 한 공신계열이 권력을 장악해 갔다. 이것에 불만이 생긴 의정은 자의반타의반 병을 이유로 843년(문성왕 5) 1월 시중을 사임하고, 대신에 이찬 良順이[21] 임명되었다. 즉 의정은 문성왕 즉위 직후인 840년(문성왕 2) 1월에 시중이 되어 장보고 세력을 제거한 뒤에는 권력경쟁에서 김양에게 밀린 것이라 하겠다. 아마 이 무렵에 의정을 대표로 하는 문성왕의 왕족(부계친)과, 김양을 대표로 하는 외척 및 공신 사이에 갈등 구조가 형성되었으나, 이 일을 계기로 의정계열이 밀려나고 김양계열이 요직을 장악한 듯하다.

하지만 844년 2월 일식이 있고, 혜성이 나타났으며, 3월 왕경에 우박이 내리는 등 天變異狀이 있자, 이것을 책임 지워 양순을 해임하고 대신에 大阿湌 金茹를 시중으로 임명하였다. 그러나 이는 단순히 자연재해만이 이유가 아니라 김양과의 사이에 알력이 생겨 양순이 밀려난 것으로 보겠다. 권력의 핵심에서 밀려난 양순의 불만과 반발은 847년(문성왕 9)

---

19) 『續日本後紀』 권11, 仁明天皇 承和 9년 정월.
20) 『삼국사기』 권11, 문성왕 4년 3월. 한편 김양이 김주원계라는 약점을 보완하기 위해서 왕실과의 혼인을 통해 정치적 위치를 단단히 구축하고자 했던 것이란 견해가 있다(윤병희, 앞의 논문, 72쪽).
21) 良順은 '亮詢'이라고도 표기되어 있는데, 그는 흥덕왕이 죽은 뒤 벌어진 왕위계승전에서 金悌隆이 金均貞을 죽이고 희강왕이 되자, 김균정을 지지하던 金禮徵과 함께 837년(희강왕 2)에 張保皐에게 투탁하였다. 『삼국사기』 金陽傳에는 김양이 平東將軍이 되어 출전할 때 838년(민애왕 1) 12월 鵡洲軍을 거느리고 와서 합세하여 신무왕의 즉위를 도왔다. 그 공로로 이때에 시중에 임명된 것이다.

5월 이른바 '良順과 興宗의 반란'으로 표출되었다.[22] 이것은 공신세력간
의 갈등이 빚은 사건이다. 그렇지만 한편으로는 공신세력을 점차 정리
하여 왕권을 강화하려는 문성왕의 의도가 가미된 것이라 하겠다.

한편 같은해 8월 문성왕과 김양의 딸 사이의 소생으로 추정되는 왕
자를 왕태자로 책봉하고, 곧이어 이찬 김양(魏昕)을 시중에 임명하였
다.[23] 그 결과 김양은 兵部令과 侍中을 겸직하게 되었다.[24] 그리하여 문
성왕의 大姑母夫로서 신무왕 즉위공신 출신인 정계의 원로 禮徵이 上大
等에 있기는 하나, 국왕의 장인이며 왕태자의 외조부이자 최고공신인
김양이 주요 관직을 차지하고 직접 권력의 정면에 나선 것이다.

하지만 당시 사정은 그다지 순조롭게 진행되지 않았다. 848년 봄부터
여름까지 가뭄이 계속되는 자연재해가 있음에, 문성왕은 김양을 시중에
서 사직시키고 대신에 왕의 妹夫인 파진찬 金啓明을 임명하였다.[25]

김계명은 희강왕의 아들이다. 그러므로 계명과 문성왕은 부계로 재
종형제이다. 하지만 흥덕왕이 죽은 뒤 문성왕의 할아버지인 균정이 즉
위하려 할 때, 계명의 아버지인 제륭(희강왕)이 김명의 도움을 받아 먼
저 즉위함에 두 가계는 갈등관계가 되었다. 그러나 곧이어 김명(민애왕)

---

22) 양순의 모반을 846년에 행해진 장보고세력의 제거와도 관련이 있는 것으
로 본 견해가 있으나, 장보고의 암살사건이 『삼국사기』의 846년보다는 『속
일본후기』의 841년이 더 신빙성이 있으므로, 이러한 주장은 무리이다. 오
히려 良順이 외형상으로는 천변재이를 이유로 사면된 듯하지만, 실제 이
유는 魏昕이 딸을 납비하고 중앙의 권력을 장악해 가는 것에 따른 공신세
력간의 알력에서 양순이 밀리면서 시중에서 사면되었고, 이것에 대한 반
발에서 난을 일으킨 듯하다(김창겸, 1994, 「신라 하대 왕위찬탈형 반역에
대한 일고찰」 『한국상고사학보』 17, 249쪽).

23) 『삼국사기』 권11, 문성왕 9년 8월. 한편 이때는 김흔의 딸이 문성왕의 왕비
가 된 지 5년여가 지났으므로 두 사람 사이가 정상적이 관계였다면 아들이
출산하였을 것이다. 이에 위흔은 자신의 정치적 입지를 더욱 강화하고자
외손자를 태자로 책봉하는데 적극적이었을 것이다(김창겸, 앞의 책, 115쪽).

24) 『삼국사기』 권44, 金陽傳.

25) 『삼국사기』 권11, 문성왕 10년.

이 희강왕을 핍박하여 죽이고 즉위하였다. 이에 신무왕·문성왕 부자(균
정계)가 희강왕의 원수를 갚는다는 명분을 내세워 민애왕을 죽이자, 희
강왕측(헌정계)은 이것을 묵인하여, 계명은 직접적인 반발을 보이지 않
았다. 이유는 희강왕의 원수를 대신 갚아준 것에 대한 고마움도 있었지
만, 한편으로는 장보고가 소유한 막강한 군사력의 지원을 받고 있는 신
무왕 부자에게 도전하기에는 너무나 열세였다. 이런 이유로 계명은 균
정을 몰아내고 왕위를 차지했던 희강왕의 아들로서는 목숨을 부지하는
것이 절박했고, 오로지 신무왕 부자의 관대한 아량에 감사해야 했을 것
이다.

반면에 신무왕·문성왕 부자는 비록 민애왕을 몰아내고 왕위에 올랐
으나 민애왕과 희강왕측의 반발이 잔존하는 상황에서 아직까지 지지기
반이 미약하여 이들을 회유 포섭하는 것이 급선무였다. 그 방법의 하나
로써 희강왕의 아들 계명과 문성왕의 누이 光和夫人을 혼인시켰다. 이
혼인이 성사된 시기는 아마 840년 전후, 즉 문성왕의 즉위 무렵으로 추
측되는데,[26] 이것은 종래 대립관계에 있던 균정계와 헌정계의 화합과
타협을 보여주는 표징인 것이다.[27]

그러므로 광화부인과 혼인한 계명은 문성왕의 매부이면서 재종형제
인 것이다. 이러한 친족관계에 있는 계명을 김양 대신 시중에 임명한 인
사 조치는 또다른 의미를 지닌 것으로 해석된다.[28] 아마도 외척 김양의
세력이 비대해지자 문성왕은 자신의 부계친을 등용하여 견제하려는 의

---

26) 이 시점에 대해 李基東은 840년대 전반(1984, 앞의 책, 169쪽), 송은일은 문
   성왕 즉위년(839) 이후 또는 김양의 딸을 왕비로 삼은 문성왕 4년(842) 전후
   로 보았다(앞의 논문, 131쪽 주16).
27) 아울러 이들의 혼인을 통한 결연은 신무왕이 거사를 목적으로 내세운 명
   분을 합리화하는 작업임과 동시에, 그 합리화 작업은 자신의 왕권에 대한
   당위성을 내세우는 결과도 된다(송은일, 앞의 논문, 136쪽).
28) 이것은 희강왕의 축출로 몰락한 헌정계의 정치적 재등장이 이루어진 것이
   다(송은일, 앞의 논문, 136쪽).

도였던 것같다.

그것은 곧이어 849년(문성왕 11) 1월에 叔父인 義正을 상대등에 임명
한 것에서[29] 더욱 그러하다. 그리하여 문성왕은 妹壻인 시중 계명과 숙
부인 상대등 의정과 함께 지근친을 중심으로 주요 관직과 권력을 독점
하는 연합체제를 형성하였다.

이후 문성왕은 종전에 대립과 갈등의 양상을 보이고 있던 憲貞系와
均貞系의 타협을 이루면서 왕권의 안정을 추구해 나갔다. 이것은 균정
계와 헌정계, 크게는 범예영계의 연합을 통하여 권력을 독점한 것으로
서, 즉 예영계의 권력 장악을 도모한 것이다.

그러자 이번에는 같은해 9월에 伊飡 金式과 大昕의[30] 모반이 있었다.
어쩌면 이것은 민애왕을 받들던 잔존세력, 다시 말해 친인겸계가 예영
계의 왕통 확립에 반발한 사건이었다고 보겠다. 더구나 이 무렵에도 김
양이 비록 정치적 입지가 앞 시기에 비하면 외형상 약간 축소된 것으로
보이나, 여전히 신무왕·문성왕의 즉위를 도운 최고 공신이고, 아울러 왕
비의 아버지이며, 태자의 외조부로서, 그리고 병부령의 관직을 가진 최
고 실력자의 한 사람으로 건재하고 있었다.[31] 그 결과 문성왕 후반기는

---

29) "春正月 上大等禮徵卒 伊飡義正爲上大等"(『삼국사기』 권11, 문성왕 11년).
   義正은 憲安王(誼靖)과 동일인이다(주15 참조).

30) 大昕은 839년(민애왕 2) 大阿飡 允璘, 嶷勛 등과 함께 10만군을 이끌고 金祐
   徵을 받드는 金陽의 반란군을 맞아 싸웠으나 크게 패하여 점차 후퇴하기
   에 이르렀고, 드디어 민애왕이 살해되고 김우징이 왕위에 올라 신무왕이
   되었다. 대흔 등은 신무왕의 아량과 관대함에 은혜를 입어 무사했다. 특히
   849년(문성왕 11) 9월 대흔은 이찬 金式과 함께 모반하다가 발각되었고, 이
   때 대아찬 昕璘도 이에 연좌되어 벌을 받았다.

31) 김양의 시중직 사임을 그의 정치적 몰락이라고 본 견해도 있으나(송은일,
   앞의 논문, 136~145쪽), 동조하기 어렵다. 왜냐하면 당시 김양은 시중 겸 병
   부령이었는데 병부령마저 물러났다는 기록이 없는 것으로 보아, 아마 그
   에게 약간의 세력 변동은 있었겠지만 여전히 건재했던 것으로 보아야 하
   겠다. 그것은 唐에서 그에게 사신을 보내 문안하고 檢校衛尉卿을 제수한
   것(이에 대해 권덕영, 1997, 『고대한중외교사』, 일조각, 268쪽에서 김양이

왕과 태자를 정점으로, 균정계의 상대등 의정과, 헌정계의 시중 계명, 그리고 외척으로 공신세력인 병부령 김양이 세력의 균형과 조화를 이룬 삼두체제가 형성되었다.

하지만 상황은 순조롭게만 전개되지 않았다. 850년 혜성이 나타나고, 천재지변이 있었다. 그리고 장보고의 잔존세력들의 기미도 심상치 않음에 851년에는 청해진을 파하고 주민을 벽골군으로 옮겼다. 한편 또다른 비상사태가 돌발하였다. 그것은 다름이 아니라 852년 11월에 왕태자가 죽었다. 더구나 이듬해(853) 6월 홍수가 발생하였고, 또 8월에는 서남지방의 州·郡에 누리의 재해가 발생함에, 855년 1월 사신을 보내어 서남지방의 백성들을 위문하기도 하였다. 태자의 죽음과 서남지역의 자연재해는 김양에게는 대단히 불리하게 작용되었던 것같다.[32] 이것에 영향을 받은 듯, 857년 8월에 김양이 죽었다.

그리하여 문성왕대 후반기에 김양과 의정·계명이 구축하고 있던 삼두체제는 무너지고, 문성왕 말년의 정국은 의정과 계명이 주도하게 되었다. 다시 말해 신무왕의 찬탈과정에서 등장한 공신세력이 완전히 사라지고, 문성왕의 지친들이 중심이 된 균정계와 헌정계의 연합에 의한 정권이 성립되어, 조만간 다가올 범원성왕계의 대타협의 서막이 열린 것이라 하겠다.

이처럼 신무왕을 이어 즉위한 문성왕은 공신과 가까운 친족들을 중

문성왕 즉위를 전후한 시기에 遣唐使로 입당하여 관직을 받은 것으로 보았으나, 사실은 이 관직을 받은 시기는 『삼국사기』 권11, 문성왕 13년 4월의 元弘이 당에 사신으로 갔다가 귀국한 것과 연관이 있는 듯하다)과, 857년(문성왕 19) 8월 13일 그가 죽자 문성왕이 舒發韓을 추증하고 부의와 장례를 金庾信의 舊禮에 따르게 한 것에서도(『삼국사기』 권44, 金陽傳) 충분히 짐작이 가능하다.

32) 신라 서남의 熊川州 지역은 金陽은 물론 金昕 등 金周元系와 밀접한 지역이었다. 문성왕은 이 지역을 통제하기 위해 朗慧和尙을 위로하고 聖住寺라 이름하여 大興輪寺에 편입시켰다(「성주사낭혜화상비」).

심으로 왕권을 강화해 나갔다. 더욱이 하대의 원성왕계가 태자를 중심
으로 한 지근친이 재상과 상대등·병부령·시중·어룡성사신 등 주요 고위
관직을 독점하여 왕권을 강화하여 왕통을 보존해 나갔던 것을 고려하
면, 당시 정치권에서 의정 또한 신무왕의 異母弟로서 그리고 문성왕의
叔父로서 여러 주요관직을 역임하였을 것으로 짐작된다.

　이러한 짐작은 문성왕이 내린 유조의 내용 중에 의정이 "오랫동안 台
衡에 있으면서 王政을 狹贊하였다."고 한 것에서 가능성을 충분히 엿볼
수 있다. 여기서 台衡은 台輔와 같은 말로 宰輔를 말하는 것이다.[33] 그
러므로 의정은 즉위 이전에 宰相을 역임한 바가 있었음을 알 수 있는
데,[34] 아마 최고의 관등인 舒弗邯으로서 당시 최고 실권의 하나인 內省
(한때 殿中省으로 改稱)의 장관직 私臣을 역임하였을 것으로 추측된
다.[35]

　결국 신무왕의 찬탈을 거쳐 부자계승으로 즉위한 문성왕은 숙부 의
정을 적절히 활용하면서 막강한 권력을 가진 김양을 비롯한 추대공신들
과 조정 속에서 왕위를 유지해 나갔다. 특히 848년 여름에 희강왕의 아
들인 김계명을 시중에 임명한데 이어 849년(문성왕 11) 1월 의정을 上大

---

33) 이병도, 1977, 『국역삼국사기』, 을유문화사, 187쪽 주1 참조.
34) 의정이 재상을 지냈음을 말해주는 또다른 기록이 있다. 崔致遠이 찬한 「朗
　　慧和尙碑銘」에는 "時憲安大王 與檀越季舒發韓魏昕 爲南北相"이라 하였다.
　　비문의 撰者가 唐에 유학한 崔致遠이므로 아마 많은 부분에서 唐制로 표
　　현하였을 것이다. 唐代의 南北司는 宰相을 南司라 칭하고, 宦官이 병권을
　　맡았기에 北司라 하고, 둘을 합쳐서 南北司라 한 것을(『舊唐書』 권290, 열
　　전14下 劉賁傳) 참고하면, 당시 헌안왕과 위흔은 각각 행정권과 병권을 나
　　누어 담당하면서 문성왕을 보필하였음을 짐작할 수 있다.
35) 한편 의정이 병부령직에 있었던 것으로 본 견해도 있으나(이기동, 1984, 앞
　　의 책, 170~171쪽), 필자는 신라통일 이후에 병부령은 정원이 3명에서 1명으
　　로 축소되었다는 설에(신형식, 1974, 「신라병부령고」 『역사학보』 61) 따라,
　　이때 병부령은 김양이 맡았고, 반면에 의정은 宮內部와 같은 성격의 官衙
　　로서 殿政의 일반서정 뿐만 아니라 왕실 고유의 지배영역까지를 담당한
　　內省私臣을 맡았던 것으로 본다.

等에 임명하였는데, 그 목적은 공신세력이자 외척인 김양의 권력 과대
화를 견제하면서 헌정계와 균정계의 연합을 통해 범예영계의 단결시키
는데 있었다. 이것은 뒷날 경문왕에 의해 성취된 범원성왕계의 대단합
을 향한 희망찬 출발이었다.

Ⅲ. 문성왕의 유조와 헌안왕의 즉위

1. 문성왕의 유조와 그 의의

문성왕이 자신의 죽음을 예상하고 미리 왕위계승에 대한 遺詔를 하
자, 이에 따라 숙부 誼靖(헌안왕)이 즉위하였다. 그러므로 헌안왕의 즉
위는 문성왕의 유조에 의하여 이루어진 왕위계승이다.

그러나 문성왕의 유조 내용에는 그가 자식이 없다거나, 아니면 자식
이 있는데 어떤 문제가 있다거나 하는 것에 대한 언급은 보이지 않는다.
이것은 이후에 있었던 헌안왕이 경문왕에게, 정강왕이 진성여왕에게 왕
위계승을 지명하는 유조에서 왕위를 이을 아들이 없는 까닭이라고 이유
를 분명히 밝혔던 것과는 다르다.

사실은 문성왕에게 아들이 있었던 것으로 추측된다. 우선 앞에서도
언급하였듯이, 왕자가 있어 847년(문성왕 9) 8월 王太子로 책봉되었으나,
불행히도 852년(문성왕 14) 11월 죽었다. 문성왕에게는 이외의 또다른 아
들과 손자가 있었다. 신라 마지막 왕인 敬順王은 문성왕의 후손인 孝宗
의 아들인데,[36] 그의 가계를 밝혀놓은 「新羅敬順王殿碑」에 의하면 文聖
王 → 金安 → 金敏恭 → 金實虹 → 金孝宗 → 敬順王으로 이어진다. 이것
이 사실이라면 경순왕의 先代인 김안과 김민공은 각각 문성왕의 아들과

---

36) 『삼국사기』 권12, 경순왕 즉위조.

손자이다. 그럼에도 문성왕은 아들 김안이 아니라 숙부 의정에게 왕위
계승의 유조를 내렸다.

그 이유는 골품제의 신분상 문제점, 혹은 정치적 여건상 김안이 직접
즉위하기에는 어떠한 어려움이 있었던 것으로 추측할 수 있을 것 같
다.[37] 이런 까닭에 문성왕은 부득이 진골신분을 가진 인물로서 자신과
가장 가까운 친족인 숙부 의정에게 왕위를 계승케 하였다.

문성왕의 유조에 의한 헌안왕의 즉위는 신라 하대 정치사에서 갖는
의미는 대단한 것이라 하겠다. 지금부터 이것에 대해 살펴보고자 한다.

신라 전체 56명의 왕 중 숙부관계의 계승은 제6대 지마이사금과 제7대
일성이사금, 제40대 애장왕과 제41대 헌덕왕,[38] 그리고 여기서 살펴보고

---

37) 한편 「신라경순왕전비」의 金安은 후대에 『삼국사기』의 상대등 金安을 부
　　회한 것으로 보기도 한다(이기동, 1984, 앞의 책, 169쪽 주85). 그러나 필자
　　는 이들은 동일인이고, 다만 김안이 왕위에 오르지 못한 것은 그가 문성왕
　　의 아들이기는 하나 정식 왕비의 소생이 아니어서, 또는 어쩌면 모계가 眞
　　骨이 아니었기에 그 또한 골품제 규정상 진골의 신분이 아니라 왕위계승
　　자는 진골이라야 한다는 요건을 갖추지 못했기 때문이다. 혹여 김안이 상
　　대등, 그리고 민공이 시중, 효종이 화랑과 시중이었으므로 진골신분으로
　　보려는 의견이 있을 수도 있다. 물론 신라시대의 상대등과 시중 그리고 화
　　랑이 대부분 진골이상의 신분이었다. 그러나 하대의 상대등과 시중은 진
　　골이라는 신분에서 주어지는 것이라기보다는 권력의 집중화를 위한 수단
　　으로 대체로 가장 가까운 친족이 임명되었다. 특히 경명왕은 즉위와 동시
　　에 아우인 魏英(경애왕)을 상대등에 임명하였지만, 그는 박씨로서 진골이
　　아니었다. 이처럼 하대 후반기에는 상대등이나 시중은 진골신분에 크게
　　구애됨 없이 재위중인 왕과의 혈연관계에 의하여 임명되었다. 또 화랑도
　　왕위쟁탈전이 한창일 무렵에는 門客 내지는 私兵的 성격을 띤 집단으로
　　변질되어 반드시 진골신분이었다고 보기에는 좀더 고려해볼 여지는 있는
　　듯하다. 그보다는 膺廉과 孝宗은 모두 왕의 가까운 친족(royal family)과 특
　　권권력층(power elite)이기에 화랑이 된 것으로 보인다. 그러므로 신라말에
　　상대등과 시중, 화랑이었다는 것만 가지고 그들이 반드시 진골신분이었다
　　고 보기는 어렵다(김창겸, 1999, 「신라 하대 효공왕의 즉위와 비진골왕의
　　왕위계승」『사학연구』58·59합집, 427쪽).

38) 나이어린 조카 애장왕을 시해하고 왕위를 찬탈하였기에 숙부계승이 이루

자 하는 제46대 문성왕과 제47대 헌안왕으로 이어지는 모두 3차례가 있었다. 하지만 지마이사금과 일성이사금의 계승은 사료의 기록에 문제점이 많아 따르기 어렵다.[39] 그러므로 숙부간의 왕위계승은 신라 하대에 단 두 차례 있었던 것으로 보겠다. 사실상 태자책봉제가 실시된 이후로는 왕위가 숙부에게로 넘어가는 것은 비정상적인 계승이다.[40]

한편 왕조국가에서 왕위계승의 형식적 방법에는 여러 가지가 있다. 그 중에서도 동일왕조 안에서 행한 가장 보편적인 왕위계승은 태자책봉을 통한 정상적인 방법이다. 그리고 이와 아울러 평화적 방법이면서도 왕이 죽기 전에 어느 특정인에게 왕위계승권을 지명해 주고 이에 따라 계승하는 방법도 있다. 이것은 왕이 남기는 유언적 성격의 의사 표시로써 遺詔 또는 顧命이라 한다. 그러므로 이러한 방법을 유조(고명)에 의한 왕위계승이라 할 수 있다.

문성왕의 경우에서 보듯이, 유조의 내용은 대체로 왕위의 중요성을

어진 가장 비정상적이고도 비평화적인 계승의 대표적인 사례이다.

39) ① "婆娑尼師今立 儒理王第二子也 或云儒理弟 奈老之子也"(『삼국사기』권1, 파사이사금 즉위조) ; ② "祇摩尼師今立 或云祇味 婆娑王嫡子"(『삼국사기』권1, 지마이사금 즉위조) ; ③ "逸聖尼師今立 儒理王之長子·或云日知葛文王之子"(『삼국사기』권2, 일성이사금 즉위조).
이들 기록에 따르면, 지마이사금은 유리왕의 둘째 아들인 파사왕의 아들이고(유리이사금의 손자), 일성이사금은 유리왕의 장자이므로, 일성이사금은 지마이사금의 숙부에 해당한다. 『삼국사기』에는 지마이사금의 아들이 없어 일성이사금이 즉위하였다고 하였다. 그러나 유리왕의 장자인 일성이 있음에도 차자인 파사가 즉위하여 33년간(80~112) 재위하였고, 또 그가 죽어 아들인 지마가 즉위하여 23년간(112~134) 재위하고 죽자, 그때서야 유리왕의 장자인 일성이 즉위하여 21년(134~154) 재위하였다는 것은 일성에게 정치적으로 큰문제가 있었다면 몰라도, 즉위 순서로나 연령상으로 보아 문제점이 있어 그대로 받아드리기는 조심스럽다.

40) 우리 역사상 숙부계승은 고구려 제4대 민중왕과 제5대 모본왕, 발해 제5대 成王과 제6대 康王, 고려 제7대 목종과 제8대 현종, 제14대 獻宗과 제15대 肅宗, 제30대 충정왕과 제31대 공민왕, 조선 제6대 단종과 제7대 세조 등이 있었는데, 이것들은 대체적으로 정치적 혼란에 의한 계승이었다.

강조하고, 특정 인물을 지명하면서 그 인물과 자신과의 친족관계를 밝히고, 그 인물의 경력 내지는 개인적인 특수성을 거론한 뒤, 그를 세워 왕으로 받들 것을 특별히 당부하는 내용이다.[41] 이것은 당시 정치적 상황과 함께, 의정이 혈연적으로 정상적인 부자계승이 아니라 비직계의 인물이었기에, 문성왕이 유조로써 그의 지위를 확고하게 해주어 왕위계승상 분쟁의 여지를 미리 예방해 준 조치였다.

이처럼 문성왕에게 아들이 있었지만, 태자는 일찍 죽었고, 또다른 아들인 김안이 있었으나 여러 가지 이유로 왕위를 계승시킬 수 없었기에 당시 상대등인 숙부 의정에게 유조를 통하여 왕위를 계승시켰다. 다시 말해 852년 1월 태자가 죽자, 문성왕은 자신의 사후 골품제의 신분상 진골이 아닌 아들로 왕위계승을 시킬 경우 여타 원성왕계의 후손들이 이것을 문제 삼을 것에 대비하여 진골인 숙부 의정에게 왕위계승을 부탁하는 유조를 내렸을 것이라 하겠다.[42] 그러므로 헌안왕의 즉위는 그가 왕위계승에 자격을 갖춘 진골신분이라는 것이 중요한 요인의 한 가지로 작용하였고, 아울러 조부 균정과 부 우징(신무왕)이 왕위쟁탈전을 거쳐 어렵게 쟁취한 균정계의 왕통을 유지하려는 정치적 의도에서 취하여진 비상조치적 성격이 강하다.[43]

특히 문성왕이 유조를 통하여 숙부 헌안왕에게 왕위를 계승시킨 방

---

41) 간혹 자신의 사후 장례에 대하여 언급한 경우도 있다(『삼국사기』 권9, 선덕왕 6년 정월).

42) 한편 이에 대하여 문성왕 왕비의 아버지이며 문성왕 왕권에 많은 도움을 주던 金周元系의 金陽이 죽자, 아마 당시 上大等 誼靖과 侍中 啓明이 서로 결합하여 왕을 핍박하여 왕으로 하여금 誼靖에게 왕위를 계승시킨다는 遺詔를 내리게 한 듯하다는 추측도 있으나(윤병희, 앞의 논문, 74쪽), 오직 정치적 관계만을 강조한 것이라 따르기 어렵다. 정치적 관계와 아울러 혈연적 관계 및 골품제 요인에 대한 고려가 동시에 필요하다.

43) 문성왕이 헌안왕에게 왕위계승의 유조를 내린 것에 대해, 문성왕이 왕위계승문제를 정치적으로 처리하면서 자기 후손들의 안전을 약속받고자 하였다는 해석도 있다(송은일, 앞의 논문, 149쪽).

법은 선례가 되어 뒷날 매우 요긴하게 사용되었다.[44] 이후 혈연상 직계
가 아닌 친족에게로 왕위가 계승되는 경우에는 유조를 동반하였는데,
즉 헌안왕이 경문왕을, 정강왕이 진성여왕을 유조를 통해서, 더구나 진
성여왕은 조카인 嶢(효공왕)를 태자로 책봉한 뒤에 다시 유조적 성격의
선위교서를 내려 왕위계승이 가능케 하였던 것이다.[45] 결국 헌안왕의
즉위시 처음 시행된 유조에 의한 왕위계승방법은 이후에도 비부자계승
에서 거듭 시행되어 신라 김씨, 특히 혈통상 忠恭의 外孫들에 의한 왕통
이 계속될 수 있었다. 그러므로 문성왕의 유조에 의하여 헌안왕이 즉위
한 왕위계승방법은 이후에 원성왕계 김씨왕조를 연장시키는 하나의 수
단으로 기능하였다.

2. 헌안왕의 즉위 시기와 지지 세력

1) 헌안왕의 즉위 시기 문제

『삼국사기』 권11, 신라본기 헌안왕 즉위조와 권31, 年表 下에 의하면
헌안왕은 857년 9월에 즉위한 것이 된다. 857년은 간지가 丁丑이고, 당의
宣宗 大中 11년에 해당한다.

그러나 이와 다른 기록도 몇 가지 있다.

---

44) 일찍이 李基白은 신무왕 이후 찬탈에 의한 왕위계승이 나타나지 않음을
두고 '신라 하대에는 부자상속의 원칙이 무너졌다가 신무왕 이후 어떤 것
인지 확실치는 않으나 귀족들에게 공인되는 왕위계승원칙이 정해진 듯하
다.'고(1962 「상대등고」『역사학보』 19 : 1974, 『신라정치사회사연구』, 일조
각, 124쪽) 선언하였으나 구체적으로 설명하지 못하였다. 필자는 그것을
왕위의 부자계승원칙을 기본으로 하면서 다만 비부자계승인 경우는 전왕
이 유조를 내림으로써 분란을 미리 예방하는 방법임을 밝혔다.
45) 비록 현전하는 사료에는 직접적인 기록은 보이지 않으나, 아마 헌강왕과
경명왕도 왕위계승자를 지명한 유조를 내렸던 것으로 추측된다.

B-① 제47 憲安王은 金氏이며 이름은 誼靖인데, 神虎(武)王의 아우이고, 어머니는 昕明夫人이다. 戊寅에 즉위하여 3년 다스렸다(『삼국유사』권1, 왕력)

② 체징이 … 드디어 武州 黃壑蘭野에 머무르니 때는 大中 13년(859) 용이 析木의 나무에 모인 헌안대왕이 즉위한 다음해였다[46](「보림사보조선사탑비」).

③ 불상을 조성한 때는 석가여래 입멸 후 1808년이다. 이때는 情王(의정, 헌안왕) 즉위 3년이다. 대중 12년 무인 7월 17일 무주 장사현 부관 김수종이 듣고 아뢰어, 情王은 8월 22일 칙령을 내렸는데, 몸소 지으시고도 피곤함을 알지 못하셨다[47](「寶林寺鐵造毘盧舍那佛坐像造像記」).

먼저 『삼국유사』왕력(인용문 B-①)에서는 헌안왕이 戊寅에 즉위하였다고 하였다. 그런데 간지가 무인인 해는 858년, 즉 唐의 大中 12년이다. 이 해는 『삼국사기』신라본기와 연표의 편년에 따르면 헌안왕 2년이 된다. 그러므로 이것은 『삼국사기』의 헌안왕 즉위년보다 1년 뒤진다. 그리고 『삼국유사』에는 재위 기간을 3년이라고 하였으나, 『삼국사기』에 따르면 재위 해수는 5년이고, 재위 기간은 대략 3년 5개월이다.

한편 「보림사보조선사탑비」(인용문 B-②)에는 대중 13년은 헌안왕이 즉위한 다음해, 즉 헌안왕 2년이라고 하였다. 대중 13년은 唐 宣宗 13년

---

46) "遂次武州黃壑蘭野 時大中十三禩龍集于析木之津 憲安大王卽位後年也". 한편 金南允은 "드디어 무주 황학난야에 머무르니 때는 대중 13년(859년) 용이 석목의 나루에 모인 무인년 헌안대왕 즉위 이듬해였다."(1992,『역주한국고대금석문』3, 가락국사적개발연구원)라 해석하여, 원문에 없는 무인년을 넣었다. 그러나 대중 13년은 859년에 해당하며 간지는 己卯이다. 아마 이것은 씨가 『삼국사기』의 헌안왕 2년(戊寅)과 여기의 헌안왕 즉위 이듬해를 억지로 같게 맞추다보니, 오류를 범한 것으로 보인다.

47) "當成弗時 釋迦如來入滅後一千八百八年耳 此時情王卽位第三年也 大中十二年戊寅七月十七日 武州長沙副官金邃宗聞奏 情王○八月廿二日勅下令○躬作不 覺勞困也"(『역주한국고대금석문』3, 1992).

으로 859년에 해당하여,『삼국사기』헌안왕본기와 연표의 편년상으로는
헌안왕 3년이다. 그러므로「보림사보조선사비」의 헌안왕 즉위 후년(헌
안왕 2)이라고 한 것과는 1년의 차이가 있다. 즉 탑비문에 따른다면 858
년(대중 12)에 헌안왕이 즉위한 것이 되어, 이것은『삼국사기』의 857년보
다는 1년이 뒤진다.

이러한 문제는「보림사철조비로자나불좌상조상기」(인용문 B-③)에도
있다. 여기서는 대중 12년 戊寅은 신라 헌안왕 즉위 3년이라고 하였다.
당의 대중 12년은 간지 무인이 옳으며, 서기 858년이다. 이에 따르면 헌
안왕이 856년에 즉위한 것이 된다. 그러나 이해는『삼국사기』편년에는
문성왕 18년에 해당한다. 그러므로「보림사철조비로자나불좌상조상기」
와『삼국사기』사이에는 헌안왕의 즉위시기에 대해 1년의 차이가 있는
데, 조상기가『삼국사기』보다 1년 앞선다.

결국 헌안왕은「보림사철조비로자나불좌상조상기」에 의하면 856년
(대중 10),『삼국사기』에 의하면 857년,『삼국유사』와「보림사보조선사탑
비」에 의하면 858년에 즉위한 것이 된다.

이러한 기록의 오차가 있듯이 헌안왕의 즉위 시기와 과정에 대해서
는 좀더 살펴볼 필요가 있다.『삼국사기』권11, 문성왕본기에는 다음과
같은 것이 있다.

C-① 17년 봄 정월에 사자를 보내 서남지방의 백성을 위문하였다. 겨울 12
　　월에 珍閣省에 화재가 났고, 土星이 달에 들어갔다(『삼국사기』권11,
　　문성왕 17년).
　② 19년 가을 9월에 왕이 병환이 났으므로 遺詔를 내리기를, "과인은 보잘
　　것 없는 자질로 높은 지위에 있어, 위로는 하늘로부터 죄를 얻을까 두
　　렵고 아래로는 사람들 마음으로부터 신망을 잃을까 염려스러워 이른
　　아침부터 늦은 밤까지 삼가고 두려워하여 마치 깊은 못과 얇은 얼
　　음을 건너는 것과 같았다. … 나라 안에 널리 알려 나의 뜻을 분명하

게 알게 하라." 하였다. 7일이 지나서 왕이 죽었다. 시호를 문성이라 하고 孔雀趾에 장사지냈다(『삼국사기』 권11, 문성왕 19년).

이처럼 『삼국사기』에는 문성왕 말년의 기록이 대단히 소략한 편이다. 더구나 재위 18년조는 아예 편성조차 하지 않았다. 그러면서 이듬해 9월에 문성왕이 병이 나서 헌안왕에게 왕위계승을 명하는 유조를 내리고 7일 뒤에 죽었다고 하였다.

얼핏 보기에도 기사 내용이 너무나 소략하고, 18년조 기록이 없다는 것에서 의문이 생긴다. 어쩌면 19년조의 기사가 실제는 문성왕 18년의 사실일 가능성이 있다. 다시 말하면 문성왕은 856년(문성왕 18)에 의정에게 왕위를 계승하라는 유조를 내리고 일선에서 물러나 와병중이다가 실제 죽은 것은 857년인 듯하다.

그러므로 문성왕의 명으로 헌안왕이 실제 즉위한 것은 856년이었으나 문성왕이 생존해 있었기에 당으로부터 책봉을 받는 외교문제상 857년 문성왕이 죽은 뒤 즉위한 것으로 『삼국사기』의 찬자들이 편제한 것이라 하겠다.[48] 이것은 「보림사철조비로자나불좌상조상기」에서 보듯이 당시 신라인들은 856년을 헌안왕의 실제 즉위년으로 사용하였음을 말해 주는 것이라 하겠다.

그런데 『삼국사기』 권44, 김양전에는 '大中 11년 8월 13일에 (김양이) 자기 집에서 죽으니 향년 50세였다. 부음이 알려지자 대왕은 애통해 하며 舒發翰을 추증하고[49] 賻儀와 장례를 모두 김유신의 舊禮에 따라 하게 하고, 그 해 12월 8일에 태종대왕릉에 배장하였다.'는 기록이 있다. 대중 11년은 『삼국사기』의 편년에 의하면 문성왕 19년(857)에 해당한다.

---

48) 『삼국사기』 문성왕 본기의 편년상의 의문점은 장보고의 암살연도가 『續日本後紀』에 견주어보면 차이가 있음에서도 잘 드러난다.
49) 결국 김양은 생존시에는 「낭혜화상비문」에서 보듯이 季舒發韓(아마 제3재상)이었는데 사후에 서발한(제1재상)으로 추증된 것이라 하겠다.

결국 『삼국사기』 문성왕본기와 김양열전을 함께 하면, 문성왕 19년 8월 13일에 김양이 죽고, 9월에 문성왕이 의정에게 유조를 내리고 7일 뒤에 죽은 것으로 정리가 된다. 그러나 김양이 죽은 사건을 『삼국사기』 문성왕본기에는 기록조차 되어 있지 않다. 이에서 우리는 의문이 생긴다. 신라 하대 정치사에서 중요하고 큰 역할을 하였기에 삼국통일의 원훈인 김유신의 옛 예에 따라 장례를 치루었다는 김양의 죽음과 장례에 대한 내용이 왜 문성왕본기에 기록되지 않았단 말인가?

이것은 『삼국사기』 문성왕본기의 문성왕 말년 기사를 다시 한번 의심케 하는 이유이다. 즉 문성왕 18년(856)은 왜 기사를 기록하지 않고 편찬하였는가에 대해 궁금증이 생긴다.

그러면 김양전에서 김양의 죽음을 애통해 하며 그를 舒發翰을 추증하고 賻儀와 장례를 모두 김유신의 舊禮에 따르게 하고, 그 해 12월 8일에 태종대왕릉에 배장한 대왕은 누구인가? 흔히 문성왕으로 보는 것이 일반적이지만 좀더 생각해 볼 필요가 생긴다. 김양의 죽음이 있은 지 얼마 후에 죽는 문성왕이 어떻게 그의 장례를 치러주고 더구나 12월 8일에 태종왕릉에 배장을 할 수 있단 말인가?[50] 아무래도 문성왕이 재위중에 행한 일은 아닌 것 같다. 그러면 이것을 행한 대왕은 누구인가? 아마 헌안왕으로 보아야할 것 같다.[51] 그 이유는 왕은 8월에 죽은 김양의 호화

---

50) 그리고 김양을 왜 태종무열왕릉에 배장한단 말인가? 이것은 아마 김유신을 태종무열왕릉에 했다는 것을 『삼국사기』의 찬자가 오류를 범했을 가능성이 있다. 김양을 배장했다면 신무왕릉에 해야 할 것이다.

51) 김양의 무열왕릉에 배장의 의미는 무열왕 후손 중에 최고 공신이었음을 헌안왕이 인정함으로써, 자신의 비정상적인 왕위계승을 합리화하고, 무열왕 후손들과 화합의 정치를 꾀할 수 있게 하기 위함이라는 해석(손흥호, 2003, 「9세기 전반 신라의 정국변화와 김양의 정치활동」 『역사교육논집』 30, 96쪽)이 있으나 납득하기 어렵다. 아무리 김양이 신무왕의 즉위에 공이 크다고 한들 어찌 중대 왕실의 중시조이며 일통삼한의 군주로 추앙되어 太宗의 묘호를 가졌으며, 심지어 하대에도 五廟의 不毀之主로 모셔진 무열왕의 왕릉에 배장하는 불경을 범할 수 있을까?

로운 장례를 치루고 또 12월에 태종왕릉에 배장을 해준 왕이라면, 『삼국사기』 본기에서조차 12월에는 재위중으로 되어 있는 헌안왕이었을 것이다.

그러면 왜 이런 현상이 나타났는가? 이는 문성왕이 병으로 856년(문성왕 18)에 의정에게 왕위를 물려준다는 유조를 내렸고, 그리하여 의정이 섭정적인 존재로서 稱制 또는 臨朝한 것은 아닌가하는 생각이 든다. 즉 비록 즉위의식은 갖지 않았다 하더라도 문성왕 18년부터 헌안왕이 실제 즉위한 것이고, 김양이 아마 이에 큰 타격을 받아 이듬해(857) 8월 죽었고, 그리자 헌안왕이 김양측의 불만과 반발을 무마하기 위하여 金庾信의 舊禮에 따라 초호화 장례를 치러 달랬던 것이라 보겠다. 그리고 이 무렵에 문성왕마저 죽었던 모양이다.[52]

이러한 사실이 반영된 것이 「보림사철조비로자나불좌상조상기」에 보이는 헌안왕의 재위년 표기이다. 이것은 앞에서 제시한 인용문 중에서 문성왕의 실제 생존 시기와 가까운 무렵, 즉 헌안왕 3년에 작성되었다는 것에서 가장 신빙성이 있는 것으로 보겠다. 이에 비해 「보림사보조선사탑비」는 문성왕의 죽음과 헌안왕의 즉위가 있은 지 약 30년이 지난 뒤인 884년에 작성된 것이라 시간적 신빙성에서 불상조상기보다 못하다고 보겠다. 어쩌면 전자는 30년쯤 뒤에 작성된 것이라 이미 문성왕의 퇴임년과 헌안왕의 즉위년에 대한 체계적 정리가 된 뒤의 표현이며,[53] 이것을 따른 것이 불교적 관점에서 고승 관련 자료에 더 신뢰하였던 『삼국유사』 왕력의 기록이라 하겠다. 반면에 『삼국사기』의 편년은 그 편찬

---

52) 하지만 헌안왕의 사망 연도에 대해서는 "咸通十一年 庚寅五月日 時 凝王 卽位十年矣 所由者 憲王往生 慶造之塔"(「寶林寺 北塔誌」)이라 한 것에서 凝王(膺廉, 경문왕)이 함통 2년(861)에 즉위했음을 알 수 있는데, 이것은 『삼국사기』의 경문왕 즉위년 기록과 일치한다. 그러므로 경문왕이 즉위한 함통 2년에 헌안왕이 사망했음이 분명하다.

53) 어쩌면 중국으로부터 헌안왕이 책봉을 받은 해를 즉위년으로 편년하였을 가능성도 있다. 그리고 이것은 大中 12년에 順之가 入朝使를 따라 당에 구법을 갔다는 기록(「瑞雲寺了悟和尚碑」)과 관련이 있지 않을까 추측된다.

시에 신라 전체 왕들의 재위년을 모두 즉위년을 기준으로 편년하면서 조정된 것이라 하겠다.

결국 856년(병자)에 문성왕의 유조를 받아 사실상 헌안왕이 정무를 처리하는 등 稱制(臨朝)하였고, 문성왕은 병으로 물러나 있다가 857년(정축)에 죽은 것이며, 「보림사보조선사탑비」가 헌안왕의 즉위년을 858년(무인)이라 한 것을 『삼국유사』 왕력에서 따른 것으로 추측된다.

2) 헌안왕의 지지세력

문성왕의 아들이 아닌 숙부 의정(헌안왕)이 즉위하는 데는 그가 즉위할 수 있었던 배경과 이유가 있었다. 그런데 헌안왕이 즉위한 것은 문성왕의 유조에 의하였기 때문에, 유조를 받을 수 있었던 이유가 가장 우선적인 즉위배경이다. 앞에서 살펴본 문성왕의 유조내용에 의하면, 그 이유를 의정의 혈연적 배경(출신)과 그의 인품, 그리고 정치적 경력이 남다름을 언급하였다.

비록 문성왕의 유조가 최후의 왕명으로서 절대적인 구속력을 가진다고는 하지만, 그러나 그가 의정을 최종 선택한 것에 대한 미사여구적인 표현이 가미된 것이고, 그 배후에는 실제적인 이유가 있었을 것이다. 이것은 왕위에 관련된 것이니만큼 정치적인 배경과 함께 했을 것이다. 그 정치적인 배경이란 곧 왕위계승자로 결정된 의정의 정치세력, 즉 그를 지지하는 세력들을 들 수 있다. 지금부터는 이것에 대해 살펴보겠다.

의정은 그의 혈연적 기반과 정치적 경력을 통하여 지지세력을 형성해 나갔다. 그것으로는 다음과 같은 세력을 들 수 있다.

먼저 그와 혈연적으로는 연결된 세력이 있다. 헌안왕은 문성왕의 유조에 의하여 즉위한 만큼 가장 큰 혈연적, 정치적 지지세력은 곧 문성왕인 것이다. 문성왕의 의정에 대한 배려는 특별하여, 일찍이 즉위한 다음 해에 시중, 또 그 후에 아마 內省私臣, 그리고 849년(문성왕 11)에 상대등

에 임명하였다. 그리하여 의정이 재상으로서 문성왕의 왕정을 협찬하였
던 것은 이미 잘 알려진 사실이다. 이처럼 의정은 문성왕의 각별한 배려
와 지지를 받아 정치적 성장을 하였다.

그리고 균정의 妹壻인 禮徵과도 밀접한 관계에 있었던 것으로 보인
다. 예징은 의정의 고모부이다. 더구나 의정이 시중으로 임명될 때 아울
러 예징은 상대등으로 임명되어 문성왕대 초기 정치를 도왔던 인물이
다. 이 무렵에는 문성왕은 청해진의 장보고 세력에 대비하면서, 또 김양
의 공신세력과도 타협 속에 왕으로서의 지위를 유지해야 했기 때문에,
문성왕은 자신과 가까운 왕족들의 협조가 필요해 의정을 등용했던 것인
데, 이때 공신세력과 왕족세력 양측을 모두 대표할 수 있는 인물이 예징
이었던 것이다. 결국 의정은 시중에 임명되어 예징과 협력하여 문성왕
을 도우면서 서로 긴밀한 관계를 맺었고, 이러한 관계는 계속 이어졌던
것으로 보인다. 그것은 849년(문성왕 11) 예징이 죽고 의정이 후임자로 임
명된 것에서도 짐작할 수 있다. 결국 의정의 정치적 성장에는 문성왕의
의지도 있었지만, 예징의 배려와 도움 또한 크게 작용한 것으로 보인다.

한편 의정의 즉위에 보다 직접적으로 영향력을 행사한 사람으로는
김계명을 들 수 있다. 김계명은 김양과는 정치적 입장을 달리하는 왕족
이었다. 김계명은 그의 아버지가 김제륭(희강왕)으로, 헌정계에 속하는
인물이다.[54] 그의 아버지 김제륭이 김균정과 왕위를 다투어 즉위할 때
에는 추측컨대 나이가 많아야 15~16세, 희강왕의 살해시에는 17~18세에
불과하여, 죽음과 같은 직접적인 피해는 면할 수 있었던 것 같다.[55] 그러

---

54) 김계명은 희강왕의 아들로서 어머니는 忠恭(忠孝)葛文王의 딸인 文穆王后
   이다. 특히 그는 840년 무렵에 신무왕의 딸인 光和夫人(光義夫人)과 혼인
   하였는데, 이것은 하대 원성왕계의 소가계 중 憲貞系인 그가 均貞系의 여
   자와 결혼함으로써 兩系의 타협·연합이 이루어진 것을 의미한다.
55) 이러한 추측은 계명의 아들이 즉위할 때 응렴의 나이가 15세(또는 20세)라
   고 한 것에서 840년경에 계명이 광화부인과 혼인한 것으로 짐작되며, 이때
   그의 나이가 20세 미만이었을 것이고, 그렇다면 그는 820년 이후에 출생한

나 이때 희강왕에게 칼을 들고 덤볐던 김양에 대해서는 결코 좋은 감정을 가지고 있지 않았을 것이다. 비록 신무왕과 문성왕 부자가 아버지 희강왕 죽인 민애왕을 몰아낼 때, 김양이 그 선봉에 섰다고는 하지만 김양은 김주원계로서 신무왕 부자와는 또다른 상대인 것이다.

이러한 대립 구조를 정치적으로 이용한 것이 곧 문성왕이다. 김양이 은밀히 장보고를 암살한 다음해인 842년 문성왕은 김양의 딸을 왕비로 삼고, 더구나 847년 8월 김양을 시중에 임명하였으나, 김양의 세력이 비대해지자 이번에는 그를 견제하고자 848년 여름에 시중에서 면직시키고 대신에 계명을 후임으로 임명하였다. 이것은 공신세력이면서 외척인 원로정치가 김양의 세력을 견제하려는 의도에서 왕족 출신의 소장정치가 계명을 대결시킨 것이라 하겠다. 그러나 워낙 비대해진 전자에 대응하기에는 후자로서는 부족하였던 것같다. 이에 몇 개월 뒤인 849년(문성왕 11) 1월에 이미 여러 요직을 거치면서 경륜을 제법 갖춘 의정을 상대등에 임명하였던 것이다. 이로써 계명은 의정의 도움을 받으면서 김양과 대결하는 과정에서 정치적 성장을 하였고, 의정과 계명 두 사람의 협조관계는 강화되어 갔을 것이다.[56] 그리하여 계명은 의정의 즉위에 적극적으로 지원하였던 것으로 추측된다.

그러므로 의정이 문성왕의 유조를 받아 즉위하는데 가장 큰 도움을 준 사람이 계명이라고 하겠다. 그런 이유로 857년 9월 헌안왕이 즉위한

셈이다. 이에서 짐작컨대 계명은 836년 희강왕 즉위시 계명의 나이는 15세 가량이고, 희강왕이 민애왕에게 피살될 때에도 많아야 17세를 넘지 못했을 것으로 보인다. 이처럼 유소한 까닭에 계명은 죽음을 면하였다가, 848년에 나이 30세 미만으로 시중에 임명된 것으로 보인다.

56) 더구나 의정의 어머니 照明夫人과 계명의 어머니 文穆夫人은 모두 忠恭의 딸이다. 즉 의정과 계명은 이종사촌으로서 그들이 정치적으로 쉽게 밀착할 수 있었던 조건을 가지고 있었다(윤병희, 앞의 논문, 93쪽). 사실 충공의 외손자인 헌안왕에 이어 충공의 외증손자인 경문왕과 그 후손들이 왕위를 계승함으로써 신라 하대 후반기는 충공의 외손의 왕통이었다.

직후에 단행한 인사 조치에서 종전에 자신이 가지고 있던 상대등에 金安을 임명하면서도, 시중인 계명은 교체하지 않고 유임시킨 것으로 보인다. 이후에도 계명은 시중직에 있으면서[57] 헌안왕을 협조하였다.

결국 헌안왕은 부계로 從姪이면서 아울러 姪壻인 김계명의 적극적인 지원을 받아 즉위하였을 뿐만 아니라, 즉위후에도 헌안왕은 그의 협력을 받아 안정적으로 왕권을 유지하면서, 비록 재위기간은 짧았으나 여러 가지 의미있는 치적을 이룰 수 있었다. 헌안왕은 그에 대한 보답으로 계명의 아들 膺廉을 女壻로 삼았고, 마침내 왕위까지 물려주게 되었다.

Ⅳ. 헌안왕의 치적

1. 즉위 의례와 왕권 확보 추구

앞 시기의 혼란이 문성왕대를 거치면서 외형상 일단락된 상황에서 즉위한 헌안왕은 자신의 왕권강화와 원성왕계 왕실의 권위를 드높이고자 노력하였다.

헌안왕은 즉위하자 곧 大赦를 단행하였다.[58] 신라에서 신왕의 즉위 직후에 대사를 행하는 것은 의례적인 행사의 하나이다.[59] 헌안왕 역시

---

57) 848년 이후 862년(경문왕 2) 1월 아찬 魏珍이 시중에 임명될 때까지 전혀 시중 임명기사가 보이지 않는 것으로 미루어, 861년 아들 응렴이 즉위할 때까지 시중직에 있었던 듯하다. 그 결과 김계명은 응렴이 화랑으로 활동하면서 명망을 드날리고, 드디어는 헌안왕의 사위가 되었다가 즉위하는데 중요한 영향력을 행사하였던 것으로 보겠다.

58) "憲安王立 諱誼靖一云祐靖 … 以文聖顧命卽位 大赦"(『삼국사기』 권11, 헌안왕 즉위조)

59) 신왕이 大赦를 행하는 시기는 대부분 즉위 직후이고, 혹은 이듬해 正月이나 二月이었다.

즉위행사를 행한 것이다. 대사는 즉위의 정치적 행사로서 직접적으로
臣民을 염두에 두고 취한 행위이다. 그러므로 헌안왕이 대사를 행한 것
은 인심을 수습하여 새로운 시대의 개막을 알리는 정치적 행위였다.

그리고 인사 조치를 행하였다. 신라에서 대부분의 신왕은 전왕의 重
臣을 특별히 신임하지 않는 이상 즉위 직후에 국정쇄신 및 자신의 왕권
강화와 안정을 추구하는 의미에서 上大等과 侍中 등을 새로운 인물로
교체하였다. 헌안왕도 즉위와 더불어 伊湌 金安을 새로운 상대등으로
임명하였다.[60] 여기서 흥미로운 점은 이때의 김안이 문성왕의 아들이라
는 것이다.

김안은 문성왕의 아들임에도 불구하고, 골품제 신분상 진골이 아니
어서 태자로 책봉되지 못했고, 더구나 문성왕이 헌안왕에게 왕위를 계
승시킨다는 유조가 있었기 때문에 왕위에 오르지 못하였다. 그래서 이
것에 대한 보상으로 헌안왕은 즉위하자 그를 상대등에 임명함으로써 회
유 포섭하여 문성왕의 친족들과 균정계의 대단합을 추구하였다. 다시
말해 從祖父인 의정(헌안왕)이 국왕으로 즉위하는 대신에 從孫인 김안
이 상대등을 맡아 국정을 이끌어 가는 협력체제를 이루었다. 그리하여
의정은 문성왕측 친족들과 균정계부터 국왕의 지위를 인정받은 것이며,
반대로 김안은 문성왕의 아들로서 정치사회적 지위를 보장받은 연립 형
태로 협조체제가 형성된 것이다.

결국 헌안왕의 즉위초 지지세력과 이들이 형성한 권력구조는 헌안왕
을 중심으로 從孫인 김안이 상대등, 姪壻인 김계명이 시중을 보유함으
로써 아주 가까운 친족간에 중요 관직과 권력을 독점한 것이다. 그리고
이것은 균정계의 헌안왕과 김안, 그리고 균정계와 혼인한(실제 김안의
姑母夫인) 헌정계의 김계명이 단합을 이룬 것으로, 결국 크게는 예영계
의 연합이 성립된 것이다. 그리하여 이러한 구조에 의한 헌안왕 정권의

---

60) "拜伊湌金安爲上大等"(『삼국사기』 권11, 헌안왕 즉위조).

안정은 조만간 다가올 범원성왕계의 대연합의 기틀이 마련된 것이라 하겠다.

한편 헌안왕은 즉위하여 처음 맞이하는 정월, 즉 즉위한 이듬해 연초에 神宮 제사를 하였다.[61] 신라시대에 신왕이 즉위 직후에 행하는 大赦와 人事 조치가 정치적 의미의 행위라면, 반면에 神宮이나 始祖廟 제사는 종교적 의미의 행위이다.[62]

신라 하대의 신궁 제사는 826년 10월에 즉위한 제42대 흥덕왕이 이듬해(827) 정월에 행한 것을 마지막으로 중단된 것을 무려 4대 30여년이 지나 857년 10월에 즉위한 헌안왕이 이듬해(858) 정월에 다시 행한 것이다. 이처럼 장기간 행해지지 못했던 이유는 아마 흥덕왕의 사망 이후 왕위계승을 둘러싼 갈등과 대립, 그에 따른 잦은 왕통의 변화로 인하여, 비록 새로운 왕이 즉위는 하였으나 정통성에 문제가 있고, 또 그 재위기간이 너무 짧거나 정치적으로 불안하여 미처 神宮이나 始祖廟 또는 五廟 제사를 행할 여유가 없었던 까닭이다. 그러던 것이 헌안왕이 유조를 통하여 평화적인 왕위계승을 하게 되자, 그는 왕위의 정통성을 확보하는 즉위의례의 한 가지 방법으로 신궁 제사를 행한 것이다. 이것은 다시금 찾아온 정국의 안정에 대한 상징적 표현인 것이다. 그 결과 이후에는 신궁제사의 중요성이 강조되어 바로 다음에 즉위한 경문왕은 두 차례나 친히 행하였다.

이처럼 문성왕의 유조에 의해 즉위한 헌안왕은 즉위 직후 곧바로 국정쇄신과 왕위의 정당성 확보 및 왕권의 강화를 위해 역대 왕들이 취해온 전통적인 방법인 대사면을 행하고, 신궁 제사를 부활하였으며, 또 인사 조치를 행하였다.

하지만 조카 문성왕에서 숙부 헌안왕에게로 왕위계승이 되었으나, 헌안왕은 선대 추봉은 하지 않았다. 그것은 이미 이복형 신무왕이 839년

---

61) "二年 春正月 親祀神宮"(『삼국사기』 권11, 헌안왕 2년).
62) 최재석, 1986, 「신라의 시조묘와 신궁제사」 『동방학지』 50, 51쪽.

1월 29일 즉위하여 할아버지 禮英을 惠康大王, 아버지 均貞을 成德大王, 어머니 박씨 眞矯夫人을 憲穆太后로 추봉하였으므로, 이때에 즉위한 헌안왕은 새삼 선대를 추봉할 필요가 없었기 때문이다.

2. 왕실 화합 도모와 후계자 선정

이렇게 하여 점차 정국이 안정 국면에 접어들자 헌안왕은 장기간에 걸친 대립과 갈등을 해소하고 왕족과 귀족들의 화합을 꾀하고자 群臣들이 참석한 연회를 개최하였다.

D. 4년 가을 9월 왕이 임해전에서 여러 신하들을 모아 잔치를 베풀었는데, 왕족 膺廉이 15세의 나이로 그 자리에 참석하였다. 왕이 그의 마음을 알아보려고 갑자기 물었다. "너는 한동안 돌아다니면서 공부했는데, 착한 사람을 본 일이 없는가?" (응렴)이 대답하였다. "저는 일찍이 세 사람을 보았는데, 착한 행실이 있다고 생각됩니다." 왕이 "어떤 것인가?" 하니, 다음과 같이 말하였다. "한 사람은 귀한 집 자제이면서 남과 사귐에 있어서는 자기를 먼저 하지 않고 남의 아래에 처하였으며, 또 한 사람은 집에 재물이 넉넉하여 사치스러운 옷을 입을 수 있는데도 항상 삼베와 모시옷으로 스스로 즐거워했습니다. 그리고 한 사람은 권세와 영화를 누리고 있었으나 일찍이 한번도 다른 사람에게 위세를 부리지 않았습니다. 제가 본 것은 이와 같습니다." 왕이 듣고서 잠자코 있다가 왕비에게 귓속말로 말하기를 "내가 많은 사람을 보아 왔지만 응렴같은 사람은 없었다." 하고는 딸을 그의 아내로 삼게 할 마음을 가지게 되어, 응렴을 돌아보고 말하였다. "바라건대 그대는 자중자애 하라. 나에게 딸자식이 있는데 그로 하여금 잠자리를 모시도록 하겠다." 다시 술자리를 베풀고 같이 마시다가 조용히 말하였다. "내게는 두 딸이 있는데 언니는 지금 20세이고 동생은 19세이다. 오직 그대가 장가들고자 하는 대로 하라!" 응렴이

사양하였으나 어쩔 수 없어 일어나 절하여 감사하고는 집에 돌아와 부모에게 알렸다. 부모가 말하였다. "듣건대 왕의 두 딸의 용모는 언니가 동생만 못하다고 한다. 만약 어쩔 수 없다면 마땅히 그 동생에게 장가드는 것이 좋겠다." 그러나 여전히 주저하며 결정하지 못하였다. 그래서 興輪寺 승려에게 물으니, 승려가 말하였다. "언니에게 장가들면 유익한 것이 세 가지 있고, 동생에게 장가들면 반대로 손해되는 것이 세 가지 있습니다." 응렴은 이에 아뢰기를. "저는 감히 스스로 결정할 수가 없습니다. 오직 왕께서 명하시는 대로 따르겠습니다." 하였다. 이에 왕은 맏딸을 시집보냈다(『삼국사기』권11, 헌안왕 4년).

이와 같은 내용은 『삼국유사』에도 수록되어 있다. 다만 『삼국유사』에는 응렴이 나이 18세에 國仙이 되어 弱冠일 때 잔치에 참석하였고, 또 맏공주와 혼인할 것을 강권한 사람이 낭도의 우두머리 範敎師라고 구체적으로 언급하여[63] 약간의 차이가 있다.

위의 인용문 D에서 보듯이 헌안왕이 群臣들을 모아 잔치를 베풀었는데, 나이 어린 응렴이 참석하였다. 여기서 군신이라 한 것은 현직 관리만을 지칭하는 용어는 아닌 듯하다. 현직 관료는 물론 퇴임한 원로관료를 포함하여 응렴을 비롯한 왕족들도 참석하였던 모양이다.

사실 『삼국사기』나 『삼국유사』에서 '群臣'이라고 표현된 용어는 때로는 國人이란 표현과 동일하게 사용된 경우도 있다.[64] 가끔은 신라의 왕

---

63) 『삼국유사』권2, 기이2, 제48경문대왕.
64) 하대의 왕위계승에서 선덕왕을 추대한 세력은 群臣, 김주원을 추대한 세력은 國人과 群臣, 원성왕을 추대한 세력은 或者와 國人, 신덕왕을 추대한 세력은 國人이라고 표현하였다. 즉 새로운 왕들을 추대한 국내의 정치세력을 사서에는 일반적으로 '國人'과 '群臣'이란 용어로 표현하였다. 그리고 김주원의 추대에서 보면 『삼국사기』에서는 群臣, 『삼국유사』에서는 國人이라 하여, 국인과 군신은 동일한 개념으로 사용되기도 하였다. 하지만 왕위계승이 아닌 다른 기록에서 군신과 국인의 용례를 보면 이 둘은 차이가

위계승과 선위에 국인과 군신이 참여하는 경우도 있었다. 특히 왕이 無
子로 죽었고, 게다가 후계자를 지명하는 유조도 없었던 경우에는 군신
이 의논하여 왕위계승자를 정하고 그에게 즉위를 청하였다.[65] 또 때로
는 왕의 선위를 중지시키는 경우도 있었다.[66] 이처럼 군신은 하대의 왕
위계승에 결정적인 역할을 하기도 하였다. 그런데 군신들은 이러한 사
항을 결정하는 데는 논의의 과정을 거쳤다.

　그러므로 헌안왕이 群臣들을 초대하여 연회를 베푼 것은 중요한 의
미가 있다. 우선 군신들의 화합을 강조한 행위이다. 그리고 이 자리에서
혈연상 부계로 再從孫과 모계로 姨從姪에 해당하는, 그러면서 당시 시
중 啓明의 아들인 화랑 膺廉의 능력을 시험하고[67] 사위로 결정하였다는
것은 무엇보다도 정상적인 왕위계승자가 없을 경우에 다음 왕을 추대하

　있다. 국인은 관료와 귀족, 때로는 일정 범주의 더 하위집단까지도 포함한
　보다 큰 범주의 개념이다. 그러나 국인에 비하면 군신은 특정 범위의 귀족
　에 속한 관료층을 의미하는 용어로 사용된 듯하다. 즉 국인은 군신을 포함
　한 용어로 사용되었다.

65) ① "基臨薨 無子 群臣議曰 訖解幼有老成之德 乃奉立之"(『삼국사기』 권2, 흘
　해왕 원년) ; ② "及眞德薨 群臣請閼川伊湌攝政 閼川固讓曰 … 遂奉爲王"(『삼
　국사기』 권5, 태종무열왕 원년) ; ③ "及宣德薨 無子 群臣議後 欲立 王之族
　子周元"(『삼국사기』 권10, 원성왕 즉위조).

66) "夏四月 王欲遜位 群臣三上表諫 乃止"(『삼국사기』 권9, 선덕왕 5년).

67) 그리고 헌안왕의 세 가지 美行에 대한 물음에 응렴의 대답이 헌안왕의 마
　음을 사로잡았다고 하였다. 그런데 이 세 가지 아름다움이란 것을 사양,
　검소, 공손을 지닌 가장 이상적인 귀족의 모습을 일컫고 있다. 이에 대해
　화랑 응렴이 당시 지방호족들의 전횡을 보고 그것을 빗대어 말한 것(이기
　백, 1974, 「상대등고」『신라정치사회사연구』, 일조각, 126쪽), 또는 화랑으로
　서 유교적 소양을 갖고 둘러댄 것(이기동, 1984, 앞의 책, 172쪽)이라는 해석
　이 있다. 아마도 경문왕이 즉위한 후에 유학에 대한 관심과 한학에 탁월한
　능력을 발휘한 기록이 있는 것으로 보아 후자가 더 가능성이 크다. 한편
　그 내용은『論語』「學而」편에서 子貢이 孔子의 인품을 평가한 것과 일치하
　는 것으로 孔孟思想에 근원을 두고 있다는 견해도 있다(高明士, 1984, 『唐
　代東亞敎育圈的形成』, 臺灣國立編譯館, 308~309쪽).

는데 결정적인 역할을 하는 군신들을 통하여 응렴을 왕위계승자로 묵시적인 동의를 구한 절차과정이었다.

한편으로는 國仙인 응렴을 사위로 선택하는 과정에서 낭도의 우두머리 範敎師의 건의가 반영되었다는 것은 화랑세력에 대한 배려이다. 인용문D에서 보듯이 당시 國仙 응렴이 각지를 유요하고 돌아오자 그를 불러 잔치를 베풀고 선인을 본적이 있느냐는 질문을 하여 그를 시험하고 공주를 아내로 취하게 하였다. 그런데 그가 맏공주를 아내로 취하는 과정에서 郎徒 중의 上首인 興輪寺 승려 범교사가 결정적인 역할을 하고 있다. 비록 설화적 요소가 강하기는 하나, 응렴의 맏공주와 혼인에는 그의 부모가 둘째공주와 혼인하라고 한 것보다 낭도의 상수인 범교사의 의지가 더 크게 작용한 것처럼 표현되어 있다. 잘 알듯이 응렴의 아버지는 당시 시중인 계명이고 어머니는 문성왕의 누이 광화부인이다. 그럼에도 부모보다 낭도집단, 화랑세력이 더 큰 영향력을 행사하였음을 보여주고 있다. 이것은 외형상 응렴이 낭도 중 上首의 뜻을 따른 것이지만, 최종적으로는 헌안왕이 낭도의 요청을 따른 것이다. 다시 말해 헌안왕이 화랑의 衆意를 수용한 것이 된다.

결국 헌안왕이 아들이 없어 부계친족 중에서 후계자를 찾으려 하였는데, 이러한 혈연적 관계와 더불어 당시 정치권에서 최고실력자의 한 명인 시중 계명의 아들을 취하였던 것이다. 이것은 헌안왕의 즉위시 계명이 지원해준 것에 대한 보답 차원에서 상호 모종의 합의가 있었을 것이면서, 또 화랑들의 여론을 받아드림으로써, 평화적인 왕위계승을 가능케 하였다.

그리고는 헌안왕은 이듬해에 자신이 즉위할 때처럼 유조를 내려 응렴을 왕위계승자로 확정하였다. 이것은 자신의 유언이 절대적인 명령임을 군신들에게 알리고, 이후로는 이 결정에 대해 복종할 것을 군신에게 선포한 절차인 것이다.

E. 5년(861) 봄 정월에 왕이 병으로 자리에 누워 오랫동안 낫지 않았으므로
좌우의 신하들에게 이르기를, "과인은 불행히도 아들은 없고 딸만 있다.
우리나라의 옛일에 비록 善德과 眞德 두 여자 임금이 있었으나, 이는 암
탉이 새벽을 알리는 것과 비슷하므로 본받을 일이 못된다. 사위 응렴은
비록 나이는 어리지만 노련하고 성숙한 덕을 가지고 있다. 경들은 그를
왕으로 세워 섬기면 반드시 선조로부터 이어 온 훌륭한 왕업을 떨어뜨리
지 않을 것이다. 그러면 과인은 죽어도 또한 썩지 않을 것이다." 하고, 이
달 29일에 죽었다. 시호를 憲安이라 하고 孔雀趾에 장사지냈다(『삼국사
기』 권11, 헌안왕 4년)

이러한 유조가 있었기에, 응렴의 즉위과정에 비록 약간의 대립은 있
었으나,[68] 평화적인 왕위계승이 가능하였던 것이다. 결국 헌안왕의 유조
는 여타 왕족과 군신들로 하여금 응렴의 즉위에 대한 반발을 예방하여
하대 원성왕계 왕통을 연장시킨 수성의 과정이었던 것이다.

3. 불교계와 제휴

헌안왕은 불교계와 가까이 하려고 노력하였다.[69] 이미 그는 즉위하
기 전부터 중앙 정계의 거물로서 불교계의 고승들과 접촉하고 있었다.
먼저 문성왕대에 즉위전인 헌안왕은 성주사 시주인 李舒發韓 魏昕과
더불어 南北宰相으로 있으면서 無染에게 제자의 예를 행하며 향과 차를

---

68) 大崇福寺碑에는 경문왕의 즉위시 사정을 "憂侵杞國位曠搖山雖非逐鹿之原
亦有集鳥之苑然以賢且順且長且仁爲民所推"고 하여 '民의 추대가 있었다.'
고까지 표현하였다.
69) 헌안왕을 전후하여, 즉 흥덕왕(진감혜소), 민애왕(진감혜소, 원감현욱), 신
무왕(원감현욱), 문성왕(진감혜소, 낭혜무염, 적인혜철, 원감현욱), 경문왕
(낭혜무염, 원랑대통), 헌강왕(낭혜무염, 지증도헌, 징효절충), 진성여왕(징
효절충) 등은 불교사원에 관심을 가지고 후원하였다.

예물로 보내어 특별한 관계를 유지하고 있었다. 더욱이 그는 즉위한 뒤
에는 무염에게 글을 보내어 도움이 될 말을 청하여,『禮記』檀弓 下편에
실린 周豊의 故事를 인용해서 자신의 생활과 통치의 座右銘으로 삼았
다.[70] 이처럼 헌안왕은 王者로서 통치의 사상적 이론을 불교 승려로부
터 제공받고자 하였다.[71]

그리고 이 성주사는 왕경의 興輪寺에 편입되었다. 흥륜사가 성주사
를 통제관리하였다. 그런데 흥미로운 것은 헌덕왕이 膺廉을 사위로 삼
을 때, 즉 응렴이 헌안왕의 맏공주를 선택할 때 결정적인 역할을 한 범
교사가 흥륜사 소속이었다는 점이다. 이를 통해서 추측컨대 헌안왕은
흥륜사를 통해서 왕실과 관련된 사원들을 관리하였기에, 왕과 왕실에
미치는 흥륜사의 발언권 내지는 정치자문권은 절대적이었던 것으로 보
인다.

한편 태자를 거쳐 부자계승을 한 문성왕에 이르러서는 각 소계파간
의 연합이 이루지면서 왕위쟁탈전은 소강상태가 되었다. 그러나 지방에
서는 중앙의 불법적인 수탈로 인한 질곡 속에서 농민들은 집단을 형성
하여 중앙의 통제권 밖으로 벗어난 불만세력으로 성장하여 점차 왕실에
도전하는 시기이기도 했다.[72] 熊川州 지방에서 이러한 현실을 직접 목

---

70) "그때 (즉위 전의) 憲安大王은 사찰의 施主인 季舒發韓인 魏昕(김양)과 더
   불어 南北宰相[각기 자신의 관사에 있어 左相, 右相과 비슷하였다]이었는
   데, 멀리서 제자의 예를 행하며 향과 차를 예물로 보내어 한 달도 그것을
   빠뜨리지 않았다. … 헌안왕이 즉위함에 이르러 대사에게 글을 보내어 도
   움이 될 말을 청하였는데, 대사는 대답하기를 '周豊이 魯公에게 대답한 말
   이 뜻이 깊습니다. 禮經에 적혀있으니 자리 옆에 새겨 두십시오.'라고 하
   였다"(「성주사낭혜화상백월보광탑비」).
71) 신라 하대의 국왕과 그의 친족집단은 약화된 王者의 권위를 회복하고 동
   요하고 있던 지방사회를 안정화시키는 방향에서 새로운 시도를 단행하지
   않으면 안 되었다. 이러한 시도의 하나로 생각될 수 있는 것이 선종의 수
   용이었다(이계표, 1993,「신라 하대의 가지산문」『전남사학』7, 3쪽).
72) 홍승기, 1989,「후삼국의 분열과 왕건에 의한 통일」『한국사시민강좌』5, 64쪽.

격한 무염은 헌안왕에게 백성들의 고충을 전하면서 올바른 정치를 해
줄 것을 바랐던 것이다.[73] 헌안왕이 성주사의 낭혜를 예우한 것은 그로
부터 통치의 사상적 이론을 제공받음과 아울러 그를 통해 이 지역에 깊
은 연고를 가지고 있는 김주원계를 통제 관리하려는 의도가 있었던 것
이라 하겠다.

특히 헌안왕은 즉위후에는 武州 寶林寺에서 禪僧으로 활동하며 교화
를 펼치고 있던 體澄에 대한 소문을 듣고 그에 대해 특별한 관심을 보이
면서 연을 맺고자 노력하고 있다.

> F. 드디어 武州 黃壑蘭若에 머무르니, 때는 大中 13년(859) 용이 析木의 나
> 루에 모인 무인년으로 憲安大王의 즉위 이듬해였다. 대왕은 소문을 듣고
> 道를 앙모하여 꿈에서도 애를 쓰고 禪門을 열고자 하여 서울로 들어오기
> 를 청하였다. 여름 6월 왕명으로 長沙縣 副守 金彦卿을 파견하여 차와
> 약을 보내고 맞이하게 하였다. 선사는 구름과 바위를 벗삼아 지내는 것
> 을 편안히 여겼고 또 結戒의 달이어서 淨名의 병을 칭하고 六祖의 고사
> 를 말하였다. 겨울 10월 敎로써 道俗使 靈巖郡 僧正 連訓法師와 奉宸 馮
> 瑄 등을 보내 왕의 뜻을 설명하여 迦智山寺로 옮기기를 청하였다. 드디
> 어 석장을 날려 산문에 옮겨 들어가니 … 敎를 내려 望水宅, 里南宅 등도
> 金 160分, 租 2,000斛을 내놓아 공덕을 꾸미는데 도와 충당하고 가지산사
> 는 宣敎省에 속하게 하였다(「寶林寺普照禪師塔碑」).

859년에는 헌안왕이 체징에 대한 소문을 듣고 禪門을 열고자 하여 그
에게 서울로 들어오기를 청하였으며, 6월 長沙縣 副守 金彦卿을[74] 파견

---

73) 무염은 문성왕, 헌안왕, 경문왕대에 걸쳐 왕실과 관계를 맺었다.
74) 장사현 부수 金彦卿과 비로사나불조상을 지휘하였던 金遂宗을 동일인으
　　로 보기도 하나(이기동, 1978, 「신라금입택고」『진단학보』 45 : 1984, 앞의
　　책, 189~190쪽), 동일인일 수 없다는 견해도 있다(최완수, 2001, 「신라 선종

하여 그에게 차와 약을 보내고 맞이하려 하였다. 또 10월에 連訓法師 등을 체징에게 보내 자신의 뜻을 설명하여 迦智山寺로 옮기기를 청하여, 드디어 산문에 옮겨 들어가게 하였다. 그리고 唐 宣帝 14년(860) 2월 副守 김언경이 비로사나불 1구를 주조하여 이 절에 희사하자, 헌안왕은 望水宅·里南宅 등도 金 160分, 租 2,000斛을 내놓아 공덕을 꾸미는데 도와 충당하고, 가지산사는 宣敎省에 속하게 하였다.

이처럼 헌안왕은 체징이 가지산문을 개창하는 것을 후원하였다. 이후로 가지산문은 중앙에서 파견된 지방관과 왕경의 진골귀족들로부터 경제적 후원을 받았다.[75]

860년에 김언경이 주조한 비로자나불상에는 다음과 같은 조상기가 새겨져 있다.

> G. 불상을 조성한 때는 석가여래 입멸 후 1808년이다. 이때는 情王 즉위 3년
> 이다. 대중 12년 戊寅 7월 17일 무주 장사현 부관 김수종이 진주하여, 情
> 王은 8월 22일 칙령을 내렸는데, 몸소 지으시고도 피곤함을 알지 못하셨
> 다(「寶林寺鐵造毘盧舍那佛坐像造像記」)

情王은 헌안왕을 일컫는다. 그의 이름이 誼靖이기 때문에 정왕이라고 했던 것이다.[76] 조상기에 의하면 헌안왕이 8월 22일에 칙령을 내렸다고 하였는데, 그 내용은 아마 『보조선사비』에 기록된 망수택·이남택 등에게 금과 조를 내놓아 도와주라는 내용이었던 것 같다.

이 두 인용문(F·G)에 의하면 당 선제 14년 2월에 김언경이 비로사나

과 비로자나불의 출현」『신동아』6월호).

75) 가지산문의 단월세력은 헌안왕과 근친왕족인 長沙宅主 金彦卿, 그리고 望
水宅主·里南宅主이었다(이계표, 앞의 논문, 286쪽).

76) 한편 「寶林寺北塔誌」에는 '憲王'이라고 하였다. 그러므로 그의 생전에는
이름을 불러 '情王'이라 하고, 죽은 뒤에는 시호인 헌안왕을 줄려 '憲王'이
라 한 것이라 보겠다.

불 1구를 주조하여 보림사에 희사하자, 이 사실을 대중 12년 7월 17일 김수종이 헌안왕에게 보고하였고, 헌안왕은 8월 22일 칙령을 내렸던 것이다.[77]

그러면 왜 헌안왕은 보림사의 체징에게 이러한 특별한 배려를 하였을까? 체징은 왕경에서 熊州로 낙향한 진골귀족의 집안에서 태어나 성장하였다가,[78] 金憲昌의 난(822)과 관련되어 佛家에 귀의한 것으로 보인다.[79] 즉 웅천주 도독으로 임명된 김헌창과 체징의 집안은 서로 유기적인 관계에 있었고[80] 김헌창이 난을 일으키자 협조하였지만 난이 실패하자 체징은 부모의 만류에도 불구하고 출가하였다는 것이다. 다시 말해 804년에 태어난 체징은 김헌창이 822년에 웅천주에서 난을 일으켰으나 실패하자, 어쩌면 김주원의 후손으로 김헌창과 관련되어 範淸이 강등이 되고, 朗慧가 출가하였듯이, 그 또한 약 18세의 나이로 여러 가지 사정상 출가한 것으로 보인다.

헌안왕이 이런 출신의 체징을 가까이 하고, 또 체징이 머무는 보림사에 몇 차례에 걸쳐 특별한 불사를 베풀었다는 것은 단순한 불교계의 포섭을 넘어 김주원계에 대한 화해의 손길이었다고 해석된다.[81] 아울러

---

77) 그러나 그 연도의 표기에는 차이가 있다. 「보조선사비문」이 헌안왕 즉위의 후년 10월을 지나 선제 14년(860) 2월이라(결국 헌안왕 3년) 한 반면에, 조상기에는 憪王(헌안왕)의 3년인 대중 12년(858)이라 하여 서로 헌안왕 3년에는 동일하나. 중국의 연호로 계산한 연대는 2년의 차이가 있다. 두 문장이 모두 신라 하대에 작성된 것이다. 그러나 조상기는 불상의 제작시에 곧 작성된 것이라 더 신빙성이 있는 것같다.

78) 이계표, 앞의 논문, 278쪽.

79) 이계표, 앞의 논문, 278~280쪽 참조.

80) 김헌창이 난을 일으킨 웅주를 중심으로 한 연해 지방에는 일찍부터 김주원과 같은 계통인 김인문의 직계손들이 토착하고 있어 이것이 난을 일으킨 기반으로 파악되고 있다(최병헌, 1978, 「신라 하대 사회의 동요」『한국사』 3, 국사편찬위원회, 162쪽).

81) 당시 왕실은 중국에서 귀국한 선승들에 대한 대우를 아끼지 않았다. 왕실이 선승이나 그들이 개창한 선종사원에 관심을 둔 것은 각기 宗主的인 祖

헌안왕은 지방세력의 후원이 없이 활동하고 있었던 체징을 후원하여 가지산문의 개창을 후원하여 김헌창의 난과 장보고세력의 몰락 등으로 형성된 무진주 지역의 불만세력과, 또 한편으로는 새로이 대두할 수 있는 지방세력을 견제 내지 회유하여 왕권의 안정을 도모하였다.[82]

그리고 圓鑑大師 玄昱과도 관계를 맺고 있었다. 821년(헌덕왕 16) 중국에 유학 가있던 현욱은 836년(흥덕왕 11) 사신으로 당에 들어간 김의종(헌안왕)이 신라로 귀국하라는 흥덕왕의 명을 전함에 그를 따라 837년(희강왕 2) 9월 12일에 신라에 도착하였다. 그러자 현욱의 명망을 듣고 알고 있는 민애왕 물론 신무왕·문성왕을 이어 헌안왕이 잇따라 그에게 제자의 예를 갖추고 왕궁에 들어와 설법을 펴게 하였다.[83]

이처럼 헌안왕은 교종은 물론 당시 새로이 유행하는 선종까지 포함하는 불교계를 통하여 왕실의 안정을 도모하였던 것이다.[84]

師를 중심으로 하여 서로 유기적인 관계를 이루어 마치 봉건적 주종관계를 연상케 할 정도의 큰 세력을 지니고 있던 전국 각지의 선문들은 지배체제의 회복을 위한 절호의 포섭대상이었다(이기동, 1997, 앞의 책, 108쪽).

82) 그후 헌안왕과 마찬가지로 유조에 의하여 즉위한 헌안왕의 사위 경문왕은 헌안왕과 특별한 관계를 가졌던 보림사에 870년(경문왕 10) 헌안왕의 왕생을 빌기 위해 3층석탑을 조성하였는데, 원탑의 조성에 참여한 西原部小尹 金遂宗은 헌안왕대에 보림사 비로자나불상의 조성에 관여하였던 인물이다.

83) "師의 이름은 玄昱이고 성은 김씨로서 東溟에서 으뜸가는 씨족이다. 아버지는 廉均으로 兵部侍郎에 이르렀고 어머니는 박씨이다. … 長慶 4년 大唐의 太原府에 이르러 두 절을 번갈아 살면서 뜻하는 바를 모두 이룬 뒤에 본국의 왕자 金義琮이 전하는 왕명에 따라 본국으로 돌아갔다. 개경 2년 9월 12일 본국에 이르러 武州 會津의 南岳 實相寺에 머물러니, 민애·신무·문성·헌안대왕이 이어서 제자의 예를 다하여 공경하며 신하의 예를 지키지 못하도록 하였고 매양 왕궁에 들어오면 반드시 자리를 펴게 하여 설법을 들었다."(『祖堂集』권17, 東國慧目山和尙).

84) 한편 『삼국유사』권5, 피은8 緣會逃名文殊岾의 세주에는 「僧傳」을 인용하여 '緣會을 憲安王이 二朝王師로 삼아 照라 號하였다.'는 기록을 보여주고 있다. 이것이 비록 원성왕대와 헌안왕대의 사실인가에 대해 문제는 있으나, 헌안왕이 승려들을 특별히 대우하였음에는 분명하다.

4. 민생 안정과 관제 개혁 시도

헌안왕은 즉위하자마자 곧 대사면의 단행하여 민심을 수습하고 새로운 국면의 전개를 알렸다. 그러나 이러한 노력과는 달리 858년(헌안왕 2) 여름 4월에 서리가 내리고, 5월부터 가을 7월까지 비가 내리지 않았다. 더구나 唐城郡의 남쪽 강가에 길이가 40步, 높이가 6丈이나 되는 큰물기가 나오는 이변이 있었다.[85]

또 859년(헌안왕 3) 봄에는 곡식이 귀하여 사람들이 굶주렸다. 이에 헌안왕은 사자를 보내 진휼하였다. 그리고 여름 4월에 명을 내려 제방을 완전하게 수리하게 하고 농사를 권장하였다.[86] 이러한 조치는 식량 생산량을 늘리어 민생의 안정을 꾀하고자 한 것으로 그 의미는 대단한 것이다.

그리고 연회에서 膺廉과의 문답에서도 보이듯이, 헌안왕은 당시 불안한 지방사회의 정세를 파악하고자 하였다. 아마 흥덕왕대 장보고 등 지방세력의 발호를 경험한 헌안왕이 그 대책을 응렴에게 시험하고 관심을 갖도록 한 것으로, 결국 헌안왕 스스로 이것에 대한 대책에 고심하는 모습을 보여주는 것으로 추측된다.

한편 헌안왕대에는 宣敎省이란 唐制를 모방한 관부가 있었다. 선교성은 『삼국사기』 직관지에는 실려 있지 않고, 다만 9세기 후반의 금석문에만 보인다. 선교성은 어쩌면 국왕의 교서를 작성하고 선포하는 국왕의 직속의 관청인 듯하다. 그 설치 시기는 9세기에 들어와 신설된 것으로 짐작되는데, 늦어도 860년(헌안왕 4) 이전이 분명하다. 선교성이 등장하는 금석문의 내용을 보면, 이 관청은 국왕의 명령을 받아 迦智山寺를

---

85) "夏四月降霜 自五月至秋七月不雨 唐城郡南河岸有大魚出 長四十步高六丈" (『삼국사기』 권11, 헌안왕 2년).

86) "三年 春 穀貴人饑 王遣使賑救 夏四月 敎修完隄防勸農"(『삼국사기』 권11, 헌안왕 3년).

직접 관장하거나 혹은 智證大師 道憲과 같은 선종 계통의 승려를 본래
의 山寺로 호송하는 등의 특수한 임무를 수행했다.[87] 선교성의 설치는
종래 왕명을 받드는 행정기관인 집사부의 변질에서 연유한 것이다. 이
러한 관제의 개편은 경문왕대에는 본격적으로 문한기구와 근시기구의
확장을 통한 개혁정치를 가능게 하였다.

결국 830년대의 치열한 왕위쟁탈전이 신무왕과 문성왕의 즉위로 종
식되었음에도, 그 후유증이 잔존하였지만, 문성왕의 유조에 받은 헌안
왕이 즉위하여 대사면, 인사 조치, 신궁제사의 부활, 관제 개혁, 불교계
와 제휴, 왕족간의 혼인 등을 통해 정국의 안정을 꾀하면서 왕권을 강화
하여 왕과 왕실의 권위를 높이고 범원성왕계의 대단합의 기초를 마련하
였다.

V. 맺음말

지금까지 살펴보았듯이, 신라 제47대 헌안왕의 즉위와 그가 짧은 재
위기간 중에 행한 여러 가지 치적은 신라 하대 정치사에서 대단히 중요
한 의미를 부여할 수 있다. '憲安'이라는 시호에서 보듯이, 당시 신라인
들은 그를 平安의 업적을 남긴 왕으로 보았다.[88]

신라 하대, 특히 830년대 원성왕계 내에서 치열했던 왕위쟁탈전을 신

---

87) 이기동, 1978, 「나말려초 근시기구와 문한기구의 확장」『역사학보』 77 :
1984, 앞의 책, 233~241쪽.

88) 禮記에 이르기를 "國安而天下平"이라 하였다. 이것은 왕경의 모습이 기와
집이 널어 섰고 모두 숯으로 밥을 지는 등 호화생활을 누렸던 헌강왕대를
신라인들이 平康의 시기로 본 것과 같은 의미이다. 그래서 태평성대를 '安
康'이라 하였던 것이다. 그렇지만 실제는 중대 신문왕·성덕왕대에 비교하
면 小康의 시기라 하겠다.

무왕·문성왕 부자가 즉위함으로써 외형상 일단락되었다. 이 무렵 헌안왕은 신무왕의 異母弟로서 그리고 문성왕의 叔父로서 여러 주요 관직을 역임하면서 정치적으로 중요한 역할을 하였다.

더구나 문성왕의 태자가 일찍 죽어 왕위계승에 문제가 발생하자, 문성왕은 또다시 왕위쟁탈전이 재발할 것에 대비하고자 당시 상대등이면서 같은 부계친인 의정(헌안왕)을 왕위계승자로 지명하는 유조를 내렸다. 특별히 왕위계승자로 지명하는 유조를 내림으로써 그가 비록 문성왕의 직계손이 아닌 계승, 즉 비부자계승임에도 평화적인 왕위계승이 이루어졌다. 이러한 계승방법은 헌안왕의 사위이자 재종손인 경문왕의 즉위에도 그대로 사용되었다.

한편 즉위후 헌안왕은 사면과 인사조치를 행하여 국정 쇄신과 왕권 안정을 추구하면서, 아울러 원성왕계 내에서 잦은 왕위의 교체와 정국의 불안정으로 흥덕왕 이후로 시행되지 못했던 신궁 제사를 친행하여, 왕위의 정당성을 확보하였다. 다른 한편으로는 불교 고승, 특히 寶林寺와 연결하여 무주지역의 반신라적인 분위기를 무마하면서 왕실의 안정을 도모키도 하였다. 또 자연재해와 흉년으로 기근이 들자 진휼하면서 제방을 수리하고 농업을 장려하여 인민의 안정을 위해 노력하였다.

그리고 헌안왕은 왕권을 과시하면서 동시에 왕족과 군신들의 화합을 도모하고, 또 화랑 출신인 사위 膺廉을 왕위계승자로 미리 정하여 왕위쟁탈전의 발생을 예방하였다. 게다가 자신의 왕위계승시 방법이었던 유조를 내리어 왕위계승자 응렴의 위상을 확고히 해주었다. 그 결과 헌안왕은 이후 경문왕에 의한 개혁정치의 추진과 일시적인 안정이 이루질 수 있는 토대를 제공해 주었다.

결국 헌안왕은 신라 하대의 정치적 혼란에서 경문왕가에 의한 일시적인 평화와 안정으로 가는, 즉 신라 김씨왕통(구체적으로는 忠恭의 外孫들에 의한)을 연장시킨, 충실한 가교자의 역할을 하였다.

제6장 경문왕대 '修造役事'의 정치사적 의미

Ⅰ. 머리말

신라 하대는 왕위계승 과정에서 진골귀족 간에 끊임없는 왕위쟁탈전으로 인하여 정치적 혼란이 계속되던 시기였다. 이러한 시대적 상황에서 제48대 景文王은 861년에 憲安王의 사위로서 왕위에 올랐다. 그의 재위기에도 여러 차례에 걸쳐 다른 왕족들의 도전이 있었다. 그러나 이러한 도전에 대하여 매우 강력하게 대처하면서 왕권을 신장·강화시켜 나갔다. 그 결과 제52대 孝恭王까지, 5대에 걸쳐 景文王系에 의해 독점적으로 왕위가 계승될 수 있는 기반이 만들어졌다.

경문왕이 시도한 왕권강화의 방법에 대해서는 이미 여러 측면에서 검토가 있었다. 그 대표적인 것으로는 文翰機構와 近侍機構의 확장을 통한 개혁정치를 행하여 왕권강화를 추구하였고,[1] 많은 願塔을 건립하는 造營 활동을 통하여 왕권강화를 시도하였으며,[2] 사상적으로 여러 禪師들과의 관계를 유지하려 하고 禪宗을 적극 이해하여 敎宗과의 융화를 시도하려 한 것[3] 등의 설이 있다. 모두 경청할 만한 것들이다. 비록 신라 중대의 전제정치체제로의 복귀는 하지 못하였다 할지라도 경문왕의 왕권강화는 부분적으로는 대단히 성공적이었다고 하겠다.[4]

---

1) 이기동, 1980, 「나말려초 근시기구와 문한기구의 확장」『신라골품제사회와 화랑도』, 한국연구원, 231~304쪽.
2) 정원경, 1982, 「신라 경문왕대의 원탑건립」『연보』5, 부산시립박물관.
3) 한기문, 1983, 「고려태조의 불교정책」『대구사학』22, 41쪽.
4) 경문왕은 다른 귀족들의 왕위에 대한 도전이 끊임없이 계속되는 불안정한

필자는 경문왕의 성공적인 왕권강화를 문헌자료에 많이 수록되어 있
는 '修造役事'를[5] 살펴봄으로써 재조명 해보고자 한다. 우리는 역사상에
있어 土木工事가 왕권의 신장 내지 과시의 수단으로 행해지는 경우가
많았음을 잘 안다. 경문왕대에도 여러 차례의 토목공사가 있었다. 이들
또한 같은 입장에서 보아도 무리는 없을 것 같다. 그런데 특이하게도 경
문왕대의 수조역사는 정치적으로 반대세력의 도전이 있는 직후에 곧 이
루어지고 있어 흥미롭다. 이것은 경문왕이 자신의 권위를 과시하기 위한
수단·방법의 한가지로서 수조역사를 행하였음을 확신하게 해준다.

따라서 본고에서는 경문왕대의 수조역사를 왕권강화라는 입장에서
검토해 보고자 한다. 특히 여러 차례 반란사건과의 연계에서 이루어진
당시 수조역사가 정치사적으로 어떠한 의미를 갖는 것인지를 알아봄을
통해서 경문왕의 왕권강화 방법의 변천을 살펴보고, 또 이것이 당시 신
라사회에, 나아가서는 신라 멸망에 미친 영향을 살펴보고자 한다. 검토
방법으로는 첫째, 경문왕대에 왕위에 도전한 정치적 사건은 어떠한 것
들이 있었는지? 둘째, 당대의 수조역사와 정치적 사건은 어떠한 연계성
을 갖고 있었는지? 그리고 마지막으로 수조역사가 경문왕의 왕권강화에
어떤 역할을 하였으며, 또 신라의 당시 사회와 신라멸망에 어떠한 영향
을 미쳤는지를 살펴보는 순서로 서술하고자 한다.

상태에서 과감한 정치개혁을 추진할 수는 없었고, 또 왕위쟁탈전의 근본
적인 원인이 되는 좁은 범위의 족벌의식을 벗어난 것도 아니기 때문에 그
에게 있어서 유교정치사상에 대한 이해도 보다 진전된 사회의 운영원리로
써 받아들여질 수 없었다고, 이미 경문왕 왕권의 한계성이 지적된 바 있다
(최병헌, 1978, 「신라 하대사회의 동요」『한국사』 3, 국사편찬위원회, 491~
494쪽).
5) '修造役事'라는 용어는 좀 생소한 느낌을 준다. 금석문에 의하면 당시 '修
造官', '修造僧', '修造塔使' 등의 官職이 있었고, 또 安鼎福이『東史綱目』第
五上, 甲午에서 경문왕대는 "修造之役不休"라고 한 표현을 본뜬 것이다.
물론 이때 '役'에는 役事의 의미를 함께 하지만, 필자는 좀더 명확하게 일
내지 공사의 의미를 드러내기 위하여 '修造役事'라고 하겠다.

그러나 사료의 빈약에서 오는 한계와 필자의 생각이 미치지 못함으로 인하여 약간 논리적 비약이 있을 것이다. 많은 질정을 바란다.

Ⅱ. 정치적 사건과 수조역사

1. '有集烏之苑'과 수조역사

『삼국사기』와 『삼국유사』의 기록을 보면 경문왕의 즉위는 매우 순조롭게 이루어진 것으로 표현되어 있다.[6] 그러나 「崇福寺碑」에는 좀 다르게 기록되어 있다.

> A. 마침 杞國의 근심이 침범하여 왕의 자리가 비어 산악이 흔들리는 것 같아, 비록 逐鹿之原은 아니지만 역시 集烏之苑은 있었다. 그러나 어질음과 유순함, 어른스러움과 인자로움으로써 백성에게 추대되었으니 나를 버리고 어디로 가겠는가.[7]

위의 기록에서 '왕의 자리가 비었다.'고 한 것은 헌안왕의 죽음을 말하고, '集烏之苑이 있었다.'는 것은 宋의 景文公이 죽은 뒤에 왕위계승경쟁이 일어났던 것을 말하는 것이다. 즉 바꾸어 말하면, 헌안왕이 세상을 떠난 뒤에 왕위쟁탈전이 치열하게 전개되었던 것은 아니지만 族閥勢力에 의한 대립은 상당히 있었음을 말한다.[8] 그리고 그 다음의 '백성에게 추대되었다(爲民所推)'는 표현에서도 그러함을 알 수 있다. 일반적으로

---

6) 『삼국사기』 권11, 헌안왕본기 및 경문왕본기 ; 『삼국유사』 권1, 紀異1, 48경문대왕.
7) 「崇福寺碑」 『朝鮮金石總覽』 上, 122쪽.
8) 최병헌, 앞의 논문, 491쪽

백성·국인의 추대라고 서술하는 것은 왕위계승에 있어 혈통에 의한 당연하고 정상적인 원만한 방법이 아닐 때 표현하는 방법이다.[9]

그러면, 이때 경문왕의 즉위에 반대하였던 세력은 누구였을까? 즉 왕위계승에 도전한 세력은 누구였을까 하는 의문이 생기는데, 이것은 경문왕의 즉위배경을 살펴보면 쉽게 이해가 된다.

제37대 宣德王이 죽자, 실권을 장악하고 있던 金敬信이 경쟁자인 무열왕계의 金周元을 몰아내고 즉위하여 元聖王이 되었다. 이로써 원성왕계 왕통이 성립되었다. 그리고 처음에는 장자 仁謙의 후손에 의하여 왕위가 계승되다가, 3자 禮英의 후손이 하나의 독립된 가계를 형성하여 왕위계승에 개입하였다. 즉, 제42대 興德王이 죽자, 예영계로서 흥덕왕의 從弟인 均貞과 從姪인 悌隆과의 사이에 왕위쟁탈전이 일어났다. 그러나 균정파가 패배하여 균정은 살해되고 제륭이 왕위에 오르니, 이가 바로 僖康王이다. 한편 희강왕도 재위 3년만에 金明·利弘의 핍박을 받아 자살하고, 김명이 즉위하여 閔哀王이 되었다. 결국 이로써 왕위가 예영계에서 다시 인겸계로 옮겨갔다. 그렇지만 민애왕 또한 재위 2년만에(839) 淸海鎭大使 張保皐의 도움을 받은 예영계 균정의 아들 祐徵과 金陽의 반란군에게 피살되고, 우징이 즉위하여 神武王이 되었다. 그리고 그 뒤

---

9) 이와 같은 표현은 정상적인 왕위계승이 아닐 때 자주 사용되는 표현법이다. 『삼국사기』에도 이러한 예는 여러 차례 散見된다. 이미 신라 초기에 味鄒王은 "沾解王이 아들이 없어 국인이 미추를 세운 것이나, 이것은 김씨가 나라를 갖게 된 시초이다."(권2, 味鄒尼師今 즉위조)라는 기록을 비롯하여, '원성왕이 당시 무열왕계의 金周元으로부터 큰비가 온 것을 빌미로 삼아 왕위에 오르자 얼마 아니하여 비가 그치니 국인이 만세를 불렀다.'(권10, 元聖王 즉위조)는 것이나, 신덕왕이 박씨로서 "효공왕이 돌아가고 아들이 없으므로 국인에게 추대되어 즉위하였다."(권12, 神德王 즉위조)는 기록이 있다. 그리고 『삼국유사』 권1, 도화녀비형랑에는 '眞智大王은 大建 8년 丙申에 즉위하였는데 治國한 지 4년에 政事가 어지럽고 또 음난한 짓이 많으므로 국인이 그를 폐하였다.'고 하였는데, 이때의 국인도 같은 의미로 사용된 것이라 하겠다.

를 이어 아들 文聖王이 왕위를 계승하였다.

　문성왕은 즉위 초에 장보고를 제거하고 개혁정치를 실시하여 과거 왕위계승전에서 대립관계에 있었던 김헌정·김균정 양계의 타협을 이루었다. 즉 840년 전반에 문성왕의 王妹인 光和夫人과 희강왕의 아들이며 경문왕의 아버지인 金啓明 사이에 혼인이 이루어졌다. 그러나 이처럼 왕권을 강화시켜 가던 문성왕이 857년 叔父인 舒弗邯 誼靖을 후계자로 지명하고 죽었다. 이에 의정이 즉위하여 憲安王이 되었다. 그런데 여기에서 주목되는 것은 왕비의 아버지로서 문성왕 정권에 큰 영향력을 행사하던 김양이 죽자, 문성왕은 의정에게 왕위를 계승하라는 유조를 내리고 곧 죽었다는 것이다. 이것은 아마 당시 상대등인 의정과 시중인 계명이 서로 결합하여, 김양이 죽은 뒤 왕을 핍박하여 왕으로 하여금 의정에게 왕위를 계승시킨다는 유조를 내리게 한 듯하다.[10]

　이러한 일련의 왕위계승과정에서 원성왕계 내의 인겸계와 예영계, 또 예영계 내에서도 헌정계와 균정계의 대립이 있었다. 경문왕의 아버지 계명은 예영계로서 헌정계에 속한다. 그가 균정계의 헌안왕을 왕위에 오르게 함으로써 헌안왕대에 최고 실력자가 되었다. 그리고 헌안왕은 다른 왕족의 도전을 물리치고 그의 왕권을 유지하기 위해서는 계명의 도움이 절대적으로 필요하였다. 반면에 계명이 헌안왕에게는 가장 무서운 인물이기도 하였다. 전대 왕들의 경우처럼 만약에 최고 실력자인 계명이 헌안왕에게 왕위에서 물러나라고 핍박한다든가 아니면 군사적 행동으로 나오면 감당할 수가 없었을 것이다. 이에 대비하고자 헌안왕은 계명에게 자신의 딸과 膺廉(경문왕)의 혼인을 제의하였다.[11] 그리

---

10) 윤병희, 1982, 「신라하대 균정계의 왕위계승과 김양」『역사학보』96, 74쪽.
11) 『삼국사기』와 『삼국유사』에는 응렴이 왕위에 오를 수 있었던 것을 마치 두 공주 중에서 맏공주와 혼인하였기 때문에 가능하였던 것으로 기술되어 있다. 즉, 혼인을 제의받았을 때 응렴 자신이나 계명이 다같이 둘째 공주를 먼저 생각했다가 응렴이 거느린 승려낭도의 강력한 요구에 의해 생각을 고쳐 맏공주와 결혼을 한 것으로 되어 있다. 그러나 기록과는 달리 계

고 이것이 성사되어 응렴이 헌안왕의 사위가 되고 곧 태자로 임명되었
다. 그리고 帝王의 권한에 속하는 八柄을 장악하였다.[12]

경문왕의 즉위과정에서 헌안왕에게 아들이 없으니 많은 다른 왕실의
인물들이 왕위를 넘보았을 것이다. 이 도전들을 「숭복사비」에서는 '集烏
之苑은 있었지만 백성에게 추대되었다.'고 표현한 것이다. 이처럼 경문
왕의 즉위과정은 순탄하지 않았고, 오히려 여러 원성왕계 내의 왕족들
의 도전이 있었다. 그렇지만 헌안왕대에 이미 최고 실력자였던 啓明의
힘으로 경문왕이 무사히 즉위할 수 있었다.

이러한 과정을 거쳐 왕위에 오른 경문왕은 즉위 초부터 수조역사를
일으켰는데, 그 첫 번째가 바로 鵠寺(崇福寺)의 重創이다.

> B. 금성의 남쪽 일관의 산기슭에 崇福이라는 절이 있는데, 이는 옛 임금(경
> 문왕)이 왕위를 계승하던 첫해에 烈祖元聖大王의 원릉을 받들고 명복을
> 빌기 위하여 세워진 것이다.[13]

崇福寺는 원래 원성왕의 母 繼烏夫人(昭文王后로 추증)의 元舅이고,
왕비인 肅貞王后의 外祖父되는 波珍湌 金元良이 세운 것이다. 처음의
이름은 鵠寺라 하다가 원성왕이 죽자 원성왕의 因山을 풍수설에 의하여
이곳에 왕릉을 조영하고 절은 옮겨 세워져 원성왕의 追福願刹로 이어져
내려왔다.[14] 그러나 신라왕실의 왕위쟁탈전이 계속되는 어지러운 상황

명이나 응렴이 이것을 생각하지 못했던 것이 아니고, 당시 상황에서 응렴
은 아버지의 힘에 의하여, 어느 공주와 혼인을 하더라도 왕위에 오를 수
있는 여건이 되어 있었기 때문일 것이다. 그러므로 이들 기록은 단지 경문
왕의 즉위를 미화시켜주는 것에 불과하다고 하겠다.

12) 「崇福寺碑」 앞의 책, 122쪽 및 최병헌, 앞의 논문, 493쪽.
13) 「崇福寺碑」 앞의 책, 121쪽.
14) 학술조사에 의하면 甘山寺址에서 남쪽으로 약 2km 떨어진 경주시(옛 월성
군) 外東面 末方里가 숭복사지라고 한다(진홍섭, 1965, 「경주감산사지·숭복
사지의 조사」『고고미술』58).

에서 원성왕계 후손들은 미쳐 숭복사에 대해 관심을 가질 여유가 없었다. 그리하여 숭복사는 오랫동안 방치되어 있었다.

> C. 가시덤불을 없애고 산 지형을 찾아냈으며 띠 집과 섞인 채로 바람과 비를 피하면서 겨우 六紀를 넘기고 아홉 왕을 지나 문득 넘어짐을 당하였으나 미쳐 수리하지 못하였다.[15)

이처럼 황폐해진 숭복사는 경문왕이 즉위 초년에 원성왕의 夢感을 얻었다 하여 중창을 행하였다.

> D. 이에 효성이 크게 사무치고 생각과 꿈이 서로 부합하여 聖祖大王(원성왕)을 뵙게 되었다. 대왕께서 어루만지며 말씀하시기를 "나는 너의 할아버지니라. 네가 불상을 세우며 나의 陵域을 꾸미어 보호하려고 하니 조심하여 일을 빨리 하지 말라, 부처의 덕과 나의 힘이 너를 도우리라, 진실로 中庸을 택하여 天祿을 길이 마치라"고 하였다. … 문득 有司에 명하여 정성스럽게 法會를 베풀게 하고, 華嚴大德 決言에게 이 절에서 敎旨를 받들어 經을 5일 동안 강설하게 하였다.[16)

이렇게 한 후, 곧 경문왕은 꿈을 핑계 삼고 효의 중요성을 강조하는 뜻과 함께 百尹과 御史들에게 숭복사 수리의 利害가 어떠한가 하는 교지를 내렸다. 이에 宗臣 繼宗과 勳榮이 매우 좋은 일이라고 대답하니, 端元·敏榮·裕榮 등의 宗室과 賢諒·神解 등의 釋門에게 공사를 맡겼다. 그리고 경문왕 자신이 檀越이 되었다. 이렇게 하여 원성왕의 追福之所인 崇福寺가 중창되었다.[17)

---

15) 「崇福寺碑」 앞의 책, 121쪽.
16) 「崇福寺碑」 앞의 책, 122쪽.
17) 현재 이곳에는 많은 문화재가 남아 있어 당시 규모를 짐작할 수 있다. 특

또, 863년(경문왕 3) 9월 10일에는 경문왕 자신이 단월이 되어 민애왕을 추숭하는 桐華寺 毘盧庵 三層石塔(민애대왕원탑)을 세웠다.

> E. 국왕은 삼가 민애대왕을 위하여 복업을 추숭하고자 석탑을 조성하고 적는다. … 엎드려 생각하건대 민애대왕의 이름은 明이며 宣康大王의 맏아들로 今上의 老舅이었다. 개성 기미(839) 정월 23일 창생을 버리니 춘추 23세였다. … 연화대좌의 업(부처님)을 숭앙하고자 하여 동화사 원당의 앞에 석탑을 세우니 동자들이 모래를 모아 탑을 쌓고 공양하던 뜻을 본받기를 바란다.[18]

위의 塔記에서 '國王' 또는 '今上'은 경문왕이다. 이것에 의하면 경문왕이 인겸계의 마지막 왕인 敏哀大王을 위하여 福業을 추숭하여 석탑을 만들었으며, 蓮坮之業을 받들고자 하여 願堂 앞에 석탑을 창립하고 '童子聚沙之義'의 효과를 바란다고 한다. 敏哀大王은 곧 제44대 민애왕을 말한다. 『삼국유사』 왕력에 보면 '第四十四 閔一作敏哀王 金氏 名明'이라고 하였다.[19] 이처럼 경문왕 3년에는 민애왕을 추숭하기 위하여 동화사에 3층석탑을 건립하였다.

히 이곳의 지세 및 金堂址·東西兩塔址·石壇 등 그 布置의 규모면에서 불국사와 비슷하다(경주시, 1971, 『경주시지』, 695쪽, 崇福寺址).

18) "國王奉爲 敏哀大王 追崇福業 造石塔記 … 敏哀大王諱明 宣康大王之長子 今上之老舅 以開成己未之年太簇之月下旬有三日 奄弃蒼生春秋二十三 … 欲崇蓮坮之業 於桐藪願堂之前 創立石塔 冀効童子聚沙之義"(「敏哀大王石塔記」, 황수영, 1974, 『한국의 불교미술』, 동화출판공사, 233쪽).

19) 특이한 것은 여기에서는 그가 죽은 때를 '開成 己未 太簇 下旬三日'이라고 하였다. 즉 開成은 唐 文宗 때 사용된 연호(836~840)이다. 이 중에서 간지가 己未인 해는 839년이다. 그리고 太簇은 正月이고, 下旬은 20일이니, 결국 839년 정월 23일에 그가 죽은 것으로 되어 있다. 그러나 『삼국사기』에는 죽은 날짜의 기록이 없고, 『삼국유사』 왕력에는 정월 22일로 되어 있어, 이와는 하루가 차이가 있다.

2. 允興 형제의 모반과 수조역사

경문왕이 왕위에 오름으로써 신라 왕통은 원성왕계 내의 균정계에서 헌정계로 넘어갔다. 이것은 김계명·경문왕 부자의 두 차례에 걸친 균정계 왕실 여자와의 혼인에서 맺어진 양계의 타협·연합의 소산이었다. 그러나 균정계 내부의 傍系 귀족의 입장에서 볼 때 이것은 불만이었다.[20] 이에 경문왕은 범원성왕계의 결속을 다지려는 의도에서 원성왕의 원찰인 숭복사를 중창하고, 또 모든 김씨 진골귀족의 공동시조를 모신 神宮에 제사하고, 민애왕의 원탑을 세우는 등 여러 가지로 노력을 기우렸다. 그럼에도 866년(경문왕 6) 10월에 允興 형제의 모반이 발생하였다.

> F. 10월 伊飡 允興이 그 아우 叔興·季興으로 더불어 모반하다가 일이 발각되어 岱山郡(지금 경상북도 성주)으로 달아나니, 왕이 명하여 그들을 추격 체포케 하여 목을 베고, 그 一族을 멸하였다.[21]

우선, 이 난은 신라 하대 왕위계승전에서 찬탈한 왕위가 헌정계로 옮아감에 따라 균정계 내에서는 불만이 쌓였고, 이러한 불만에서 균정계에서 다시 왕위를 찾으려는 의도에서 일으킨 것이다.[22] 특히, 이때 允興은 『삼국사기』 권22, 樂志에 의하면 일찍이 왕명을 받들고 南原京의 仕臣이 되어 총명한 소년 2인을 뽑아 地理山 雲上院에 보내어 貴金先生에게 琴을 배우게 하였던 인물이다.[23] 그리고 保寧에 있는 聖住寺의 「朗慧和尙碑」에도 문성왕대 왕실 측근으로 유력한 인물이었던 魏昕과 함께 그의 이름이 나오고 있다.[24] 이렇듯이 전대에는 왕권에 밀착되어 유력

---

20) 이기동, 1980, 「신라 하대의 왕위계승과 정치과정」 앞의 책, 173쪽.
21) 『삼국사기』 권11, 경문왕 6년 10월조.
22) 강성원, 1983, 「신라시대 반역의 역사적 성격」 『한국사연구』 43, 47쪽.
23) 『삼국사기』 권32, 雜志1, 樂志.
24) 이기동, 1980, 앞의 책, 173쪽.

한 진골귀족으로 활약하던 윤흥이 경문왕대에는 오히려 반대적인 입장
을 취하며 그의 아우들과 함께 모반을 꾀하였다.

그런데 여기에서 특히 주목되는 사실은 윤흥이 모반을 꾀한 때가 866
년(경문왕 6) 10월이라는 것이다. 앞서 이해 정월에 考 啓明을 懿恭大王
으로, 母 朴氏 光和夫人을 光懿王太后라 봉하고, 夫人 金氏를 文懿王后
라 하고, 그리고 王子 晸을 세워 王太子로 삼았다.[25] 이러한 사실에서
생각할 때, 그의 즉위에 막강한 영향력을 미쳤고, 또 즉위 후에도 계속
그의 커다란 배후 세력이었던 계명이 이미 이전에 죽었음을 알 수 있다.
그러나 계명의 죽음에 대한 직접적 언급을 한 기록은 남아있지 않다. 다
만 일반적으로 왕의 考에 대한 大王 追封이 대체로 新王 즉위 2년 1월에
행해지는 것인데 비해, 金啓明은 866년(경문왕 6) 1월에 추봉된 것으로
보아 그 전년에 卒去한 듯하다.[26] 그리하여 경문왕은 계명을 대왕으로
추봉함과 동시에 자신의 왕권을 강화하는 의미로 아들 晸(뒤에 헌강왕)
을 태자로 정하였다.

그러나 경문왕에게 왕위를 넘겨주었던 균정계에서 보면 계명의 죽음
은 자신들이 정권을 빼앗을 수 있는 좋은 기회였다. 가장 먼저 모반을
꾀한 것이 윤흥 형제의 반란으로 나타났다. 하지만 이들은 실패하고 그
일족이 죽음을 당하였다.

윤흥 형제의 모반이 있은 지 3개월 뒤인 867년(경문왕 7) 정월에는 臨
海殿을 重修하였다.[27] 임해전은 月池(일명 雁鴨池)를 바다로 보아, 바다
에 연해 세워진 건물이라는 뜻인 듯하며, 아마 679년(문무왕 19)에 세워
진 것같다.[28] 그리고 이곳은 나라에 경사스런 일이 있을 때나 귀한 손님
들이 왔을 때에 군신들의 연회 또는 회의장소 및 귀빈의 접대장소로 이

---

25) 『삼국사기』 권11, 경문왕 6년 정월.
26) 이기동, 1980, 앞의 책, 169쪽 주84 참조.
27) 『삼국사기』 권11, 경문왕 7년 정월.
28) 전유태, 1983, 「안압지와 임해전복원」 『문화재』 16, 151쪽.

용되었던 별궁으로서, 특히 경문왕이 花郎으로 활동할 때 헌안왕이 이 곳에서 베푼 잔치에 참석하다가 사위로 택하여진 곳이다.[29] 그러나 경 문왕이 중수하기 이전에 이미 여러 차례의 중수가 있었다. 『삼국사기』 에 의하면, 애장왕 5년(804) 7월에 임해전을 중수하였고,[30] 문성왕 9년 (847) 2월에 平議殿과 臨海殿을 중수하였다.[31] 그리고 이때에 이르러 다 시 임해전을 중수한 것이다. 이 뒤에 임해전이 다시 중수되었다는 기록 은 보이지 않는다. 그러므로 1970년대 중반에 발굴 조사된 유적은 아마 이때 만들어진 것으로 보아도 좋겠다. 발굴조사 결과에[32] 의해 복원된 규모는 남북축 280m, 동서축 200m에, 독립 건물 13棟, 回廊 156間이나 되 는 아주 큰 건물지였다.[33]

그리고 867년(경문왕 7)에 중수된 뒤에는 881년(헌강왕 7) 3월 群臣들 을 임해전에 모아 饗宴을 베풀고, 왕은 흥에 겨워 거문고를 타고 좌우신 하들은 노래를 부르며 즐겁게 놀았다던가,[34] 경순왕 5년(931) 2월 고려의 태조 왕건을 이곳에 모셔 宴會를 베풀었다는[35] 기록이 있음으로, 아마 이 건물은 신라 멸망시까지 왕실의 호화로운 사치생활의 장소로서 구실 을 하였다고 하겠다.

3. 金銳의 모반과 수조역사

윤흥 형제의 모반이 있은 지, 2년 뒤인 868년(경문왕 8) 1월에 伊飡 金

---

29) 『삼국사기』 권11, 헌안왕 4년 9월.
30) 『삼국사기』 권10, 애장왕 5년 7월.
31) 『삼국사기』 권11, 문성왕 9년 2월.
32) 문화재관리국, 1978, 『안압지』.
33) 전유태, 앞의 논문, 160쪽. 다만 여기에서는 50분의 1로 축소 추정 제작된 모형의 남북축이 5.6m, 동서축이 4m라고 하였지만, 필자는 환원하여 5.6×50=280m, 4×50=200m로 표기한다.
34) 『삼국사기』 권11, 헌강왕 7년 3월.
35) 『삼국유사』 권2, 기이2, 金傅大王.

銳·金鉉의 모반이 발생하였다.[36]

모반의 주동자 金銳는 문성왕의 從弟로서 855년(문성왕 17)에 건립된 昌林寺無垢淨塔의 건립책임자였다.

G. 왕명을 받은 修造塔使는 (국왕) 從弟이며 舍知로써 熊州 祁梁縣令 金銳. … 同監修造使는 (국왕) 從叔이며 行武州長史인 金繼宗. 同監修造使는 (국왕) 從叔이며 새로 康州 泗水縣令을 제수받은 金勳榮이다. … [37]

이때에는 김예가 종제임에도 불구하고 17관등 중 13위 舍知로서 縣令의 관직을 가지고 있었다. 그러나 앞에서 소개한 『삼국사기』의 모반기록에서는 2위인 伊湌이 되어 있어 불과 13년만에 비약적인 승진을 하였음을 알 수 있다. 이처럼 문성왕·헌안왕대에 정치적 위치를 신장시켰던 김예가 경문왕대에는 모반을 꾀한 것이다. 그의 가계를 고려해 볼 때 金銳와 金鉉 역시 형제간으로 允興 형제의 모반과 같은 성격의 모반을 일으켰다가[38] 결국 경문왕에게 伏誅되고 말았다고 보겠다.

김예·김현의 모반을 진압한 후, 그해 8월에 경문왕은 곧바로 朝元殿을 중수하였다.[39] 조원전이란 글자 그대로 신년하례를 받는 궁궐 건물인 것 같다. 651년(진덕여왕 5)에 처음으로 조원전에서 百官의 新正賀禮를 받았으며 이때부터 賀正의 禮가 시작되었다는[40] 기록이 있으니, 아마 이 건물은 진덕여왕대에 건립되었고, 또 이때에 朝元殿이라 명명된 듯하다. 그리고 760년(경덕왕 19) 4월에는 하늘에는 해가 둘이 나타나는

---

36) 『삼국사기』 권11, 경문왕 8년 정월.
37) "奉敎宣修造塔使 從弟舍知行熊州祁梁縣令 金銳 … 同監修造使 從叔行武州 長史 金繼宗 同監修造使 從叔新授康州泗水縣令 金勳榮"(「昌林寺無垢淨塔願記」 황수영편, 1976, 『한국금석유문』, 일지사, 148쪽).
38) 최병헌, 앞의 논문, 492쪽.
39) 『삼국사기』 권11, 경문왕 8년 8월.
40) 『삼국사기』 권5, 진덕왕 5년 정월.

이변이 있자 이곳에 제단을 베풀고 月明師로 하여금 기도하는 글을 짓게 하였고,[41] 또 806년(애장왕 7) 3월에는 일본 사신을 이곳에서 引見하기도 하였다.[42] 그러다가 시간이 흘러 건물이 퇴색하자 868년(경문왕 8) 8월에 중수하였다. 그러나 이때에 와서야 중수한 것은 신라 하대의 여러 왕들이 왕위쟁탈전으로 단명하자 신년하례조차 제대로 받지 못하였고, 또 건물도 오래되어 낡은 상태에 있었지만 어느 왕도 수리할 엄두조차 내지 못하다가 경문왕대에 와서야 중수가 이루어진 것이라 하겠다. 그리고 중수된 조원전은 878년(헌강왕 4) 8월 일본사신을 이곳에서 접견하는 등[43] 신라 멸망시까지 신라왕실의 권위의 상징으로써 구실을 하였다.

한편 경문왕 11년(871) 정월에는 경문왕대에 이루어진 수조역사 중 가장 규모가 큰 황룡사탑의 개조가 있었다. 이 공사는 3년이나 걸려 873년(경문왕 13) 9월에야 탑이 완료되니, 목탑 9층으로 높이가 22장(200척)이나 되었다.[44]

처음 황룡사9층탑의 건립은 643년(선덕여왕 12) 唐에 유학하고 돌아온 慈藏의 요청에 의하여 만들어졌다. 『삼국유사』에 건립 동기와 경과 등에 대한 자세한 기록이 있다. 간략하게 요약하면 다음과 같다. 자장이 貞觀 10년(636) 唐에 유학하여 太和池 가를 지날 때 神人이 나타났다. 이때에 자장이 신라는 북으로 靺鞨에 연하고, 남으로 倭人에 접해 있으며, 그리고 高句麗·百濟의 침범이 잦아 걱정이라고 하자, 신인이 이르기를 皇龍寺 護法龍은 나의 長子로서 그 절을 보호하고 있으니 돌아가 그 절에 9층탑을 세우면 근심이 없고 태평할 것이라고 하였다. 자장은 643년에 당 太宗이 준 經典과 佛像·袈裟·幣帛을 가지고 귀국하여 9층탑 건립을 선덕여왕에게 건의하였으며, 이에 선덕여왕은 群臣의 의견을 묻고,

---

41) 『삼국유사』 권5, 감통7, 月明師兜率歌.
42) 『삼국사기』 권10, 애장왕 7년 3월.
43) 『삼국사기』 권11, 헌강왕 4년 8월.
44) 『삼국사기』 권11, 경문왕 11년, 13년 ; 『삼국유사』 권3, 탑상4, 皇龍寺九層塔.

百濟의 匠人 阿非知를 초청하여 기술 지도를 받고, 伊干 龍春(龍樹 : 金春秋의 아버지)으로 하여금 공사감독관으로 삼아 小匠 200인을 거느리고 완성하게 하였다.[45] 이때 이루어진 9층탑은 제1층 日本, 제2층 中華, 제3층 吳越, 제4층 托羅, 제5층 鷹遊, 제6층 靺鞨, 제7층 丹國, 제8층 女狄, 제9층 穢貊을 뜻하는 것으로, 이들 인접국의 침입을 누르고 아울러 통일을 이룩한다는 護國佛敎의 성격을 띤 것이다.

그리고 크기는 높이가 上輪部가 시작되는 鐵盤을 기준으로 위로 42尺(약 15m), 아래로 183尺(약 65m), 전체 225尺(약 80m)의 규모로, 이것을 완성하는 데는 643년부터 645년까지 3년이라는 긴 시간이 소요되었다. 황룡사탑은 완성된 후에 높이 때문에 벼락을 많이 맞았다. 특히 성덕왕대인 718년에 크게 벼락을 맞아 720년에 重修하였다.[46] 그후 경문왕대에는 또다시 진동이 있어 220년간 지탱해온 탑을 헐고 다시 세웠다. 이것이 제3차 重修이다. 경문왕대 황룡사9층탑의 改造에 대하여 좀더 자세히 살펴보면 다음과 같다.

H-① 8년(868) 여름 6월에 황룡사탑에 지진이 있었다.[47]

② 48대 경문왕 무자(868) 6월에 제2차로 벼락을 맞았으며, 같은 왕 때에 세 번째 중수되었다.[48]

③ 11년 봄 정월에 왕이 유사에 명하여 황룡사탑을 개조하였다.[49]

④ 190여년을 지나 文聖王代에 이르니 (탑을 세운 지가) 오래 되어 (탑이) 동북쪽으로 기울어졌다. 나라에서 쓰러질까 염려하여 고쳐 세우고자 여러 재목을 모은 지 30여년이 되었으나 아직 고쳐 세우지 못하였다. 今上이 즉위한 지 11년인 咸通 연간 辛卯(879)에 탑이 기울어진 것을

---

45) 『삼국유사』 권3, 탑상4, 皇龍寺九層塔.
46) 『삼국유사』 권3, 탑상4, 皇龍寺九層塔.
47) 『삼국사기』 권11, 경문왕 8년 6월.
48) 『삼국유사』 권3, 탑상4, 皇龍寺九層塔.
49) 『삼국사기』 권11, 경문왕 11년 정월.

애석하게 여겨 곧 명을 내려 왕의 친동생인 上宰相 伊干 魏弘을 책임
자로 하고, 寺主 惠興을 聞僧이자 脩監典으로 삼아 … 그해 8월 12일
처음 낡은 것을 없애고 새 것을 만들었다.[50)]

⑤ 그 안에 다시 『無垢淨經』에 의거 하여 작은 석탑 99구에 각각의 석탑
마다 사리 하나씩을 넣고, 다라니 4종과 경전 1권을 책 위에 사리 1구
를 안치하여 철반의 위에 넣었다. 이듬해 7월에 9층을 모두 마쳤다. …
伊干 承旨에게 壬辰(872) 11월 6일 여러 신료를 데리고 가서 보도록 하
였다. 기둥을 들게 하고 보았더니 柱礎의 구덩이 안에 금과 은으로 만
든 高座가 있고 그 위에 사리가 든 유리병을 봉안해 두었었다. … 25일
본래대로 해두고 다시 사리 110매와 법사리 2종을 봉안하였다.[51)]

⑥ 13년(873) 가을 9월 황룡사 탑을 완성하니, 9층으로 높이 22장이다.[52)]

위의 사료들을 종합해 보면 황룡사탑이 문성왕대(839~856)에 이르러
동북으로 기우러지므로 염려하여 材木을 모은 지, 30여년이 지나도 改構
치 못하였다. 그러다가 경문왕 8년에 진동이 있은 뒤, 경문왕 11년에 이
르러서야 親弟 魏弘에게 명하여 改造케 하였다. 아울러 鐵盤 위에 無垢
淨經에 따라 小石塔 99軀를 안치하였으며, 그 小塔마다 舍利 1枚와 陀羅
尼 4종을 넣고 다시 經卷과 舍利 1具를 함께 봉안하였다. 이 공사는 871
년(경문왕 11)에서 873년(경문왕 13)까지 3년이란 기간이 소요되었으며,[53)]

50) "文聖大王之代○○旣久向東北傾 國家恐墜 擬射改○○致衆材 三十餘年 己
未改構 今上卽位十一年 感通辛卯歲 恨其○傾 乃命親弟上宰伊干魏弘爲○
臣 寺主惠興爲聞僧 … 其年八月十二日 始廢舊造新"(「皇龍寺九層塔刹柱本
記」, 황수영, 1974, 『한국의 불교미술』, 동화출판공사, 251~255쪽).

51) "其中更依無垢淨經 置小石塔九十九軀 每軀納舍利一枚 陀羅尼四種經一卷
卷上安舍利一軀 於鐵盤之上 明年七月九層畢功 雖然刹柱不動 … 令臣伊干
承旨取 壬辰年十一月六日 奉群僚而往 專令擧柱觀之 礎臼之中 有金銀高座
於其上 安舍利琉璃瓶 … 廿五日還依舊置 又加安舍利一百枚 法舍利二種"(「皇
龍寺九層塔刹柱本記」).

52) 『삼국사기』 권11, 경문왕 13년 9월.

개조 후 높이가 22丈(220尺)이었으니, 처음 건립시 높이인 225尺과 거의 같다.

이처럼 경문왕대에는 황룡사9층탑의 개조작업이 있었다. 그 규모나 소요된 기간을 헤아려 볼 때, 선덕여왕대 창건을 할 때의 규모나 기간과 거의 일치함을 볼 수 있다. 그리고 창건시 공사책임자를 김춘추의 아버지 龍春이 맡았던 것처럼, 개수시에는 경문왕의 親弟 魏弘이 중역을 담당하였다.

한편, 황룡사9층탑의 개조공사를 시작한 직후인 871년(경문왕 11) 2월에는 月上樓를 중수하였다.

> I. 11년 정월 왕이 有司에 명하여 황룡사탑을 개조하게 하고, 2월 月上樓를 중수하게 하였다.[54]

황룡사탑의 개조가 3년 동안 지속되었으니 월상루의 중수도 이 기간 안에 동시에 병행된 것이다. 그러나 월상루가 어느 때에 처음 건립되었는지에 대해서는 기록이 없어 알 수 없다. 하지만 경문왕 이전의 어느 때인가 만들어져 왕실의 연회장소의 역할을 하다가 건물이 낡았거나 혹은 규모가 작음에 경문왕이 새로이 중수한 것 같다. 그리고 이때 중수된 월상루는 후대인 880년(헌강왕 6) 9월 9일에 헌강왕이 左右近臣과 더불

---

53) 改造의 완성연대에 대하여『삼국유사』에는 '景文王代'라고만 하였지만,『삼국사기』에는 '景文王十三年'(咸通 14)으로 되어 있고,「刹柱本記」에는 '咸通十三年'으로 되어 있다. 그러므로『삼국사기』와「刹柱本記」의 기록에는 1년의 차이가 있다. 그러나「刹柱本記」의 '世次壬辰十一月而五日' 즉 경문왕 12년(함통 13)은 창건시에 안치한 舍利를 점검한 해이므로 개조의 완성은 다음해로 보아야 한다. 그러면「刹柱本記」의 '明年七月九層畢功'이라고 한 것이『삼국사기』의 '경문왕 13년'과 일치한다(진홍섭, 1987,「삼국유사에 나타난 탑상」『삼국유사의 종합적 고찰』, 한국정신문화연구원, 278~ 279쪽). 따라서 경문왕 13년에 완성된 것이 옳다고 하겠다.

54)『삼국사기』권11, 경문왕 11년 정월.

어 이곳에 올라 서울 시내를 내려다보니, 민가는 즐비하게 늘어섰고 가
락의 소리가 끊임없으매, 侍中 敏恭과 더불어 지금 民間에서는 집을 짚
으로 이지 않고 기와로 덮으며, 나무로 밥을 짓지 않고 숯으로 한다는
내용의 대화를 하는 장소로 나오고 있다.[55] 이에서 볼 때 월상루는 임해
전과 더불어 경문왕계 왕권의 최고 절정의 상징적 건물이라 하겠다.

4. 近宗의 반란과 수조역사

경문왕 말년인 14년 5월에는 伊湌 近宗의 반란이 있었다.

> J. 伊湌 近宗이 모반하여 대궐을 침범하므로 禁軍를 내어 쳐서 파하니, 近宗
> 은 그 무리와 함께 밤에 탈출함에 추격 체포하여 車烈에 처하였다.[56]

近宗에 대해서는 다른 곳에서 자료를 찾을 수 없다. 그래서 그에 대
해서는 더 이상 알 수가 없다. 그렇지만 근종이 일으킨 반란은 지금까지
앞에서 살펴본 그 어느 것보다 강도가 높은 군사적 행동을 일으켜 대궐
을 침범하기까지 하였다. 아마 이 반란 역시 목적은 같았던 것 같다. 즉
경문왕에 대한 불만 내지 균정계의 왕위 회복을 위한 것이었다.[57]

그리고 근종의 모반을 진압한 뒤, 4개월 뒤인 874년(경문왕 14) 9월에
는 正堂을 중수하였다.[58] 정당이란 궁궐의 몸체로써 가장 중요한 건물
이다. 이보다 4개월 전인 5월에는 근종의 반란이 일어났을 때 반란군이
궁궐을 침범했다고 하니, 아마 이 난 때 정당이 훼손되었을 것이며, 그
리하여 경문왕이 중수한 것 같다. 이것도 앞에서 살펴본 임해전이나 조
원전의 경우처럼 반란사건이 있은 뒤 곧바로 행하여진 수조역사였다.

---

55)『삼국사기』권11, 헌강왕 6년 9월.
56)『삼국사기』권11, 경문왕 14년 5월.
57) 강성원, 앞의 논문, 47쪽.
58)『삼국사기』권11, 경문왕 14년 9월.

Ⅲ. 수조역사와 왕권강화책

앞에서 살펴보았듯이, 경문왕 때에는 정치적으로 왕위에 도전하는
사건이 있은 다음에는 꼭 수조역사가 행하여 졌다. 여기에서는 이들 양
자간의 관계를 좀더 심도 있게 살펴보겠다. 그리고 이것을 통하여 경문
왕의 완권강화정책이 어떻게 변화해 나갔는지를 알아보고자 한다.

우선 간단하게 〈표〉로 정리하면 다음과 같다.

〈표〉 경문왕대 정치적 사건과 수조역사의 관계 및 왕권의 성격

연 도	정치적 사건	수조역사	구 분
즉위과정 경문왕 1년 경문왕 3년	'有集鳥之苑'	崇福寺 중창 9월 敏哀大王願塔 건립	전기 (啓明 생존기)
경문왕 6년 경문왕 7년	10월 允興 형제의 모반	1월 臨海殿 중수	후기 (魏弘 중용기)
경문왕 8년 경문왕 11년	1월 金銳·金鉉의 모반	8월 朝元殿 중수 1월 皇龍寺九層塔 개조 2월 月上妻 중수	
경문왕 14년	5월 近宗의 모반	9월 正堂 중수	

〈표〉에서 정리한 것처럼 우선 경문왕 왕권의 성격을 그의 아버지 啓
明의 죽은 해를 기점으로 하여 크게 전기와 후기로 나눌 수 있다.

그리고 수조역사도 전기와 후기는 그 성격이 완연히 다르다. 즉 전기
는 전대 왕을 추복하기 위한 공사였지만, 후기에는 궁궐 건축과 황룡사
탑 개조 공사를 하였다. 이처럼 수조역사에 있어서조차 계명을 죽음을
계기로 그 성격이 변화하고 있음은 어떤 이유일까? 그것은 곧 경문왕의
왕위에 도전하는 세력과 이것에 대한 경문왕의 왕권강화정책의 변화에
서 그 원인을 찾을 수 있다.

그러면 이러한 것을 염두에 두고 그 실제를 고찰해 보겠다.

1. 전기 － 啓明 생존기 －

먼저 전기에는 경문왕의 즉위과정에서 있었던 '有集烏之苑'과 즉위 초에 곧바로 이루어진 崇福寺 중창 및 敏哀大王願塔 건립을 통한 왕권 강화의 시도가 있었다.

「숭복사비」에서 말하듯이 헌안왕이 죽자 비록 '逐鹿之原'은 아니지만 '集烏之苑'은 있었다. 그러나 백성들에게 추대되어 경문왕이 즉위하였다고 한다. 즉 경문왕이 헌안왕의 사위로서 왕위에 오르려고 할 때 균정계의 왕족을 비롯한 진골귀족들의 반발이 있었다. 하지만 당시 실권자였던 아버지 김계명의 도움에 의하여 그는 왕위에 올랐다.

이에 경문왕은 즉위후 자신의 왕위에 도전하는 다른 왕족과 진골귀족들을 자기편으로 만드는 것이 가장 긴급한 과제였다. 그래서 원성왕계 내에서의 각 분파 관념을 없애고 자신의 정권으로 귀속시키려는 회유연합책을 폈다. 그러한 노력의 표현으로 가장 먼저 시행한 것이 숭복사의 중창이다. 원성왕은 신라 하대 왕위계승에 있어 中始祖가 된다. 그러므로 원성왕에 대한 인식을 새롭게 하여 분열된 왕실을 통합하고자 그동안 황폐하게 방치되어 있던 원성왕의 원찰인 숭복사에 관심을 기우려 이것을 대단히 웅장하게 중창하는 역사를 시작하였다. 이러한 의도는 그가 숭복사를 중창하기에 앞서 百尹과 御史에게 改修에 대한 利害性, 곧 타당성을 물었을 때 이들의 대답에서도 잘 나타나 있다.

K. 宗臣 繼宗과 勳榮이 이를 협의하여 왕에게 말을 올리기를 "미묘하신 소원이 신명에게 감응되고 인자하신 신령이 꿈에 나타나심은 진실로 임금님의 뜻이 이미 정해지심이거늘 과연 뭇사람의 의견이 모두 일치하니 이점이 이룩되면 九族이 경사가 많을 것입니다." 하였다.[59]

---

59) 「崇福寺碑」 앞의 책, 122쪽.

그리고 佛事를 일으키기를 생각하고 祠廟에 대한 고한 내용에도 이러한 의도가 잘 나타나 있다.

> L. 芬皇寺의 중 崇昌을 청하여 절을 중수하여 받들 뜻으로써 부처님께 고하
> 고, 다시 金純行을 보내어 선조의 업적을 높이고 펼 정성으로써 사당에
> 고하니, 詩傳에서 이른바 '愷悌한 君子여, 복을 구함이 어질어지지 아니
> 하다.' 한 것이오, 書傳에서 말한 '上帝께서 이에 흠향하시매 아래 백성이
> 공정하여 화목한다.'는 것이었다.[60]

이처럼 경문왕이 숭복사를 개창한 목적은 九族에게 모두 많이 경사로움이 있기를 바라고, 또 선조의 업적을 높이고 폄과 아울러 아랫 백성이 공경하며 화목함을 바라는 마음으로 표현되고 있다. 이것은 곧 자신의 즉위에 도전·반대하던 다른 왕족들을 원성왕의 후손이라는 큰 범주 안으로 끌어들여 회유 연합하려는 생각을 아주 잘 표현한 것이다. 그리고 이러한 생각에서 숭복사의 중창이라는 역사를 행하였다. 다시 말하면, 원성왕을 매개로 하여 모든 원성왕계 후손들의 각 분파 관념을 없앰으로써 경문왕의 왕권을 안정시키려는 의도에서 숭복사 중창의 수조역사를 일으켰다.

그러는 한편 861년(경문왕 1) 3월 罪因을 大赦하고, 862년(경문왕 2) 정월 伊飡 金正을 上大等, 阿飡 魏珍을 侍中으로 삼는 인사 조치를 행하였으며, 2월 神宮에 親祀하였다.[61] 그리고 863년(경문왕 3) 2월 國學에 幸하여 敎官으로 하여금 經義를 강론케 하는[62] 등 새로운 정치적 분위기

---

60) 「崇福寺碑」 앞의 책, 122쪽.
61) 신궁 제사는 主神인 始祖에게 新王됨을 보고하는 즉위의 종교적 의례이
     고, 大赦, 重臣 任命은 민심 수습과 국정 쇄신을 위한 정치적 행위이다(최
     재석, 1986, 「신라의 시조묘와 신궁의 제사」『동방학지』 50, 43쪽, 50~51쪽).
62) 『삼국사기』 권11, 경문왕 3년 2월.

를 형성하여 자신의 지위를 안정시키려 하였다.

그리고 「敏哀大王石塔記」에 의하면 863년(경문왕 3) 9월 10일에 왕자 신이 단월이 되어 桐華寺에 민애왕의 원탑을 완공하였다. 민애왕 金明 은 왕위계승전에서 인겸계 충공의 아들로서 예영계 내부의 싸움, 즉 균 정과 조카 제륭과의 싸움에서 제륭측에 가담하여 그를 희강왕으로 즉위 케 하였지만, 곧바로 희강왕을 핍박하여 자살하게 하고 스스로 왕이 되 었다. 이때 희강왕은 경문왕의 할아버지, 즉 경문왕의 아버지인 계명의 아버지이다. 그러나 민애왕도 즉위한 다음해에 淸海鎭大使 張保皐의 힘 을 이용한 均貞의 아들 祐徵과 金陽에게 밀려 살해되었다. 결국 민애왕 은 경문왕에게는 할아버지 희강왕을 죽인 원수이다. 이러한 민애왕에 대하여 경문왕이 追崇福業하기 위하여 원탑을 건립하였다는 것은 대단 한 의미가 있다. 더구나 이때는 아직까지 민애왕을 불공대천의 원수로 여기는 아버지 계명이 살아있는 때였다. 그럼에도 원탑을 건립한 것은 자신에게 도전할 가능성이 있는 인겸계 후손들을 무마하고, 또 자신의 영향력을 내세워 왕으로서의 권위를 보이면서 위치를 더욱 확고히 하여 왕권을 강화하려는 의도가 있었다.[63]

민애왕석탑의 건립이 인겸계 후손들을 회유하기 위한 것이었음은 원 문 찬자의 명단에 心智가 속해 있음을 보면 더욱 잘 알 수 있다.

M. 翰林 沙干 伊觀, 專知大德 心智, 同知大德 融行, 唯乃僧 純梵, 唯乃師 心 德 … [64]

이때 心智는 桐華寺의 重創主인 心地와 동일인이다.[65] 그리고 그는

---

63) 이것은 문성왕 이후 왕권의 회복을 기하기 위하여 자체 내의 대립완화책 으로서 각파 귀족간의 결합책의 일환에서 이루어진 것이다(황수영, 1974, 앞의 책, 242~243쪽 및 정원경, 앞의 논문, 25쪽).
64) 「敏哀大王石塔記」.

憲德王의 아들로서 민애왕과는 사촌형제이다.[66] 이러한 가계를 가진 心智가 瑜伽寺를 중창하면서 桐華寺라 개칭한 것은 사실상 실질적인 동화사로서의 창립이며[67] 바로 金忠恭·金明(민애왕) 부자, 혹은 그 가문의 願刹를 건립한 것이다.

결국 경문왕은 민애왕의 사촌형제인 心智가 주지로 있던 민애왕의 원찰인 동화사에 민애왕의 추숭복업을 위한 원탑을 건립한 것이다. 이것은 경문왕의 인겸계에 대한 회유책의 일환이면서[68] 이들로부터 왕으로서 자신을 인정받기 위한 왕권강화의 의도에서 나온 수조역사였다.

한편, 864년(경문왕 4) 2월 感恩寺에 行幸하여 바다에 望祭하였으며,[69] 865년(경문왕 5) 4월 唐 懿宗으로부터 官誥를 받았다.[70] 그리고 866년(경문왕 6) 정월 考 啓明을 懿恭大王, 母 光和夫人 朴氏를 光懿王太后, 부인 金氏를 文懿王后라 하고, 왕자 晸을 王太子로 삼았다. 이때는 이미 아버지 계명이 죽고, 경문왕이 친정을 행하기 시작하였다.

이상에서 살펴본 바에 의하면, 경문왕은 즉위과정에서 다른 왕족들의 도전을 받았다. 그리하여 즉위 초부터 다른 왕족들을 회유·연합하고 원성왕 직계손 간의 족벌의식을 강화하기 위하여[71] 전왕들에 대한 추모

---

65) 황수영, 1974, 앞의 책, 228쪽.

66) "釋心地 辰韓第四十一主 憲德王金氏子也"(『삼국유사』 권4, 의해5, 心地繼祖).

67) 황수영, 1974, 앞의 책 : 김창겸, 2013, 「신라 승려 심지 연구」『신라문화제학술논문집』 34.

68) 정원경, 앞의 논문, 17쪽에서는 이를 均貞系의 반발에 대비한 仁謙系와의 결속으로 보았다. 그러나 즉위초 범원성왕계의 결합을 시도한 경문왕으로서 균정계를 제외시키기 위해 인겸계와 결속하였다는 것은 좀더 생각해 볼 문제라 하겠다. 특히 균정계의 신무왕(우징) 역시 민애왕이 경문왕의 조부 희강왕을 시해했다는 소식을 듣고 불공대천의 원수라 표현하면서 민애왕을 미워하며, 계명과 같은 입장을 취한 바 있다(『삼국사기』 권10, 민애왕 원년 2월).

69) 『삼국사기』 권11, 경문왕 4년 2월.

70) 『삼국사기』 권11, 경문왕 5년 4월.

사업을 위한 원찰과 원탑을 건립하였다. 그리고 이러한 사업을 통해 왕권의 안정을 꾀하면서 아울러 왕권을 강화코자 노력하였다. 이것을 경문왕 전기 수조역사의 특징이라 하겠다.

2. 후기 - 魏弘 중용기 -

경문왕이 즉위후 원탑과 원찰의 수조를 통하여 범원성왕계를 연합하여 자신의 왕권을 확고히 하려고 노력해 가는 도중에, 5년말에는 후견자 계명이 죽었다. 이에 경문왕은 계명을 懿恭大王으로 추봉하고 晸을 태자로 세워, 이제는 자신이 정치적 권력의 중심이 되는 체제를 만들어 갔다.

그러나 이러한 조치는 곧바로 한동안 침묵했던 다른 왕족들의 도전을 받게 되었으니, 866년(경문왕 6) 10월에 발생한 允興과 아우 叔興·季興의 모반이 그것이다. 이것은 왕위를 빼앗긴 균정계 왕족들이 왕위계승권을 되찾기 위한 운동의 일환으로 일어난 것이다. 그러나 경문왕은 강력하게 대처하여 난을 진압하고, 그 一族을 멸하였다. 그리고 3개월 뒤인 867년(경문왕 7) 정월 임해전을 중수하였다.

또 868년(경문왕 8) 정월 金銳·金鉉의 모반이 있었다. 이 또한 윤흥 형제의 난과 마찬가지 성격의 것이다. 경문왕은 이 모반을 진압하고 난 뒤에는 조원전을 중수하였다.

반란이 있은 직후 궁궐 건물을 중수한다는 것은 여러 사정상 대단히 어려웠을 것이다. 그럼에도 이들 건물을 중수한 것은 경문왕으로서는 특별한 의도가 있었으니, 곧 이들 건물의 중수를 통하여 계명의 죽음으로 약해진 자신의 왕권을 궁궐을 화려하고 장엄하게 꾸밈으로써 외형적인 권위를 높이어 보고자 한 것이라 하겠다.

한편 다른 왕족들의 도전을 받게 되자, 경문왕은 왕권강화정책을 바

---

71) 최병헌, 앞의 논문, 493쪽.

꾸어 갔다. 종래 왕족의 연합이란 바탕 위에 자신의 왕권을 유지하던 것을 버리고, 후기에는 관제 개혁을 통하여 권력의 집중을 시도하였다. 즉 近侍機構와 文翰機構의 대두·확장으로 측근정치를 지향해 갔다.[72] 이러한 정책을 수행하기 위해 경문왕은 親弟 魏弘을 重用하고[73] 점차 그에게 당시 최고관직들을 兼職시켰다. 또 이러한 직무를 수행할 자들로써 國學 출신의 학문적 기초를 가진 자들을 근시직과 문한직에 임명하였다.[74]

그리하여 오로지 경문왕가가 중심이 된 권력 집중이 이루어지자, 경문왕은 자신의 권위를 더욱 높이고, 왕권을 강화하는 의미로 황룡사9층탑을 개조하였다. 「皇龍寺刹柱本記」에 보면 9층탑 개조에 참여하였던 자들의 명단이 있다. 특히, 공사최고책임자 '監脩成塔事 守兵部令 平章事 伊干 金魏弘'으로 표기되어 있어 당시 최고관직이 모두 魏弘에게 집중되어 있음을 알 수 있다.[75] 또 '侍讀 右軍大監 兼 省公 臣 朴居勿'이 記文을 짓고, '崇文臺郎 兼 春宮 中事省 臣 姚克一'이 記文을 썼다고 하여 당시 文翰들이 협조하였음을 알 수 있다. 결국 경문왕은 친제 위홍을 중심으로 문한·근시기구를 설치하면서 권력집중을 시도해 갔다. 이것이 어느 정도 성공하자 위홍을 최고 공사책임자로 하여 황룡사9층탑을 개조하였다. 이처럼 경문왕은 황룡사탑이 가지고 있는 호국적 의미를 내세워 범국가적인 결속을 기도하는 한편, 자신의 왕권을 신장 및 과시하려는 의도에서 행하였던 것이다.

그리고 황료사9층탑 개조공사가 진행되는 동안인 871년(경문왕 11) 2

---

72) 이기동, 1978, 「나말려초 근시기구와 문한기구의 확장」『역사학보』77 ; 1980, 앞의 책, 241~243쪽, 254~256쪽.
73) 경문왕의 후견인 노릇을 전기에 아버지 계명이 하던 것을, 후기에는 친제 위홍이 대신한 것으로 보면 되겠다.
74) 이기동, 1980, 앞의 책, 239~241쪽.
75) 이 당시 병부령의 성격은 중대와 달리, 단순한 병부의 장으로서 성격을 띤 것이 아니고 새로운 실력자로 대두된 시중·상대등에 대한 왕권의 실질적 옹호자로서, 內省私臣을 겸한 최고 재상으로서 실력자였다.

월 月上樓를 중수하였다. 또 신라의 왕들이 대체로 재위기간 동안 즉위를 알리기 위해 神宮에 親祭했던 것과는 달리, 872년(경문왕 12) 2월에 제2차 신궁 제사를 하였다.[76]

그러나 이처럼 경문왕이 여러 가지 방법으로 왕권을 확고히 굳힘에 불만을 가진 세력이 나타났다. 특히 경문왕의 장기간에 걸친 황룡사9층탑 개조공사는 다른 왕족 및 백성들에게는 불만스럽고 고통스러운 것이었다.

874년(경문왕 14)년 5월 近宗이 반란을 일으켰다. 이 난은 규모가 얼마나 컸었는지 궁궐을 침범하기까지 하였다. 그러나 이들도 곧 진압되고 근종은 車烈을 당하였다. 그런데 주목되는 것은 이 난을 진압한 후 곧 正堂을 중수하고 있다. 황룡사탑을 개조하고 또 근종의 난을 겪은 경문왕으로서는 상당히 어려운 사정에 처했음에도, 정당을 중수한 것은 아마 앞서 근종의 叛軍이 대궐을 침범했을 때 정당이 훼손되었기 때문에, 경문왕은 왕 및 왕실의 상징인 정당을 중수하여 외형적 체면을 회복하려 한 것이라 하겠다.

이상에서 경문왕은 후기의 정치사건과 수조역사에 대하여 살펴보았다. 그 결과 후기의 수조역사는 전기와는 달리 경문왕 자신에게 직접 관련되는 궁궐 건물 및 황룡사9층탑을 중수하여 국왕으로서 권위를 높이고, 또 경문왕 자신을 정점으로 한 소가계로써 정권을 굳혀나가고 있음을 알았다.

Ⅳ. 맺음말

신라 제48대 경문왕은 왕위계승에 있어 당시 다른 왕족들의 도전이 있었음에도 헌안왕대 최고 실력자였던 아버지 계명의 후원을 받아 헌안

---

76) 『삼국사기』 권11, 경문왕 12년 12월.

왕의 사위가 되어 왕위를 계승하였다. 경문왕은 즉위초부터 다른 왕족들을 회유하여 자신의 협조자로 만들기에 고심하였다.

그 방법의 하나로써 수조역사를 택하였다. 그 첫째가 범원성왕계의 단합을 위한 원성왕의 원찰인 숭복사를 중창하였다. 그리고 민애왕의 원탑을 건립하였다. 하지만 865년(경문왕 5)말에는 후견자인 아버지 계명이 죽음에 다시 다른 왕족들로부터 도전을 받았다. 윤흥 형제의 모반, 김예·김현의 모반, 근종의 모반 등이 그것이다. 이에 경문왕은 관제를 개혁하여 近侍·文翰機構를 설치하여 측근세력을 형성하고 자신의 친제 위홍에게 권력을 집중시켰다. 그러는 한편, 반란을 진압한 직후에는 곧바로 궁궐 건물을 중수하여 왕실의 권위를 높이려고 하였다. 그 결과 어느 정도 자신의 의도대로 왕권이 강화되자 황룡사9층탑을 개조하는 대규모 토목공사를 일으켜 친제 위홍으로 하여금 주관케 하였다.

이러한 수조역사는 경문왕 왕권의 성격과 마찬가지로 전기와 후기로 구분할 수 있는데, 전기에는 주로 반대세력의 무마·회유를 위하여 그들의 조상을 위한 追崇福業을 위한 것이었음에 비해, 후기에는 반대세력의 도전이 있을 때마다 오히려 자신의 권위를 높이기 위한 궁궐 중수와 황룡사9층탑 개조라는 자기 위주의 방법을 채택하였다. 그리고 이러한 과정에서 경문왕 단일 家에 의한 정권으로 권력구조를 개편하였다. 이러한 노력은 성공적이어서 경문왕이 죽은 후에도 왕위를 다른 왕족에게 빼앗기지 않고, 친제 위홍의 영향 아래 계속 이어져, 제52대 효공왕까지 왕위를 독점할 수 있었다.

그러나 경문왕대 수조역사가 왕권의 강화라는 면에서는 긍정적인 효과를 가져왔다고 할지라도, 신라 멸망이라는 측면에서 보면 당시 신라 사회를 파탄으로 몰았던 한 가지 요인이 되었다. 특히,『삼국사기』경문왕본기를 보면 많은 천재지변과 반란·토목공사의 기록이 있다. 마치 백제 말의 기록과 비슷한 양상을 보여주고 있다.[77] 그러나 경문왕은 계속되는 가뭄·홍수·유행병·병충해에 대해 근원적인 해결책을 찾지 못하고

겨우 使者를 파견하여 위문하거나 구제하는 고식적인 방법에 그치고 있
다.[78] 그러면서도 자신의 국왕으로서 권위를 높이기 위해 잦은 수조역
사를 벌려 많은 인적·물적 자원을 동원하니, 국가재정은 고갈되고, 자원
조달 요구에 견디지 못한 백성들은 유망하여 도적이 되어 일본 근해로
까지 진출하였다.[79] 이러한 현상은 신라 하대의 사회 기층을 흔들어 놓
았다.[80]

결국 경문왕대의 잦은 수조역사는 近視的인 면에서는 왕 자신과 왕
실에 대한 권위를 높이어 주는 역할을 하였지만, 遠時的이고 巨視的인
면에서 보면 오히려 신라사회를 혼란과 파탄으로 이끌어간 신라 멸망의
중요한 한 가지 요인이 되었다.

끝으로 附言할 것은 혹시 870년(경문왕 10) 5월에 만들어진 寶林寺3層
雙塔을 경문왕이 헌안왕을 위해 건립한 것이라고 볼 수도 있으나,[81] 北
塔誌를[82] 검토해 보면 寶林寺毘盧舍那佛像을 金邃宗 개인이 조성한 것
과[83] 마찬가지로, 김수종이 단지 경문왕에게 허락만을 받아 만든 것이
므로, 이 글에서는 고려치 않았다.

---

77) 이러한 기록은 결국 신라가 宴樂과 叛亂에서 스스로 멸망하게 된다는 것
　　과 국가 멸망의 원인을 그 나라 안에서 찾으려는 金富軾의 역사관에 의한
　　것이라는 견해도 있다(신형식, 1981, 『삼국사기연구』, 일조각, 71쪽).
78) 최병헌, 앞의 논문, 493쪽.
79) 이병도, 1977, 『국역삼국사기』, 을유문화사, 191쪽 주2, 주3 ; 김창겸, 2012,
　　「9세기 일본 서부연안에 나타난 신라인들」『신라사학보』 26, 301~336쪽.
80) 일찍이 安鼎福이 경문왕대를 "해마다 기근과 황재가 있는데다가 수조지사
　　가 그치지 않아서 반역이 잇달아 일어났다."(『東史綱目』 第五上, 甲午)고
　　본 것은, 비록 유교적인 입장에서 서술한 것이라 할지라도 당시의 시대적
　　상황을 적절히 표현한 것이라 하겠다.
81) 이기동, 1978, 「신라금입택고」『진단학보』45 : 앞의 책, 188~189쪽.
82) 「新羅寶林寺北塔誌」『한국금석유문』, 154쪽.
83) 문명대, 1978, 「신라 하대 비로사나불상조각의 연구(속)」『미술자료』 22, 28
　　쪽 ; 정원경, 앞의 논문, 34쪽 주117.

제7장 헌강왕과 의명왕후, 그리고 '野合'과 효공왕

I. 머리말

전통시대 사서들이 대체로 남성 위주로 기록되어 있기에 상대적으로 여성에 대한 연구는 두드러지지 못한 편이다. 그러나 현대 사회가 그러하듯이, 신라시대 또한 사회를 구성했던 인간의 대략 절반은 남성이고, 나머지 절반은 여성이었다. 그러므로 신라의 역사와 문화를 올바르게 이해하려면 당시 여성에 대한 관심과 연구가 절대적으로 필요하다.[1]

이러한 이유에서 신라사학회는 신라 사회에서 여성으로서 그 정치사회적 위상이 가장 頂点이라 할 수 있는 王妃를 비롯한 왕의 여인들을 검토하는 학술대회를 개최하게 되었다.[2] 필자는 이 글에서 신라 하대 후반기, 즉 신라 말로 접어드는 제52대 孝恭王의 즉위를 가져다준 제49대 憲康王과 그의 여인들에 대해 살펴보고자 한다. 특히 헌강왕과 효공왕 어머니의 야합, 그리고 그 사이에서 태어난 효공왕은 진골 신분이 아니

---

1) 필자는 신라의 역사와 문화를 '여성'과 '사랑'이라는 주제어로 관조해 보고자, 신라사학회 몇몇 회원과 공동으로 신라사학회 편, 『신라속의 사랑 사랑속의 신라』(2006·2008, 경인문화사)를 간행하였다. 그러나 세부 주제를 나누어서 원고를 집필하고 또 출판사의 상업성을 고려하다보니, 본래의 의도와 많이 달라져 소기의 목적을 달성하는데 미치지 못했다.

2) 이 글은 新羅史學會 제101회 신라사학회 학술발표회(2011년 2월 19일, 서강대학교) "통일신라시대 왕과 왕비 그리고 정치"에서 발표하였던 것을 수정 보완하였다.

라는 것 등을 언급하겠다.

필자는 이미 발표한 일련의 연구에서 신라의 왕위계승에서 제52대 효공왕의 즉위로 비진골 왕이 등장하였다는 견해를 피력하였다.[3] 이에 대해 얼마 전에 李文基 교수가 '신라말의 왕위계승이 비진골 신분에게 로 넘어갔다는 식의 그릇된 역사 해석을 교정'하겠다고 하면서, 고맙게 도 심혈을 기울려 필자의 주장을 반박하는 몇 편의 아주 긴 글들을 발표 하였는데, 그 요지는 효공왕은 진골 신분이라는 주장이다.[4] 그러자 이에 대한 全基雄의 반박도 있었다.[5]

하지만 필자는 근무하는 연구기관에서 맡아 추진하는 국책사업이 시 일을 정해놓고 그 결과물을 내야하는 매우 바쁘면서도 중요한 것이라 여유를 갖지 못해, 부득이 이 교수에게 대답을 미룰 수밖에 없어 늘 미 안하게 생각해 왔다. 그러던 차에 다행스럽게도 이번에 신라사학회에서 통일신라시대 왕과 왕의 여인들을 다루는 학술대회가 열림에, 필자의 주장을 재차 밝히고자 한다.

II. 헌강왕의 가족 관계와 여인들

경문왕은 재위 초기에는 아버지 啓明의 도움을 받으면서 왕권을 강 화해 나갔다. 그러다가 865년(경문왕 5) 무렵 계명의 죽음을 계기로 직계

---

3) 김창겸, 1993, 『신라하대왕위계승연구』, 성균관대 박사학위논문 ; 김창겸, 1999a, 「신라 하대 효공왕의 즉위와 비진골왕의 왕위계승」『사학연구』58· 59 ; 김창겸, 2003, 『신라 하대 왕위계승 연구』, 경인문화사.
4) 이문기, 2007a, 「신라 효공왕(요)의 출생과 왕실의 인지시기에 대하여」『신 라문화』30 ; 2007b, 「신라 효공왕(요)의 태자 책봉과 왕위계승」『역사교육 논집』39.
5) 전기웅, 2006, 「신라말 효공왕대의 정치사회 변동」『신라문화』27 : 2010, 『신 라의 멸망과 경문왕가』, 혜안.

선대를 大王으로 추봉하고 아들 晸을 태자로 책봉하여 새로운 왕실의
면모를 갖추면서, 이제는 보다 넓은 범위인 범원성왕계의 族閥意識을
강화하면서 안정을 꾀하였다.[6] 그리고 國學을 통한 유교정치의 강화, 근
시직에 인재등용 등으로 왕권강화를 이루어 나갔다.[7]

875년 7월 8일 경문왕이 죽자 그의 맏아들인 태자 晸이 뒤를 이어 즉
위하니, 그가 제49대 헌강왕이다. 이로써 신라 제46대 문성왕 즉위 후 한
동안 행해지지 못했던 부자계승이 다시 이루어졌다. 더구나 그것도 적
장자계승이 실현된 것이다.

사료에는 憲康王은 가끔 獻康(大)王이라고도 표기되어 있다. 헌강왕
은 성품이 총민하고 책보기를 좋아하여 한번 본 것은 모두 외우며[8] 시
를 잘 짓는 好文의 군주였다. 국학에 행차하여 강론케 하고, 三郞寺에서
문신들에게 시를 짓게 하는 등 유교와 문학에 지식이 깊었으며, 臨海殿
의 연회에서는 스스로 거문고를 타고, 砲石停에서는 南山神의 춤을 추
는 등 예술적인 감각과 재능을 가졌다. 그리고 불교 禪僧들과 교류하고
지원에 힘썼으며, 호국의 여러 신들과 자주 교류하였다.[9] 재위기간 중에
는 기후가 좋아 풍년이 들었고, 이러한 풍요의 기반 위에서 헌강왕은 경
문왕을 이어 국학과 '能官人'정책으로 인재를 등용하며,[10] 文翰과 花郞

---

6) 하지만 경문왕이 자신의 家系를 중심으로 하는 왕권강화에 대한 타가계의
   반발도 만만치 않아 여러 차례 謀叛이 있었으나 강력한 武力鎭壓으로 해
   결해 나갔다(김창겸, 1988, 「신라 경문왕대 '수조역사'의 정치사적 고찰」『계
   촌민병하교수정년기념 사학논총』).
7) 이기동, 1978, 「나말려초 근시기구와 문한기구의 확장」『역사학보』 77 :
   1984, 앞의 책.
8) 『삼국사기』 권11, 헌강왕 즉위조. 최치원이 지은 「大嵩福寺碑銘」에도 같은
   내용이 있다.
9) 전기웅, 2005, 「헌강왕대의 정치사회와 '처용랑망해사'조 설화」『신라문화』
   26, 58쪽.
10) 전미희, 1989, 「신라 경문왕·헌강왕대의 '능관인' 등용정책과 국학」『동아연
    구』 17.

의 지원을 받아 일시 태평성대를 이루었다.[11]

그러면 헌강왕의 여인들에 대해 살펴보기에 우선하여 그의 가족관계
에 대해 간단하게 언급하겠다.

헌강왕의 할아버지는 848년(문성왕 10) 여름 波珍湌으로서 侍中에 임
명된 啓明이고, 또 계명의 아버지는 희강왕이다. 그리고 희강왕의 아버
지는 憲貞이고, 헌정의 아버지는 원성왕의 세째 아들 禮英이다. 즉 헌강
왕의 아버지는 경문왕, 할아버지는 계명, 증조는 희강왕, 고조는 헌정, 5
대조는 예영이다. 그러므로 헌강왕은 원성왕계 내의 예영계, 또 그 중에
서도 헌정계에 속한다.[12] 한편 헌강왕의 할머니는 光和夫人(또는 光義
夫人)이라 칭하는 신무왕의 딸이다. 신무왕은 원성왕의 손자로서 곧 均
貞의 아들이다.[13] 그러므로 헌강왕의 할머니는 원성왕계 내의 예영계
중에서 균정계에 속한다. 결국 헌강왕의 할아버지 계명과 할머니 광화
부인은 같은 원성왕계 내의 예영계로서 각각 할아버지를 헌정과 균정
형제로 하는 6촌 남매간의 근친혼으로 맺어졌다.

그리고 헌강왕의 어머니는 경문왕의 왕비인 文懿王后(A-1)인데, 그
녀는 경문왕 6년 정월 文懿王妃로 봉해진[14] 헌안왕의 첫째 딸인 寧花夫
人 金氏이다.[15] 또 헌강왕은 南宮相,[16] 定康王, 眞聖女王으로 표기된 형

---

11) 『삼국사기』 권11, 헌강왕 6년 9월 9일 참조. 그러나 이러한 王京의 상황과
   는 달리 地方에서는 점차 중앙정부에 대항하게 될 새로운 세력들이 대두
   하고 있었다. 당시 이러한 상황을 '병든 도시와 건전한 지방농촌'으로 이
   해하기도 한다(이우성, 1969, 「삼국유사소재 처용설화의 일분석」 『김재원박
   사회갑기념논총』, 123쪽).
12) 그리고 헌안왕에게는 숙부인 경문왕의 남동생 魏弘과 고모인 경문왕의 여
   동생 端儀長翁主가 있었다.
13) 光和夫人은 均貞의 두 부인 가운데 眞矯夫人의 소생인 신무왕의 아들인
   문성왕과는 남매간이므로 그녀의 어머니는 貞繼夫人이다.
14) 『삼국사기』 권11, 경문왕 6년 정월. 『삼국유사』에서는 文資皇后라고 하였
   으나 文懿王后와 文資皇后는 동일인물의 표기상 차이에 불과하다.
15) 헌강왕의 어머니는 첫째 왕비는 寧花夫人(文懿王后)이고, 둘째 왕비는 정
   확한 이름은 알 수 없지만 次妃로 표기되어 있다. 그런데 그녀들은 이미

제자매가 있었다.

이와 같은 헌강왕의 가족관계에 대한 이해를 전제로 하면서, 지금부터 이 글에서 다루고자 하는 헌강왕의 여인들에 대해 살펴보겠다.

A-① 憲康王이 즉위하였다. 이름은 晸이고 景文王의 太子이다. 어머니는 文懿王后이고, 妃는 懿明夫人이다.[17]

② 제49 憲康王은 金氏로 이름은 晸이며, 아버지는 景文王이고, 어머니는 文資皇后이고, 妃는 懿明夫人 혹은 義明王后라고 한다.[18]

③ 佛國寺의 光學藏媛妃 權氏가 머리를 깎고 중이 되었는데 法號는 秀圓 또는 光學이대의 왼쪽 벽에 모신 화상은 太傅로 추증된 憲康大王[景文王의 元子이며, 太傅로 추증되었고 이름은 晸이다. 唐 乾符 乙未에 즉위하였고 在位는 12년이대인데, 法號를 秀圓이라 한 脩媛 權氏가 받들고 명복을 빌기 위하여 건립한 것이다.[19]

④ 옛 全州大都督 金公[蘇判公 順憲은 大成의 아들이대은 少昊의 후예로 大常[金文亮의 令孫이다. … 唐 僖宗 中和 6년 丙午 5월 10일 경건하게 수놓은 釋迦牟尼佛像幡 一幀을 蘇判을 위하여 봉안하고 장엄하게 마쳤음을 알린다.[20]

유명한 경문왕 설화로 전해오듯이 모두 전왕 헌안왕의 딸로서, 寧花夫人이 큰딸이고 次妃는 작은딸이다. 첫째 공주와는 즉위 전에 혼인하였고, 둘째 공주와는 즉위 뒤 863년(경문왕 3)에 혼인하였다. 경문왕은 같은 원성왕계 내의 禮英系 중에서 均貞의 후손인 7촌 姑母들과 혼인하였다.

16) "乾符帝(唐 僖宗)가 명을 내린 해(878, 헌강왕 4)에 … 太傅王(헌강왕)께서 보시고 아우 南宮相에게 말하였다"(「聖住寺朗慧和尚白月保光塔碑」『조선금석총람』상, 78~79쪽).

17) 『삼국사기』권11, 헌강왕 즉위조.

18) 『삼국유사』권1, 왕력1.

19) 「大華嚴宗佛國寺毘盧遮那文殊普賢像讚幷序」『최문창후전집』, 213~214쪽.

20) 「王妃金氏[金大城三世孫女也]爲考繡釋迦如來像幡讚幷序」『최문창후전집』, 219쪽.

⑤ 지금 죽은 아버지 夷粲과 죽은 兄을 받들어, 함께 京城 동쪽 산에 벼 3000섬을 희사하여 복을 빈다.[21]

⑥ 드디어 죽은 아우의 복을 華嚴寺 光學藏에서 빌었다.[22]

⑦ 처음에 헌강왕이 觀獵을 하다가 길가에서 자태가 아름다운 한 여자를 보고 왕이 마음으로 사랑하여 後車에 명하여 태워 가지고 행재소에 와서 야합하여 곧 임신을 하여 아들을 낳았다. 그 아이가 장성함에 따라 체모가 영특하고 이름을 嶢라 하였다.[23]

위의 사료들에 의하면 헌강왕과 관계를 맺은 여러 명의 여인이 있음을 알 수 있다.

우선 정식 왕비는 義明王后 또는 懿明夫人(A-① ·②)이라 표기된 여인이다. 그녀의 姓이 무엇인지를 분명하게 보여주는 기록은 없다. 하지만 신라사회가 왕족을 비롯한 지배계급에서는 골품제라는 특별한 신분제에 의하여 계급내혼을 하면서 가급적 근친혼을 하는 사회였다. 그러기에 『삼국사기』와 『삼국유사』에 표기 용례상 특별히 성을 밝히지 않은 경우에는 대체로 김씨였듯이, 정식 왕비인 의명왕후의 신분은 왕족 출신이거나 적어도 진골 신분의 김씨였음은 분명하다.

그런데 흥미롭게도 최치원이 지었다고 전하는 문장에 헌강왕과 관련한 내용들이 제법 있다.[24] 그 내용 중에 헌강왕에게는 정식 왕비 외에

---

21) 「王妃金氏爲先考及亡兄追福施穀願文」 『최문창후전집』, 227쪽.
22) 「王妃金氏爲亡弟追福施穀願文」 『최문창후전집』, 229~230쪽.
23) 『삼국사기』 권11, 진성여왕 9년.
24) 이들 자료에 대한 崔致遠의 진작 여부가 논란되었으나, 대체로 眞作으로 보고 있다(민영규, 1965, 「불국사고금역대기해제」 『고고미술자료』 7, 불국사화엄사사적 ; 김상현, 1986, 「고불사 및 불국사의 연구」 『불교연구』 2 ; 조경시, 1989, 「신라 하대 화엄종의 구조와 경향」 『부대사학』 13). 그리고 이들은 『圓宗文類』와 『東文選』에도 각각 부분적으로 수록되어 있다. 다만 최근에 이 자료는 편찬자의 목적에 따라 왜곡이 이루어졌으며, 夾註의 내용과 서술방법을 보면 대부분이 후대인에 의한 근거 없는 가필이거나 불필요한

媛妃 또는 脩媛의 嬪이 있었다(A-③)는[25] 기록이 보인다. 이에서 보건대, 9세기 후반 무렵 신라 국왕의 비빈제도와 성씨와 관련한 새로운 지식을 얻을 수 있다. 즉 脩媛 權氏에서 신라 하대에 이미 后妃制가 있었음과 權氏의 유래가 일반적으로 알려진 것보다 오래됨을 알 수 있다.[26] 脩媛 權氏에서 脩媛은 唐의 后妃制에 보이는 직명이다.[27] 이에서 9세기 후반의 경문왕·헌강왕대에 당의 후비제도를 참용하여 신라의 비빈제도가 정비되었을 가능성을 엿볼 수 있다.[28]

어쨌든 수원 권씨는 헌강왕이 죽은 뒤에는 비구니가 되어 法號를 秀圓 또는 光學이라 하였다고 한다. 이것은 그녀가 불가에 귀의하기 전 궁궐에서 직함이 脩媛이라 출가 후에도 세인들이 脩媛이라고 불렀기에 음이 같은 秀圓을 법호로 쓴 모양이다. 한편 협주에서 법호를 光學이라 한 것은 수원 권씨가 불가에 귀의 후 거처한 곳이 佛國寺 光學藏이라는 건물이어서, 광학이 그녀의 상징처럼 인식되어 법호로 통칭된 듯하다. 하지만 아쉽게도 기록이 더 이상 없어 정확한 가계는 알 수 없다.

그런데 이와 더불어 살펴볼 사항은 光學藏이다.[29] 이 광학장은 헌강

작문으로서 전혀 사실이 아니므로, 연구자들이 이를 사실로 믿고 역사 복원에 이용하는 것은 잘못이라는 견해도 제기되었다(이문기, 2005, 「9세기 후반 불국사 관련자료의 검토」『신라문화』 26, 209~257쪽).

25) 헌강왕의 後妃로 본 견해도 있다(문명대, 1976, 「불국사금동여래좌상이구와 그 조상찬문(비명)의 연구」『미술자료』 19, 2쪽).

26) 한편 그녀의 본래 성은 김씨였지만 김씨 족내혼을 숨기려는 최치원에 의해 권씨로 改書되었을 가능성도 있다는 추측도 있다(이문기, 2005, 앞의 논문, 245~246쪽). 하지만 왜 왕비는 김씨라고 분명히 밝히면서 후비인 수원은 굳이 개서를 할 필요가 있었을까 의문이다.

27) 皇帝(王)의 배후자 중 皇后(王后)는 궁궐 내에서 內職을 관장하는 위치에 있어 內朝를 실질적으로 주관하였다. 이 무렵 중국 唐은 隋의 제도를 따라 皇后 아래에는 貴妃·淑妃·德妃·賢妃 각 1인이 있었는데 夫人으로 삼았으며, 정1품으로 昭儀·昭容·昭媛, 脩儀·脩容·脩媛, 充儀·充容·充媛 각 1인으로 9嬪을 삼았다(『구당서』 권51, 열전1 后妃 上).

28) 이문기, 2005, 앞의 논문, 245쪽.

왕의 후비인 수원 권씨가 헌강왕의 명복을 빌기 위해 세운 것이고(A-③), 이런 이유로 그녀의 법호조차도 光學으로 칭해졌던 것이다. 그런데 이와 같은 시기에 왕비 김씨라는 여인이 있어 그녀가 죽은 아우의 복을 광학장에서 빌었다고 한다. 여기서 왕비 김씨는 수원 권씨와 동일인은 분명히 아니다.[30] 수원 권씨와 친연성이 있는 여인으로서, 또 여기에 모셔진 헌강왕과도 밀접한 관계를 가졌던 여인으로 왕비 김씨라고[31] 칭해졌던 여인의 정체는 무엇인가? 우선 그녀의 구체적인 정체가 누구이건 왕비임에는 틀림없다.

그러면 누구의 왕비일까? 필자가 일찍이 박사학위논문에서 밝혔듯이, 이 여인은 헌강왕의 정식 왕비이다.[32] 즉 헌강왕의 정식 왕비는 金氏이고 이름은 義明王后이다.[33]

한편 그녀에게는 그녀보다 먼저 타계한 아버지 夷粲과 형(A-⑤)이 있었다. 아울러 먼저 죽은 아우(A-⑥)도 있었다. 그러므로 헌강왕의 정식 왕비 의명왕후 김씨에게는 먼저 죽은 아버지와 죽은 형과 죽은 아우가 있었던 것을 알 수 있다. 게다가 남편인 헌강왕 역시 왕비 보다 먼저 죽

---

29) 당시에는 '華嚴佛國寺'라 하였기에 불국사 광학전과 화엄사 광학전은 같은 것이다.

30) 한편 수원 권씨는 왕비 김씨일 가능성이 있으며, 도리어 왕비 김씨가 효공왕의 생모일 가능성이 가장 적다는 견해도 있다(전기웅, 2006, 앞의 논문, 55쪽 주17 참조). 그러나 같은 최치원의 글에서 동일인물을 왕비 김씨와 수원 권씨로 다르게 표현할 가능성은 없기에, 각각 다른 인물로 보아야 하겠다.

31) 「王妃金氏爲亡弟追福施穀願文」『최문창후전집』, 229~230쪽.

32) 김창겸, 1993, 앞의 논문, 46쪽.

33) 이문기는 이 왕비를 효공왕을 낳은 여인으로 보고, 효공왕이 유아기를 생모와 함께 불국사에서 보냈다는 무리한 억측으로(이문기, 2005, 앞의 논문, 248쪽) 또 하나의 '궁예'류 인물을 만들어 내고자 하였다. 하지만 효공왕을 낳은 여인은 길거리에서 헌강왕을 만나 야합하였다. 그리고 효공왕이 첫 돌이 된, 즉 태어난 885년(헌강왕 11) 이듬해인 886년(헌강왕 12) 헌강왕이 죽었다. 그러므로 그녀가 헌강왕에 의하여 왕비로 책봉된 적이 없기에 왕비라는 칭호를 사용하지 않았다.

었기에, 그녀는 매우 고단한 처지였다. 그리하여 신라시대 왕비가 가끔 그랬듯이, 의명왕후는 佛家에 귀의하여 먼저 죽은 남편 헌강왕과 자신의 아버지와 형제의 명복을 빌면서 여생을 보냈다.

이문기는 이 왕비 김씨에 대해서 다음과 같이 정리하였다. 첫째, 그녀는 귀족가문 출신으로서 아버지는 이찬의 관등을 가졌던 인물이었다. 둘째, 그녀의 오라비와 여동생이 확인되므로 형제는 삼남매였으며, 어린 나이에 부모와 오라비가 죽어 두 자매만이 외롭게 성장하였다. 셋째, 성씨는 김씨로서 자신은 왕가와 혼인하여 왕비가 되었고, 여동생은 재상가의 며느리가 되었는데, 동생이 왕비 김씨보다 일찍 세상을 떠났다. 넷째, 왕과 혼인한 후 얼마 지나지 않아 국왕이 승하하였고, 자신은 출가하여 비구니로 생활하면서 先考와 亡兄 그리고 亡弟의 추복을 위하여 불국사에 곡식을 시납하였다.[34]

이러한 전제에서 이문기는, 왕비 김씨는 아버지가 이찬의 관등을 가졌던 엄연한 진골이었지만 어린 나이에 부모는 물론 오라비가 사망하여 형세가 기울어진 영락한 진골가문 출신이고, 왕과 혼인하여 왕비가 되었지만 얼마 지나지 않아 국왕이 사망하고 말았다는 이유로, 이 여인을 효공왕 생모인 김씨로 보는[35] 잘못을 범하였다.

그런데 새로운 사실은 왕비 김씨 역시 원성왕계라는 것이다.

> B. 法諱는 讓景이고 俗姓은 金氏이며 字는 擧國이다. … 할아버지인 藹는 元聖王의 表來孫이며 憲康王의 外庶舅이다. … 내직으로는 執事侍郎을 맡았고 외직으로는 浿江都護를 부임하였다.[36]

이처럼 승려 讓景의 할아버지인 金藹는 원성왕의 表來孫이며 헌강왕

34) 이문기, 2005, 앞의 논문, 247쪽 ; 이문기, 2007a, 앞의 논문, 156~157쪽.
35) 이문기, 2005, 앞의 논문, 248쪽.
36) 「太子寺朗空大師碑後記」 『조선금석총람』 상, 187쪽.

의 外庶舅라고 한다.[37] 여기서 外庶舅는 丈人, 즉 妻의 아버지를 지칭하
거나[38] 또는 外三寸을 지칭하는데, 이 경우는 전자가 타당하다.[39] 그렇
다면 헌강왕의 정식 왕비의 아버지(장인)인 金順憲과 金藹는 형제간임
을 추측할 수 있다. 그리고 金藹가 원성왕의 표래손이라 하니, 원성왕에
게 딸이 있어 그녀가 헌강왕비 김씨의 선대인 어느 남자와 혼인하였음
을 짐작할 수 있다.

또 다른 인용문 A-④에서 "옛 全州大都督 金公은 少昊의 후예로 大常
의 슦孫이다."고 하였다. 이 기록에 따르면 헌강왕의 정식 왕비 김씨의
아버지는 大常의 슦孫으로 蘇判이었다.[40] 특히 정강왕의 즉위 직후 김
순헌은 國戚重臣으로서 上宰인 舒發韓 金林甫 및 金一 등과 함께 헌강
왕을 위한 華嚴經社를 결성하였다.

C. 唐曆 壬寅 相(7)월 5일 獻康大王이 죽음에 고위 관리와 학자들 그리고 宗
室과 懿親이 서로 더불어 받들고 명복을 빌기 위하여 華嚴經의 약간의
부분을 만들고 … 聖上[定康大王]이 좋은 징험을 입어 임금자리에 올랐
다. … 上宰인 舒發韓 金林甫와 國戚重臣인 蘇判 順憲과 金一 등이다.[41]

---

37) 김예의 아들 詢禮는 내직으로는 執事含香에 이르고 외직으로는 朔州長史
를 부임하였다(『조선금석총람』 상, 187쪽).
38) 여기서 庶가 嫡庶의 庶를 의미한다면 繼父가 되므로, 헌강왕 왕비의 계부
를 말한다.
39) 만약 후자를 따르면 憲康王의 外三寸으로 보아야 하는데, 그러면 헌강왕
의 어머니는 현안왕(원성왕의 3대손)의 딸이므로 헌강왕과 남매간이면 원
성왕의 4대손(玄孫)이 된다. 그렇다면 원성왕의 表來孫이라는 문구와는 1
代의 차이가 있어 부적당하다.
40) 협주에 의거하면 소판은 金順憲이고, 김순헌은 金大城의 아들이며, 金文亮
의 슦孫이다. 즉 왕비의 아버지 김순헌은 소판의 관등에 보임하였고, 또
할아버지는 경덕왕 4~9년 시중을 역임하고 불국사의 건축한 김대성이고,
증조부는 성덕왕 5~10년 시중을 역임한 金文亮(金文良)임을 알 수 있다.
41) 「上宰國戚大臣等奉爲憲康大王結華嚴經社願文」 『최문창후전집』, 221~224쪽.

헌강왕의 정식 왕비 김씨는 선대가 소판의 관등을 가졌던 당대의 최고 가문의 하나였다. 다시 말해 헌강왕의 왕비는 유력한 진골 김씨가문 출신임을 알 수 있다. 결국 이 정도의 신분과 가계를 가진 헌강왕의 여인으로서 김씨이고 왕비라 칭해졌다면 정식 왕비인 의명왕후로 비정하여도 큰 무리는 없을 듯하다.

그리고 헌강왕의 또다른 여인으로, 그가 말년에 觀獵을 나갔다가 野合을 한 김씨녀가 있다. 이 여인에 대해서는 'Ⅲ. 헌강왕의 야합과 효공왕의 생모'에서 자세히 서술하겠다.

한편 헌강왕의 소생으로는 딸 둘과 아들 하나가 있었던 것으로 기록되어 있다. 먼저 딸부터 살펴보자.

> D- ① 神德王이 즉위하였다. 성은 朴氏이고 이름은 景暉이며, 阿達羅王의 遠孫이다. 아버지는 乂兼 또는 銳謙인데, 定康大王(사실은 憲康王)을 섬기어 大阿飡이 되었고, 어머니는 貞和夫人이고, 왕비는 金氏로 憲康大王의 딸이다. 孝恭王이 죽고 아들이 없음에 國人에게 推戴되어 즉위하였다.[42]
>
> ② 제55 경순왕은 金氏로 이름은 傅이다. 아버지는 孝宗 伊干으로 추봉된 神興大王이고 할아버지는 官○ 角干으로 추봉된 懿興大王이다. 어머니는 桂娥인데 憲康王의 딸이다.[43]

헌강왕의 딸 중에 한명은 신덕왕의 왕비인 義成王后이고,[44] 또다른 한명인 桂娥太后는 경순왕의 어머니, 즉 孝宗 角干의 아내이다.

그러면 이들은 어느 여인의 소생일까? 이들 두 딸은 헌강왕의 소생인

---

42) 『삼국사기』 권12, 신덕왕 즉위조.
43) 『삼국유사』 권1, 왕력1.
44) 『삼국사기』 권12, 신덕왕 2년 참조. 또는 資成·懿成·孝資라고도 표기되어 있다(『삼국유사』 권1, 왕력).

것은 분명하지만, 그녀의 생모가 누구인지에 대해서는 기록되어 있지 않다. 하지만 『삼국사기』나 『삼국유사』의 기록 용례에서 보건대, 분명하게 어머니를 표기하지 않은 경우에는 해당 왕의 『삼국사기』 즉위조나 『삼국유사』 왕력에 기록된 정식 왕비의 소생을 의미하는 것이라고 보아도 무방하다. 그러므로 이들은 헌강왕의 정식 왕비인 義明王后(懿明夫人)의 소생으로 보겠다.

한편 이와는 달리 헌강왕의 아들 요는 어머니가 분명하게 기록되어 있는데(F), 그녀의 성씨는 김씨이다(E).

지금까지 살펴보았듯이, 자료에서 확인되는 헌강왕의 왕비와 여인으로는 의명왕후, 수원 권씨, 야합하여 요를 낳은 생모가 있었다.

헌강왕의 가족과 여인 관계를 정리하면 [그림]과 같다.

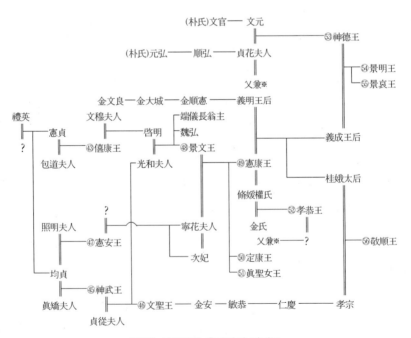

[그림] 헌강왕과 효공왕의 가계도

Ⅲ. 헌강왕의 野合과 효공왕의 생모

앞에서 언급하였듯이, 헌강왕에게는 뒷날 효공왕이 되는 아들 嶢가 있었다. 이 요를 낳은 여인은 성이 김씨이다.

E. 孝恭王이 즉위하였다. 이름은 嶢이며 憲康王의 庶子이다. 어머니는 金氏이다.[45]

위의 인용문 E에서 효공왕(요)을 헌강왕의 庶子라고 하면서, 굳이 그의 어머니는 김씨라고 한 것에서 보면, 비록 그녀가 정식 왕비나 후비의 칭호를 가졌던 것은 아니지만 성이 김씨임은 사실인 듯하다.

F. 겨울 10월 憲康王의 庶子 嶢를 太子로 삼다. 처음에 헌강왕이 觀獵을 하다가 길가에서 자태가 아름다운 한 여자를 보고 왕이 마음으로 사랑하여 後車에 명하여 태워 가지고 행재소에 와서 野合하여 곧 임신을 하여 아들을 낳으니 그 아이가 장성함에 따라 체모가 영특하고 이름을 嶢라 하였다.[46]

이처럼 요의 어머니는 헌강왕이 길에서 만난 여인이다. 더구나 요는 이 여인과 헌강왕 사이에서 정식 혼인이 아니라 야합으로 태어났다.

야합이란 쉽게 말해 당시 사회에서 통용되는 정식 혼인의 절차를 거치지 않고 남녀 당사자 간에 부적절하게 몸을 섞었다는 뜻이다. 일찍이 중국 魯나라 孔子의 아버지 叔梁紇이 어린 처녀 顔徵在에게 그러했다고 전해온다. 특히 신라사회에서 소지마립간과 碧花, 金庾信의 아버지 金舒鉉과 萬明夫人, 金春秋와 文姬, 그리고 强首와 대장장이 딸의 경우처

---

45) 『삼국사기』 권12, 효공왕 즉위조.
46) 『삼국사기』 권11, 진성여왕 9년.

럼 야합의 사례가 제법 다수 있다.

한편 또 다른 기록에서는 효공왕의 어머니를 義明王太后 또는 文資王后라고 하였다.

G-① 정월 어머니 金氏를 높혀 義明王太后라 하였다.[47]

② 제52 孝恭王은 金氏로 이름은 嶢이다. 아버지는 憲康王이고 어머니는 文資王后이다.[48]

그렇지만 G-②에서 효공왕의 어머니를 文資王后라고 한 것은 받아들이기 어렵다. 앞의 인용문 A-②에서 보듯이 문자왕후는 헌강왕의 어머니, 경문왕의 첫째 왕비인 寧花夫人의 諡號인 文懿王后에 대한 표기상 오류에 불과하다. 문자왕후는 효공왕에게 할머니에 해당하는 여인 이름이다. 그러므로 효공왕의 어머니를 문자왕후라 한 것은 잘못이다.

義明王太后란 칭호도 좀더 생각해 볼 필요가 있다. 왜냐하면 앞에서 살펴보았듯이, 헌강왕의 왕비를 懿明夫人(A-①) 또는 義明王后라고(A-②) 하였음에도 인용문 G-①에서 효공왕이 어머니 김씨를 의명왕태후로 삼았다는 기록이 있어, 이들의 관계에 대한 보다 자세한 검토를 요한다.

만약 헌강왕의 정식 왕비의 이름이 義明王后라면 효공왕의 생모 이름은 다른 것일 것이고, 효공왕의 생모 이름이 정녕 義明王太后라면 헌강왕의 정식 왕비의 이름은 다른 것일 것이다. 그렇지만 인용문 E와 F에서 효공왕을 헌강왕의 庶子라고 하면서 어머니를 김씨라고 한 기록과 더불어 효공왕이 어머니 김씨를 의명왕태후로 삼았다는(G-①) 기록이 있어, 얼핏 생각하기에 효공왕의 어머니가 김씨이고, 그녀가 곧 의명왕태후와 동일인으로 보려는 욕심에 현혹되어 견강부회하기 쉽다.

李文基가 그 대표적인 예이다.[49] 그리하여 다음과 같은 이유로 효공

---

47) 『삼국사기』 권12, 효공왕 2년.
48) 『삼국유사』 권1, 왕력1.

왕의 생모 김씨가 곧 崔致遠의 글에 보이는 왕비 김씨와 동일인이라는
잘못된 결론을 도출하였다. 즉, 효공왕이 즉위 후 의명왕태후로 책봉한
여인이 생모 김씨라는 것이다. 자세히 말하자면, '효공왕의 생모 김씨가
아마 헌강왕이 嫡統의 嗣子가 없는 가운데서 요를 얻게 된 883년(헌강왕 9)
혹은 884년(헌강왕 10)이거나, 아니면 요가 태자로 책봉된 895년(진성여
왕 9) 둘 중 하나의 시점에 왕비의 지위를 얻게 되어, 태후로의 책봉이
가능했던 것'이라 하여, '요의 생모 김씨가 이전에 이미 왕비의 지위를
확보하고 있었기 때문에 이때 태후로 책봉되었다.'고 추측하였다. 그러
면서 이와 같이 효공왕의 생모가 왕비로 지칭될 수 있었다면, 최치원이
찬한 자료에 나오는 왕비 김씨의 실체를 효공왕의 생모 김씨로 비정해
도 큰 무리는 없을 것이라 하였다. 그리고 이를 인정할 수 있다면, '생모
김씨는 어린 나이에 부모와 오라비가 죽어 형세가 기울어지긴 했지만,
아버지가 이찬의 관등을 지냈던 엄연한 진골 신분 출신'이라고 주장하
였다.

아울러 895년(진성여왕 9) 요가 태자로 책봉되기 이전에 왕궁이 아닌
閭巷에서 성장하게 되었던 것은 헌강왕 사후 왕비 김씨의 출가로 말미
암을 것일 수 있는 것으로 추측하였다. 그러면서 앞서 金昌謙이 요의 존
재가 진성여왕대에 이르러서야 비로소 왕성에 알려지게 되었다고 한 것
과[50] 또 全基雄이 태자 책봉 이전까지 왕자로서 요의 존재가 왕실과 지
배층에게 공인되지 못했다고 한[51] 견해 등은 재고의 여지가 있다고 하
면서, 최치원이 찬한 자료의 왕비 김씨가 효공왕의 생모 김씨와 동일인

49) 이문기, 2005, 앞의 논문, 249~250쪽 ; 이문기, 2007a, 앞의 논문, 152~159쪽. 그
리고 선석열도 이문기의 견해를 이어서, 의명왕후는 김씨로서 진골이고
헌강왕의 後妃이며 의명왕태후로 봉해진 효공왕의 어머니이기에, 효공왕
은 진골 신분이며 庶子가 아니라고 했다(2015, 『신라 왕위계승 원리 연구』,
혜안, 269쪽).
50) 김창겸, 2003, 앞의 책, 138쪽.
51) 전기웅, 1989, 「신라 하대말의 정치사회와 경문왕가」 『부산사학』 16, 141쪽.

이라고 주장하였다.[52]

그러나 이와 같은 주장은 뚜렷한 증거도 없이 미리 정해놓은 자신의 결론을 유도하기 위해 가설에 가설을 그리고 거기다가 또 가설을 만들어 필요충분조건이 성립되지 않음에도 억지로 논지를 전개하는 무리와 오류를 범하였다. 사서에서 효공왕을 굳이 '庶子'라고 한 표현이 상징하듯이, 요의 생모가 정식 왕비에 책봉된 적이 없다면, 최치원의 글에 보이는 왕비 김씨와 동일인이 될 수가 없다. 이러한 이유로 효공왕의 생모는 태후로 책봉되지 않았음을 알 수 있다.

사실상 생모 김씨가 왕비로 책봉되었다면 굳이 그녀의 소생인 요를 庶子라고 할 필요가 없다. 다시 말해 요의 생모를 그녀의 소생인 효공왕이 어머니를, 또는 정강왕이나 진성여왕이 형수를 정식 왕비로 책봉했다면, 그녀의 소생을 서자라고 밝힐 이유와 필요가 없다. 다시말해 그녀가 정식 왕비로 봉해졌다면 그녀 아들인 요는 헌강왕의 서자가 아니라 정식 왕비의 아들로서 적자가 되었을 것이다. 하지만 인용문 E에서 896년(진성여왕 9) 10월 태자 책봉시에 분명하게 서자 요라고 한 것을 보면, 그녀는 이때까지도 정식 왕비에 책봉되지 않았던 것을 알 수 있다. 더구나 헌강왕과 요의 생모는 혼인이 아니라 야합이었다. 설령 이것이라도 당시 인정되었다면 생모는 후비로 납비된 정도였을 것이다.[53] 그러나 공식 절차를 통하여 그녀에게 후비 작호를 내렸거나, 또는 그녀가 작호를 가졌다는 기록이 없다. 결국 생모와 요는 민간에 남겨진 채로 왕실에서 방치되었던 것으로 보인다.[54]

사실 역사상 先王이 왕비로 책봉하거나 인정한 적이 없는 여인을 왕의 사후에 후대의 왕이 그녀를 무리하게 왕비로 책봉하는 것은 어렵다.[55] 그러기에 그녀가 낳은 아들 요가 즉위하여 효공왕이 되었지만, 효

---

52) 이문기, 2005, 앞의 논문, 250쪽.
53) 이것은 헌강왕에게 恬媛 權氏라는 後宮이 있었던 것에서 유추할 수 있다.
54) 전기웅, 2006, 앞의 논문, 48쪽.

공왕도 부왕인 헌강왕이 왕비로 책봉하지 않은 생모 김씨를 왕태후로 높일 수는 없었을 것이다. 결국 의명왕태후는 효공왕의 생모 김씨가 아니라 헌강왕의 정식 왕비 의명왕후를 서자인 효공왕이 즉위 후에 높인 칭호라고 봄이 옳다.[56]

그러면 왜 의명왕후에 대한 왕태후로 책봉 절차를 거쳤을까? 기존의 연구에서는 태후에 관한 기록에 대해서 흔히 생각하기에 아버지로부터 왕위를 계승하지 않은 국왕이 즉위 직후에 원래 왕비가 아니었던 어머니를 책봉한 경우에는 『삼국사기』에 태후로의 책봉기사가 남았고, 부왕을 이어 즉위한 국왕의 어머니로서 원래 선왕의 왕비인 경우에는 책봉기사가 없는 것으로 보려고 이해하면서, 의명왕태후를 헌강왕의 정비인

---

55) 조선시대 光海君의 어머니 恭嬪 金氏, 英祖의 어머니 淑嬪 崔氏, 正祖의 어머니 惠嬪 洪氏, 純祖의 어머니 綏嬪 朴氏에서 보듯이, 이들은 비록 남편이 왕이고 그녀가 낳은 아들이 실제 왕으로 즉위하였음에도 왕비로 봉해지지 못하고 오로지 先代王이 봉해준 후궁의 칭호를 가졌다. 즉 그녀 소생으로 왕이 된 아들은 아버지가 왕비로 봉하지 않은 어머니에게 왕비 칭호를 올리지 못했을 뿐만 아니라 왕태후라는 호칭도 올리지 못했다. 다만 광해군이 즉위후 宣祖의 후궁이었던 어머니 공빈 김씨를 慈淑端仁恭聖王后로 추봉했으나, 인조반정 이후 예법에 어긋난다 하여 삭탈되고 본래대로 되돌려졌다. 그러나 효공왕 생모의 경우는 신라 말의 쇠락한 왕권에서 효공왕이 무리하게 책봉하지도 않은 듯하며, 더구나 효공왕 생모의 배후에 그리 큰 세력이 있었던 것도 아니다.

56) 고구려 山上王과 酒桶村 출신의 小后에게서 태어나 즉위한 東川王도 즉위 후 산상왕의 정비인 于氏를 왕태후로 책봉하였듯이(『삼국사기』 권17, 동천왕 원년 및 2년 참조), 후대에도 후비 소생으로 즉위한 왕들이 선대 왕의 정비를 太后 또는 大妃로 봉한 경우가 있다. 한편 필자가 일찍이 박사논문과 연구저서 『신라 하대 왕위계승 연구』에서 효공왕의 생모와 의명왕태후는 서로 다른 존재라고 보면서도(김창겸, 2003, 앞의 책, 74쪽, 388~389쪽), 서술의 편의상 효공왕 어머니의 이름을 의명왕태후라고 했으나(74쪽), 이것은 엄밀하게는 오해의 소지가 있는 잘못된 표현이다. 그리고 전기웅도 이문기의 주장을 논박하면서 요는 즉위 후에 생모를 대신하여 헌강왕의 정비인 의명왕후를 의명왕태후로 존호한 것이라 하였다(전기웅, 2006, 앞의 논문, 55쪽).

의명왕후로 비정하게 되면, 위에서 살핀 두 유형의 태후와 어느 쪽도 일치하지 않는 지극히 이례적인 사례이기에 정비 의명왕후가 아니라고 보았다.[57]

그러나 이것은 이례적인 것이기는 하나, 비정상적인 것이 아니다. 효공왕이 아버지 헌강왕이 죽고 바로 뒤이어 즉위한 것이 아니라 헌강왕의 아우인 정강왕·진성여왕 2대를 지난 뒤에 왕위에 올랐다. 그러기에 정강왕과 진성여왕대에는 헌강왕의 왕비는 이들의 형수이므로 어머니의 관계인 태후에 봉해질 수가 없다. 그러나 효공왕의 경우에는 사정이 달랐다. 의명왕후는 헌강왕의 정비이기는 하나 효공왕의 생모가 아니기에, 효공왕은 즉위 후에 의명왕후에 대한 예우의 절차로써 태후로 책봉의례를 거쳐 새로운 왕실로서 면모를 갖출 필요가 있었던 것이다.

그러면 효공왕 생모의 가계는 어떠한가? 그녀는 헌강왕이 사냥을 나갔다가 야합을 하여 효공왕을 낳았다. 그렇지만 효공왕은 처음에는 밖에서 성장하다가, 진성여왕이 그 아이의 소식을 듣고 궐내로 불러들여 太子로 책봉하였다고 하였다. 그러므로 아마 헌강왕이 말년에 그녀와 성관계를 맺었고, 헌강왕은 임신조차 모르고 죽었거나, 혹은 생모가 헌강왕이 죽기 전에 효공왕을 출산하였음에도 헌강왕에게 알리지 못할 정도로 당시 정치적 사정이 복잡했기 때문일 수도 있지만, 이에 더하여 그녀의 집안이 미미하여 왕실에 접근할 수 없었음에 더 큰 이유가 있었던 것 같다. 효공왕 생모는 비록 김씨라고는 하나 미미한 가계였을 것이다.

그러므로 효공왕의 생모가 단지 김씨라는 것만으로 반드시 진골 신분이라고 단장하는 것은 무리라고 생각한다. 왜냐하면 『삼국사기』를 비롯한 기록에 당시 김씨 성으로 표기된 자라도 신분은 개인마다 달랐을 것이다. 아마 일부 김씨는 왕족이거나 또는 진골에 해당한다고 볼 수도 있지만, 한편에서는 6두품도 있을 수 있고, 아니면 新金氏라 칭해졌던

---

57) 이문기, 2007a, 앞의 논문, 151~152쪽.

金庾信家 또는 加耶系 후손의 인물들, 혹은 또다른 계통의 김씨도 있었을 것이다. 심지어는 김씨라도 이미 가세가 쇠락하거나 거주지를 王京 밖으로 이주한 경우에는 신분이 낮아져 반드시 진골 신분을 유지했다고 보기는 어렵다. 그렇다면 효공왕의 생모가 비록 김씨라고 해도, 가계를 밝히지 못할 정도의 집안 배경을 가졌다면 진골 신분이라고 보기는 어렵다고 생각한다.

결국 효공왕의 생모는 비록 김씨라고는 하나 왕족도 진골귀족도 아니었고 집안이 미미하여[58] 요를 낳고도 공개하지 못하고 궁궐 밖에서 키워야만 할 형편이었다.[59] 그래서 효공왕은 즉위후 생모가 아니라 헌강왕의 정식 왕비인 의명왕후를 의명왕태후로 책봉하였다.[60]

Ⅳ. 효공왕의 즉위와 非眞骨 왕의 등장

경문왕이 죽은 뒤 그의 맏아들 헌강왕이 왕위를 계승하였다. 그러나

---

58) 이와 달리 이문기는 효공왕의 생모 김씨를 영락한 진골 귀족 가문 출신으로 보았지만(이문기, 2005, 앞의 논문, 150쪽 ; 이문기, 2007a, 앞의 논문, 159쪽 ; 이문기, 2007b, 앞의 논문, 177~178쪽), 이는 최치원이 지은 찬문의 왕비 김씨와 의명왕태후를 효공왕의 생모와 동일인으로 보려는 잘못이다.

59) 효공왕 생모의 신분이 이러한 까닭에, 설령 그녀가 의명왕태후로 책봉되었다 할지라도 진골이 아니라고 본다(김창겸, 2003, 앞의 책, 389쪽).

60) 효공왕 즉위후 진성여왕이 上王으로 존재했기에, 의명왕태후는 정치적 역할이 배제되었고 불국사에서 생활한 듯하다. 특히 생모 김씨의 존재와 역할이 궁금하지만 현재로서는 알 수 없다. 혹시 요의 태자책봉보다 앞서 생모의 죽음, 또는 생모와 관련한 그 어떤 사건을 계기로 요의 존재가 궁궐에 알려졌고, 그리하여 진성여왕이 요를 입궁시킨 것은 아닐까? 한편 전기웅은 '乂謙이 민간에 묻혀 있었던 요를 찾아 궁실로 데리고 와서 태자의 책봉을 얻고 진성여왕의 선양을 받아 요가 왕위를 계승한 것은 예겸의 세력이 작용한 탓'이라 하였다(전기웅, 2005, 앞의 논문, 77쪽 ; 전기웅, 2006, 앞의 논문, 56쪽).

헌강왕이 죽자 이번에는 아우 정강왕이 왕위를 이었다. 그렇지만 정강
왕 역시 아들이 없이 죽자 여동생 진성여왕이 즉위하였다. 그리고 진성
여왕은 얼마 뒤 헌강왕의 아들인, 조카 효공왕에게 선위하였다.

신라의 신분제도인 골품제가 비록 하대에 이르러 정치사회의 동요와
함께 부분적으로는 붕괴되고 있었지만,[61] 왕위계승과 왕실 혼인에서는
여전히 그 기능을 작용하고 있었다.

신라의 정통적인 골품제 규정에 따르면 왕위를 이어갈 진골의 자식
을 얻기 위하여 진골녀를 왕비로 취하여야 한다.

> H. 그 나라의 관제는 (왕의) 親屬으로 윗 관직을 삼으며, 그 族名은 第一骨
> 과 第二骨로 자연히 구분된다. 兄弟의 女와 姑姨從姉妹를 모두 아내로
> 맞아들일 수 있다. 王族은 第一骨이고, 아내도 역시 그 族이면 자식을
> 낳으면 모두 第一骨이 된다. 第二骨의 女에게 장가들지 않으며 비록 娶
> 하여도 언제나 妾媵으로 삼는다. 관리로는 宰相, 侍中, 司農卿, 太府令
> 등 모두 17등급이 있는데 第二骨이 이것을 얻는다.[62]

일반적으로 여기서 第一骨은 신라의 왕족인 眞骨을 말하는 것으로
이해한다. 그러므로 진골은 진골과 혼인함을 원칙으로 하여 第二骨과
는[63] 혼인하지 않는다고 하였으니, 즉 골품제에서 신분의 유지와 획득

---

61) 신라 하대 왕위계승에서 골품제의 기능 소멸은 김창겸, 1993, 앞의 논문 ;
김창겸, 1999, 앞의 논문 ; 김창겸, 2003, 앞의 책 ; 김창겸, 2004, 「신라국왕의
황제적 지위」『신라사학보』 2 등을 참조하기 바란다.

62) 『신당서』 권220, 신라전.

63) 第二骨의 실체는 六頭品을 가리킨다는 견해(今西龍, 앞의 책, 215쪽)와 6·5·4
頭品을 아울러 말한 것이라는 견해(이기백, 1974, 「신라육두품연구」『신라
정치사회사연구』, 일조각, 36~37쪽), 그리고 『신당서』의 "王姓金氏貴姓朴氏"
을 고려하면 朴氏姓일 것이라는 견해(이기동, 1975, 「신라 중고시대 혈연집
단의 특질에 관한 제문제」『진단학보』 40 ; 1980, 앞의 책, 96쪽) 등이 있다
(제1골과 제2골의 신분비정에 관한 제 견해에 대해서는 최재석, 1986, 「신

을 위하여 骨分內婚하였음을 알 수 있다. 다시 말하면 진골은 진골대로
그들의 혼인법칙을 준수하여 近親婚 혹은 族內婚을 하였을 것이다. 그
렇다면 진골남이 진골녀와 혼인을 할 때 그 사이의 자식이 진골 신분이
되는 것이지, 여타 신분과의 혼인에 의하여 출생한 자식은 族降되었을
것임은 쉽게 짐작이 가능하다.[64]

앞에서 언급하였듯이 효공왕의 생모는 진골이 아니었다. 그래서 골
품제 원리에서 진골이 아닌 그녀가 낳은 아들인 효공왕 또한 진골이 될
수 없다.[65] 다시 말해 비진골녀에게서 태어난 요는 비록 왕의 아들이라
왕족이기는 하나 골품제 규정을 적용한다면 진골이 되지 못하고 보다
낮은 신분이 되어야 한다.[66]

I. 겨울 10월에 憲康王의 庶子 嶢를 세워 太子로 삼았다. 처음에 헌강왕이
   觀獵하다가 지나가는 길옆에서 한 여자가 아름다움을 보고 왕이 마음속
   으로 사랑하여 뒷수레에 태워 행궁에 이르러 야합을 하였는데 곧 임신을
   하여 아들을 낳았다. 그가 성장하매 체격이 크고 용모가 뛰어났으며 이름

라시대의 골품제도」『동방학지』 53, 77쪽 「표 3」 참조).

64) 이종욱, 「신라시대의 진골」『동아연구』 6, 1985, 261쪽.

65) 김창겸, 1993, 앞의 논문 ; 김창겸 1999, 「신라 하대 효공왕의 즉위와 비진골
    왕의 왕위계승」『사학연구』 58·59, ; 김창겸, 2003, 앞의 책 ; 김기흥, 2001, 「신
    라 처용설화의 역사적 진실」『역사교육』 80. 심지어 李鍾恒은 경문왕이 진
    골이 아니라서 그 후손인 헌강왕·정강왕·진성여왕·효공왕도 진골이 아니
    며, 더구나 효공왕은 경문왕이나 진성여왕보다도 그 골품에 있어서 명백
    하게 적어도 한 단계 낮은 자라고 보았다(이종항, 1975, 「신라의 하대에 있
    어서의 왕종의 절멸에 대하여」『법사학연구』 2, 195~203쪽).

66) 그래서 효공왕이 6두품이며 처용설화의 주인공이라는 주장도 있다(김기
    흥, 2001, 앞의 논문). 한편 처용의 실체를 울산지방 호족의 자제(이우성,
    1969, 앞의 논문), 이슬람 상인(이용범, 1969, 「처용설화의 일고찰」『진단학
    보』 32), 화랑도 조직의 구성 인물(전기웅, 2005, 앞의 논문), 文元(처용)과
    乂謙(역신)(박인희, 2004, 「처용의 실체와 처용가」『어문연구』 124) 등으로
    비정하는 다양한 견해가 있다.

을 嶢라 하였다. 진성여왕이 듣고 궁내로 불러 손으로 그의 등을 어루만
지며 말하기를 "나의 형제자매의 骨法은 다른 사람과 다르다. 이 아이의
등에 두 뼈가 솟았으니 진실로 헌강왕의 아들이다." 하고, 有司에 명하여
예를 갖추어 높이 봉하였다.[67]

위의 인용문 I에서 보듯, 요는 비록 헌강왕의 아들이기는 하나 서자
였다. 더구나 앞에서도 누누이 언급했듯이, 생모의 신분은 미미하였으
며 헌강왕과는 정식 혼인이 아니라 야합으로 맺어졌다. 그러므로 효공
왕의 신분은 이 당시 골품제 원칙이 지켜졌다면 진골이 될 수 없다. 진
골은 진골녀와 혼인하여 그 사이에서 출생한 자식이라야 진골 신분을
갖는 것이다. 진골 신분의 획득은 기본적으로 출생에 의하였다. 부모 모
두가 진골이면 그 자식은 진골 신분을 갖게 되고, 그 부모의 신분이 다
른 경우에는 변화가 있었다. 진골 남자의 아들이라도 서자일 때에는 그
들의 어머니를 기준으로 하여 신분이 낮아질 수도 있었다.[68] 그러므로
요의 경우는 비록 아버지 헌강왕이 진골 왕족이라고 할지언정 미미한
여자 어머니 사이에서 태어났기에 진골 왕족일 수가 없다.[69]

더구나 효공왕은 헌강왕의 생존시에 아들로 인정되지 못했다. 그러
다가 진성여왕대에 이르러 요가 헌강왕의 아들이라는 소문을 들은 여왕
이 그를 宮內로 불러들여 骨法을 운운하여 헌강왕의 아들로 인정하고[70]
나아가서는 태자로 책봉하였다.

여기서 특이한 점은 요가 진골 왕족이 아님에도 태자에 책봉되었으

---

67) 『삼국사기』 권11, 진성여왕 9년.
68) 이종욱, 1985, 앞의 논문, 252쪽 및 261쪽.
69) 이종욱, 1990, 「신라하대의 골품제와 왕경인의 주거」『신라문화』 7, 174쪽.
70) 한편 이문기는 「納旌節表」에서 헌강왕이 죽고 정강왕이 즉위할 때 嶢의
   나이가 周晬(첫돌)가 되지 않았음을 언급한 것을 이유로, 이 표가 작성된
   것으로 추정되는 897년(진성여왕 7) 당시에 신라왕실이 요의 존재를 인지
   하고 있었음을 의미한다(이문기, 2007, 앞의 논문, 162~163쪽)고 보았다.

며, 마침내 진성여왕은 재위 11년에 요(효공왕)에게 禪位한 사실이다.

J. 여름 6월에 왕이 左右에게 말하기를 "근년 이래로 백성이 곤궁하고 도적
　이 봉기하는데 이는 나의 부덕한 까닭이다. 어진 자에게 임금 자리를 넘
　겨주려는 나의 뜻이 결정되었다."하고 太子 嶢에게 禪位하였다. 이때 사
　신을 唐에 보내어 표로 아뢰기를 "臣 某는 알린다. 羲仲의 官(堯時의 東
　方을 관장하는 日官)에 있는 것은 나의 본분이 아니다. 延陵의 節을 지키
　는 것이 신의 좋은 방도이다. 臣의 姪男 嶢는 신의 죽은 형 晸의 자식으
　로 나이가 거의 志學(15세)이고 그 바탕은 가히 조종을 일으킬 만하기에
　달리 밖에서 구하지 않고 안에서 천거하여 근래 이미 나라의 일을 임시
　로 맡겨서 국가의 재앙을 진정하려 하고 있다." 하였다.[71]

이처럼 진성여왕은 자신이 태자로 책봉하여 왕위계승자로 정해 두었
던 요(효공왕)의 나이가 志學이 됨에 선위하였다.[72] 이것은 요가 헌강왕
의 아들이기에 태자로 책봉하여 임시로 國事를 처리케 하여 왕으로서
소양을 갖추게 한 다음 선위한 것이다.

이것은 이미 신라의 골품제가 왕위계승상의 기능을 하지 못하였음을
말해주는 것이라 하겠다. 만약 골품제의 원칙이 지켜졌다면 그는 절대
로 왕위를 계승할 수가 없었다.[73]

---

71) 『삼국사기』 권11, 진성왕 11년.
72) 또한 최치원이 쓴 「양위표」에서도 "즉위시 나이가 지학에 가깝고 재기는
　종실을 일으킬만하다"(최영성, 1999, 『역주최치원전집』 2, 아세아문화사,
　102쪽)고 하였는데, 志學이란 15세를 의미한다. 한편 「납정절표」에는 헌강
　왕이 죽은 光啓 3년 7월 5일에 요의 나이가 첫돌이 되지 못하였다고 하였
　다. 그러므로 여기서 요의 나이가 지학이라는 것은 꼭 15세라는 것이 아니
　라 여기에 가깝다는 뜻이다. 더구나 『증보문헌비고』 권42, 帝系考3 儲嗣에
　는 효공왕의 즉위시 나이를 11세라고 하였다.
73) 池內宏, 1941, 「新羅の骨品と王統」 『東洋學報』 28-3, 355쪽.

그리고 아울러 후계자를 밖에서 구하지 않고 안에서 천거하였다는[74] 말은 바로 경문왕 직계의 진골 남자가 소멸되어 다른 가계의 남자 진골 왕족을 세워야 하지만 그렇게 하지 않고 안에서, 즉 헌강왕의 서자를 천거하여 이미 國事를 임시로 맡긴 상태임을 설명하는 것이다. 사실 이 당시 진골신분은 거의 소멸되고 별로 없었던 모양이다. 진골이 아닌 요를 태자로 책봉하여도 이에 반대하는 세력이나 인물에 대한 기록의 언급이 전혀 없고, 그들도 쉽게 용인하였던 것으로 추측된다. 물론 여기에는 진성여왕과 정치세력간에 타협과 묵계에 의한 모종의 정치적 합의가 있었겠지만,[75] 그럼에도 이러한 사실은 왕족 진골이 소멸되어 가고 있음을 보여주는 것이라고 하겠다.[76]

결국 효공왕의 신분은 진골이 아니었다. 그러면서도 효공왕이 즉위한 것은 오직 골법의 특이성이라는 왕실 혈통의 신성성만을 왕위계승의 충분한 요건으로 내세워, 진성여왕이 경문왕 직계 왕통의 연장과 유지를 위한 비상조치로써 조카계승을 성사시킨 것이다. 그리하여 경문왕의 男孫에 의한 왕위계승을 취하면서 이제는 골품제적 신분과는 무관하게, 최치원이 낭혜화상비에서 '聖而'라고 표현하였듯이, 즉 진골신분을 초월한 오직 왕족이라는 요건만으로 왕위계승이 이루어졌다. 그러므로 이것은 신라 하대 왕위계승에서 골품제 제한규정은 기능을 상실하고 실질적으로 소멸되었음을 의미한다.[77]

---

74) "竊以臣姪男嶢 是臣亡兄晸息. … 衆亦思賢 不假外求 爰從內擧 近已卑藩寄用靖國災"(『동문선』 권43).

75) 김창겸, 2003, 앞의 책, 394쪽.

76) 그 원인은 下代 前半期의 왕위쟁탈전에서 많은 진골세력이 도태되었고, 특히 王系가 변경되면서 새로이 등장한 王家는 王統의 독점적 유지를 위하여 더욱 王系를 세분화하면서 王族眞骨(聖而)의 범위는 협소해 졌다. 한편 이것에 더하여 왕통의 순수성을 유지하기 위한 王系 내의 近親婚은 유전학적 요인에 의하여 왕족의 단절과 극소수화를 초래하였을 것이다(이종항, 1975, 앞의 논문, 211~212쪽).

77) 김창겸, 1999b, 앞의 논문 : 앞의 책, 387~399쪽. 더구나 진성여왕대는 지방

한편 효공왕 또한 아들이 없이 죽었다. 그러자 神德王이 國人의 추대로 즉위하였다. 그런데 신덕왕은 성이 朴氏이므로,[78] 父系로는 孝恭王과 혈연적 관계가 없고, 다만 妃系로 妻男·妹夫 사이이다. 이러한 異姓親간의 왕위계승은 부자계승은 물론 골품제의 원칙을 완전히 무시한 것이다.[79] 신덕왕은 김씨도 아니고 진골도 아니다. 신덕왕이 헌강왕의 딸과 혼인하고 또 효공왕의 뒤를 이어 즉위한 것은, 이제는 신라의 왕위계승에 있어 골품제 규정이 기본요건으로서 기능을 상실하였음을 나타내는 것이다.[80]

그러므로 신라 말기에는 왕위계승에서 골품제 규정이 소멸된 상태에 이르렀다. 이것은 신라 중대에는 왕위계승과는 별다른 관련을 갖지는 못한 우월한 진골 귀족가문에서[81] 하대에 이르러 새로운 왕가로 등장한 원성왕계가 왕실로서 지위 상승을 위하여 皇族을 표방하는 등 황제 내

에서는 각지에 도적이 봉기하였고 甄萱은 후백제를 세웠고 弓裔 등이 등장하여 활동하면서 국가의 통치력이 지방에 미칠 수 없는 상황이라 신라의 골품제가 유지된 지역도 크게 줄었고 王都에서도 골품제가 제대로 유지되기 어려웠다(이종욱, 1990, 앞의 논문, 169~189쪽).

78) 박씨가 아니라 본래는 김씨라는 견해도 있다(권덕영, 2008, 「신라 하대 박씨세력의 동향과 '박씨왕가'」『한국고대사연구』49).

79) 김씨 효공왕에서 박씨 신덕왕으로의 왕통의 변화는 단순한 골품제상의 변질이라기 보다는 차라리 신라 골품제 국가의 실질적인 종말이다(이기동, 1980, 「신라 하대의 왕위계승과 정치과정」『역사학보』85 ; 1984, 앞의 책, 146쪽).

80)『삼국사기』권5, 진덕여왕 8년 3월의 "國人謂始祖赫居世至眞德二十八王 謂之聖骨 自武烈至末王 謂之眞骨"이라는 기사를 '시조 혁거세로부터 진덕왕까지 28왕은 성골이고, 무열왕부터 마지막 왕(경순왕)까지를 진골'이라 이해하고자 하나, 이는 실제와 다르다. 신라 골품제의 성립시기를 고려하면 시조 혁거세를 비롯한 상대의 왕들은 성골에 적용할 수가 없을 뿐만 아니라 말기의 박씨왕도 진골이라고 보기는 어렵다. 결국 필자는 신라 골품제에 의한 왕의 신분 구분은 중고 이후의 김씨왕들에게만 해당한다고 본다.

81) 김창겸, 2010, 「신라 원성왕의 선대와 혈연적 배경에 대한 재검토」『한국학논총』34, 403쪽.

지 황족의식을 가지면서 다른 진골귀족과 차별화를 꾀하고,[82] 자신들만
의 근친혼을 통하여 혈통의 신성화와 함께 협소화된 王家를 형성한 결
과였으며,[83] 결국에는 자손의 단절 현상으로 인하여, 마침내 효공왕의
왕위계승에서는 골품제 규정은 무시되고 오직 왕의 아들이라는 혈연적
요건만을 강조하게 되었다.

V. 맺음말

지금까지 살펴본 내용을 간단하게 정리하여 이 글을 마무리하겠다.

현전하는 자료에서 확인되는 헌강왕의 왕비와 여인으로는 의명왕후,
수원 권씨, 야합하여 요(효공왕)를 낳은 생모 김씨 등이 있었다.

이 중에서 효공왕의 생모는 왕족도 진골귀족도 아니었고 요를 낳고
도 공개하지 못하고 궁궐 밖에서 키워야할 형편이었다. 그래서 효공왕
은 즉위후 생모가 아니라 헌강왕의 정식 왕비인 의명왕후를 의명왕태후
로 책봉하였다.

신라 골품제의 원리에서 진골이 아닌 생모가 낳은 아들인 효공왕 또
한 진골이 아니었다. 그럼에도 효공왕이 즉위한 것은 오직 骨法의 특이
성이라는 왕실 혈통, 즉 오직 왕족이라는 신성성만을 내세워 비상조치
로써 이루어진 왕위계승이었다. 이것은 신라 하대 왕위계승에서 왕족이
라는 혈통의 신성성만 강조되고 골품제 규정은 기능을 상실하고 소멸되
었음을 의미한다.

결국 헌강왕의 야합으로 출생한 효공왕의 즉위는 신라 왕위계승에서
가장 중요하게 작용하였던 요인의 하나인 골품제 규정을 소멸시키는 중

---

82) 김창겸, 1999b, 「신라 원성왕계 왕의 황제·황족적 지위와 골품 초월화」『백
산학보』 52, 868쪽 : 2003, 앞의 책, 372쪽.
83) 김창겸, 2003, 앞의 책, 364쪽 및 372쪽.

요한 분기점이다. 그리고 이것은 골품제의 바탕 위에 존립하였던 신라 김씨왕조의 종말이었다.

제8장 효공왕의 즉위와 非眞骨 왕의 왕위계승

Ⅰ. 머리말

신라 하대 왕위계승은 혼란한 양상을 보였다. 왕위의 적장자·부자계승을 가장 이상적인 것으로 하였으나 때로는 후손의 斷絶 내지는 幼少, 정치적 이유 등으로 이 원칙이 지켜지지 못했고, 또 遺詔(顧命), 簒奪, 推戴로 직계자손이 아닌 인물이 즉위하는 경우도 있었다. 그리하여 여러 차례 왕통의 변화가 있었다.

그 하나가 제47대 헌안왕의 '無男子有女'를 이유로 사위인 膺廉(제48대 경문왕)이 왕위를 계승한 경우이다.[1] 이로써 이른바 경문왕계 왕통이 성립되었다. 하지만 이후 왕위계승상 경문왕계의 고수는 진성여왕과 庶子 출신인 효공왕의 즉위를 낳았고, 마침내 박씨왕으로 왕통이 넘어가면서 김씨왕조의 종말을 초래하였다.[2] 이 과정에서 즉위한 서자 출신 효공왕과 박씨 神德王은 골품제에 있어서 신분이 진골이 아니었다. 그리고 이러한 왕통의 변화는 단순한 골품제상의 변질이라기보다는 차라리 신라 골품제 국가의 실질적인 종말이라 할 수 있다.[3]

---

1) 『삼국사기』 권11, 헌안왕 5년 ; 『삼국유사』 권2, 기이2, 48景文大王.
2) 이 시기의 왕위계승과 정치세력에 대한 연구로는 다음과 같은 것이 있다. 井上秀雄, 1968, 「新羅朴氏王系の成立」 『朝鮮學報』 47 ; 이배용, 1985, 「신라 하대 왕위계승과 진성여왕」 『천관우선생환력기념 한국사학논총』 ; 전기웅, 1989, 「신라 하대말의 정치사회와 경문왕가」 『부산사학』 16 ; 전기웅, 1991, 「나말려초 정치사회사의 이해」 『역사고고학지』 7 ; 조범환, 1991, 「신라말 박씨왕의 등장과 그 정치적 성격」 『역사학보』 129.

이 글에서는 신라 하대 비진골 왕의 출현과 그 의의를 살펴보겠다. 특히 효공왕의 왕위계승이 가지고 있는 골품제상 전환기로서의 의미에 대하여 알아보고자 한다. 효공왕의 왕위계승과정을 검토하면서, 그의 신분이 비진골이었고, 또 효공왕 이후 왕들의 신분이 비진골이었음을 밝히겠다.[4] 그리하여 하대 후반기에 이르면, 신라 중대 이래 왕위계승에서 가장 중요하게 작용하였던 요인 중의 하나인 왕위계승자의 신분이 골품제상 진골이라야 한다는 요건이 기능을 상실하고, 오로지 왕족이라는 혈연요건과 당시 정치적 요인에 의하여 계승되었음을 고찰하고자 한다.

Ⅱ. 비진골 왕 출현의 前兆

비정상적 왕위계승을 통하여 신라 하대의 새로운 왕족으로 등장한 원성왕계는 종래 중대의 무열왕계 왕족에 대한 정리가 필요하였을 것이다. 원성왕계의 등장으로 이제는 재위중인 왕과의 혈연적 관계가 소원

---

3) 이기동, 1980, 「신라 하대의 왕위계승과 정치과정」『역사학보』 85 : 1984, 『신라골품제사회와 화랑도』, 일조각, 146쪽.

4) 『삼국사기』 권5, 진덕왕본기 말미의 "國人謂 始祖赫居世至眞德二十八王謂之聖骨 自武烈至末王謂之眞骨"과 『삼국사기』 권31, 年表 下의 "眞德王薨 太宗王春秋卽位元年 從此已下眞骨"과 『삼국유사』권1, 王曆, 제28 진덕여왕의 "已上中古聖骨 已下下古眞骨"에 의하면, 하대 말까지 모든 왕들이 진골인 것처럼 보인다. 그러나 이것은 좀더 살펴보아야 한다. 『삼국사기』에서 시조 혁거세부터 성골이라고 하였지만, 성골의 상한에 대해서는 혁거세왕대설, 법흥왕대설, 진평왕대설, 선덕왕대설, 무열왕대설 등 다양하여 현재로는 정설이 없고(전미희, 1997, 『신라 골품제의 성립과 운영』, 서강대학교 대학원 박사학위논문, 33쪽 주27), 그리고 신라의 골품제가 법제화된 것은 법흥왕대로 봄이 일반적이다. 한편 『삼국유사』 권1, 왕력, 지증마립간에서 "已上爲上古 已下爲中古"라 하여, 이것을 진덕여왕조에서 중고의 왕은 성골이라는 것과 연계하면 지증왕부터 진덕왕까지가 성골이라는 것이 된다. 그러므로 진골도 『삼국사기』에서 마지막 왕까지라고 하였으나, 이것은 구체적이지 못한 표현이라 하겠다.

해졌음에도 계속적으로 원성왕계의 왕족에 범금하는 정치사회적 지위를 고수하고자 하는 무열왕계 왕족에 대한 제재 조치가 불가피하였을 것이다.

원성왕은 즉위후 골품제상의 종전의 일반 진골 신분에서 격상되고 초월하려는 의도에서 先代를 추봉함과 아울러 五廟에 배위시키고 또 자신의 지위를 皇帝에 비견되는 지위로 상승시켜 중대 무열왕계 왕통과 차별화를 꾀하였다.[5] 특히 원성왕계는 822년(헌덕왕 14) 金憲昌의 난을 계기로 무열왕계에 대한 대대적인 숙청과 族降을 가해 이들을 왕족이 아니라 단순한 일반 귀족세력으로 약화 하락시켜 나간 듯하다. 또 흥덕왕은 834년(흥덕왕 9) 色服·車騎·器用·屋舍 등에 대한 골품제에 따른 제한규정을 발표하였다.[6] 이 반포의 주된 목표는 신분질서의 확립을 목적으로 변화된 골품제의 재정비를 통하여 사회기강을 바로 잡으면서, 국가체제를 확립하고 나아가 왕권의 안정을 기도하는데 있었기에,[7] 정치제도적으로는 중국 황제의 지위에 대응하는 초월적 존재로서 국왕의 창출에 있었다고[8] 한다.

하지만 흥덕왕의 개혁정치가 이미 무너져가는 골품제의 규정을 중대의 그것과 같이 재확립할 수는 없었다. 특히 비정상적으로 왕위계승한 왕들은 자신의 왕권을 확립 유지하기 위하여 중요 관직을 측근들로 보임케 함과, 아울러 다른 관직에도 적극 협조자들을 임명함으로써 골품제의 괸등 규정에 따른 관직 수여는 점차 무시되어 갔다. 더욱이 찬탈에 의한 즉위에 있어서는 골품제의 신분 규제와는 별개로 정치적 타협이 이루어졌을 것이다.

신무왕은 중앙에서 정치군사적으로 열세여서 부득이 서남지역 淸海

5) 김창겸, 1997, 「신라 '명주군왕'고」『성대사림』 12·13합집, 36~41쪽.
6)『삼국사기』권33, 車服과 屋舍 참조.
7) 주보돈, 1984, 「신라시대의 연좌제」,『대구사학』25, 46쪽.
8) 武田幸男, 1975, 「新羅骨品制の再檢討」『東洋文化硏究所紀要』67, 東京大, 116~136쪽, 207~210쪽.

鎭의 張保皐에게 망명하였고, 드디어는 그의 군사력을 지원받아 왕으로 즉위할 수 있었다. 그런데 문성왕대에 張保皐(弓巴·弓福)의 피살사건이 있었다. 이 사건은 장보고가 그의 딸을 왕비로 취하기로 한 약조가 지켜지지 않음을 원망하여 叛亂을 도모한 것이 이유가 되었다고 한다.[9] 여기서 유의할 점은 당시 중앙 朝臣들이 장보고 딸의 納妃를 반대한 이유로 그의 신분이 海島人으로 側微함을 내세웠다는 사실이다. 물론 이러한 반대에는 정치적 이해관계도 작용하였지만, 이것은 당시 골품제가 비록 부분적으로 붕괴되고 있었으나 왕위계승과 왕실혼인에서는 그 기능을 작용하고 있었음을 보여주는 것이다. 만약에 정통적인 골품제의 규정에 따르면 왕위를 이어갈 진골의 아들을 얻기 위해서는 진골여자를 왕비로 취해야만 하였다.[10] 그럼에도 진골은 물론 두품체제에조차 속하지 못하는 신분인 장보고의 딸을 왕비로 취하려 하였다는 것은 문성왕 스스로가 정통적인 골품제에 의한 혼인 규정을 무시하고 있음을 보여주는 것이라 하겠다.

이보다 앞서, 신무왕이 즉위직후 행한 論功行賞에서 장보고를 感義軍使와 食實封 2,000戶에 봉하고 또 이른바 宰相으로 삼았다고 하며,[11] 문성왕의 즉위시에는 鎭海將軍의 관직과 章服을 주는 등[12] 이미 장보고에게는 골품제의 규정을 예외로 하는 관직과 대우를 하였다. 그리고 이

---

9) 『삼국사기』 권11, 문성왕 7년 3월, 8년 봄 ; 『삼국유사』 권2, 기이2, 神武大王 閻長弓巴 참조. 그 시기와 왕에 대해서는 신무왕과 문성왕으로 차이가 있으나, 『삼국사기』의 기사가 더 신빙성이 있으므로 문성왕대의 사건으로 봄이 옳다(김상기, 1948, 「고대의 무역형태와 나말의 해상발전에 대하여」 『동방교류사논고』, 을유문화사, 36쪽). 또 장보고의 피살시기에 대해서도 841년설과 846년설이 있으나 전자가 옳은 듯하다.
10) 중대 신문왕, 성덕왕, 경덕왕, 혜공왕은 아들을 얻고자 진골 여자를 둘째 왕비로 취했다.
11) 『삼국사기』 권10, 신무왕 즉위조, 권44, 장보고열전 ; 『신당서』 권220, 동이전 신라 참조.
12) 『삼국사기』 권11, 문성왕 즉위조.

제는 그의 딸을 왕비로 취하려 하자 중앙의 귀족들은 골품제의 규정을 원용하여 반대하고 있다.[13] 다시 말하면 이 사건은 당시 정치적 갈등이 개재되어 있기는 하였지만, 종래 골품제적 신분체제를 지속시키려는 기득권을 가진 중앙의 진골귀족층과 이것을 부인하려는 새로이 등장한 지방세력가 사이에 있었던 갈등의 표출이었다.

결국 장보고 딸의 納妃는 중앙 진골귀족들의 반대로 실패하였지만, 이 자체가 골품제의 동요를 의미하는 것으로써 이미 골품제의 기본 성격이 변질되고 있음을 반영한 것이며,[14] 벌써 골품제가 붕괴과정에 접어든 것임을[15] 알 수 있다.

제48대 경문왕의 즉위는 특정 소가계 王家의 진골 신분 남자가 절멸된 양상을 보여주는 한 사례이다. 신무왕의 찬탈로 균정계 왕통이 성립되었지만, 뒤이은 문성왕의 태자가 일찍 죽음으로 인하여 부득이 왕위를 숙부 헌안왕에게로 계승시켰다. 그러나 헌안왕 역시 왕위를 이을 아들이 없어 부계에 의한 남자의 계승은 불가능해 졌다. 이 경우 신라 중고기에는 '聖骨男盡'을 이유로 여왕이 즉위하였다. 만약 헌안왕도 본인의 말처럼 이 원칙을 준용한다면 딸에게 왕위를 계승시켜야 한다. 하지만 신라 중대 이래 왕위의 부자계승이 확립되었다. 부자계승이 어려운 경우라 하더라도 반드시 왕위는 부계친의 남자계승이 원칙이었다. 이에 헌안왕은 아들 또는 형제에게 계승케 함이 원칙이나 이것이 불가능한 까닭에 중고기의 善德·眞德女王의 故事에 의거하여 딸이 계승할 수도 있다고 하면서도, 그러나 약 150여년 전에 중국에서 있었던 牝朝(則天武后期, 684~705)의 폐해를 이해한 신라 지배계층에 일반화된 유교적인 관점에서, 이것을 거부하고 남자계승의 원칙을 적용하여 부득이 사위(女

---

13) 이영택, 1979, 「장보고 해상세력에 관한 고찰」 『한국해양대학논문집』 14, 70쪽.
14) 주보돈, 앞의 논문, 46쪽.
15) 김상기, 앞의 논문, 37쪽.

壻)이면서 부계친의 再從孫 응렴(경문왕)에게 계승케 하였다.[16] 이것은 비록 큰 범주에서는 원성왕계 내 예영계로 同姓親繼承이기는 하나, 정상적인 왕위계승에 있어서 중대 이후 확립된 父系親男系繼承의 원칙을 무시한 조치이다. 그리고 이것은 곧 중고기에 행하여진 골품제 규정에 의거한 왕위계승의 변형적인 현상이다. 그리하여 신라의 골품제가 제정된 뒤로는 행해지지 않았던 왕위의 女壻繼承이 다시 등장하게 되었다. 이것은 헌안왕이 左右에게 특별히 부탁하였듯이 왕위쟁탈전의 재발을 방지하고 좀더 큰 범주의 예영계 내에서나마 왕통을 지속적으로 유지시키려는 정치적 배려에 의하여 나타난 하대 왕위계승에서의 특수한 현상이다.[17]

헌안왕의 응렴에 대한 비상조치를 통한 왕위계승으로 이른바 경문왕계가 성립되었다. 경문왕도 즉위 초에는 다른 진골귀족들의 도전을 받았으나 진압과 凡元聖王系의 결속,[18] 제도의 개혁,[19] 황룡사9층탑 중수와 願塔의 조영,[20] 유학 지식인의 등용,[21] 불교세력과 제휴를[22] 꾀하면서, 한편으로는 少昊金天氏 후손이라는 신성족의식을 내세워 기존의 왕실 내지 여타 김씨와의 차별성을 강조하는[23] 등 왕권과 왕통의 확립을

16) 『삼국사기』 권11, 헌안왕 5년 정월.
17) 한편 경문왕이 眞骨이 아니라는 견해도 있으나(이종항, 1975, 「신라의 하대에 있어서의 왕종의 절멸에 대하여」『법사학연구』 2), 아직 신라의 골품제가 완전히 소멸되지 않았고, 또 그의 아버지 啓明이 僖康王의 아들이고 어머니가 神武王의 딸로 6촌 남매간의 근친혼에 의해 출생한 경문왕 역시 예영계 왕족이므로 진골로 보아야 한다.
18) 김창겸, 1988, 「신라 경문왕대 '수조지사'의 정치사적 고찰」『계촌민병하교수정년기념 사학논총』.
19) 이기동, 1984, 「신라 하대의 왕위계승과 정치과정」, 앞의 책.
20) 정원경, 1984, 「신라 경문왕대 원탑건립」『연보』 5, 부산시립박물관.
21) 전미희, 1969, 「신라 경문왕·헌강왕대의 '능관인' 등용정책과 국학」『동아연구』 17.
22) 조범환, 1999, 「신라하대 경문왕대의 불교정책」『신라문화』 16, 29~44쪽.
23) 이문기, 1999, 「신라 김씨 왕실의 소호금천씨 출자 관념의 표방과 그 변화」

위해 노력하였다. 그러나 이러한 노력에도 불구하고 또 한번 왕통의 절
멸이라는 위기를 맞았다. 경문왕의 사후 아들 憲康王이 즉위하였다. 헌
강왕은 적합한 嗣子를 두지 못하고 죽자 아우 정강왕이 계승하였다. 하
지만 정강왕 역시 재위 1년만에 죽었다. 그리하여 경문왕의 후손으로서
진골남자는 절멸되었다. 이에 어쩔 수 없이 정강왕의 女弟 曼(진성여왕)
이 왕위를 계승하였다[24]

　정강왕의 遺詔에 의하면 그에게 嗣子가 없어 신라 중고기에 선덕·진
덕여왕의 故事에 따라 누이 曼이 왕위를 계승토록 하라고 하였다. 이것
은 앞에서 살펴본 경문왕의 즉위과정과는 정반대적인 내용이다. 즉 경
문왕계의 男孫이 절멸되는 위기에 이르자 왕통의 유지를 위하여 여왕의
옹립이라는 비상수단을 강구하고 있다. 이것은 신라 골품제적 왕위계승
법의 부활을 추구하는 것이기는 하나 반드시 진골이라는 것만으로 왕위
계승자가 결정된 것은 아니다. 정강왕은 유조에서 여제에게 왕위를 계
승시키면서 그녀의 骨法을 강조하고 있다. 그런데 여기서 골법이 丈夫
와 같다고 한 것은 骨格·骨相이 건강한 남자와 비슷하다는 뜻이지 신분
이 진골이라는 의미는 아니다. 이처럼 정강왕이 진성여왕의 신체적 특
성을 강조하면서 侍中 俊興에게 고명함은 상당한 정치적 배려를 염두에
둔 것이다. 앞서 있었던 헌안왕과 경문왕의 왕위계승에 준하면 당시 왕
위계승할 자격이 있는 남자로는 숙부 魏弘을 비롯하여, 헌강왕의 사위
인 同姓親 金孝宗(경순왕의 아버지)과 異姓親 朴景暉(신덕왕)와, 아직까
지 알려지지 않은 상태인 헌강왕의 庶子 嶢가 있었다. 그럼에도 군이 누
이 曼에게 계승시킨 것은 경문왕계의 왕통을 고수 유지하려는 강한 집
착을 보여주는 것이다.

　결국 여제 曼이 왕위계승자로 선택된 것은, 비록 여자이지만 혈통이
경문왕계이고, 이에 더하여 정강왕과 같은 行列의 인물로서 진골 신분

『역사교육논집』 23·24합집, 678쪽.
24) 『삼국사기』 권11, 정강왕 2년 5월.

의 왕족이기에 결정된 것이라 하겠다. 진성여왕의 왕위계승은 경문왕계
가 直系父系親의 계승으로 왕위를 독점화하면서 여제라도 내세워 王種
임을 강조하여 왕위계승을 시켜 왕통의 연장을 통한 경문왕계의 고착화
를 꾀한 것이었다.25) 그러나 이러한 여왕의 즉위는 오히려 중대 이후 확
립된 父系親 男孫의 왕위계승원칙을 무너뜨린 것으로서, 중고기의 왕위
계승을 모방한 하대의 왕위계승에서 있었던 하나의 특수 현상이었고,
그 결과 경문왕계 왕통의 단절을 가져왔다.

Ⅲ. 효공왕의 즉위와 신분

1. 효공왕의 즉위배경과 과정

진성여왕은 즉위초에는 숙부 魏弘의 보좌를 받아 국정을 운영하였
다. 그러나 888년(진성여왕 2) 2월 위홍이 죽은 뒤로는 정치가 극도로 문

---

25) 진성여왕의 즉위는 헌강왕계 왕통을 유지하기 위해서 경문왕의 親弟인 魏
    弘의 즉위를 막고 헌강왕의 庶子 嶢가 성장할 동안 진성여왕을 내세워 왕
    위를 지키기 위한 과도적 임시방편의 역할이었고, 그리하여 진성여왕의
    즉위후 위홍은 정강왕대 누렸던 세력을 만회하기 위하여 여왕에게 접근하
    여 남편이 되었을 것이라는 추측과(이배용, 앞의 논문, 350쪽), 정강왕과 진
    성여왕의 즉위는 임시적인 것으로서 헌강왕의 유일한 嗣子인 嶢가 왕권을
    행사할 수 있는 일정한 연령이 될 때까지 과도체제로 나라를 이끌어 가겠
    다는 유형·무형의 합의가 있었기에 가능했을 것이라는 추측이 있다(최영
    성, 1999, 『역주최치원전집』 2, 고운문집, 아세아문화사, 102쪽 주 88), 그러
    나 진성여왕의 즉위시에는 요의 존재가 왕실에 알려지지 않은 상태였으므
    로, 이것은 왕위계승상 나타난 결과를 가지고 원인 배경으로 연결시킨 무
    리한 추론이라 하겠다. 오히려 왕위계승원칙상 부자계승이 불가능하면 형
    제계승을, 그것마저 어려우면 숙부계승함이 순서이기에 숙부 魏弘보다는
    여제 진성여왕이 먼저 유조를 받았던 것으로 봄이 옳을 듯하다, 그리고 이
    것을 인정한 위홍은 진성여왕의 즉위 후 攝政者的 역할을 한 듯하다.

란해졌다. 진성여왕은 崔致遠의 時務十餘條 가납, 불교사상의 원용, 왕실의 신성화 추구, 화랑도의 이용 등을 통하여 왕과 왕실의 권위회복에 노력하였으나 큰 효과를 보지 못했다. 오히려 조세 독촉으로 인한 농민반란의 발생, 梁吉·箕萱·甄萱·弓裔 등의 봉기와 신라영토 침탈 등으로 헤어날 수 없는 국면을 맞이하였다.

이러한 상황에서 진성여왕은 거의 말년에 가까운 895년(진성여왕 9) 10월 母兄인 헌강왕의 서자 嶢를 태자로 책봉하였다.[26] 요를 경문왕계 왕족의 일원으로 인식하게 된 것은 진성여왕대 이르러서이다. 만약 헌강왕과 정강왕이 생전에 요의 존재를 알았다면 그때 태자로 책봉하였을 것이다. 설령 태자책봉이 왕위계승자를 의미하는 것이므로 너무 어린 요에게 왕위를 물려줄 수가 없어 책봉치 않은 까닭에 진성여왕이 대신 즉위하였다면 그녀는 즉위 직후에 곧 요를 태자책봉하였을 것이다. 그런데 사실은 그렇지 않고 895년(진성여왕 9)에 이르러서야 태자책봉이 이루어진 것은 바로 직전에 요의 존재가 확인되었기 때문이라고 보아야 하겠다.

그러면 우선 진성여왕이 헌강왕의 서자 요를 태자로 책봉하고 그에게 선위한 이유와 배경부터 살펴보자. 신라시대 왕위계승에서 가장 중요한 요건으로는 전왕과의 혈연적 관계(친족관계) 및 골품제적 신분과, 더불어 당시의 정치적 요인을 들 수 있다, 그러므로 효공왕의 경우도 혈연적 요건부터 살펴볼 필요가 있다.

효공왕의 가계를 살펴보면 다음과 같다. 효공왕은 전왕인 진성여왕의 姪男이다. 그러므로 효공왕의 아버지는 헌강왕이고,[27] 할아버지는 경문왕, 증조는 啓明, 고조는 憲貞, 5대조는 禮英, 6대조는 원성왕이다. 결국 효공왕의 부계는 원성왕계의 예영계 내 헌정계이며, 나아가 좁게는 경문왕계의 헌강왕가이다.

---

26) 『삼국사기』 권11, 진성여왕 9년.
27) 『삼국사기』 권12, 효공왕 즉위조 ; 『삼국유사』 권1, 왕력.

효공왕은 헌강왕의 庶子라고 한다. 그러므로 효공왕의 어머니는 헌
강왕의 정식 왕후가 아니었다. 헌강왕에게는 여러 명의 후비가 있었던
것같다. 정식 왕후는 懿明夫人(義明夫人·義明王后) 金氏였다.[28] 그런데
효공왕의 어머니는 역시 김씨이고 이름이 義明王太后 또는 文資王后라
고 하였다.[29] 만약 헌강왕의 정식 왕후의 이름이 義明王后라면 효공왕
의 어머니의 이름은 다른 것일 것이다. 반면 孝恭王의 어머니의 이름이
정녕 義明王太后라면 헌강왕의 정식 왕후의 이름은 다른 것일 것이다.[30]

그러면 효공왕 어머니의 가계는 어떠한가? 그녀는 헌강왕이 사냥을
나갔다가 야합하여 효공왕을 낳았다. 그러나 효공왕은 처음에는 밖에서
성장하다가 진성여왕이 그 아이의 소식을 듣고 궐내로 불러들여 태자로
책봉하였다고 한다. 그러므로 아마 헌강왕이 말년에 그녀와 관계를 맺
었고 임신의 사실조차 모르고 죽었거나, 혹은 그녀가 헌강왕이 죽기 전
에 효공왕을 출산했음에도 왕에게 알리지 못하였던 것이다. 이것은 그
만큼 정치적 사정이 복잡했기 때문일 수도 있지만, 이에 더하여 그녀의
집안이 微賤하여 왕실에 접근할 수 없었음에도 더 큰 이유가 있었던 것
같다. 설령 효공왕의 어머니의 이름이 義明王太后이고, 김씨라는 것이
사실이라고[31] 하더라도, 그녀의 신분은 진골이 아니었고 미미한 가계였

---

28) 『삼국사기』 권11, 헌강왕 즉위조 ; 『삼국유사』 권1, 왕력 참조. 그리고 懿明
夫人은 蘇判 金順憲의 女인 듯하다(「王妃金氏爲考繡釋迦如來像幡讚幷序」
『崔文昌侯全集』, 成均館大學校 大東文化硏究院, 219쪽).

29) 하지만 『삼국유사』에서 文資王后라 한 것은 잘못이다. 즉 문자왕후는 孝恭
王에게 할머니가 되는 憲康王의 어머니, 즉 景文王의 첫째 王妃인 寧花夫
人의 追諡이므로 잘못된 것이라 따를 수 없다. 또 義明王太后란 칭호도 『삼
국사기』와 『삼국유사』에서 憲康王妃를 懿明夫人이라 하면서도, 한편 『삼
국유사』에는 義明王后라고도 한 기록이 있어서 좀더 검토를 요한다.

30) 이외에 媛妃인 脩媛權氏도 있었다(「大華嚴宗佛國寺毘盧遮那文殊普賢像讚
幷序」『崔文昌侯全集』, 成均館大學校 大東文化硏究院, 213~214쪽).

31) 『삼국사기』 권12, 효공왕 2년 정월. 하지만 그 진위는 좀더 고려해 보아야
한다.

을 것이다.

효공왕의 비계에 대해서는 좀더 자세히 알 수 있다. 효공왕이 즉위 2년 뒤인 898년(효공왕 3) 3月에 맞아들인 왕비는 乂兼(銳謙)의 딸이다. 아버지 乂兼은 김씨이며,[32] 875년(헌강왕1) 헌강왕의 즉위와 더불어 魏弘의 상대등 임명과 동시에 侍中에 임명되었다가 880년(헌강왕 6) 퇴임하는 등 당시 정치계의 막강한 실력자였다. 또 899년(효공왕 3) 3月 그의 딸을 효공왕에게 출가시켰고[33] 또 헌강왕의 딸(義成王后)을 자신의 아들인 景暉(神德王)와 혼인시켰다.[34] 그러나 효공왕의 혼인은 그의 재위 3년에야 이루어진 것이어서 그의 즉위에 직접적 배경으로는 작용하지 못했을 것이다.

진성여왕은 요를 태자책봉하면서 그가 헌강왕의 아들이 분명함을 강조하였다.[35] 진성여왕이 嶢의 骨法이 남과 다름을 강조하며, 이것을 헌강왕 혈통의 근거로 삼아 그를 태자로 책봉하였다. 골법에 대해서는 이미 진성여왕 자신의 즉위시에도 가장 중요하게 작용한 왕위계승의 요건으로 거론된 바 있다. 하지만 진성여왕의 경우는 골법이 장부와 같다는 것을 내세워 여왕의 왕위계승을 정당화시켰지만 요의 태자책봉에는 그의 골법이 진성여왕이 속한 경문왕계의 인물들과 같다는 동질성을 내세워 그를 헌강왕의 아들로 인정하는 근거로 삼고 있다.[36] 즉 嶢를 경문왕계 인물로 정당화시키는 요건으로 골법을 이용하였다. 이것은 진성여왕

32) 김창겸, 1994, 「신라하대왕위계승연구」 성균관대학교대학원 박사학위논문, 54~55쪽 : 2003, 『신라 하대 왕위계승 연구』, 경인문화사, 77~78쪽.
33) 『삼국사기』 권12, 효공왕 3년조.
34) 이 혼인은 乂兼의 侍中 재임기(헌강왕 1~6) 이루어진 듯하다. 그렇다면 의성왕후가 정강왕대 金孝宗과 혼인한 桂娥太后보다 손위였던 것같다(김창겸, 1994, 앞의 논문, 61쪽 : 2003, 앞의 책, 86쪽).
35) 『삼국사기』 권11, 진성여왕 11년.
36) 여기서의 골법이란 王室血統을 의미하는 동시에 일정 가계에 나타내는 신체적 특징으로써 왕실혈통의 巫的 신성성과 결부되어 강조될 수 있었다(전기웅, 1996, 『나말려초의 정치사회와 문인지식층』, 혜안, 33쪽).

의 경우와 마찬가지로 골품제적인 신분을 말하는 것이라기보다는 골상
내지는 골격으로써 혈통을 강조하는 것이다. 이처럼 진성여왕이 형제자
매의 골격이 남다르다는 특수성을 내세운 것은 경문왕계의 특이성을 강
조한 독특한 왕족의식으로, 결국 경문왕계와 여타 김씨왕의 차별성을
부각시키기 위한 것이며,[37] 곧 경문왕계를 고수하려는 의도가 내포된
것이고,[38] 이로써 효공왕이 왕위계승하였다.

　이상에서 살펴보았듯이, 효공왕의 가계는 모계는 미미하였고, 비계
는 막강한 정치세력가였지만 효공왕의 혼인이 즉위에 직접적으로 작용
하지는 않았다. 결국 효공왕의 가계 중에서 즉위에 결정적으로 작용한
것은 父系뿐이었고, 이러한 혈연적 요인으로 그는 태자로 책봉되었다.

　한편 효공왕의 즉위에는 헌강왕의 아들이라는 혈연적 요인과 더불어
당시의 정치사회적 요인이 크게 작용한 것으로 보인다. 비록 진성여왕
이 요에게 태자책봉이라는 정상적인 왕위계승 질차를 통하여 禪位하였
지만 그 이면에는 또다른 배경이 있었던 것 같다. 진성여왕의 선위가 자
발적인 것처럼 보이나, 실제는 失政에 대한 책임을 지고 강제로 퇴위한
사건이었다. 진성여왕은 선위의 이유를 자신이 임금 자리에 있는 동안
백성이 곤궁하고 도적이 봉기하여 정국이 혼란함을 책임지고 왕위에서
물러난다고 하였다.[39]

　『삼국사기』와 『삼국유사』에는 진성여왕대를 신라사에서 대단히 혼란
했던 시기로 기록하였다. 그 중에서 가장 심각한 것은 중앙정치의 문란
과 지방에서 발생한 도적의 봉기였다. 특히 888년(진성여왕 2) 그녀의 叔
父 魏弘이 卒去한 뒤 정치기강이 문란해지기 시작하였다. 이를 계기로
종래부터 누적되어온 신라사회의 여러 모순점이 전국적인 農民叛亂의
형태로 표출되었다. 889년(진성여왕 3) 沙伐州에서 일어난 元宗·哀奴의

---

37) 이문기, 1999, 앞의 논문, 678쪽.
38) 이배용, 앞의 논문, 351쪽.
39) 이에 대해서는 『동문선』 권33, 「謝嗣位表」에 잘 표현되어 있다.

난을 필두로 하여, 전국 곳곳에서 조세의 납부에 저항하는 농민반란이
일어났다. 이들은 처음에는 草賊에 불과하였으나, 점차 규모가 전국적
인 것으로 확대되어 이제는 중앙세력에 항거하는 지방반란으로 발전해
가고 있었다. 그리고 이들 초적을 이용하여 지방세력가로 대두하는 자
들이 생겼는데, 北原의 梁吉, 竹州의 箕萱, 完山州의 甄萱, 그리고 양길
의 부하 출신의 弓裔 등이 대표적이다. 이 중에서도 견훤과 궁예는 새로
운 왕조를 건국하였다.

아마 진성여왕과 위정자들의 이와 같은 실정에 대하여 당시 정치권
내에서는 王巨仁으로 대표되는 6두품 지식인층과 흔히 '國人'으로 표현
되는 정치집단이나 관료들, 혹은 귀족세력 내지는 王京의 중심을 형성
하는 일반 왕경인 계층의 강력한 비판과[40] 책임 추궁 및 퇴진 요구가 있
었을 것이다. 이에 진성여왕은 여왕으로서 가진 한계와 실정의 심각성
으로 더 이상 왕위를 유지가 어려움을 인식하였다. 그리고 선위 후 자신
의 안전을 보장받으려는 목적에서 반대적 입장이 아닌 자를 왕위계승자
로 찾게 되었다. 다시 말하면 부자계승이 일반화되었음에도 불구하고
여왕으로 즉위한 비정상적인 왕위계승과 실정에 따른 많은 문제점을 경
험하였기에 정치사회적으로 복잡한 상황에서 자신의 아들에게 왕위를
물려주기에는 어려움이 있음을 알았던 것이다.[41] 그러던 차에 헌강왕의

---

40) 『삼국사기』 권11, 진성왕 2년 2월. 전기웅, 앞의 책, 42~48쪽 참조.

41) 요의 태자책봉은 신라시대 기존의 사례와 분명히 다른 모습이다. 지금까
지는 太子란 일반적인 성격 그대로 왕 자신의 아들이 원칙이었고, 특별한
경우에는 왕의 孫子나 弟가 책봉되었다. 설화적 요소가 있지만, 진성여왕
의 막내아들 阿湌 良貝가 唐에 使行을 갈 정도였으니, 진성여왕에게는 여
러 아들이 있었고 또 양패의 형들은 이미 장성한 상태였을 것으로 추측된
다(『삼국유사』 권2, 기이2, 진성여왕거타지). 그럼에도 겨우 나이가 志學(15
세, 한편 『증보문헌비고』 권42, 帝系考3 儲嗣에는 11살이라는 기록도 있
다. 886년에 헌강왕이 죽었음으로 고려해봄직한 기록이다)에 미치지 못한
요를 태자로 삼았다. 그리하여 姪男을 태자로 책봉하는 변형적인 사례를
남겼다(김창겸, 1993, 「신라시대 태자제도의 성격」 『한국상고사학보』 13).

서자 요의 존재가 알려지자 진성여왕은 그를 태자로 세워 경문왕의 후손(헌안왕의 아들)을 찾아 정통을 회복하였다는 명목으로써 실정에 대한 책임을 면하고자 하였다. 그리하여 정치개혁의 의미에서 경문왕의 남자 후손인 요를 내세운 것이다.[42] 그 이유를 후계자를 밖에서 구하지 않고 안에서 천거하였다고 하였다. 여기서 밖에서 구하지 않는다는 것은 출가한 헌강왕의 두 딸은 물론 타가계인 사위 孝宗과 景暉를 택하지 않고 비록 진성여왕의 직계손은 아니지만 같은 혈통인, 즉 요가 자신과 같은 경문왕계의 인물임을 내세우고 있는 것이다.[43] 이것은 정치사회적 난국을 감당할 자신감을 상실한 진성여왕의 고뇌에 찬 선택이었다.

897년(진성여왕 11) 6월에 진성여왕은 左右에게 말하기를 태자 嶢에게 선위한다고 하였다.[44] 이 선위 명령은 실질적으로는 顧命(遺詔) 성격을 갖고 있다. 유조가 왕위계승에서 친족관계나 정치적 권력구조상 분쟁의 여지가 있는 계승자의 지위를 확고히 하는 특성이 있음을 고려하면,[45] 효공왕 즉위는 그만큼 문제가 많았음을 짐작할 수 있다. 그리고 이 사건에는 퇴위하는 진성여왕과 정치세력간의 모종의 타협 내지는 묵계가 있었던 듯하다. 비록 진성여왕이 실정을 책임지고 물러나는 상황이지만 유교적 군주국가에서의 최소한 권위와 결정권은 행사하였을 것이다. 진성여왕이 죽은 것도 아니고, 비록 무능한 왕이지만 재임중에 미리 왕위계승예정자로 책봉한 태자 요의 존재를 당시 귀족들은 물론 정치권에서도 인정하였을 것이다. 이것을 부정하였다면 일종의 政變으로서 군사적 행동이 있거나, 또는 그녀에 대한 처벌을 가했을 것이다. 하지만 진성여왕은 퇴위 뒤에도 上王으로[46] 自然 壽를 누리다가 그해 12

---

42) 김창겸, 1994, 앞의 논문, 84쪽 : 2003, 앞의 책, 393쪽.
43) 黃善榮은 여기서 '밖'이라면 넓은 범위의 '王族'을, '안'이라면 좁은 혈족집단으로서 '경문왕가'를 가리키는 말로 보았다(1988, 『고려초기왕권연구』, 동아대학교출판부, 21쪽).
44) 『삼국사기』 권11, 진성왕 11년 11월.
45) 전기웅, 1989, 앞의 논문, 5쪽.

월 北宮에서 죽었다.[47] 그러므로 진성여왕이 퇴위하는 선에서 당시 귀
족 및 정치세력과 합의가 이루어졌던 것으로 추측된다.

지금까지 살펴본 바에 따르면, 효공왕의 왕위계승은 자신의 자격이
나 능력보다는 진성여왕의 의지에 의하여 당시 정치권의 모종의 타협에
의하여 이루어진 것이다. 효공왕 자신이 가졌던 왕위계승할 수 있는 요
건은 단지 헌강왕의 아들로서 진성여왕과 같은 경문왕계에 속한다는 이
유뿐이다. 그러나 효공왕은 비록 경문왕계라고는 하지만 진골 신분이라
야 한다는 왕위계승 요건의 하나인 골품제적 자격을 갖추지 못하였다.
그럼에도 불구하고 진성여왕이 실정과 당시 정치적 문란과 사회적 혼란
을 책임지고 물러나면서 반드시 경문왕계 인물에게 왕위를 물려주겠다
는 강력한 의지를 가지고 그를 태자로 책봉하였다. 그리하여 요는 태자
로서 임시로 국사를 맡았다가 이때에 이르러 선위하였다.[48]

결국 효공왕의 즉위는 신라의 여러 가지 왕위계승 요건 중에서 오로
지 王孫이라는 혈연적 요인과 더불어 당시의 정치적 요인이 보다 크게
작용한 왕위계승이었다.

2. 효공왕의 골품제적 신분

효공왕은 헌강왕의 아들이라는 혈연 요인과 당시 정치사회적 배경에

---

46) 『증보문헌비고』 권42, 帝系考3 太上王 첫머리에 '新羅眞聖女王'을 들었다.
47) 『삼국사기』 권11, 진성왕 11년 ; 『梅溪集』 권4, 「書海印寺田券後」참조.
48) 이것에 대해서는 前王이 無子인 경우에 特定人을 지명하여 그의 능력을
　　밝히고 그에게 繼位 또는 禪位하는 사례(최재석·안호룡, 1990, 「신라 왕위
　　계승의 계보인식과 정치세력」『한국의 사회조직과 종교사상』, 47쪽), 또 眞
　　聖女王이 憲康王의 直系로써 왕위를 계승시키고자 골품제적 원리에 따른
　　의도(이배용, 앞의 논문, 354쪽), 신라시대 여왕의 아들은 부계제사회의 원
　　리에 의하여 왕위계승권을 가질 수 없었다는 설(이종욱, 1981, 「신라시대의
　　혈연집단과 상속」『역사학보』121, 63쪽), 당시 정치세력간의 대립과 타협
　　의 결과(전기웅, 1996, 앞의 책, 58쪽) 등 여러 설이 있다.

의하여 진성여왕으로부터 태자책봉과 선위를 받았지만, 또다른 왕위계
승 요건인 골품제 규정에서는 非眞骨이라는 하자가 있었다. 더구나 그
는 헌강왕의 생존시에는 헌강왕의 아들은 물론 경문왕계 왕족으로조차
인정받지 못하였고, 겨우 895년(진성여왕 9) 무렵에야 알려져 入宮하였
다.49) 그런데 요는 비록 헌강왕의 아들이기는 하나 庶子였다. 더구나 그
의 어머니의 신분은 진골귀족 출신이 아닌, 어쩌면 미천한 출신의 여자
였으며 또 정식 혼인이 아닌 야합이었다. 그러므로 효공왕의 신분은 신
라 골품제의 원칙이 지켜졌다면 진골이 될 수 없다.

골품제에서 신분의 유지와 획득을 위하여 동일 골품 내의 혼인을 하
는 이른바 階級內婚制였다.50) 즉 진골은 진골대로 그들의 혼인법칙을
준수하여 近親婚 혹은 族內婚을 하였을 것이다. 그렇다면 진골남자와
진골여자가 혼인해야만 그 사이의 자식이 진골의 신분이 되는 것이지,
여타 신분과 혼인하여 출생한 자식은 族降되었을 것이다.51)

진골신분의 획득은 기본적으로 출생에 의하였다. 즉 부모 모두가 진
골이면 그 자식은 진골 신분을 갖게 되고, 그 부모의 신분이 다른 경우
에는 변화가 있었다. 진골남자의 아들이더라도 庶子일 때에는 그들의
母를 기준으로 하여 신분이 낮아질 수도 있었다.52) 그러므로 嶢의 경우
는 비록 헌강왕이 진골 왕족이라고 할지언정 진골이 아닌 여자와의 사
이에서 태어난 서자이므로 진골 왕족일 수가 없다.53) 그런데도 진성여
왕이 요가 헌강왕의 아들이라는 소문을 듣고 그를 宮內로 불러들여 骨
法의 특이성을 근거로 하여 헌강왕의 아들로 인정하고, 곧 태자로 책봉

---

49) 『삼국사기』 권11, 진성여왕 9년 10월.
50) "其建官以親屬爲上 其族名第一骨第二骨以自別 兄弟女姑姨從姉妹皆聘爲妻
王族爲第一骨 妻亦其族 生子皆爲第一骨 不娶第二骨女 雖娶常爲妾勝 官有
宰相侍中司農卿太府令凡十有七等 第二骨得爲之"(『신당서』 권220, 신라전).
51) 이종욱, 1985, 「신라시대의 진골」『동아연구』 6, 261쪽.
52) 이종욱, 1985, 앞의 논문, 252쪽 및 261쪽.
53) 이종욱, 1990, 「신라하대의 골품제와 왕경인의 주거」『신라문화』 7, 174쪽.

하였으며, 마침내는 선위하여 왕위를 물려주었다. 여기서 특이한 점은 요가 진골왕족이 아님에도 태자에 책봉되었으며 실제 즉위하였다는 것이다. 만약 골품제의 원칙이 지켜졌다면 그는 절대로 왕위를 계승할 수가 없었다.[54] 그런데도 요가 즉위하였다는 것은 이미 신라의 왕위계승상에서 골품제의 신분이 진골이라야 한다는 요건은 무시되어 졌고, 다시 말하면 골품제 규정은 왕위계승상의 기능을 하지 못하였음을 말해주는 것이라 하겠다.

이러한 것은 「讓位表」에서 진성여왕이 양위의 이유를 '자신이 왕위에 있는 것은 본분이 아니다.'고 한 것에서도 잘 알 수 있다.[55] 이러한 표현은 진성여왕 자신의 즉위가 신라의 父系親男孫에 의한 왕위계승원칙에 어긋남을 말하는 것이다. 비록 자신의 즉위는 경문왕계 왕통을 연장하려는 정강왕의 목적에 의한 유조에 따라 왕위계승하였지만, 그것이 예외적인 것임을 진성여왕이 인식하고 있었다는 표현이다. 그리고 진성여왕이 후계자를 "밖에서 구하지 않고 안에서 천거하였다(不假外求 爰從 內擧)"는 말에서도 추측할 수 있다. 이 말은 경문왕계 진골남자가 소멸되어 다른 가계의 남자 진골 왕족을 세워야 하지만 그렇게 하지 않고 안에서, 즉 헌강왕의 서자를 천거하여 이미 國事를 임시로 맡긴 상태임을 설명하는 것이다. 그리고 진골이 아닌 요를 태자로 책봉해도 이것에 반대하는 세력이나 인물이 있었다는 구체적 기록을 찾을 수 없고, 특히 진성여왕의 아들이 있었음도 그들도 쉽게 용인하였던 것으로 보인다. 그

---

54) 池內宏, 1941, 「新羅の骨品制と王統」 『東洋學報』 28-3, 355쪽.
55) 이것은 당시 정치사회적으로 난세를 극복하지 못한 것을 겸양하여 말한 것으로 보이지만, 그러나 좀더 근본적인 것은 '邊居義仲之官 非臣素分'과, 또 『삼국사기』 권11, 진성여왕 즉위조에 인용된 「謝追贈表」에서 '臣仲兄晃 權統藩垣'이라 한 것을 아울러 생각하면, 진성여왕은 물론 정강왕의 즉위도 임시적인 변통으로 보고 있다. 즉 정상적인 부자계승이 아니라 편법적인 형제자매계승으로 왕위에 오르고 재위한 것 자체가 본분이 아님을 말하며, 효공왕에게 양위한 타당성을 변명하고 있는 것으로 보아야 하겠다.

렇다면 경문왕계 내의 왕위계승 자격을 갖춘 진골이 이미 소멸되어 있었음을 추측할 수 있다.[56] 그 원인은 下代 前半期의 왕위쟁탈전에서 많은 진골세력이 도태되었고 특히 王系가 변경 되면서 새로이 등장한 王家는 王統의 독점적 유지를 위하여 더욱 王系를 세분화하면서 「낭혜화상비문」에서 이른바 '聖而'로 표현되는 王族의 범위는 협소해져 있었기 때문인 듯하다.[57]

결국 효공왕의 신분은 진골이 아니었다. 다만 효공왕의 즉위는 오직 骨法의 특이성이라는 왕실 혈통의 신성성만을 왕위계승의 충분한 요건으로 내세워, 진성여왕의 경문왕계 왕통의 연장과 유지를 위한 비상조치로써 조카계승이 이루어진 것이다. 좀더 구체적으로 말하면 진골 신분을 유지하고 있는 헌강왕의 딸이 있었음에도 불구하고 진성여왕 자신이 女王으로 즉위한 것이 본분이 아님을 인식하고, 男孫에 의한 왕위계승을 취하면서 이제는 골품제적 신분과는 무관하게, 즉 그것을 초월하여 오직 왕족이라는 요건과 진성여왕의 실정에 따른 정치적 요인에 의하여 왕위계승이 이루어졌다. 그리고 이것은 신라 하대 왕위계승상에 있어서 혈연적 요건, 정치적 요인과 더불어 가장 중요한 작용을 하였던 골품제의 제한규정이 하대 후반기에 이르러 완전히 기능을 상실하였고 실질적으로 소멸되었음을 의미한다.

---

56) 한편 신라 하대에는 골품제가 무너지고, 특히 제51대 진성여왕에 이르러서는 진골마저 완전히 絕種한 상태에 놓이게 되었다고 본 견해도 있지만(이종항, 1974, 「신라의 신분제도에 관한 연구」 『법사학연구』 창간호, 59·60쪽), 「낭혜화상비문」에서 崔致遠이 말하듯이 진골은 존재했다.

57) 김창겸, 1999, 「신라 원성왕계 왕의 황제·황족적 지위와 골품초월화」 『백산학보』 52, 866~870쪽. 더욱이 왕통의 순수성을 유지하기 위한 王系 내의 근친혼은 유전학적 요인에 의하여 왕족의 단절과 극소수화를 초래했을 것이다(이종항, 1975, 앞의 논문, 211~212쪽).

Ⅳ. 非眞骨 왕위계승의 추이

효공왕 또한 아들이 없이 죽었다. 그러자 신덕왕이 國人의 추대로 즉위하였다.[58] 그런데 신덕왕은 姓이 朴氏이므로, 부계로는 孝恭王과 혈연적 관계가 없고, 다만 妃系로 妻男·妹夫 사이이다. 이러한 異姓親 간의 왕위계승은 부자계승원칙은 물론 골품제적 요건을 완전히 무시한 것이다. 다시 말하면 신덕왕은 김씨도 아니고 진골도 아니다.

신덕왕은 박씨인 아달라왕의 遠孫이라고 한다.[59] 그러나 아달라왕에게는 후손이 없었다.[60] 그래서 박씨의 진위에 의문이 제기되기도 하지만[61] 설사 신덕왕이 아달라왕의 원손이라 하더라도 왕위계승권에서 벗어나 많은 세대와 약 700년이란 기간이 경과한 뒤의 후손이 어떻게 진골의 신분을 유지할 수 있었을까 하는 문제가 생긴다. 사실 하대 후반기에는 신라의 영토가 축소되어서 명실상부하게 진골 신분을 가진 가계는 왕경에 거주하는[62] 일정 범주의 金氏系에 불과하였고, 나머지는 宗家로

---

58) 이에 대해서는 조범환, 앞의 논문을 참조 바람.

59) 『삼국사기』 권12, 신덕왕 즉위조.

60) 『삼국사기』 권2, 벌휴이사금 즉위조. 신덕왕이 박혁거세를 시조로 하는 박씨세력집단의 후손 중 한 사람으로 왕위에 오른 뒤 그의 계통을 찾다보니 박씨왕으로 마지막에 재위하였던 아달라왕에게 연결시킨 것이란 견해도 있다(이종욱, 1980, 『신라상대왕위계승연구』, 영남대학교 민족문화연구소, 127쪽).

61) 신덕왕이 박씨를 칭한 것은 外家에 기인한 것이고(末松保和, 1954, 「新羅三代考」 『新羅史の諸問題』, 東洋文庫, 33~35쪽), 하대 박씨왕들은 실제는 박씨가 아니고 김씨였으며(권덕영, 2008, 「신라 하대 박씨세력의 동향과 '박씨왕가'」 『한국고대사연구』 49 : 2015, 『한국의 역사 만들기 그 허상과 실상』, 새문사), 아울러 신라 朴氏는 왕족도 왕비족도 아닐 뿐만 아니라 진골도 아닌 頭品族이라는 견해가 있다(문경현, 1990, 「신라 박씨의 골품에 대하여」 『역사교육논집』 13·14합집).

62) 진성여왕대는 국가 통치력이 지방에 미칠 수 없는 상황이라 골품제가 유지된 지역도 크게 줄었고 王都에서도 제대로 유지되기 어려웠다(이종욱, 1990, 앞의 논문, 169~189쪽).

부터 일정 세대의 경과, 정치적 도태, 왕경을 벗어난 거주지 이전 등으로 족강되었거나 몰락한 이름뿐인 진골이었을 것이다.

신덕왕은 實父의 부계에 따르면 박씨로서 왕족김씨도 진골도 아니었다. 다만 父兼이 義父라고 하니, 아마 父兼은 김씨일 것이고[63] 또 만약 진골김씨가 이때까지 존속하는 상황이라면 속했을 가능성이 있다. 다시 말하면 신덕왕의 부계는 實父系와 義父系가 있었다. 하지만 전자는 박씨로 진골이 아니었고, 또 후자는 김씨로 혹시 진골일 가능성은 있지만 養子制가 일반화되지 않은 당시에 있어서 진골 신분까지 이어받았다고는 생각되지 않음으로 신덕왕이 진골이라고 보기는 어렵다. 한편 그의 어머니는 박씨로써 아달라왕의 遠孫이라고 한다.[64] 그러므로 母系 또한 實父系와 마찬가지로 眞骨이 아니었다.

결국 신덕왕은 實父系도 母系도 진골이 아니었으므로 그 또한 진골의 신분이 아니었다. 그럼에도 그가 헌강왕의 딸과 혼인하고 또 효공왕의 뒤를 이어 즉위한 것은, 이제는 신라의 왕위계승상에 있어 진골이 기본요건으로서의 기능을 완전히 상실하였고, 나아가서는 골품제 규정이 소멸되어졌음을 나타내는 것이다. 그리고 신덕왕이 진골이 아니었음으로, 그 아들인 경명왕과 경애왕도 또한 진골신분이 아니었다고 보겠다.

그리고 신라 마지막 왕인 제56대 경순왕 역시 반드시 진골이라는 신분에 의해서 즉위한 것은 아닌 듯하다. 오히려 진골의 신분을 초월하여, 김씨 왕족의 후손이라는 혈연적 자격에 의하여 즉위한 것으로 보인다. 경순왕은 전왕 경애왕과 族弟·表弟·外從弟의 관계로서 甄萱에 의하여 옹립되어 즉위하였다. 경애왕의 어머니가 헌강왕의 딸이고, 경순왕의 어머니 桂娥太后 역시 헌강왕의 딸이므로, 이들의 관계는 姨從兄弟이다.

경순왕은 『삼국사기』와 『삼국유사』에는 다만 문성왕의 후예로서, 할아버지는 仁慶[65] 또는 官○이고,[66] 孝宗의 아들이라고만 표기되어 있다.

---

63) 末松保和, 1954, 앞의 논문, 33쪽.
64) 『삼국유사』권1, 왕력.

그런데 「신라경순왕전비」에는 閼智의 후손으로, 19世 元聖王 → 20世 禮英 → 21世 均貞 → 22世 神武王 → 23世 文聖王 → 24世 安 → 25世 敏恭 → 26世 實虹 → 27世 孝宗 → 28世 敬順王으로 이어지는 세계를 밝혀놓았다. 그러므로 이것을 종합하면 文聖王 → 金安 → 金敏恭 → 金仁慶 → 金孝宗 → 敬順王이라는 부계가 재구성된다.

  문성왕에게는 태자가 있었지만 일찍 죽은 까닭에 신무왕의 異母弟인 헌안왕이 왕위를 계승하였다. 그리고 헌안왕은 즉위와 동시에 金安을 上大等에 임명하였다.[67] 이때의 金安이 경순왕의 선대인 金安과 동일인이라면[68] 그는 바로 문성왕의 아들이다. 그렇다면 김안이 상대등에 임명될 정도의 나이와 관등을 가졌음에도 왕위를 계승치 못하고 헌안왕이 숙부로서 즉위한 것에는 어떤 원인이 있었을 것이다. 여기에는 당시 정치적 여건도 크게 작용하였겠지만, 아울러 아마 왕위계승상 골품제의 규정이 작용된 것으로 추측된다. 김안이 문성왕의 아들이기는 하나 嫡子가 아니거나, 모계가 진골이 아니었기에, 그의 신분 또한 진골이 아니어서 왕위계승상 중요한 요건인 골품제 규정에 벗어나 즉위치 못하였을 것으로 추측된다.[69] 만약 이러한 추측이 가능하다면 金安의 후손들은 왕족이기는 하나 진골이 아니었으므로 直系孫인 敏恭, 仁慶, 孝宗은 물론 경순왕도 진골이 아니었다.

  敏恭은 880년(헌강왕 6) 2월에 시중에 임명되었다. 그리고 孝宗은 정강왕대 화랑으로 활동하였고 902년(효공왕 6) 2월 시중에 임명되었다. 이들이 상대등, 시중, 화랑을 역임하였으므로 이들의 신분이 진골이었

65) 『삼국사기』 권48, 孝女知恩.
66) 『삼국유사』 권1, 왕력.
67) 『삼국사기』 권11, 헌안왕 즉위조.
68) 한편 「敬順王殿碑」의 金安과 上大等 金安을 同名異人으로 보는 설도 있다 (이기동, 1984, 앞의 책, 169쪽 주85).
69) 대신 金均貞과 金忠恭의 딸 照明夫人 사이에서 태어난 신무왕의 異母弟인 헌안왕이 均貞系의 진골남자로서 왕위를 계승한 것이라 보겠다.

다고 생각할 수도 있다. 물론 신라시대의 상대등 역임자는 대부분이 진
골 이상의 신분이었다. 그러나 하대의 상대등은 진골이라는 신분에서
주어지는 것이라기보다는 왕과 가까운 친족이라는 혈연관계에 의한 것
이라 하겠다. 사실 하대의 상대등은 그들을 임명한 왕과의 혈연관계가
확인되는 것만 해도 왕의 叔父 3명, 弟 4명, 從兄弟 1명, 從孫 1명, 姑從
兄弟 1명 등으로 대체로 가장 가까운 친족이었다.70) 특히 헌덕왕대에는
왕의 아우들을 상대등에 임명하여 권력의 집중화를 꾀하였다, 그리고
이보다는 좀 뒤의 일이지만 경명왕은 즉위와 동시에 자신의 아우인 魏
英(경애왕)을 상대등에 임명하였지만, 위영은 박씨로 진골이 아니었다.
그리고 하대의 시중도 임명한 왕과의 혈연관계가 확인되는 것만 해도
왕의 孫 3명, 弟 1명, 叔父 2명, 姪 1명, 從弟 1명, 從叔 1명, 從姪 1명, 再
從弟 1명 등으로 대부분 7촌 이내의 부계친이었다.71) 이처럼 하대 후반
기에는 상대등이나 시중은 진골신분에 크게 구애됨 없이 재위중인 왕과
의 혈연관계에 의하여 임명되었다. 그러므로 상대등과 시중을 역임한
것만으로서 진골신분이었다고 보기는 어렵다.

또 효종이 화랑을 지낸 것에서 진골이라고 생각될 수도 있다. 화랑이
대체로 진골이었던 것은 사실이다, 하지만 화랑도 하대가 되면 많은 변
화가 있었다. 특히 권력쟁탈전이 격심하던 시기에는 화랑은 왕족과 귀
족의 門客 내지는 私兵的 성격을 띤 집단으로72) 변질되었는데, 이렇게
변질된 화랑이 반드시 진골신분이었다고 보기에는 좀더 고려해 볼 필요
가 있을 듯하다. 그보다는 응렴(경문왕)과 효종은 모두 왕의 가까운 친

---

70) 김창겸, 1994, 앞의 논문, 133쪽 : 2003. 앞의 책, 233쪽. 이처럼 하대의 상대
  등은 왕과 가까운 친족관계를 기본 전제로 하여 임명하였고, 또 왕은 이것
  을 통하여 왕권을 강화 유지하였으며, 상대등은 왕과 가장 가까운 친족의
  신분과 상대등직을 이용하여 정치적 기반을 확보한 뒤 왕으로 즉위하는
  경우도 있었다.
71) 김창겸, 1994, 앞의 논문, 148쪽 : 2003, 앞의 책, 268쪽.
72) 노태돈, 1978, 「나대의 문객」『한국사연구』 21·22합집.

족(royal family)과 특권권력층(power elite)이기에 화랑이 된 것으로 보인다.

이처럼 경순왕 선대의 상대등·시중·화랑 역임은 진골 신분에 의한 것이 아니라 골품제 규정이 작용치 않은, 즉 진골을 초월한 지위인 오직 왕족이라는 정치사회적 신분에 의한 것이다. 그리고 金傅는 김씨왕족과 헌강왕의 사위의 아들(외손자)이라는 신분을 가졌기에 甄萱에 의하여 정치적으로 이용되어 응립되었다.73)

신라 말기에는 관등·관직 수여에서는 물론 왕위계승에서조차 골품제 규정이 기능을 상실한 상태에 이르렀다. 이것은 원성왕계가 새로운 왕족으로의 지위상승을 위하여 황제적 위상과 황족의식을 표방하는 등 일반 진골귀족과의 차별화와 골품제로부터의 초월화를 꾀하였고,74) 또 근친혼을 통하여 혈통의 신성화와 함께 협소화된 王家를 형성한 결과였다. 그리하여 결국에는 진골 남자 자손의 단절현상으로 인하여 왕위계승상 골품제 규정은 무시되고 오직 왕손이라는 혈연적 요건만을 강조하게 되었다.

Ⅳ. 맺음말

신라 중대 이래로 왕위계승상 중요하게 작용하였던 왕위계승자의 신분이 진골이라야 한다는 골품제의 요건이 하대 효공왕의 즉위를 계기로 하여 그 기능을 상실, 소멸하였다.

중대의 일반 진골 귀족에서 하대의 새로운 王系로 등장한 원성왕계

---

73) 경순왕의 즉위와 당시 정치상황과 연결한 연구로는 다음과 같은 것이 있다. 신호철, 1993, 『후백제 견훤정권연구』, 일조각 ; 음선혁, 1997, 「신라 경순왕의 즉위와 고려 귀부의 정치적 성격」 『전남사학』 11 ; 김창겸, 「신라 경순왕의 가계와 그 신분」 『신라문화』 44.
74) 김창겸, 1999, 앞의 논문, 841~872쪽.

가 타가계와, 그리고 원성왕계 내에서 찬탈과 추대 및 유조 등을 통하여
또다른 새로운 왕가가 된 소가계가 다른 소가계와의 차별화를 위하여
골품제상 진골 신분을 초월하는 지위를 갖고자 가계의 신성화를 추구하
면서 다른 진골귀족과의 대립을 낳았다. 물론 하대에도 왕위계승은 부
자계승을 가장 이상적인 것으로 유지하려 하였다. 그러나 당시 혈연적·
정치적 사정에 의하여 弟·叔·姪 심지어 女壻에게 계승되는 변칙적 양상
이 나타났고, 또 이에 대항하여 찬탈·추대 등 권력쟁탈에 의한 비정상적
인 왕위계승이 발생함으로써 소가계간의 더욱 잦은 왕통의 변화를 가져
왔다. 그리하여 중대 이후 확립된 왕위계승의 父系親男孫原則이 변질되
어 갔다.

　이러한 과정에서 비진골 왕이 출현할 수 있는 전조가 나타났다. 흥덕
왕의 사치금지령 반포, 신무왕·문성왕의 장보고에 대한 관작 제수와 딸
의 납비 추진, 경문왕의 왕위계승, 진성여왕의 왕위계승 등은 이미 정통
적인 골품제 규정을 벗어난 요소들을 가진 사건들이었다. 그리고 이와
더불어 왕위계승상 중요하게 작용하였던 골품제의 진골신분 제한요건
도 점차 기능을 상실해 갔다.

　특히 효공왕의 즉위는 이러한 골품제의 요건에서 이탈하는 직접적인
계기가 되었다. 그의 즉위는 형식상으로는 태자책봉된 뒤, 유조적 성격
의 선위 명령을 받아서 평화적으로 계위한 정상적인 왕위계승이었다.
그러나 효공왕의 즉위배경은 혈연적으로 헌강왕의 서자(진성여왕의 질)
이었기에 경문왕계 왕통을 고수하려는 진성여왕의 의지가 반영되어 이
루어졌으며, 게다가 당시 심각한 실정과 혼란에 대한 정치권의 비판과
퇴진요구에서 책임을 벗어나려는 진성여왕의 고뇌에 찬 퇴위 결단에서
이루어진 정치적 사건이었다.

　효공왕의 신분은 헌강왕과 미천한 여자의 야합으로 출생한 비진골
서자이다. 그러므로 그의 즉위는 신라 왕위계승의 중요한 결정요건 중
에서 혈연적 요인과 정치적 요인이 크게 작용한, 하지만 골품제적 요인

은 작용되지 않은 왕위계승이었다. 그리하여 효공왕의 즉위로 신라 왕
위계승상 비진골 왕이 출현하였다. 그리고 뒤를 이은 박씨인 신덕왕, 경
명왕, 경애왕은 물론 김씨인 경순왕도 진골이 아니었다.

　결국 신라 하대는 왕위의 男系繼承은 무너지고 여서계승과 여제계승
이라는 변형적 양상이 나타났다. 또 庶子 출신인 비진골 신분의 왕이 즉
위하기도 하고, 여서계승을 표방한 異姓親에게 계승이 이루어졌다. 더
구나 외부세력에 의한 비진골 왕의 추대도 있었다. 이러한 왕통의 연장
을 위한 비정상적인 왕위계승은 드디어 골품제적 원칙을 무시해야만 하
였다. 진골 왕의 재위는 진성여왕을 최후로 하였고, 이후는 비진골 왕들
이 왕위를 계승하였다. 그 결과 왕위계승에서 골품제의 요인은 기능을
상실하였다.

　이와 같은 현상은 지방세력의 대두와 그들의 사회적 진출에 의한 신
라 영토의 축소, 그리고 자연재해와 지배층의 압박 및 전쟁의 혼란 등으
로 많은 流移民이 발생한 결과 기층사회가 와해되는 등 여러 방향에서
진행된 골품제의 붕괴현상과 더불어 신라왕조의 종말을 가져왔다. 이것
은 한국사의 발전과정에서 새로운 단계로의 진전이었다.

제3부
신라 하대 정치사의 이해

제9장 신라 하대 정치형태와 국왕의 위상

I. 머리말

한국사학계에서는 신라 하대의 정치형태를 李基白의 견해에 따라 '귀족연립'으로 보고 있다.[1] 최근 이것에 대한 비판적 견해가 제시되기도 했지만[2] 그 성격을 명확하게 규정하기가 그리 쉽지 않다. 이유는 이미 구축해 놓은 이해의 틀이 워낙 강고할 뿐만 아니라 영향력이 절대적이고, 또한편 현재로서는 이것에 대체할 만한 적합한 견해를 찾기가 어렵기 때문이라 하겠다.

신라 하대라 함은 『삼국사기』의 시대구분에 의하여 제37대 선덕왕부터 제56대 경순왕까지 20명 왕의 재위기(155년간)를 일컫는 용어이다. 하

---

1) 이기백, 1974, 『신라정치사회사연구』, 일조각, 253~254쪽. 신라 정치체제의 변화를 상대 귀족연합 - 중대 전제왕권 - 하대 귀족연립으로 본 주장은 교과서와 개설서에도 적용되고 있다.

2) 이영호, 2014, 『신라 중대의 정치와 권력구조』, 지식산업사 ; 신형식, 2004, 『통일신라사연구』, 한국학술정보 ; 이인철, 1993, 『신라정치제도사연구』, 일지사 ; 김창겸, 2003, 『신라 하대 왕위계승 연구』, 경인문화사 ; 권영오, 2011, 『신라하대 정치사 연구』, 혜안 ; 전덕재, 2009, 「신라 정치사회사의 전개에 대한 고전적 이해와 그 한계」『한국사연구』144. 그리고 '전제정치'(하일식, 2006, 『신라 집권관료제 연구』, 혜안)와 '귀족'의 개념(이재환, 2014 『신라사 연구에 있어서 귀족개념의 도입과정』『한국고대사 연구의 시각과 방법』, 사계절)에 대한 전문 검토도 있었다. 아울러 신라 중대 전제왕권설에 대한 검토와 연구사 정리로는 정운용, 2006, 「신라 중대의 정치」『한국고대사입문』3, 신서원 ; 김영하, 2007 「신라 중대 전제왕권론과 지배체제」『한국고대사 연구의 새동향』, 한국고대사학회가 참고가 된다.

지만 이 긴 세월 동안에 신라사의 성격은 물론 국왕의 위상이 한결같지
는 않았다.

　이 글에서는 889년(진성여왕 3) 농민반란을 분기점으로 하여, 그 이전
시기 국왕의 위상에 대해 한정하여 논의하겠다.[3] 먼저 이 시기의 정치
과정과 통치형태의 변화를 살펴보고, 이어 국왕의 황제적 위상의 실제
를 究明하겠다.

Ⅱ. 정치형태의 다양성

　필자는 신라 하대를 '귀족연립'이라고 한 표현에서, '귀족'은 신라가
골품제 사회였기에 중앙 진골귀족을 함축한 용어이고, '연립'은 귀족들
이 연합과 동시에 분열이라는 반면을 가진, 즉 진골귀족 가계 간에 연합
하면서도 독립적으로 존재하는 구조의 정치형태를 말하는 것으로 이해
한다.

　그러면 진골귀족이란 무엇인가? 흔히 왕을 제외한 왕족과 진골신분
을 포괄하는 통칭으로 사용하고 있는 듯하다.[4] 하지만 왕권 내지 왕의
위상에 대한 정확한 이해를 위해서는 양자를 구분해서 보아야 한다. 즉,

---

3) 이 시기가 신라 약 천년 역사에서 차지하는 절대 기간이야 그리 길지 않지
　만, 역사문화적 내용과 변화는 매우 다양하고 복잡하다. 필자는 왕통에 근
　거하여 제1기 : 780(선덕왕)~836(흥덕왕), 제2기 : 836(희강왕)~861(헌안왕), 제
　3기 : 861(경문왕)~912(효공왕), 제4기 : 912(신덕왕)~935(경순왕) 등 4기로 구
　분한 바 있다(김창겸, 2003, 앞의 책). 그럼에도 이 글에서는 논의의 편의상
　정치사적 관점에서 신라 하대를 제51대 진성여왕대 농민반란 봉기(889) 이
　전까지로 한정하고, 이후 지방세력의 등장으로 성격이 크게 달랐던 935년
　신라멸망까지는 신라 말기라고 구분하여 다루지 않겠다.
4) 심지어 '신라는 그 國體上 왕의 專制가 허락되지 않았으며'(今西龍 저, 이
　부오 외 옮김, 2008, 『신라사 연구』, 서경문화사, 189쪽), 또 '王種(眞骨)은 있
　으되 王家는 없었다.'(200쪽)는 주장도 있으나, 이것은 잘못이다.

왕의 형제자매를 비롯한 매우 가까운 범위의 친인척인 왕족들은 당시 일반 김씨진골층 또는 여타 진골과는 신분을 달리하는 보다 우월한 계층으로 보겠다.[5)

더구나 하대에도 왕권의 전제화 노력은 있었으므로, 정치형태를 통칭하여 왕권과 귀족의 대치라는 구도를 기조로 귀족연립이라고 보기에는 부족하고[6) 새롭게 볼 필요가 있겠다.[7)

1. 宣德王의 즉위와 연립정권의 성립

신라 중대 무열왕계 정권은 백제와 고구려를 병합하여 이른바 一統三韓을 완수한 뒤, 내외적 발전을 이루면서 성덕왕대에는 최고 전성기를 누렸다. 하지만 이것도 잠시이고, 점차 귀족들이 반발하는 기미를 보였다. 이러한 움직임에 대응하고자 경덕왕은 漢化政策을 통한 정치개혁을 실시하여 국왕의 권력 강화를 도모하였지만, 크게 성공하지 못한 채 죽었다.

경덕왕을 이어 혜공왕이 어린 나이로 즉위하자 母后 滿月夫人이 攝政하는 과정에서 왕권이 위약하여 많은 귀족세력들로부터 여러 차례에 걸친 도전을 받았다. 외척세력과 이에 반대하는 무열왕계 왕족들의 갈등, 그리고 모후 지지세력과 혜공왕 지지세력 간의 대립은 혜공왕 재위

---

5) 신라 하대 왕족을 어디까지 친족범위로 볼 것인가는 확언하기 어렵지만, 필자는 왕위계승권을 가진 범위에 속하는 친족을 왕족이라고 하겠다.

6) 강희웅, 1999, 「신라 골품체제하의 왕권과 관료제」『동양 삼국의 왕권과 관료제』, 국학자료원. 그리고 왕권은 '왕좌의 국가적 권위'와 '왕위의 정치적 권위'로 분리시켜 이해해야 필요가 있다고 한다(19쪽). 한편 하일식은 신라의 정치형태는 왕권이나 정치체제만이 아닌 사회와 역사의 구조적 인식을 할 필요성이 있다고 주장하였다(하일식, 2006, 앞의 책, 318~322쪽).

7) 신라 하대도 귀족사회이지만 政體는 王政(君主制)이었기에, 지배층은 王權과 臣僚로 구분하고, 왕권에는 왕과 가족이 포함되고, 신료에는 관리와 관직에 나갈 수 있는 진골 이하 모든 신분이 해당한다고 보겠다.

기를 반란으로 점철케 하였다.

혜공왕은 親政을 하게 되자 국정 운영을 위해 姑從兄弟인 金良相을[8] 774년(혜공왕 10) 上大等에 임명하였다.[9] 혜공왕대 후반기 정치권에서 宰相·上相으로 불리면서 최고의 세력을 가졌던 김양상은 780년(혜공왕 16) 2월 金志貞의 반란이 일어나자 진압군을 일으켜 김지정을 주살하였다. 이 과정에서 혜공왕과 왕비가 시해되어 闕位되고, 게다가 경덕왕의 남자손이 끊어진 상황이라, 김양상이 성덕왕의 外孫으로서, 또 摠知國事하는 상대등 지위에 있었기에 金敬信 등 지지세력의 추대를 받아 국정의 임시관리자로 즉위하였다.[10]

---

8) 김양상은 奈勿王의 10世孫으로, 아버지는 孝芳이며, 어머니 四照夫人은 聖德王의 딸이다. 그러므로 김양상은 武烈王系의 外孫으로 제34대 孝成王과 제35대 景德王의 外姪이며, 제36대 惠恭王의 姑從兄弟이다.

9) 김양상은 친혜공왕의 성격을 가진 인물이라 하겠다(김창겸, 2003, 앞의 책, 248~249쪽). 이와 달리 김양상을 反惠恭王派로 이해하여, 그의 상대등 취임으로 중대적 성격이 변질되는 계기로 보기도 한다. 즉 혜공왕 12년 漢化된 官制의 복구작업은 그에 의해 주관되었고, 또 13년 時政極論은 전제주의적인 왕권의 복구를 꾀하는 일련의 움직임을 견제하는 것이라고 보는 입장도 있다(이기백, 1974, 앞의 책, 228~254쪽). 그러나 金良相은 反王派가 아니라 親王派라는 견해가 있다(이영호, 1990, 「신라 혜공왕대 정변의 새로운 해석」『역사교육논집』 13·14합집, 342~351쪽). 한편 김양상은 反王派는 될 수 있어도 反專制主義派나 反中代派는 아니라거나(신형식, 1990, 「신라 중대 전제왕권의 전개과정」『산운사학』 4, 25쪽), 반왕파이나 중대 왕실의 반대파로는 볼 수 없다는 견해도 있다(이문기, 2015, 『신라 하대정치와 사회 연구』, 학연문화사, 21쪽).

10) 김창겸, 2003, 앞의 책, 190쪽과 250쪽. 한편 하대의 왕 중에 상대등 출신자가 더러 있음을 예로 들어, 왕과 상대등을 축으로 하는 세력 간의 대립으로 보면서, 상대등이 정당한 왕위계승자가 없을 경우 왕위계승의 제1후보였다는 주장이 있다(이기백, 1974, 앞의 책, 99~100쪽). 그러나 하대의 상대등은 임명권자인 왕과는 대단히 가까운 친족들로서 당시 왕과 대립적인 위치에 있지 않았고, 왕의 가장 신임자로서 인사문제 등 행정권을 위임받아 수행하였던, 왕권을 적극적으로 보좌하는 친왕적인 최고의 관료였다. 상대등(역임자)이 정당한 왕위계승자가 없을 경우에 가끔 왕위를 계승한

그러나 선덕왕 정권은 매우 불안정하였다. 선덕왕은 중대에서 하대로의 과도기에 있었던 난국을 수습하는 임시관리자에 불과하였다. 그러므로 비록 국왕의 자리에 있기는 하나, 왕권은 그리 자유롭거나 강력하지 못하였고, 실제는 그를 왕으로 추대한 핵심인 김경신과, 또 무열왕계의 대표 정치세력가 金周元과의 공조로 유지되었다. 그 사정은 선덕왕 재위기에 김경신과 김주원의 정치적 활동과 역할에서 잘 알 수 있다.

먼저 김경신은 내물왕의 12세손으로 중대 武烈王系가 아니고, 또 새로이 즉위한 선덕왕과도 父系를 달리하는[11] 독립된 정치세력이었다. 779년(혜공왕 15) 4월 金庾信墓에 異變이 발생하자 大臣이던 김경신이 왕명으로 받들어 그 魂을 위로한 적이 있었다.[12] 또 김지정의 난이 발생함에, 김경신은 780년 4월 김양상이 혜공왕 옆(君側)의 惡漢을 제거하기 위하여 군사를 일으켰을 때에 참가하여 난의 진압에 공을 세우고, 김양상의 즉위에 추대자로서 역할을 하였다.[13] 그리하여 선덕왕이 즉위함에 따라 상대등에 임명되어 큰 영향력을 가진 정계의 핵심인물이 되었다.

선덕왕 정권에서 권력 축의 또다른 하나는 金周元이었다. 김주원은 중대 왕실인 무열왕계 인물로, 先代는 신라 최고관직인 상대등과 시중, 장군 등을 역임하고, 弩兵을 검열하고 북방의 국경을 시찰하는 등 큰 활동을 하면서, 혜공왕과는 아주 밀접한 관계에 있었다.[14] 그리고 김주원은 777년(혜공왕 13) 10월 伊湌으로 侍中에 임명되어 혜공왕 말기에 상대등 김양상과 함께 최고 정치적 실력자의 위치에 있었다. 또 780년 4월

것은 친족관계에 의한 것이지 상대등의 관직이 직접적인 요건은 되지 못하였다.
11) 김창겸, 2010, 「신라 원성왕의 선대와 혈연적 배경에 대한 재검토」 『한국학논총』 34, 국민대학교.
12) 『삼국사기』 권43, 김유신전 ; 『삼국유사』 권1, 기이 미추왕죽엽군.
13) 『삼국사기』 권10, 원성왕 즉위조.
14) 김주원의 아버지 惟正(維誠)의 딸이 혜공왕의 원비 神巴夫人(新寶王后)이니(『삼국사기』 권9, 혜공왕 16년 4월 ; 『삼국유사』 권1, 왕력), 김주원은 혜공왕의 처남이었다.

김양상의 즉위시, 김주원은 이에 뜻을 같이하여, 이후까지 시중으로 재임하며 여전히 그 위상을 유지하고 있었다. 더구나 785년(선덕왕 6) 1월 김경신이 次宰로서 상대등일 때 그보다 윗자리인 上宰에 있었다.[15] 김주원은 중대 왕실의 직계손이 끊어진 후에 남아있는 무열왕 후손의 대표자적 위치를 가지고 있었다.[16]

이상에서 살펴보았듯이, 선덕왕은 혜공왕 말기에 상대등으로서 최대의 정치적 세력과 군사력을 가졌던 까닭에 반란 진압이라는 정치적 사건을 통한 비상수단으로 즉위하였으나, 그의 역할은 당시 난국을 수습하는 임시관리자에 불과하였던 것이다. 그리하여 그의 재위기는 上宰 김주원과 上大等(次宰) 김경신 3인이 정권을 운영하는 연립 성격을 띤 王政이었다고 보겠다.

2. 원성왕계의 왕권강화와 王家 寡頭政治

선덕왕 말년에 김주원과 김경신은 각각 上宰와 次宰의 지위에 있어서 김주원이 김경신보다 상위에 있었고, 그래서 김주원이 왕위계승을 할 수 있는 유리한 위치에 있음을 김경신도 인정하고 있었다.

『삼국유사』의 기록에 의하면 김경신도 처음에는 김주원이 왕위계승 예정자임을 인정하였지만 餘三의 解夢이 있은 이후에는 왕위에 대한 야심을 키워가 고 있었던 것 같다.[17]

그러다가 785년(선덕왕 6) 정월 13일 선덕왕이 죽자, 김경신은 왕위계승자로 인정되어 있던 김주원을 물리치고 지지자들의 추대를 받아 먼저 즉위하였다.[18] 이것은 김주원으로부터 왕위를 탈취한 비정상 즉위였다.

---

15) 『삼국유사』 권2, 원성대왕 참조.
16) 최병헌, 1978, 「신라 하대 사회의 동요」 『한국사』 3, 국사편찬위원회, 432쪽.
17) 김창겸, 1995, 「신라 원성왕의 즉위와 김주원계의 동향」 『부촌신연철교수정년퇴임기념 사학논총』, 452쪽.

즉 선덕왕·김경신·김주원 3인이 공동으로 운영하던 연립정권은 가장 큰 축이며 대표성을 가졌던 선덕왕이 사망하고 김주원이 지방으로 낙향함으로써 마감되었다,

원성왕은 황제적 지위와 의식을 표방하였다. 원성왕은 즉위초부터 여러 가지 방법을 통하여 왕권의 확보와 강화를 추구해 나갔다. 즉위 직후인 785년(원성왕 1) 2월 자신의 先代를 추봉하여 五廟를 새로 정하고, 장자 仁謙을 태자로 책봉하였다.[19] 하지만 인겸이 791년(원성왕 7) 정월에 죽자, 792년(원성왕 8) 8월 다시 차자 義英을 태자로 책봉하였다. 그러나 義英마저 794년(원성왕 10) 2월 죽음에 또다시 795년(원성왕 11) 정월 嫡孫 俊邕을 太子에 책봉하였다. 이러한 계속적인 태자책봉은 비정상적 왕위계승을 한 원성왕의 왕권강화를 위한 하나의 수단으로써 부자계승에 대한 강한 집착을 보여주는 것이며,[20] 왕권의 전제화를 추구한 것이다.[21] 그리고 그는 왕실가족정치를 추구하여, 왕과 왕태자를 頂点으로 아들과 손자 등 소수 왕족이 상대등·병부령·재상을 비롯한 중요 관직을 兼職하여 아주 좁은 범위의 친족이 핵심 권력을 독점함으로써 왕권을 전제화하는[22] 구조를 이루었다.

이처럼 원성왕이 즉위 직후부터 직계 후손을 중요 관직에 임명하여 권력을 독점하는 방법으로 왕권의 강화와 왕실의 권위를 높이고자 노력한 이유는 자신과 가족이 무열왕계의 경덕왕-혜공왕가와는 가계를 달리하였기 때문이다.

종래에는 하나의 진골귀족에 불과하던 奈勿王의 傍系에서 이제는 새로운 국왕과 王家가 된 이상 계속적으로 왕위와 왕실을 유지시켜 나가려는 의도에서 왕통의 확립을 꾀하였다. 그것을 위해서는 정당성과 권

---

18) 『삼국사기』 권10, 원성왕 즉위조.
19) 『삼국사기』 권10, 원성왕 즉위년 2월.
20) 김창겸, 1997, 앞의 논문, 40쪽.
21) 이기백, 1974, 앞의 책, 121쪽.
22) 신형식, 1990, 「신라 중대 전제왕권의 특질」 『국사관논총』 20.

위를 가진 새로운 왕가로 인정받고,[23] 반면에 종래 왕가인 무열왕계 왕족들을 일반 김씨진골귀족으로 격하시키는 것이 가장 시급하고도 필요한 과제였다. 즉, 새로운 왕족으로서 자존적 의식을 가지면서 일반 김씨진골과는 차별화를 꾀할 필요를 갖게 되었다. 원성왕은 자신의 가계를 신성화하기 위하여 노력하였다. 원성왕은 그의 아버지로부터 萬波息笛을 받았다고[24] 한다. 만파식적은 중대 무열왕계에게는 왕위계승의 상징물로 인식되었고,[25] 그 정당성과 신성성을 대변해 주는[26] 의미를 지닌 것으로, 이것은 원성왕의 왕위계승에 대한 정당화와 왕실의 신성화를 위한 상징적 행위였다. 그리고 즉위 직후 선대를 大王으로 추봉하고 祖父와 考를 포함한 五廟를 새로 정하여 왕실로서 면모를 갖추었다. 아울러 왕위계승에서 直系相續을 중요시하고, 직계의 존숭은 자연히 傍系와 차이를 강조하여 점차 가족 규모의 분지화 요인이 되었다.[27]

그리고 점차 손자인 俊邕·崇斌·彦昇을 차례로 시중에 임명하였고, 준옹과 언승을 병부령에 임명하는 등 친족에게 요직을 맡겨 자신을 중심으로 한 小家系에 의한 권력독점을 통하여 왕권을 강화해 나갔다. 그러면서 자신의 가계를 전제적 군주의 위상을 가진 새로운 왕과 왕실로서 외형적 권위를 한층 높이어 다른 진골가계보다 초월적 존재로 부각시키기 위해 황제와 황족의식을 표방하였다. 즉, 새로운 왕계를 연 원성왕은 자신의 위상을 격상시키려 노력하였고, 그리고 그는 한국 고대의 건국 시조들이 天子란 칭호로 불려진 것처럼 하대 왕통의 中始祖로서 천자의

---

23) 원성왕의 선대는 奈勿王系로서 중대 진골 귀족사회에서 일정한 위치를 차지하고는 있었던 것 같으나(이기동, 1984, 앞의 논문, 151쪽), 그리 대단하게 두드러졌던 가계는 아니었다(최병헌, 1978, 앞의 논문, 431쪽).

24) 『삼국유사』 권2, 元聖大王.

25) 김수태, 1996, 『신라중대정치사연구』, 일조각, 38쪽.

26) 김상현, 1981, 「만파식적설화의 형성과 의의」『한국사연구』 34 ; 권영오, 1995, 「신라 원성왕의 즉위과정」『부대사학』 19, 165쪽.

27) 이기동, 1984, 앞의 논문, 179~180쪽.

식을 빌려 신성성을 드높였다.[28]

그러면서 종전에 무열왕계 핵심세력으로 자신과 왕위를 경쟁하였던 김주원에 대한 차별 조치를 취하였다. 비록 실제 즉위에는 실패하였으나, 종래 왕통인 무열왕계이며, 더구나 宣德王 재위기에는 자신과 함께 권력을 나누어가진 당시 정계의 핵심 인물의 하나였기에 그에 대한 예우가 필요하였다. 그리하여 '溟州郡王'으로 임명하여 지방 제후의 위상을 갖게 하였다.

그 결과 원성왕대는 국왕과 아들, 손자 등 직계가 중앙 핵심 관직과 권력을 독점하고, 국정을 운영하는 왕과 소수 친족에 의한 중앙집권적 정치구조였으며, 이들은 황제와 황족적 위상과 의식을 표방하였다.

한편 원성왕의 적손 준옹이 태자로 책봉되었다가 뒤를 이어 즉위하니, 이가 소성왕이다. 소성왕이 죽은 뒤, 아들 애장왕이 어린 나이로 즉위함에 숙부 彦昇이 섭정하였다. 그러나 언승은 809년(애장왕 10) 7월 아우 秀宗과 함께 애장왕을 시해하고 즉위하니, 이가 헌덕왕이다.[29] 헌덕왕은 즉위후 아우 수종과 忠恭의 협조 속에 왕권을 강화하면서 개혁정치를 추진해 나갔다. 수종을 819년(헌덕왕 11) 상대등에 임명하고, 822년 副君에 임명하여 月池宮에 들어가게 하여 왕위계승자의 지위를 부여하고, 충공을 상대등에 임명하고 인사행정을 맡기는 등 통치행위를 보좌케 하였다.[30] 그리하여 왕과 형제가 권력을 독점한 체제로써 국정을 운영하였다.

또 헌덕왕이 죽고, 부군에 책봉되어 있던 아우 수종이 즉위하니, 이가 흥덕왕이다. 흥덕왕의 정치적 입장은 대체로 헌덕왕과 비슷하였다. 흥덕왕은 즉위후 이전 애장왕대로부터 이어지는 일련의 정치개혁을 지

28) 元聖王이라 한 諡號에서 보듯이 "聖王"의식을 가지면서, 중대 일반진골에서 하대의 왕과 왕통이 되었기에 새로운 왕족의식을 과시하려 했다.
29) 『삼국사기』 권10, 애장왕 10년 7월 ; 『삼국유사』 권1, 왕력 제40대 애장왕.
30) 『삼국사기』 권45, 녹진전.

속하였다. 특히 834년 모든 골품에 따른 복색·거기·기용·옥사 등의 규정을 반포하여, 당시 만연한 사치풍조를 금지시키면서, 골품 간의 신분구별을 더욱 엄격히 하였다. 흥덕왕의 개혁은 행정기구의 漢式 개편과 귀족세력의 억제, 그리고 이것을 통한 왕권의 전제화 방향으로 진행되었다.

헌덕왕대와 흥덕왕대의 개혁정치를 주도한 또 하나의 핵심 인물은 아우 충공이다. 충공은 817년(헌덕왕 9)부터 821년까지 약 4년간 執事部 侍中, 822년부터 835년까지 약 13년간 상대등을 역임하였다. 822년에는 金憲昌의 난을 진압하는 데 공을 세웠으며, 헌덕왕대는 政事堂에서 內外官의 銓注를 맡아 인사문제의 실권을 맡는 등 당시 최고의 정치적 실력자로 군림하였다. 그리고 충공 또한 흥덕왕에 의해 宣康太子로 책봉되었다. 하지만 흥덕왕보다 먼저 죽어 실제 즉위하지는 못했다.

이처럼 헌덕왕·흥덕왕과 충공 형제가 협력하여 조카 애장왕을 시해하고 왕위를 찬탈하였으며, 이후 이들 3인이 공동정권을 형성하여 국정을 운영하였다. 형 헌덕왕이 먼저 즉위하고 수종(흥덕왕)이 상대등과 부군으로서 정권을 끌어갔으며, 이어 즉위한 흥덕왕대는 충공이 상대등과 태자로서 정권을 함께 운영하였다. 즉, 이들 3형제의 공조 속에 개혁정치가 진행되었다. 결국 외형상 왕정이면서 실제는 王室家族에 의한 寡頭政治를 한 것이다.

3. 왕위쟁탈전기 연립정치

그러나 강력한 개혁정치를 추진하던 이들 3인이 죽은 뒤에 왕위계승을 둘러싸고 정국은 대혼란을 겪었다. 희강왕과 민애왕이 살해되고 淸海鎭 장보고 세력의 지원으로 왕위를 찬탈한 김우징(신무왕)이 즉위하기까지 왕권은 곤두박질쳤다. 그리고 이 시기의 정치형태는 정상적인 왕권이 존재하지 못하고 일부 왕족과 진골귀족들에 의한 임시연립정치 형태였다.

830년대 원성왕계 내에서 치열하게 전개되었던 왕위쟁탈전은 장보고 세력의 지원을 받은 신무왕·문성왕 부자의 즉위로 종결되고, 뒤이어 즉위한 헌안왕에 의하여 점차적으로 헌정계와 균정계의 타협(범예영계), 그리고 경문왕에 의하여 인겸계와 예영계의 타협(범원성왕계)이 이루어졌다. 그리하여 하대 중반기 이후에는 小康을 이루어 김씨왕조를 유지, 연장할 수 있었다.

의정(헌안왕)은 균정의 아들이며 충공의 외손자라는 혈연적 기반을 바탕으로 일찍 정계에 진출하여 활동하였다. 836년(흥덕왕 11) 1월 唐에 謝恩 兼 宿衛로 갔다. 그런데 의정이 당에서 숙위하는 동안 신라는 격동의 시기였다. 무엇보다도 836년 12월 흥덕왕이 無敵嗣로 죽자, 왕위를 두고 의정의 아버지인 상대등 均貞과 의정의 외삼촌인 金明이 지원하는 균정의 조카 悌隆 사이의 무력 충돌이 있었다. 이 싸움에서 균정은 패하여 죽음을 당하였다. 이복형 김우징은 김명 일파에 대한 불만을 표출했다가 도리어 해를 당할 위험에 처하게 되자, 5월 청해진의 장보고에게로 망명하였다.

중앙에서 세력이 상대적으로 취약했던 김우징(신무왕)은 희강왕의 원수를 갚는다는 명분을 내세워 839년 1월 청해진의 장보고와 김주원계에 속하는 金陽의 지원을 받아 민애왕을 시해하고, 마침내 4월에 즉위하였다. 신무왕은 즉위 직후 先代를 추봉하고 아들 慶膺을 태자로 책봉하여 왕실의 면모를 갖추었다. 그리하여 왕과 태자 그리고 공신 金陽 등을 중심으로 정치권을 새로이 재편하고자 하였다. 하지만 신무왕은 겨우 몇 개월 재위하지 못하고 이해 7월 23일에 죽었다. 이에 태자 慶膺이 즉위하니, 그가 문성왕이다.

신무왕의 재위기간이 워낙 짧아 앞 시기에 있었던 왕위계승전의 후유증이 완전히 청산되지 못한 상태에서 즉위한 문성왕은 많은 어려움을 직면하였으며, 이에 대응하고자 노력하였다. 우선 즉위 직후인 839년(문성왕 1) 8월 장보고를 鎭海將軍으로 삼고,[31] 또 金陽을 蘇判 兼 倉部令에

제수하여[32] 신무왕을 추대한 공신들에 대한 논공행상의 성격을 지닌 인
사조치를 하였다. 그리고 다음해인 840년 1월 禮徵을 상대등, 또 義琮을
시중으로 삼았다.[33] 이때 禮徵은 均貞의 妹壻, 즉 문성왕의 大姑母夫로
서 신무왕의 즉위를 도운 최고 공신 중의 한 명이고,[34] 誼靖(義琮)은 신
무왕의 異母弟로서 문성왕의 숙부이다. 결국 문성왕은 추대공신들과 자
신의 지근친에게 중요 관직을 배분하여 귀족연립을 통해서 왕권을 보다
강화해 나가려 하였던 것 같다.

그러나 이러한 문성왕의 체제 확립에 대한 반발도 만만치 않았다. 특
히 문성왕과 중앙귀족들의 권력 강화조치는 또다른 공신세력인 지방의
장보고에게 소외감이 들게 하였고, 마침내 장보고는 신무왕의 찬탈시
군사력을 지원하는 조건으로 약조한 자신의 딸을 왕비로 받아들일 것을
요구하였다. 그러나 이 일을 빌미로 841년 11월 장보고는 암살당하였다.
장보고 제거시에는 김양과 의정이 의기투합했던 것으로 보인다.

장보고를 제거한 뒤, 842년 3월 金陽(魏昕)이 딸을 왕비로 들여보내는
등, 그를 중심으로 한 공신계열이 권력을 장악해 갔다. 그러자 이것에
불편함을 느낀 의정은 자의반 타의반 병을 이유로 843년(문성왕 5) 1월
시중을 사임하고, 대신에 또다른 공신인 이찬 良順이[35] 시중으로 임명

31) 『삼국사기』 권11, 문성왕 즉위년 8월.
32) 『삼국사기』 권44, 金陽傳.
33) 『삼국사기』 권11, 문성왕 2년 1월. 義琮은 849년(문성왕 11) 1월 上大等에 임
　　명된 義正과 동일인이며(이기백, 1974, 앞의 책, 182쪽), 게다가 일찍이 836
　　년(흥덕왕 11) 唐에 使行한 金義琮과, 857년 문성왕의 顧命에 따라 즉위한 誼
　　靖(헌안왕)이 모두 동일인으로 추측된다(이기동, 1984, 앞의 책, 170~171쪽).
34) 예징은 원성왕의 셋째 아들인 禮英의 사위이며 均貞의 妹壻로서, 836년에
　　벌어진 균정과 悌隆의 왕위쟁탈전에서 균정의 아들 祐徵과 함께 균정을
　　받들었다가 실패하자, 祐徵·良順 등과 청해진의 張保皐에게 몸을 의탁하
　　였고, 839년(민애왕 2) 金陽 등과 함께 신무왕을 즉위시키는 데 공이 큰 인
　　물이다.
35) 良順은 '亮詢'으로도 표기되어 있는데, 왕위계승전에서 悌隆이 均貞을 죽
　　이고 희강왕이 되자, 균정을 지지하던 禮徵과 함께 837년(희강왕 2) 張保皐

되었다. 아마 장보고 세력을 제거한 뒤에는 의정을 대표로 하는 문성왕의 왕족과 김양을 대표로 하는 공신세력 사이에 갈등 구조가 형성되었으나, 이 일을 계기로 의정계열이 밀려나고 김양계열이 요직을 장악한 듯하다.

하지만 844년 2월과 3월에 天變異狀이 있자, 良順을 해임하고 대신에 大阿湌 金茹를 시중으로 임명하였다. 이것은 단순히 자연재해만의 이유가 아니라 양순이 김양과의 사이에서 알력이 생겨 밀려난 것이며, 이에 대한 불만과 반발로 847년(문성왕 9) 5월에 양순은 반란을 일으켰다. 이것은 공신세력 간의 갈등이 빚은 사건이다.[36] 이와 함께 공신세력을 점차 정리하여 왕권을 강화하려는 문성왕의 의도가 가미된 것이라 하겠다.

한편 같은 해 8월에 문성왕은 아들을 왕태자로 책봉하고, 곧이어 이찬 김양(魏昕)을 시중에 임명하였다.[37] 그 결과 김양은 병부령과 시중을 겸직하게 되었다.[38] 그리하여 문성왕의 大姑母夫로서 신무왕 즉위공신인 정계 원로 禮徵이 상대등에 있기는 하나, 국왕의 장인이며 최고 공신인 김양이 주요 관직을 차지하고 직접 권력의 정면에 나선 것이다.

그러나 당시 사정은 그렇게 순조롭게 진행되지만은 않았다. 848년 봄에서 여름까지 가뭄이 계속되는 자연재해가 있음에 시중 김양이 사직하고, 대신에 문성왕은 자신의 妹夫인 파진찬 啓明을 시중에 임명하였다.[39] 계명은 희강왕의 아들이다. 그러므로 계명과 문성왕은 부계로 재종형제이다.[40] 사실 신무왕·문성왕 부자는 비록 민애왕을 몰아내고 왕

에게 투탁하였으며, 김양이 平東將軍이 되어 출전할 때 838년(민애왕 1) 12월 鵡洲軍을 거느리고 와서 합세하여 신무왕 즉위를 도왔다. 그 공로로 이 때에 시중에 임명된 것이다.

36) 김창겸, 1994, 앞의 논문, 249쪽.
37) 『삼국사기』 권11, 문성왕 9년 8월.
38) 『삼국사기』 권44, 金陽傳.
39) 『삼국사기』 권11, 문성왕 10년.
40) 그러나 흥덕왕이 죽은 뒤 문성왕의 조부 균정이 즉위하려 할 때, 계명의 아버지 김제륭(희강왕)이 김명의 도움을 받아 균정을 제거하고 즉위하였

위에 올랐으나 민애왕과 희강왕측의 반발이 잔존하는 상황에서 아직까지 지지기반이 미약하여 이들을 회유 포섭하는 것이 급선무였다. 그 방법의 하나로써 희강왕의 아들 啓明과 문성왕의 누이 光和夫人을 혼인시켰던 것이다.[41] 이때 문성왕이 자신의 매부이면서 재종형제인 계명을 김양 대신에 시중에 임명한 인사조치는 특별한 의미를 지닌 것이다. 비대해진 공신 김양의 세력을 견제하기 위하여 문성왕은 자신의 지근친을 등용하여 견제하려는 의도였던 것같다.

그리고 849년(문성왕 11) 1월 원로공신으로 상대등직에 있던 예징이 죽자 그 후임으로 843년 1월 이후 시중에서 물러난 뒤 공신세력에 밀려 한동안 정치 일선에서 벗어나 있던 숙부 義正을 그 자리에 임명한 것에도[42] 더욱 그러하다. 그리하여 문성왕은 공신세력을 뒤로 밀어내고 妹壻인 시중 계명과 숙부인 상대등 의정과 함께 지근친을 중심으로 주요 관직과 권력을 독점하는 연합체제를 형성하였다.[43]

이후 문성왕은 종전에 대립과 갈등의 양상을 보이고 있던 憲貞系와 均貞系의 타협을 이루면서 왕권의 안정을 추구해 나갔다. 이것은 균정계와 헌정계, 크게는 범예영계의 연합을 통하여 권력 장악을 도모한 것이다. 그러나 이 무렵에도 김양이 앞 시기에 비하면 외형상 정치적 입지

다. 그리하여 두 가계 간에 갈등이 있었다. 그러나 곧이어 김명(민애왕)이 희강왕을 핍박하여 죽이고 찬탈함에, 희강왕의 원수를 제거한다는 명분을 내세워 신무왕·문성왕 부자(균정계)가 민애왕을 죽였으나, 희강왕측(헌정계)은 이것을 묵인하였을 뿐, 계명이 직접 빈발을 보이지 않았다.

41) 이것은 대립관계에 있던 균정계와 헌정계의 화합과 타협을 보여주는 것이다.

42) 『삼국사기』 권11, 문성왕 11년.

43) 물론 희강왕과 민애왕, 신무왕의 재위기도 귀족연립이었으나, 이들 각왕의 재임기간이 워낙 짧은 과도정권들이라 그 성격을 구체적으로 이야기할 바가 되지 못하여 생략한다. 한편 전덕재는 '희강왕과 신무왕대의 정치적 성격은 귀족연합정권이었음이 분명히 보인다.'고(2009, 앞의 논문, 346~347쪽) 하였는데, 필자는 문성왕대가 보다 더 그러하다고 본다.

가 약간 축소되기는 하였으나, 여전히 원로공신이고 왕비의 아버지로서 그리고 병부령의 관직을 가진 최고 실력자의 한 사람으로 건재하고 있었다.

결국 문성왕은 숙부 의정을 적절히 활용하면서 김양을 비롯한 추대 공신들과 조정 속에 왕위를 유지해 나갔다. 그러다 848년(문성왕 10) 여름 계명을 시중에 임명한 데 이어, 849년(문성왕 11) 1월 의정을 上大等에 임명하였다. 그리하여 문성왕은 김양·의정·계명 3인의 도움으로 국정을 운영하였다. 그 결과 문성왕 후기는 왕, 숙부인 상대등 의정과 공신세력인 병부령 김양이 이른바 南北宰相으로서,[44] 그리고 이에 더해 헌정계의 시중 계명이 세력의 조화를 이룬 연합체제가 형성되었다.

하지만 상황은 순조롭게만 전개되지 않았다. 852년 11월 왕태자가 죽었다. 더구나 857년 8월 김양마저 죽었다. 문성왕대 후반기에 김양과 의정·계명이 구축하고 있던 체제는 무너지고, 문성왕 말년의 정국은 의정과 계명이 주도하게 되었다. 다시 말해 신무왕의 찬탈과정에서 등장한 공신세력이 사라지고, 문성왕의 지친들이 중심이 된 균정계와 헌정계의 연합에 의한 정권이 성립되었다.

문성왕은 죽기 직전에 의정에게 왕위를 계승하라는 유조를 남겼다. 그리고 의정이 즉위하니, 이가 헌안왕이다. 헌안왕의 즉위에 보다 직접적으로 영향력을 행사한 사람으로 계명을 들 수 있다. 앞에서 언급하였듯이, 계명은 김양과는 정치적 입장을 달리하는 인물이었다. 계명은 제륭(희강왕)의 아들이다. 반면에 김양은 균정이 제륭과 왕위를 다툴 때,

---

44) "憲安大王은 사찰의 施主인 季舒發韓 魏昕(김양)과 더불어 南北宰相이었다"(「성주사낭혜화상백월보광탑비」). 그리고 문성왕의 유조에 의정이 "오랫동안 古衡(台衡의 誤記)에 있으면서 王政을 狹贊하였다." 하였는데, 台衡이란 台輔와 같은 말로 宰輔를 말하는 것이다. 그러므로 의정은 즉위 이전에 宰相을 역임한 바가 있었음을 알 수 있으며, 아마 최고의 관등인 舒弗邯으로서 당시 최고 요직의 하나인 內省 私臣을 역임하였을 것으로 추측된다(김창겸, 2003, 앞의 책, 245쪽).

균정편의 핵심으로서 제륭에게 맞섰던 인물이다. 848년 시중에 임명된 계명은 849년 1월 상대등에 임명된 의정의 도움을 받으면서 김양과 대결하는 과정에서 정치적 성장을 하였고, 의정과 계명 두 사람의 협조관계는 강화되어 갔을 것이다. 그리하여 계명은 의정의 즉위를 적극적으로 지원하였던 것으로 추측된다. 그 대가로 857년 9월 헌안왕이 즉위한 직후에 단행한 인사조치에서 종전에 자신이 가졌던 상대등에 金安을 임명하였지만, 계명은 교체되지 않고 계속 시중직에 있으면서[45] 헌안왕을 협조하였다.

결국 헌안왕의 즉위초 지지세력과 이들이 형성한 권력구조는 헌안왕을 중심으로 從孫 김안이 상대등, 姪壻 계명이 시중을 보유함으로써 가까운 친족이 중요 관직과 권력을 독점한 것이다. 그러므로 균정계의 헌안왕과 김안, 그리고 균정계와 혼인한 헌정계의 계명이 연대를 이룬 것으로, 결국 예영계의 단합이 성립된 것이다. 이러한 구조에 의한 헌안왕 정권의 안정은 조만간 다가올 범원성왕계 대단합의 기틀을 마련한 것이다. 헌안왕은 이것에 대한 보답으로 계명의 아들 膺廉(경문왕)을 女壻로 삼았고, 마침내 왕위까지 물려주었다.[46]

4. 景文王家期 황제적 위상 추구

경문왕은 헌안왕의 사위로서 왕위를 이었다. 그리하여 경문왕계 왕통이 탄생하였다. 경문왕은 즉위한 861년 3월 대사면을 실시하고, 862년 정월 伊飡 金正을 상대등, 阿飡 魏珍을 시중에 임명하는 인사조치를 행

---

45) 848년 이후 862년(경문왕 2) 1월 아찬 魏珍이 시중에 임명될 때까지 전혀 시중 임명 기사가 보이지 않으므로 미루어, 계명은 861년 아들 응렴이 즉위할 때까지 시중직에 있었을 것이다. 그러므로 계명은 응렴이 화랑으로 활동하면서 명망을 드날려, 헌안왕의 사위가 되고, 즉위하는데 중요한 영향력을 행사하였을 것이다.

46) 김창겸, 2005, 「신라 헌안왕의 즉위와 그 치적」『신라문화』 26.

하고, 2월 신궁에 친사하였다. 그리고 863년 2월 國學에 행하여 經義를
강론하게 하는 한편, 崇福寺를 중창하고, 敏哀大王願塔을 건립하였다.
또 866년 아버지 계명을 懿恭大王, 어머니 光和夫人을 光懿王太后로 봉
하고, 왕자 晸을 왕태자로 책봉하여 왕위의 부자계승을 대비하며, 왕실
의 권위를 과시하였다. 이러한 노력의 결과 경문왕과 그의 아들 헌강왕
대는 앞 시기와는 달리 정치사회의 안정과 더불어 왕권의 강화가 이루
어졌다.

　　경문왕은 願塔 건립 등 修造役事를 통하여 원성왕계의 여러 후손을
하나로 묶어 각 분파 관념을 없애고 자신의 정당성을 인정받고자 하였
으며,[47] 한편 國學의 개편과 유학적 능력이나 실무적 행정능력이 뛰어
난 6두품 신분들을 관직에 등용하여,[48] 새로운 측근세력을 형성하는데
주력하였다. 특히 文翰機構와 近侍機構의 확장을 통한 개혁정치를 행하
여 근친왕족에 의한 국왕의 권력집중과 왕권강화를 끊임없이 시도하였
다. 그리고 唐制를 수용하여 제도적 변혁을 통하여 정치체제의 정비, 특
히 中事省과 宣敎省을 통해 국왕 측근의 관료집단을 형성하여 왕권강화
에 주력하였다.[49] 즉 경문왕은 유학을 진흥하여 전제주의적 중앙집권체
제를 뒷받침하려고 하였다.[50] 결국 경문왕은 유학정치이념을 바탕으로
하여 왕권강화를 추진하면서 진골귀족세력으로부터 벗어나려 하였다.
특히 경문왕 후반기에는 親弟 魏弘을 중용하고 경문왕가를 중심으로 권
력집중을 시도하였다.[51] 아울러 위홍을 통하여 신라 고유사상을 강조하
면서 왕실 권위의 회복과 왕권강화에 주력하였다.[52]

---

47) 김창겸, 1988, 앞의 논문.
48) 전미희, 1989, 「신라 경문왕·헌강왕대의 ‘능관인’등용정책과 국학」『동아연
　　구』 17.
49) 이기동, 1984, 앞의 책, 231~304쪽.
50) Vladimir Tikhonov, 1996, 「경문왕의 유불선 융화정책」『아시아문화』 12, 54쪽.
51) 김창겸, 1988, 앞의 논문, 71~72쪽.
52) 김지은, 2002, 「신라 경문왕의 왕권강화정책」『경주사학』 21, 49쪽.

이러한 경문왕과 헌강왕대 번영과 안정은 경문왕 왕실 혈통의 신성의식과 고유신앙적 요소의 강화와, 유교적 지식인층이 앞장서 추진하였던 중국 문물제도의 수용을 통한 변혁의 시도라는 두 가지 경향이 조화를 이루고 보완관계를 유지할 수 있었기 때문이다.[53] 신라 말에 이르러 유교사상은 불교·풍수사상 등 여러 종교와 서로 융합되어 있었다.[54] 경문왕도 유·불·선의 융화를 강조하면서, 儒·仙의 經書를 똑같이 '漢學'으로 공부하며 專制王國의 사회질서를 확립하기 위해서 兩家의 윤리 실천을 장려하였다.[55] 여기에는 도가적 요소와 고유신앙이 사상적 배경으로 작용하였다.[56]

이와 함께 점차 새로운 왕실로서 권위를 높이고자 신성화 작업에 들어갔다. 경문왕이 중국적 예제의 수용을 상징하는 '少昊金天氏 出自說'을 다시 표명함으로써 閼智에서 연원을 구하는 '天降金櫃說'을 내세웠던 기존의 왕실과 여타 김씨세력과의 차별성을 강조하였다.[57] 또 한편으로는 경문왕 자신과 왕실의 호칭에 대한 격상을 통하여 왕의 위상과 왕실의 권위를 높이고 왕권의 전제화에 노력하였다. 경문왕이 직접 황제를 칭한 기록은 없으나, 그의 아내를 皇后, 왕위계승자를 太子, 아우를 太弟, 누이를 長翁主로, 또 헌강왕은 누이를 長公主라는 용어를 사용하여 천자의 지위를 표방하였다. 이처럼 경문왕가 왕실은 일반 김씨진골에서 초월한 황제적 위상과 황족으로서 의식을 가졌던 것이다.[58]

53) 전기웅, 1996, 『나말려초의 정치사회와 문인지식층』, 혜안, 26~27쪽.
54) 최영성, 1990, 『최치원의 사상연구』, 아세아문화사, 63쪽 ; 김영미, 1999, 「신라 하대 유불일치론과 그 의의」『백산학보』 52, 897~922쪽. 사실 신라 말의 유교는 불교 외에도 노장사상 및 도교의 영향을 받았고, 선종의 새로운 지적 훈련을 받는 등 정신세계의 변동은 결국 3교의 융합된 관념형태였다(김철준, 196,2 「신라 귀족세력의 기반」『인문과학』 7, 서울대학교, 270~271쪽).
55) Vladimir Tikhonov, 1996 앞의 논문. 43~65쪽.
56) 장일규, 2005, 「최치원의 삼교융합사상과 그 의미」『신라사학보』 4.
57) 이문기, 1990, 「신라 김씨 왕실의 소호김천씨 출자관념의 표방과 변화」『역사교육논집』 23·24합집.

Ⅲ. 국왕의 황제적 위상

1. 황제적 위상 표방

원성왕은 하대 왕통의 중시조로서 天子(皇帝)의 위상을 가졌다.[59] 元聖王이라는 시호는 聖王 중에서도 으뜸이 되는 始祖를 의미하며, 하대의 새로운 왕통을 일으킨 중시조 내지 중흥군주로 인식되었다. 이런 이유로 원성왕은 「숭복사비」에서 임금의 뛰어난 선조인 '聖祖'와 공훈이 큰 先祖 - 특히 開國의 基業을 닦은 帝王을 의미하는 '烈祖'로 표현되고 존숭되었다.

원성왕의 즉위과정에서 큰비가 내려 왕위계승 예정자였던 김주원이 미처 궁궐에 도착하지 못한 틈을 타 먼저 즉위함에 國人이 임금은 하늘이 내는 것이라 하면서 모두 '萬歲'를 불렀다는[60] 기록이 있다. 이것에서 당시 신라 지배층은 天命思想을 가지고 있었고, 또 만세를 부른 것에서 그가 황제적 존재였음을 알 수 있다. 사실 원성왕은 '陛下'로 지칭되었다.[61]

특히 당시 작성된 금석문에는 원성왕을 비롯한 왕과 친족들을 황제와 황족으로 예우, 상징한 용어들이 많다. 「갈항사석탑기」에는 원성왕을 살아 생전에 "敬信大王", 그의 어머니를 "照文皇太后"라고 표기하였다.[62]

---

58) 김창겸, 1999, 「신라 원성왕계 왕의 황제·황족적 지위와 골품 초월화」『백산학보』 52, 841~872쪽 ; 김창겸, 2009, 「신라 경문왕에 대한 연구의 현황과 제안」『한국 고대사 연구의 현단계』, 주류성출판사, 850~860쪽.

59) 신라 중고기에 법흥왕 이후 독자적 연호 사용, 진흥왕대 태자제 시행과 진흥왕순수비문의 '帝王', '朕', '四方' 용어와 이것의 봉선적 의미 포함, 특히 중대 무열왕의 묘호 '太宗', 문무왕대 고구려 왕족 安勝의 고구려왕 책봉, 탐라국의 조공, 발해국왕 大祚榮의 대아찬 제수, 신문왕대 전국을 9주와 5소경으로 편재한 것 등에서 일찍부터 천자적 의식을 가졌던 것을 알 수 있다.

60) 『삼국사기』 권10, 원성왕 즉위조.

61) "王卽位十一年乙亥 … 願陛下勅二人 留我夫等護國龍也"(『삼국유사』 권2, 紀異2 元聖大王)

황제의 어머니는 太后라 하고, 제후의 어머니는 大妃라 하므로, 이에 의
하면 황태후의 아들인 원성왕은 황제적 존재였다. 결국 원성왕을 재위
시 大王이라 칭하고, 어머니를 太后로 표기한 것은 국왕과 그 가족이 황
제와 황족적 지위를 가졌음을 말해주는 것이다.

하대의 국왕은 재위시에 '大王'이라 칭하였다.[63] 금석문에는 '敬信大
王'(원성왕)과 '慶膺大王'(문성왕)처럼 재위중에 왕의 이름과 함께 대왕
의 칭호를 사용하였다. 더욱이 890년(진성여왕 4) 건립된 「月光寺圓朗禪
師塔碑」에는 경문왕을 '皇王'으로 표현하고 있다.[64] 皇王이란 皇帝 혹은
天帝를 기본 뜻으로 하는데, 이것은 皇帝와 王의 복합어라고 보겠다. 이
에서 경문왕을 직접 황제라고는 못하였지만 황제적 지위를 가졌던 것으
로 보겠다.[65]

---

62) "二塔天寶十七年戊戌中立在之 娚姉妹三人業以成在之 娚者零妙寺言寂法師
在旅 姉者照文皇太后君旀在旀 妹者敬信大王旀在也"(「葛項寺石塔記」). 이
탑은 758년(경덕왕 17) 건립되고, 그 뒤 원성왕대에 記文이 새겨진 것으로
추정된다.

63) 신라국왕은 중고기 이래로 당과의 외교상 갈등을 피하고자 황제 칭호의
직접 사용을 자제하는 대신에 전통적인 仙敎(道敎)와 새로 전래한 佛敎에
서의 최고 권위자적인 의미를 아우르면서 皇帝나 天子와 같은 의미로서
大王(太王)이라는 칭호를 사용하였다(김창겸, 2004, 「신라국왕의 황제적 지
위」 『신라사학보』 2). 또 최근에 발견된 사천 선진리 신라비의 "天雲大王"
(혜공왕)도 하나의 사례이며, 특히 「미륵사금제사리봉안기」에서 백제 武王
을 "大王陛下"라 하였듯이 백제 역시 그러했다.

64) "皇王兮念道崇師"(「月光寺圓朗禪師塔碑」).

65) 어쩌면 실제 황제를 칭한 경우도 있었을 것이다. 앞서 진지왕은 "聖帝"로
불리고, 무열왕의 경우 廟號를 太宗이라 하였으며(『삼국사기』 권8, 신문왕
12년 ; 『삼국유사』 권1, 기이2 太宗春秋公). 특히 고려 군주는 大王·王으로
불리면서 皇帝·天子로 불렸다(박재우, 2005, 「고려 군주의 황제적 위상」 『한
국사학보』 20, 50쪽). 태조는 생전에 "國主大王"(「瑞雲寺了悟和尙眞原塔碑」)·
"國主神聖大王"(「境淸禪院慈寂禪師凌雲塔碑陰記」)이라 하여 '大王'이면서
"天子"(『補閑集』 권상)였고, 光宗도 재위시에 "今上大王"(「大安寺廣慈大師碑」)·
"昭大王"(「古彌縣西院鍾」)이라 - 이름 昭와 함께 - 大王이면서 동시에 "皇
帝陛下"(「高達院元宗大師惠眞塔碑」)·"今上皇帝"(「退火郡大寺鍾」)라 불렸다.

또 884년(헌강왕 10) 건립된 「보림사보조선사탑비」와 886년(정강왕 1)
건립된 「사림사홍각선사비」에는 헌강왕을, 崔致遠의 「上宰國戚大臣等奉
爲憲康大王結華嚴經社願文」에서는 정강왕을 ‘聖上’으로 표현하였다.[66]
聖上은 聖王과 같은 말로서 지덕을 구비한 훌륭한 天子와 帝王에 대한
경칭이다. 이처럼 경문왕가 왕들은 황제적 위상을 가지고 있었다.

한편 대왕 칭호와 함께 배우자를 ‘皇后’라고 표기한 것이 곳곳에서
확인된다. 예를 들면, 「開仙寺石燈記」에는 ‘文懿皇后’라는 기록이 보인
다.[67] 또 하대 국왕의 아내를 王后라 한 경우는 허다하며,[68] 더욱이 처음
에는 王妃로 하였다가 뒤에 王后로 책봉되고 있는데,[69] 이것은 신라의
왕후가 왕비보다 격이 높은 지위임을 나타내는 것이며, 무엇보다도 아
내를 황후라고 한 것은 분명 남편은 황제로서의 지위에 있음을 전제로
한 것이다.

그리고 왕위계승자를 ‘王太子’라고 하였다. 원성왕은 즉위 직후인 785
년(원성왕 1) 맏아들 仁謙을 태자로 책봉하였다가, 그가 죽음에 792년(원
성왕 8) 8월 다시 둘째 아들 義英을 태자 책봉하였으며, 義英마저 죽자
이번에는 795년 (원성왕 11) 정월 또다시 嫡孫 俊邕(소성왕)을 태자로 책
봉하였다. 그리고 헌덕왕은 同母弟 秀宗(흥덕왕)을 副君(儲貳)으로, 흥덕
왕은 同母弟 忠恭을 宣康太子로, 또 진성여왕은 姪인 헌강왕의 庶子 嶢
(뒤에 효공왕)를 태자로 책봉하였다. 이처럼 신라에서는 왕의 長子는 물

---

66) ① “聖上聆風慕德”(「沙林寺弘覺禪師碑」) ; ② “聖上慕眞宗之里 慨嚴師之心”
（「寶林寺普照禪師碑」) ; ③ “聖上定康大王 當壁嘉徵 嗣曆寶位”(「上宰國戚大
臣等奉爲獻康大王結華嚴經社願文」).
67) “景文大王主文懿皇后主大娘主”(「開仙寺石燈記」).
68) 『삼국사기』에는 具足王后(권10, 원성왕 1년 3월), 文懿王后(권11, 경문왕 6
년 1월), 允容王后(권10, 민애왕 즉위조), 義成王后(권12, 신덕왕 1년 5월), 定
穆王后(권10, 흥덕왕 1년 12월) 등의 왕후 사례를 찾을 수 있다.
69) ① “正月 封妃金氏爲王后”(『삼국사기』 권10, 소성왕 2년) ; ② “正月 封母金
氏爲大王后 妃朴氏爲王后”(『삼국사기』 권10, 애장왕 6년) ; ③ “元年 正月 …
妃爲義成王后”(『삼국사기』 권11, 신덕왕 즉위조).

론 次子, 심지어는 同母弟와 姪까지도 천자(황제)의 왕위계승자인 태자로 책봉하였다.[70]

한편 경문왕의 아우 魏弘은 황제의 아우를 나타내는 '太弟'로 불렀다.[71] 또 경문왕의 누이를 "端儀長翁主"라 하였다.[72] 長翁主는 중국에서 帝王의 姉妹를 '長公主'라 칭한 것과[73] 같은 의미이다. 그리고 헌강왕·정강왕대에 경문왕의 딸로서 이들에게 누이인 진성여왕도 즉위전에는 "北宮長公主"로 불리었다.[74] 이것은 경문왕과 헌강왕·정강왕, 즉 경문왕가가 황제와 황족의 지위에 있었음을 말해준다.[75]

그리고 이 무렵에 崔致遠이 지은 『帝王年代曆』은 신라사를 중심으로 한 고대의 우리나라와 중국의 年表로 보인다. 그 제목에 '帝王'이란 용어를 사용하였는데, 여기서 제왕이란 우리 '삼국 및 통일신라기의 왕·대왕과 황제적 군주'를 통칭하는 의미를[76] 가진 것으로 보인다.

2. 황제국 제도의 시행

한편 경문왕가 왕들은 황제와 황족의 지위와 의식을 나타내는 특수

---

70) 이러한 신라의 태자제도는 처음엔 중국의 제도를 도입하여 행하였지만 실제 운용에서는 중국의 세계관에 편입되지 않고 신라의 독자적인 태자제로 운용되었음을 보여주는 것이다(김창겸, 1993, 「신라시대 태자제도의 성격」『한국상고사학보』13).

71) ① "旣太弟相國 追封尊諡惠成大王 群公子公孫"(「聖住寺朗慧和尙白月葆光塔碑」) ; ② "遂命太弟相國 追奉尊諡惠成大王 致齋淸廟代謁玄扃"(「大崇福寺碑」).

72) ① "咸通五年冬 端儀長翁主 未亡人 爲稱當來佛"(「鳳巖寺智證大師寂照塔碑」) ; ② "特敎勅端儀長翁主 深源山寺 請居禪師"(「深源寺秀澈和尙塔碑」).

73) "漢時帝之姉妹稱長公主 唐時帝之姉妹爲長公主 帝之姑稱大長公主"(『漢文大辭典』, 15179쪽 42022.48).

74) "北宮長公主 聞之 仍捨淨財 爲標帶 曁之旨 美矣哉"(「上宰國戚大臣等奉爲獻康大王結華嚴經社願文」).

75) 김창겸, 2009, 앞의 논문, 860쪽.

76) 김창겸, 2004, 「최치원의 제왕연대력에 대한 검토」『고운학보』2.

용어들을 사용하였다. 국왕은 스스로 칭하기를 제후의 용어인 '孤'가 아니라 천자의 용어인 '朕'이라는 표현과 왕들의 죽음을 諸侯의 '薨'字가 아니라 天子·皇帝의 '崩'字를 사용하였다.[77] 그리고 원성왕의 장례를 '因山'으로 표현하였는데,[78] 因山은 帝王과 그 妃의 葬禮를 말한다.[79] 또 황제의 명령을 나타내는 '詔'와 '勅'이란 표현이 보인다. 勅과 詔는 원래 制·策처럼 황제의 명령을 가리키고, 令은 皇太子의 명령, 敎는 親王이나 公主의 명령을 말한다.[80] 詔는 『삼국사기』에도 사용되었고,[81] 금석문에서는 詔와 勅이 사용되었는데, 특이하게 敎勅이라는 표기도 있다.[82]

더구나 경문왕가기에는 唐의 3省6部制를 모방하여 시행하였다. 829년 (흥덕왕 4) 종래 執事部에서 개편된 執事省과 더불어 9세기 중엽(경문왕·헌강왕대)에 이르러 中事省과 宣敎省이 등장하여 3성체제를 이루었다. 이것은 당의 中書省·門下省·上書省에 상당한다.[83] 결국 경문왕가

---

77) 『삼국유사』 권1, 왕력에는 하대의 소성왕·애장왕·민애왕·신무왕·정강왕·진성여왕 등의 죽음을 '崩'으로 표기하였고, 또 기이편에는 선덕왕·경문왕·경순왕의 죽음을 모두 '崩'이라 했다. 이것은 신라 하대의 일부 왕들의 사실을 왕력 편찬자가 통일하여 모든 왕에게 표현한 것인 듯하다. 그리고 백제 무령왕지석에도 '崩'이라 하였다.

78) "泊貞元戊寅年冬 遺敎窆羽之事 因山是命 擇地尤難 乃指淨居"(「崇福寺碑」).

79) "帝王之葬 因其山 而不復起墳"(『通鑑綱目』注).

80) 『史記』 권6, 秦始皇 26년 ; 『新唐書』 권46, 百官志1 尙書令 참조.

81) "秋九月 王不豫降遺詔曰 寡人以眇末之資"(『삼국사기』 권11, 문성왕 19년) ; "秋七月一日 王薨諡曰文武 群臣以遺言 葬東海口大石上谷 傳王化爲龍 仍指其石爲大王石 遺詔曰寡人 …"(『삼국사기』 권7, 문무왕 21년 7월).

82) ① "情王 ○八月二十二日 勅下令○躬作"(「寶林寺毘盧遮那佛座像」) ; ② "造塔時 咸通十一年 庚寅 五月日 … 奉勅伯士及干珎鈕"(「寶林寺石塔 北塔誌」) ; ③ "景文大王 … 金詔慰勞山門 穎月光寺 永令禪師主持 … 又詔微臣 修撰碑讚"(「月光寺圓朗禪師大寶禪光塔碑」) ; ④ "翌日又詔微臣 修撰碑讚"(「寶林寺普照禪師彰聖塔碑」) ; ⑤ "聖上聆風 慕德○寤寐○禪躅 … 詔○餞路○上亦遣使 衛送至山 …"(「沙林寺弘覺禪師碑」) ; ⑥ 特敎勅端儀長翁主 深源山寺 請居禪師"(「深源寺秀徹和尙楞伽寶月塔碑」).

83) 이기동, 1984, 앞의 책, 242~243쪽.

기의 중앙관직은 3성체제를 가진 황제국 제도였다.

한편 封爵制에 의한 諸王制度를 행하였다.[84] 대표적인 실례는 786년 (원성왕 2) 원성왕이 金周元을 溟州郡王에 책봉한 것이다.[85] 김주원이 왕위계승전에서 실패한 뒤 명주지역으로 퇴거하자, 원성왕은 그를 명주군왕으로 봉하고 溟州와 翼領, 三陟, 斤乙於, 蔚珍을 食邑으로 주었다. 오늘날 영동지방 일대를 식읍으로 지급받은 김주원은 溟州에 城을 축조하고 '長安'이라는 治所를 갖추고 실질적 통치를 하였다. 그리고 溟州(郡)國이란 國號를 사용하였다.[86] 이러한 독립된 김주원계 세력의 보장은 그 뒤에도 계속되었다.[87] 결국 이들은 신라국 내에서 중앙정부와는 일정한 관계를 유지하면서도 溟州를 중심으로 하는 특정 지역에 대한 독립된 지배력을 가졌던 하나의 왕국으로 존재한 특수한 구조였다.

이러한 封爵制와 食邑制의 존재는 신라 국왕이 제도상 황제적 지위를 가진 통치체제였으며, 한편 신라가 발해·일본 등 주변국을 蕃國으로 인식, 상정하는 나름대로의 천하관과 신라 중심의 국제질서를 설정하고 있었음을 보여주는 것이다.[88]

이처럼 원성왕과 경문왕은 비록 황제를 칭한 직접 기록은 보이지 않으나 같은 의미를 가진 大王을 사용하면서 대내적으로는 황제적 지위를

---

84) 이미 670년(문무왕 10) 安勝을 高句麗王, 또 674년(문무왕 14) 報德國王으로 책봉한 바 있다.

85) "上大長等 敬信劫衆 自立先入宮 稱制 周元懼禍 退去溟州 遂不朝請 後二年 封周元爲溟州郡王 割溟州翼領三陟斤乙於蔚珍等 官爲食邑 子孫因以府爲 鄉"(『신증동국여지승람』 권44, 강릉도호부 인물).

86) 김창겸, 1997, 「신라 '명주군왕'고」『성대사림』 12·13합집, 452쪽.

87) 김주원이 溟州郡王, 김주원의 아들 金宗基는 溟州郡王, 김종기의 아들 金 貞如는 溟源公으로 책봉되고, 김정여의 아들 金陽이 溟源郡王으로 추봉된 것은 김주원계가 명주군왕의 작위를 대대로 가지면서 독립적인 지위를 계속한 것이다. 이것은 황제체제에서 親王·嗣王·郡王을 책봉한 諸王制度와 같은 맥락으로 이해된다.

88) 김창겸, 1995, 앞의 논문, 461~462쪽 ; 2002, 앞의 논문, 238쪽.

가진 전제적 군주이고, 그 친족은 황족의식을 가지고 있었다.

3. 황제적 위상의 한계

신라 하대에는 몇 차례 개혁정치가 시행되었다. 방법과 내용은 조금
씩 차이가 있으나, 목적은 제도 개혁을 통하여 지배통치의 강화와 왕권
의 안정을 꾀하고, 왕실의 신성성 강조를 통하여 왕통의 고착화를 추구
하는 것이었다.

비정상적으로 즉위한 원성왕은 여러 방법과 수단을 통하여 왕권의
확립과 강화를 추구해 나갔다. 그 배경에는 중대 왕실인 무열왕계와는
혈통을 달리하는, 즉 종래 하나의 일반 진골귀족에 불과하던 내물왕 傍
系에서 하대의 새로운 왕과 왕실이 되어 그 지위를 계속 유지해 나가려
는 의도에서 왕통을 확립하는데 목적이 있었다. 그러기 위해서는 당시
정치사회에서 정당성과 권위를 가진 새로운 왕실로 인정받고, 반면에
종래 무열왕계 왕족을 일반 김씨진골귀족으로 격하시키는 것이 가장 시
급하고도 필요한 과제였다.

먼저 새로운 군주가 된 원성왕은 자신의 위상을 격상시키려 노력하
였고, 그리하여 한국 고대의 건국시조들이 天子란 칭호로 불리어진 것
처럼 하대 왕통의 中始祖로서 천자의식을 빌려 신성성을 드높여 갔다.
그 방법의 하나로 전제군주의 위상을 가진 왕과 왕실로서의 외형적 권
위를 격상시키고자 황제와 황족의식을 도입하였다.[89]

---

89) 왕통이 바뀐 원성왕과 경문왕이 그러했듯이, 황제 칭호는 대개 건국 시점
   이나 국내외에 영향력이 커질 무렵에 군주의 위상을 높이는 과정에서 채
   택하는 경향이 있다. 그 예로 916년 契丹을 건국하고 황제, 1115년 金을 건
   국하고 황제, 966년 安南을 통일하고 황제, 1038년 西夏가 大夏로 개명하고
   황제를 칭한 것을 들 수 있다(박재우, 2005, 앞의 논문, 55쪽). 또 황제를 칭
   하는 것은 12세기 초처럼 동아시아에서 그 기풍이 유행하기도 했다(이병
   도, 1980, 『고려시대의 연구』, 아세아문화사, 216쪽 주9).

이것은 오묘제의 변화를 꾀하는 과정에서, 아울러 왕위계승에서 직계상속이 중요시되었고, 직계의 존숭은 자연히 방계와의 차이를 강조하여 점차 가족 규모의 분지화 요인이 되었다.[90] 그리고 자신의 손자 등 직계 후손에게 시중과 병부령을 비롯한 중앙 요직을 맡겨 왕을 중심으로 한 소가계의 친족, 즉 王家에 의한 권력 독점을 통하여 왕권을 강화해 나갔다. 특히 왕가를 다른 진골 가계보다 초월적 존재가 되고자 황실을 표방하였다.

이러한 노력은 원성왕의 뒤를 이어 즉위한 왕들에게도 계속되었다. 애장왕대는 805년(애장왕 6) 公式二十餘條를 반시하여 왕권의 권력집중을 도모하고, 806년 佛寺 新創과 사치를 금지하는 敎書를 발표하였다.[91] 또 헌덕왕·흥덕왕도 개혁을 시도하였다. 우선 822년(헌덕왕 14) 1월 인사제도의 개혁을 추진하였다. 헌덕왕은 아우 上大等 秀宗을 副君(儲貳)으로 삼아 月池宮에 들게 하였고, 대신 상대등을 맡은 忠恭이 政事堂에서 人事를 관장할 때 祿眞이 올린 시정을 요구한 건의를 받아들였다.[92] 그리고 834년(흥덕왕 9) 사치금지령을 반포하였는데, 이것은 골품의 존비에 따른 服色·車騎·器用·屋舍의 제한규정으로, 목적은 사치금지와 골품제도의 재정비로서, 그 근본 의도는 생활규정을 정하여 제약함으로써 왕실과 차별화시키는데 있었다. 결국 헌덕왕·흥덕왕대 개혁은 王家에 의한 권력독점을 추구한 것이다. 이 제한규정에 구속받지 않는 특정한 집단, 즉 국왕을 정점으로 한 왕실의 지위를 상승시켜 진골신분을 초월하게 해준 것이다.[93] 그리하여 국왕과 왕가는 일반 김씨진골 이상의 신

---

90) 이기동, 1984, 앞의 책, 179~180쪽.

91) 이 당시 願刹은 바로 一族一門 내지 일개인의 祈福禳災를 위한 것이므로, 이러한 조치는 원성왕계가 좁은 범위의 족벌정치를 행하여 다른 가계와 구분을 시도한 것이다. 또 사치금지는 진골귀족들의 향락과 사회적 부패상을 제거하여 사회기강을 확립함으로써 정치적 불안을 제거하고 왕권안정의 기반을 조성하고자 한 것이다.

92) 『삼국사기』 권45, 祿眞傳 참조.

분으로 격상되었고, 崔致遠은 이것을 이른바 '聖而'라고 칭하였다.[94] 그러나 점차 원성왕계 내에서도 직계와 각 방계 사이에 차이가 생기면서 왕위계승권을 보유한 가계와 이에서 멀어지는 가계 사이에 왕위를 둘러싸고 정치적 대립이 야기되었다. 더구나 정상적 즉위였든 비정상적 즉위였든 간에 일단 왕위를 차지한 특정 왕가는 그것의 독점적 유지를 위하여 동일가계 내에서 근친혼을 행하면서 왕실세력의 범위를 협소화시켰고, 또 그 친족이 상대등을 비롯한 여러 관부 장관직 등의 兼職과 관원의 複數制를 통하여 중앙 중요 관직을 독점함으로써 왕권을 전제화하고[95] 특정 가계 중심의 권력구조를 추구하였다. 그리고 격심한 왕위쟁탈전의 결과로 빚어진 많은 진골왕족의 도태와, 중앙 중요 관직과 권력에서 소외된 다른 가계 진골세력들의 이탈현상으로 왕실은 고립되고 지지기반은 약화되었다.

이상에서 살펴보았듯이, 원성왕대의 황제적 위상 추구는 후대 왕들에게 王家의 진골 신분으로부터 초월화하는 노력으로 이어졌으며, 그것은 경문왕가기에 이르러 실현되었다고 보겠다.

---

93) 武田幸男, 1975, 「新羅骨品制의 再檢討」 『東洋文化研究紀要』 67, 111~214쪽.

94) "國有五品曰聖而曰眞骨曰得難言貴姓之難得"(「聖住寺朗慧和尙塔碑」). 여기서 景文王家를 聖而라 한 것은, '神聖한 家系', 또는 '聖上·聖王의 親族'을 의미한다는 해석이 있듯이, 당시 일반 진골귀족으로부터 격상된 신성한 왕의 가까운 친족을 나타내는 표현이므로, 이 무렵 국왕과 왕실은 진골귀족으로부터 초월된 지위를 가지고 있었고, 아울러 골품제상 진골에서 분화, 격상된 또 하나의 새로운 신분층의 성립을 의미하는 것이다. 이것은 하대초부터 꾸준히 계속된 왕실의 다른 진골가계와의 차별화를 통한 신성화 노력의 결과이다(김창겸, 1999, 「신라 하대 효공왕의 즉위와 비진골의 왕위계승」 『사학연구』 58·59합집). 즉 필자는 중대 무열왕계의 왕족에서 하대에는 일반 김씨진골이 되었듯이, 중대의 김씨진골이 하대에 왕족(聖而)으로 상승한 경우와 그대로 김씨진골이거나, 강등되어 득난이 되는 등 신분의 변화가 있었다고 본다.

95) 신형식, 1990, 「신라 중대 전제왕권의 특질」 『국사관논총』 20 ; 이문기, 2015, 앞의 책, 53~56쪽.

그 결과 왕과 왕실은 비록 황제와 황족적 위상을 가진 특수층으로 격상되었지만, 반대급부로써 점점 지지기반을 상실하여 왕권의 약화와 왕실의 고립화를 초래하였다. 이와 더불어 이들이 王權의 강화를 추구할수록 여기에 반비례하여 오히려 신라의 國權은 약화되어 가는 현상이 진행되었다.[96] 다른 한편으로는 이러한 변화에도 불구하고 신라국왕은 외교의례상 당으로부터 책봉을 받는 이중적 위상을 가졌다.

IV. 맺음말

신라 하대의 정치형태에서 연립적 성격이 존재하기는 하나, 통칭하여 귀족연립이라고 하기는 좀 부적합한 점이 있다. 국왕은 모든 관직과 진골 신분을 초월한 신성한 위상이었다. 다만 비정상적으로 즉위하여 왕통이 바뀐 선덕왕과 문성왕대는 왕과 유력한 가계의 세력자에 의한 연합정권의 색채가 농후하기도 했다. 그러나 비정상적인 즉위라 해도 왕통이 바뀌지 않은 헌덕왕·흥덕왕대는 정치적으로는 태자(부군)나 상대등·병부령에 임명된 아우들보다 초월한 왕이면서, 친족상으로는 형제가 중요 관직을 독점함으로써 권력을 공유하는 형태의 王家에 의한 寡頭政이라 할 수 있다. 더구나 원성왕과 경문왕은 본인과 후견인 아버지가 이미 전왕대 정권에서 실세로 참여하여 형성한 권력을 바탕으로 즉위후에 매우 강한 전제적 왕권을 행사하여 왕과 왕실을 높이고자 황제적 위상을 추구하였다. 그리고 시간적으로 보아도 하대 전반기의 전체 780~889년 중 귀족연립적인 성격을 보였던 시기는 선덕왕(780~785)과 희강왕·민애왕·신무왕·문성왕 재위기(836~857)로 고작 28년에 불과하고, 대

---

96) 헌강왕과 시중 敏恭이 月上樓에서 나눈 대화와 처용설화의 내용이 당시 '병든 도시'(왕경)의 모습을 상징한 것에서 알 수 있다(이우성, 1969, 「삼국유사소재 처용설화의 일분석」『김재원박사회갑기념논총』, 을유문화사).

부분이 그렇지 않은 시기였기에 더욱 그러하다.

경덕왕대 개혁정치 실패와 후유증으로 결국 혜공왕이 피살되고 선덕왕이 즉위하여, 왕과 김주원·김경신 三頭가 연합하여 국정을 운영하였다. 이후 원성왕이 즉위하여 전제적 왕정을 추구하였으나 아주 큰 성과를 거두지 못하였고, 뒤이어 그의 손자들이 왕과 형제에 의한 과두정치를 하였다. 이후 혼란기를 거쳐 문성왕대에 또한번 연립정권을 이룬 뒤, 경문왕가기에는 황제적 위상을 표방하며 전제정치를 추구하였다.

한편 하대에는 대체로 재위중인 왕의 지근친들이 상대등, 시중, 병부령 등 중요 관직을 독점하여 특정 왕가를 중심으로 왕정을 운영하였다. 간혹 시중은 약간의 다른 가계 인물에게 할애하여 반발을 무마하고 협력을 받기도 했지만, 병부령과 상대등은 왕의 지근친이 친족적 요인을 바탕으로 이 관직에 임명되어 점차적으로 승진하거나 동시에 다른 관직을 겸직하였다. 이처럼 하대 정치사회는 왕가의 소수인에 의해 관직이 독점되어 운영되었다. 다만 왕권이 강할 때는 다른 가계의 적합한 인물을 등용하여 협조받기도 하였다.

비록 원성왕과 경문왕가기에 제도상 부분적으로 황제국체제였고 국왕이 외형상 황제적 위상을 가졌다고는 하나, 중앙 진골귀족들의 정권으로부터 이탈현상으로 정부의 기능은 점점 약화되었다. 결국 진성여왕대에 이르러 잦은 자연재해와 과중한 조세에 대한 불만으로 농민반란이 발생하여 전국이 혼란에 빠졌으며, 또한 중앙 통치력이 지방에까지 미치지 못하자 지방세력이 대두하였다. 그리하여 후삼국의 혼란기를 맞이하고 결국 신라는 멸망하고 말았다. 그럼에도 신라에서 존재했던 황제·황족적 지위와 독자적인 천하관은 후삼국의 궁예정권에서 강조되었으며, 고려왕조로 이어져 더욱 강화되었다.

결국 신라 하대 전시기는 물론 심지어 하대 전기조차 귀족연립이라고 통칭하는 것은 적합하지 않다. 여전히 國制는 국왕 중심의 친족적 기반에 기초한 중앙집권적 군주정치체제였다. 그러면서 시대적 상황에 따

라 귀족연립적 성격, 왕가 과두정치의 양상, 황제적 전제정치의 색채가
부각되기도 하였다.

제10장 신라 하대 왕위계승과 上大等

Ⅰ. 머리말

신라시대 왕위계승에 가장 기본적으로 작용하였던 요인으로는 혈연적 요인, 골품제 규정과 더불어 정치적 요인을 들 수 있다.

신라 하대에는 찬탈과 추대에 의한 왕위계승이 더러 있었기 때문에,[1] 특히 이 경우에는 정치적 요인이 보다 크게 작용하였을 것이다. 물론 이러한 왕위계승에서는 정치적 세력가가 군사력을 동원하여 직접적인 전투를 치르는 경우도 있었지만, 고위 관직의 보유자가 그 직을 이용하여 행사하는 영향력 또한 대단히 컸었다.[2] 그러므로 신라 하대의 왕위계승에 있어서 고위 관직이 어떻게 작용하였던가를 살펴보는 것도 정치사의 이해에서 중요한 의미가 있다.

신라 하대의 고위 관직으로는 上大等·兵部令·侍中·內省私臣·御龍省私臣 등을[3] 들 수 있다. 이 중에서도 상대등은 중고기에 설치된 이래 계

---

1) 김창겸, 1994, 「신라 하대 왕위찬탈형 반역에 대한 일고찰」『한국상고사학보』17 ; 2002, 「신라 하대 추대에 의한 왕위계승의 성격」『청계사학』16·17 합집 ; 2003, 『신라 하대 왕위계승연구』, 경인문화사.
2) 이외에도 좀더 직접적으로는 왕 자신의 무능·폭학과 后妃·外戚·宦官 등 측근자들의 영향력이 작용하는 경우도 있었다.
3) 이들 관직은 8세기말 이후에는 大宰相 1명과 次宰相 2명 그리고 第三宰相 3명으로 이루어진 宰相會議의 구성원으로 참여하였다는 견해가 있다(木村 誠, 1977, 「新羅の宰相制度」『人文學報』118, 東京都立大學, 29~35쪽 및 이인철, 1993, 「신라의 군신회의와 재상제도」『신라정치제도사연구』, 일지사, 107~120쪽 ; 1992, 「8·9세기 신라의 지배체제」『한국고대사연구』6, 133~138쪽).

속적으로 최고 관직의 하나로서 기능을 해왔고, 또 때로는 왕위계승과
대단히 긴밀한 관계에 있었던 관직으로 이해되고 있다.

그래서 기존의 연구자들은 신라의 정치사를 이해하기 위하여 상대등
의 성격에 주목하였다. 末松保和와[4] 田鳳德의[5] 선구적 연구를 통하여
상대등에 대한 기초적 이해가 이루어졌다. 그 뒤 李基白이 상대등에 대
한 구체적인 연구결과를 제시하였는데,[6] 특히 그는 하대의 왕 중에는
상대등 출신자가 더러 있었음을 예로 들어, 하대 왕위쟁탈전을 왕과 상
대등을 축으로 하는 세력간의 대립으로 보면서, 상대등을 정당한 왕위
계승자가 없을 경우 왕위계승의 제1후보로 파악한 바 있다.[7] 그리고 이
견해는 대체로 학계에 통용되고 있다.

그러나 이에 대해 반론이 제기된 바 있으며,[8] 그리고 필자 또한 생각

---

4) 末松保和, 1954,「新羅幢停考(附)上大等について」『新羅史の諸問題』, 東洋文
   庫.
5) 전봉덕, 1968,「신라 최고관직 상대등론」『한국법제사연구』, 서울대학교출
   판부.
6) 이기백, 1962,「상대등고」『역사학보』17·18합집 : 1974,『신라정치사회사연구』,
   일조각. 그리고 井上秀雄도 비슷한 견해를 제시하였다(井上秀雄, 1969,「三
   國史記にあらわれた新羅の中央行政官制について」『朝鮮學報』51 : 1974,『新
   羅史基礎研究』, 東出版).
7) 上大等은 貴族會議 주제자였는데, 전제적 왕권을 확립한 중대에 이르러 귀
   족회의 자체가 정치적 세력을 상실함에 따라 상대등도 그 지위가 동요되
   어 실권자의 위치에서 후퇴하였다가, 하대에 이르러 다시 귀족회의의 주
   제자로서 정치의 실권을 장악하게 되었고, 특히 하대의 上半期 - 神武王
   이전 - 에 왕의 제·숙부 등의 지극히 가까운 친척들이 되는 예가 많았는
   데, 이런 경우 대개 왕위를 계승하였으며, 그 계승은 무력에 의하여 강제
   로 행해지는 경우가 많았다고 이해했다(이기백, 앞의 책, 111~128쪽).
8) 자세한 것은 이영호, 1996,『신라 중대의 정치와 권력구조』, 경북대학교대
   학원 박사학위논문(2014, 지식산업사)이 참조가 된다. 한편 이기백은 이러
   한 주장들에 대하여 다시 종래의 견해를 대체로 견지하는 입장에서 자신
   의 학설을 재피력하였고(1993,「신라 전제정치의 성립」,『한국사 전환기의
   문제들』, 일조각 ; 1993,「통일신라시대의 전제정치」,『한국사상의 정치형태』,
   일조각 ; 1995,「신라 전제정치의 붕괴과정」『학술원논문집』, 인문사회과학

을 달리한다. 결론부터 말하자면, 상대등은 자신을 임명한 왕과 대립적
이지 않았고 또 정당한 왕위계승자인 왕의 아들이 없는 경우라 해도 상
대등이 왕위계승의 제1후보의 자격에 있지 않았다고 보겠다. 대체로 하
대 각 왕의 즉위와 임면을 같이 하였던 상대등은 왕의 至近親으로 왕권
의 강력한 補助者였다. 간혹 이들이 즉위한 경우가 있는데, 이는 대립적
이라는 정치적 관계에 의한 것이 아니라 오히려 기본적으로 왕과 가장
가까운 부계친족이라는 혈연관계를 전제로 한 부계친집단 내에서 男系
親의 왕위계승이었다고 보겠다. 하대 전시기를 통하여, 상대등 역임자
의 왕위계승은 정당한 왕위계승자가 없는 경우에 일반적으로 태자책봉
이나 유조의 절차를 통한 평화적인 즉위였고, 추대 또는 상대등이 재위
중인 왕과 대립하면서 무력에 의한 강제적인 왕위계승인 찬탈은 겨우
몇 차례의 특수한 경우에 불과하였다.

　이러한 관점에서, 신라 하대의 상대등이 왕위계승에 어떻게 작용하
였던가를 천착하겠다. 먼저 상대등과 왕의 혈연적 친족관계와 정치적
관계를 살펴보고, 상대등 역임자의 왕위계승 사례를 하나씩 검토하면서
상대등과 왕위계승의 상호관련성에 대해 살펴보겠다. 그리하여 신라 하
대 왕위계승의 특성과 상대등의 성격을 구명하도록 한다.

II. 상대등과 왕의 관계

1. 혈연적 관계

　신라 하대의 상대등과 왕위계승에 대한 이해를 위해서는 우선 그들
을 임용하였던 왕과의 혈연적 관계를 살펴볼 필요가 있다. 사실 신라사

편 34), 또 이에 대한 李仁哲의 재반박도 있었다(1994, 「신라 중대의 정치형
　태」『한국학보』 77).

회는 골품제를 바탕으로 한 친족에 의하여 관료군을 형성하였던 사회였으므로, 상대등의 친족관계는 그들을 임명해준 왕과의 관계를 살펴볼 필요가 무엇보다도 크다. 그렇게 하기 위해서 우선 하대의 상대등에 임명된 자의 왕과 친족관계, 상대등에 임명되기 전의 정치적 경력 및 상대등 이후의 승진과, 왕으로 즉위 여부 등을 정리하면 다음 〈표〉와 같다.

〈표〉 신라 하대 상대등 일람표 ※ [ ] 안은 필자 추정

상대등	왕과 관계	임명전 경력	취임 시기	승진	퇴임 시기	즉위여부	즉위 시기	즉위 방법
金良相	姑從兄弟	侍中, 肅政臺令, 修城府令, 檢校使	혜공왕 10년 (774) 9월	宰相, 上相	혜공왕 16년 (780) 4월	㊲선덕왕	780년 4월	推戴
金敬信	(母系從)弟		선덕왕 1년 (785)	二宰, 上相	선덕왕 5년 (785)	㊳원성왕	785년 1월	奪取
忠 廉			원성왕 1년 (785) 2월		원성왕 8년 (792) 8월	사망		
世 强			원성왕 8년 (792) 8월					
金彦昇	叔父	侍中, 兵部令, 御龍省私臣, 宰相	애장왕 2년 (801) 2월	大宰相	애장왕 10년 (809) 7월	㊶헌덕왕	809년 7월	簒奪
金崇斌	弟	侍中	헌덕왕 1년 (809) 7월	大宰相, 宰相	헌덕왕 11년 (819) 2월	사망		
金秀宗	同母弟	侍中	헌덕왕 11년 (819) 2월	副君	[헌덕왕 14년 (822) 1월]	㊷흥덕왕	826년 10월	副君, 繼位
忠 恭	弟	宰相, 侍中	헌덕왕 14년 (822) 1월		[흥덕왕 즉위 (826. 10.)~ 흥덕왕 10년 (835) 이전]	태자,사망		
金均貞	從弟	侍中	흥덕왕 10년 (835) 2월	相	흥덕왕 11년 (836) 12월	피살		
金 明	再從兄弟	侍中, 相	희강왕 2년 (837) 1월		희강왕 3년 (838) 1월	㊹민애왕	838년 1월	簒奪
金 貴			민애왕 1년 (838) 1월					
金禮徵	從兄弟		문성왕 2년 (840) 1월		문성왕 11년 (849) 1월	사망		
義 正	叔父		문성왕 11년 (849) 1월	舒弗邯, 台衡, 南北相	[헌안왕 1년 (857)]	㊼헌안왕	857년 9월	遺詔, 繼位

金　安	從孫		헌안왕 1년 (557)	[경문왕 2년 (862)]			
金　正			경문왕 2년 (862) 1월	경문왕 14년 (874)1월	사망		
魏　珍		侍中	경문왕 14년 (874) 1월	[경문왕 15년 (875)]			
金魏弘	叔父	上宰相, 監脩 成塔事, 守兵 部令 平章事	헌강왕 1년 (875)				
俊　興		侍中	효공왕 2년 (898) 1월	[효공왕 10년 (906)]			
金　成			효공왕 10년 (906) 1월	[효공왕 16년 (912)]			
繼　康		侍中	신덕왕 1년 (912) 5월	[신덕왕 6년 (917)]			
朴魏膺	同母弟		경명왕 1년 (917) 8월	경명왕 8년 (924) 8월	�55경애왕	924년 8월	[遺詔, 繼位

　　신라 하대의 상대등은 대체로 그들을 임명한 왕과 혈연적으로 매우
가까운 친족관계였다. 〈표〉에서 보면 김양상은 혜공왕의 姑從兄弟, 김
경신은 선덕왕의 弟(사실은 母系從弟), 김언승은 애장왕의 叔父로서 상
대등에 임명되었다. 더구나 김언승이 상대등일 때 그의 同母弟 秀宗(秀
升)은 侍中으로서 애장왕 5년 1월부터 8년 1월까지 3년간 동시에 재직하
였다. 그리고 언승이 헌덕왕으로 즉위하자 弟 김숭빈과[9] 同母弟 수종·
충공은 차례로 상대등에 임명되었다. 김균정은 흥덕왕의 從弟, 김명은

9) "二月 金崇斌卒 以弟秀宗爲上大等"(『東史綱目』 제5上, 己亥 헌덕왕 11년).
　　金崇斌을 秀宗의 형이라 하였다. 그렇다면 金崇斌은 헌덕왕의 동생이며
　　동시에 흥덕왕의 형이다. 사실 헌덕왕이 찬탈로 즉위한 직후에 金崇斌을
　　上大等으로 임명하였고, 또 唐 憲宗의 憲德王 책봉시 아울러 大宰相 金崇
　　斌 등 3인에게 門戟을 하사하였는데(『삼국사기』 권10, 헌덕왕 즉위조), 이
　　때 3인이 곧 헌덕왕의 동생들인 崇斌·秀宗·忠恭이 아닐까 추측된다. 그리
　　고 헌덕왕 11년 2월 崇斌이 죽음에 수종이 상대등에 임명되고, 헌덕왕 14년
　　수종이 副君에 책봉됨에 아우 충공이 상대등에 임명되었던 사실은 이를
　　더욱 補證해 준다(김창겸, 2004, 「신라하대의 인겸계 왕권과 김숭빈」 『신라
　　사학보』 창간호).

희강왕의 재종형제, 김예징은 문성왕의 從兄弟, 의정은 문성왕의 叔父,[10] 金安은 헌안왕의 從孫,[11] 金魏弘은 헌강왕의 叔父, 朴魏膺은 경명왕의 同母弟로서 상대등에 임명되었다.

현재까지 밝혀진 범위 내에서 하대의 상대등과 왕과의 혈연관계를 분류하면 숙부 3명, 제 4명, 종형제 2명, 재종형제 1명, 종손 1명, 고종형제 1명, (모계종)제 1명 등 13명이다. 결국 상대등에 임명된 자들은 왕과는 대체로 6촌 이내의 父系親 11명과 4촌 이내의 母系親 2명 등으로 임명권자인 왕과는 대단히 밀접한 친족관계에 있었던 인물들이다.[12] 그리고 이러한 현상은 하대의 상반기만이 아니라 하반기 역시 그러했다. 사실 앞의 〈표〉에서 보듯이, 밝혀진 범위 내에서 살펴보아도, 하대의 후반기 - 문성왕에서 신라 말까지 - 에도 상대등에 임명된 자의 왕과의 혈연관계는, 동모제 1명, 숙부 2명, 종형제 1명, 종손 1명 등으로 역시 재위 중인 왕의 매우 가까운 부계친이 임명되었으며, 이 중에서 실제 2차례 유조에 의한 평화적인 왕위계승이 있었다. 결국 상대등은 하대의 전시기를 통하여 대체로 당시 재위중인 왕의 가까운 친족 중에서 임명되었다고 보아도 될듯하다.

---

10) "秋九月 王不豫 降遺詔曰 … 顧惟舒弗邯誼靖 先皇之令孫 寡人之叔父 孝友明敏 寬厚仁慈 久處台衡 挾贊王政 … "(『삼국사기』 권11, 문성왕 19년).

11) 경순왕의 先代는 원성왕 → 禮英 → 均貞 → 신무왕 → 문성왕 → 金安 → 敏恭 → 仁慶 → 孝宗 → 경순왕으로 이어지므로(「新羅敬順王殿碑」『朝鮮金石總攬』下, 1919, 1264~1265쪽), 김안은 신무왕의 異母弟인 헌안왕의 從孫임을 알 수 있다.

12) 이에 대해서 李基白은 金良相을 혜공왕의 姨從兄弟, 金敬信을 선덕왕의 弟, 金彦昇을 애장왕의 叔父, 金秀宗을 헌덕왕의 同母弟, 金忠恭을 흥덕왕의 弟, 金均貞을 흥덕왕의 從弟, 金明을 희강왕의 再從兄弟, 金禮徵을 문성왕의 從兄弟, 朴魏膺을 경명왕의 同母弟 등으로 파악하면서 아마 이보다 좀더 많은 친족관계에 있는 자가 임명되었을 것으로 추측하였다(이기백, 1974, 앞의 책, 114~115쪽). 사실 이외에도 필자의 검토에 의하면 金崇斌은 헌덕왕의 弟이고, 義正은 문성왕의 叔父, 金安은 문성왕의 아들이면서 헌안왕에게는 從孫이고, 金魏弘은 헌강왕의 叔父인 것 등 4명을 더 확인하였다.

그러면 왜 당시 왕들은 자신의 가까운 혈족을 상대등에 임명하였을까? 이것은 특히 찬탈이나 추대에 의한 즉위는 물론 유조에 의하여 왕위를 계승한 경우에 있어서조차 왕권이 위약했기 때문에 반대의 입장을 가진 왕족과 귀족들의 도전으로부터 왕을 중심으로 하는 소가계의 왕권을 유지하기 위한 수단이었다. 더구나 신라 하대의 권력구조는 왕과 태자를 정점으로 하여 극히 좁은 범위의 근친왕족들이 상대등, 병부령, 재상, 어룡성사신, 시중 등 요직을 독점하여 왕권을 강화, 유지해 나갔다는 견해를[13] 염두에 두면, 이것은 좀더 분명하다. 그러므로 하대의 왕족들은 주요 관직을 독점하는 한편으로 극히 협소한 범위 내에서 근친혼을 행하여 왕실의 보호와 권력을 유지해 나갔다고 하겠다.

결국 상대등은 하대 전시기를 통하여 왕의 가장 가까운 친족들이고 협조자였다. 이러한 혈연관계를 전제로 하여 정당한 왕위계승자가 없는 경우에는 태자·부군 책봉을 통하여, 또 유조를 받아 간혹 왕위를 계승하였다. 그러나 이것은 이 인물들이 상대등의 관직에 임명되었기 때문에 왕위계승의 제1후보자가 되었던 것은 아니었다고 보겠다. 그보다는 왕과 상대등이 속한 소가계 중심의 친족집단 내에서 왕위를 유지하려는 목적에서 타가계로 왕위가 넘어가는 것으로 막기 위한 절박한 상황에서의 비상수단이었다.

2. 정치적 관계

대체로 상대등의 기능은 왕권이 약하여 귀족들의 영향력이 강하게 작용하였다는 면에서, 즉 왕권과 귀족세력의 갈등·대립구조 속에서 파악되었으며, 특히 왕권이 강화되어 전제적 기능이 가능했던 시기의 상대등은 단지 명맥만 유지한 것으로 이해되었다. 그러나 좀더 자세히 살

---

13) 이기동, 1984, 「신라 하대의 왕위계승과 정치과정」『신라골품제사회와 화랑도』, 일조각, 152~153쪽.

펴보면 중대의 상대등 역임자들도 대부분 당시 왕의 가까운 친족들이었으며,[14] 또 이들은 정치적으로 왕권의 옹호자 내지는 무열왕계의 왕실과 같은 세력들로 간주되며,[15] 시중과 더불어 정치 군사적 기능을 다한 존재들임을 알 수 있다.[16]

신라 전시기를 통하여 상대등이 존재했다면 그 관직의 기능과 역할이 어떤 모습으로든지 있었을 것이다. 비록 때로는 그것이 사료에 두드러지게 기록되어 표현되지 아니한 것은 당시 상대등이 재위중인 왕과 그 궤를 같이 했기 때문이라고 보겠다. 또 이것에서 상대등은 왕의 통치행위의 파트너로서 보완적 역할을 하였다고 보겠다. 이러한 관점에서 보면, 하대의 상대등은 국왕의 통치행위의 보조자였다.

하대의 상대등에 임명된 자는 왕으로부터 통치권의 일부를 위임받아 수행하였다.

A. 祿眞의 姓과 字는 알 수 없으며 아버지는 秀奉 一吉湌이다. 녹진은 23세에 벼슬을 하기 시작하여 안팎으로 여러 가지 관직을 거쳐서 憲德大王 10년 戊戌에 執事侍郎이 되었다. 14년에 국왕이 아들이 없으므로 왕의 친동생 秀宗으로 儲貳를 삼아 月池宮에 들이었다. 이때 忠恭 角干이 상대등이 되어 政事堂에 앉아서 內外官을 注擬하고 퇴근 후 병이 생겼다. … 녹진이 말하기를 "듣건대 당신의 몸이 편안하지 못하다 하는데, 아침 일찍 출근하고 저녁 늦게 퇴근하여 風露에 觸傷하여 榮衛의 和함을 傷하고 支體의 편안함을 잃었기 때문이 아닙니까." 하였다. …… "목수가 집

---

14) 중대의 상대등 중에서 金庾信은 무열왕의 妻男, 愷元(禮元)은 효소왕의 從祖父, 信忠은 경덕왕의 從叔, 金良相은 혜공왕의 姑從兄弟 등으로 당시 왕의 至近親이었던 것처럼, 혈연관계가 파악되지 않은 더많은 자들이 그러했을 가능성이 크다.
15) 김영미, 1988, 「성덕왕대 전제왕권에 대한 일고찰」『이대사원』22·23합집, 381쪽.
16) 신형식, 1990, 「신라중대 전제왕권의 전개과정」『산운사학』4, 5~37쪽.

을 지을 때 재목이 큰 것은 대들보나 기둥으로 삼고 작은 것은 서까래로
쓰며 눕힐 것과 세울 것을 각기 베푸는 곳에 알맞게 한 뒤에야 큰집이
이루어집니다. 옛날에 어진 宰相들의 정치가 무엇이 다를 바가 있겠습니
까. 才가 많은 자는 高位에 놓고 적은 자는 薄任을 주어 안으로는 六官·
百執事와 밖으로는 方伯·連率·郡守·縣令 등 조정에 闕位가 없고 位에
비적임자가 없고 상하가 定하고 어진 자와 어질지 못한 자가 구분된 뒤
에야 王政이 이루어질 것입니다. … 어찌하여 꼭 복약하기에 몰두하여
헛되이 여러 날 동안 정사를 전폐하고 있습니까." 하였다. 角干이 이에
의원을 사절하여 돌려보내고 행장을 수습하여 대궐에 들어갔다(『삼국사
기』 권45, 祿眞傳)

　위의 인용문 A에 의하면, 822년(헌덕왕 14) 당시 헌덕왕의 친아우인
忠恭은 상대등에 임명되었다. 그리하여 그는 政事堂에 앉아 內外官을
銓衡하였다.

　연구자에 따라서는 정사당을 신라 초기의 南堂, 통일 이후의 平議殿
으로 보는 견해를 받아들여 귀족관리들의 회의에 의하여 政務를 집행해
나가던 政廳과 같은 성격으로 보고 마치 和白會議와 같은 중요회의를
집행한 것으로 이해하여, 이때 상대등을 和白으로서 대표되는 귀족회의
議長으로서의 유력한 증거로 보고자 하는 견해도 있다.[17] 그러나 이미
신라 하대에는 상대등·병부령·시중·내성사신·어룡성사신 등 중앙행정
관부의 장관들로 구성된 宰相會議가 운영되었다는 견해도 제시된 바 있
듯이,[18] 이때의 회의는 진골이라는 신분에 의하여 구성된 귀족회의라기
보다는 왕의 지근친을 포함하는 귀족이 그들의 보유한 중요 관부 장관
의 자격으로 참가하여 주요 국정을 논의하고 결정하면서 왕을 보좌하고
행정업무를 수행하던 王族 중심의 高位官僚會議였던 것으로 보인다. 또

---

17) 이기백, 앞의 책, 116~117쪽.
18) 이인철, 1992, 앞의 논문, 133~138쪽.

여기서 정사당이란 신라 초기의 그것과는 달리 왕을 비롯한 여러 관료들이 정무를 논의하고 집행하던 廳舍와 같은 것인 듯하다. 그러므로 상대등은 정사당으로 출퇴근하는 관료였던 것이다. 그리고 내외관의 주의를 한다는 것은 곧 人事行政을 처리하였다는 뜻이다. 혹자는 이것을 일반적인 것이 아니라 특별한 예외적인 경우라고 설명하기도 하나 그렇지 않은 듯하다. 즉 이에서 추측한다면, 하대의 상대등은 왕의 친아우 등 지근친이 임용되었으며, 그리고 이들 상대등은 왕을 보좌하며 통치권의 일부를 왕으로부터 위임받아 행사하고 있었음을 알 수 있다.[19]

물론 상대등도 하나의 관직이기에, 예외적으로 선덕왕이나 희강왕처럼 비정상적으로 즉위한 경우 그 과정에서의 공로를 인정하여 김경신과 김명에게 상대등직을 주었고, 또 특별한 경우에는 왕권에 대하여 적극적으로 호응하지 않거나 비판적인 입장을 가진 친족세력과 인물에게 이 자리를 할애함으로써 회유 포섭하는 경우도 있었을 것이다.

그리고 예외적으로 김언승처럼 攝政으로서 상대등을 겸직하기도 하였다. 김언승은 800년(애장왕 1) 애장왕이 13세로 즉위하자 병부령으로서 섭정을 하였으며, 다음해에 御龍省을 攝政府로 확대 개편하여 그 장관인 私臣에 취임하여 정치권을 완전히 장악한 뒤 상대등에 취임하였다. 그리하여 김언승은 병부령·어룡성사신·상대등을 동시에 겸직하고서, 더욱이 섭정의 직위에서 애장왕대의 정치적 실권을 행사하였다. 특히 왕권의 일정한 강화를 목적으로 개혁정치를 행하는 등 섭정정치를 하였다.

이처럼 상대등은 당시 왕과의 관계에 따라 정도의 차이는 있었겠지

---

19) 헌안왕대 왕의 從孫으로 상대등이었던 金安은 경문왕이 즉위한 뒤에도, 헌강왕대 왕의 숙부로 상대등이었던 김위홍은 정강왕이 즉위한 뒤에도 계속하여 상대등직을 수행하였다. 이것은 결국 상대등이 왕위계승과는 직접적인 관계는 갖지 못하였고 오직 왕의 보조자에 불과한 하나의 관직이었음을 말해 주는 것이다.

만 통치권의 일부를 위임받아 실제 행사하였다. 더욱이 〈표〉에서 보듯이 상대등에 임명된 자들은 대체로 왕의 근친이었는데, 시중을 비롯한 슈과 私臣급의 관직을 거친 뒤에 상대등에 임명되었고, 또 상대등으로서 국가 중대사를 논의하고 결정하는 재상이 되었다. 그러므로 상대등의 처음 설치시 그 역할은 '摠知國事'였으며, 고려시대의 재상과 같았다는 기록에서 보듯이,[20] 상대등의 기능은 신라 최고관직으로 국무를 총리하는 수상이었음을 알 수 있다.[21] 즉 상대등은 행정관부의 수상으로서[22] 지위를 가지고 국정 전반을 총괄하고 정치군사적 기능을 다한 관직이었다. 이처럼 상대등은 反王的인 귀족회의의 대표자적 위치가 아니라,[23] 왕의 가까운 혈족이 왕으로부터 통치권의 일부를 부여받아 대리 수행하는 하나의 최고 관직이었다.[24] 그러므로 대체로 상대등은 재위중인 왕의 가장 가까운 혈족 중의 한 명으로서, 왕으로부터 가장 신임을 받고 통치권을 위임받아 수행하였던 보조자였으며, 왕권을 적극적으로 지원, 강화하는 친왕적인 인물들이었다.

결국 신라 하대에는 왕과 소수의 왕족이 중심이 되어 권력의 집중화를 꾀하는 방법의 하나로서 왕의 가장 가까운 친족을 상대등에 임명하였다. 그리고 그의 도움을 받으면서 왕정을 펼쳐 나갔던 것으로 보아야 한다. 그러므로 이때의 상대등은 귀족회의의 주재자로서 실권을 장악하였다는 지적과는 달리 임면권이 왕에게 달려있는 오직 하나의 관료로서

---

20) 『삼국사기』 권4, 법흥왕 18년 4월.
21) 田鳳德, 1968, 앞의 책, 320쪽.
22) 상대등은 신라 전기간에 걸쳐 적어도 제도상으로는 변함이 없는 중앙행정 관부를 통솔하는 수상직이었다(이인철, 1993, 앞의 책, 96~106쪽).
23) 상대등은 왕의 族黨의 대표자, 즉 분열된 귀족사회에서 一派의 대표자일 수 있었으나 귀족세력 전체의 대표자이기는 힘들었다(이기백, 앞의 책, 123쪽).
24) 9세기 전반에 시중 → 상대등 → 국왕으로 승진의 길이 열렸고, 상대등이 執事部를 통하여 國政全般을 總括하였다고 보는 견해도 있다(井上秀雄, 1969, 앞의 논문, 262~263쪽).

왕을 보좌하는 인물이며, 왕족을 중심으로 한 중요 관부의 장관들로 구성
된 '고위관료회의'의 참석자로서 백관을 통솔하고, 또 왕을 대신하여 관리
의 인사 등 왕으로부터 위임받은 정치행정을 수행하는 역할을 하였다.[25]

Ⅲ. 상대등 역임자의 왕위계승 유형별 검토

신라 하대의 상대등 역임자 중에서 실제 왕으로 즉위하는 경우가 더
러 있었다. 지금부터 왕위계승방법에 따라 상대등이 즉위한 경우를 좀
더 심도있게 살펴보겠다. 그리하여 이들 상대등 출신의 각 왕들이 어떠
한 혈연적·정치적 배경과, 방법에 의하여 즉위하였던가를 다루는 과정
에서, 그들이 즉위할 수 있었던 요인이 무엇인가를 차례로 살펴보도록
한다.

1. 태자 책봉에 의한 왕위계승과 상대등

1) 秀宗(興德王)의 副君 冊封과 繼位

상대등으로서 攝政이었던 김언승(헌덕왕)이 조카 애장왕을 죽이고
즉위하였는데, 그는 재위 후반기인 822년(헌덕왕 14) 1월에 당시 상대등
직에 있던 同母弟 秀宗을 副君·儲貳로 삼아 月池宮에 들어가 살게 하였
다.[26] 副君·儲貳는 태자와 같은 의미를 가진 용어이다.[27]
흥덕왕의 아우인 수종이 왜 부군에 임명되었을까?『삼국사기』권45,

---

25) 아울러 하대 약 150여년 간의 상대등의 성격을 보다 명확하게 이해하기 위
   해서는 일괄적으로 규정할 것이 아니라 좀더 짧은 시기로 나누어 각 시기
   별로 이들 인물의 성향에 대한 개별적인 검토가 요구된다.
26)『삼국사기』권10, 헌덕왕 14년과 권45, 祿眞傳 참조.
27) 김창겸, 1993,「신라시대 태자제도의 성격」『한국상고사학보』13, 166쪽.

祿眞傳에는 "國王無嗣子"라고 하였다. 그러나 과연 이것이 사실인지 의문스럽다. 왕위를 이을 아들이 없다는 기록에도 불구하고, 사실은 헌덕왕에게는 心地라는 아들이 있었다.[28]

秀宗(秀昇)은 仁謙太子의 아들로서 소성왕·헌덕왕의 同母弟이다. 804년(애장왕 5) 1월에 伊飡으로 侍中에 임명되어 형 언승과 함께 애장왕대의 개혁정치를 주도하기도 하였으며, 809년(애장왕 10) 7월 1일에는 형 언승과 함께 애장왕을 살해하였다.[29] 그리고 언승(헌덕왕)이 즉위한 뒤 수종은 그의 정치를 도와주다가 819년(헌덕왕 11) 2월에는 상대등 金崇斌이 죽었으므로 자신이 직접 上大等을 맡았다. 그후 822년(헌덕왕 14) 1월 副君에 册封되어[30] 월지궁에 들어가 실질적인 왕위계승자로서 정무를 익혀 826년 10월 헌덕왕의 사후에 즉위하였다.

수종의 태자책봉은 재위중인 흥덕왕의 同母弟라는 혈연관계를 바탕으로 한 것이다. 그렇지만 이미 태자가 있는 상황에서 王弟인 수종이 다시 태자로 책봉된 점이 특별하다. 이것은 당시의 정치적 상황과 깊은 관계가 있는 문제인 듯하다. 조카 애장왕으로부터 왕위를 빼앗은 헌덕왕으로서는 다른 왕족들의 반발과 도전으로부터 자신의 왕위를 유지하기 위해서 왕위찬탈에 행동을 같이하였던 형제들의 계속적인 적극 협조가 필요하였을 것이다. 그리하여 형제들에게 정치적 실권을 주어 예우할 수밖에 없었으며, 또 만약에 자신의 나이 어린 아들에게 왕위를 물려줄 경우 무열왕계 후손 내지 애장왕측의 다른 왕족들, 또는 당시 막강한 정치적 세력을 소유하였던 王弟들로부터 자신의 사후에 가족은 물론 형제들의 신분지위상 모든 것을 보존할 수 있도록 미리 同母弟 秀宗에게 왕

28) 『삼국유사』 권4, 의해, 心地繼祖.
29) 『삼국사기』 권10, 애장왕 10년 7월 및 『삼국유사』 권1, 왕력 참조.
30) 822년(헌덕왕 14)에 상대등 秀宗이 副君이 되면서 忠恭이 후임 상대등에 임명된 사실을 알지 못하고 여기서의 부군은 上大等이 副王的 성격으로 변한 것이라는 해석도 있으나(井上秀雄, 1974, 「新羅政治體制の變遷過程」, 앞의 책, 433쪽) 잘못이다.

위를 계승시키기 위한 준비조치로 태자로 삼아 政事를 관장하게 하였던 것이라 하겠다. 그리하여 수종이 副君이 되어 月池宮으로 들어간 직후인 822년(헌덕왕 14) 3월에 金憲昌이 난을 일으킨 것 또한 헌덕왕이 수종을 태자로 삼아 왕과 형제들을 중심으로 하는 왕권강화와 정치 집중이 직접적 계기가 되었고, 이에 대한 반발에서 난을 일으켰던 것이라 보겠다.[31]

이상에서 보듯이 비록 김수종이 즉위 전에 상대등을 역임하기는 하였으나, 그것이 왕위계승에 결정적인 요건은 아니었다. 그보다는 우선 그의 혈연적 신분이 헌덕왕의 동모제라는 밀접한 관계에다가, 당시 타가계의 왕위 도전이 항시 존재하는 정치적 상황에 의하여 원성왕계의 유지를 위해 헌덕왕이 그를 副君(太子)으로 미리 책봉하여 왕위계승권을 부여하였기 때문에 형제간에도 태자책봉이라는[32] 외형상 정상적인 방법으로 왕위를 계승하였다.

2) 忠恭(宣康太子)의 태자 책봉과 卒去

흥덕왕대 상대등을 역임한 충공 역시 태자에 책봉되었다.

924년(경명왕 8)에 崔致遠이 왕명을 받아서 지은 「봉암사지증대사적조탑비문」에 "興德大王이 왕위를 잇고 宣康太子가 監撫함에 이르러 사악한 것을 제거하여 나라를 병 고치고 착한 것을 즐겨하여 왕가를 기름지게 하였다"는[33] 기록이 있어, 흥덕왕이 즉위한 직후에 선강태자가 정

---

31) 김창겸, 1994, 앞의 논문, 241~242쪽. 그러나 副君이던 秀宗의 뛰어난 지략과 기민하게 대처한 결과 이 난은 쉽게 진압되었다(이기동, 1991, 「신라 흥덕왕대의 정치와 사회」『국사관논총』 21, 113쪽).

32) 당시 정치적 상황 때문에 王弟가 태자에 冊封되어 본래 태자가 갖는 의미와는 다른 신라의 독특한 太子制의 현상이 나타났다(김창겸, 1993, 「신라시대 태자제도의 성격」『한국상고사학보』 13, 170쪽).

33) "及興德王纂位 宣康太子監撫 去邪醫國 樂善肥家 …"(『조선금석총람』 상, 90쪽).

치를 적극적으로 협찬하였음을 말해주고 있다. 宣康이란 諡號는 敏哀王
이 즉위하여 그의 아버지 忠恭을 宣康大王으로 추봉하였듯이, 여기서
宣康太子란 충공을 지칭함이 분명하다. 그러므로 충공은 생전에 태자에
책봉되었고 즉위 뒤 시호가 선강인 것을 알 수 있다.

충공은 흥덕왕의 아우이다. 817년(헌덕왕 9) 1월에 伊飡으로 執事部
侍中에 임명되어 821년(헌덕왕 13) 4월에 물러났다가, 822년(헌덕왕 14)
정월 당시 상대등이던 母兄 秀宗이 副君이 됨에 그 대신 충공이 상대등
에 임명되어 김헌창의 난을 진압하는데 큰 공을 세웠고, 특히 상대등으
로서 정사당에서 내외관의 銓注을 맡아 인사문제를 처리하는 등 헌덕왕
대의 개혁정치를 주도하였다. 그리고 826년 10월 헌덕왕이 죽고 태자였
던 수종(흥덕왕)이 즉위한 후 충공은 동모제로서 태자에 책봉되었던 것
이다. 비록 그의 태자책봉 시기를 정확히 알 수는 없지만 아마 흥덕왕이
즉위한 지 얼마 후, 즉 충공이 상대등에 임명된 지 그리 오래되지 않은
시점이었던 듯하다.[34]

흥덕왕의 아우인 忠恭이 왜 태자에 책봉되었을까? 가장 먼저 이유는
흥덕왕에게 왕위를 이을 정당한 아들이 없다는 것이다.[35] 그 다음은 충
공이 비록 흥덕왕의 아들은 아니지만 생존 혈족 중에서 가장 가깝다는
점이다. 그리고 또다른 이유는 앞서 헌덕왕이 흥덕왕을 태자에 책봉하
여 왕으로서의 신분보장과 소친족집단의 안전을 꾀하려 하였던 것처럼
흥덕왕 자신도 즉위한 뒤 母弟 충공을 태자에 책봉하여 자신과 혈족을
다른 종전의 왕족들과 반대세력의 도전으로부터 안전을 꾀하고자 사전
에 대비한 정치적 목적이 함께 하였다. 하지만 태자였던 충공은 836년

---

34) 충공이 태자에 책봉된 이후 다른 인물의 상대등 임명이 기록이 없는 것으
   로 보아, 충공이 태자이면서 상대등의 역할까지 계속 하였던 것일 아닐까
   하는 느낌이 들지만 속단하기는 어렵다.
35) "開成元年丙辰 興德王薨 無嫡嗣 王之堂弟均貞 堂弟之子悌隆 爭嗣位"(『삼
   국사기』 권44, 金陽傳).

12월에 죽은 흥덕왕보다 먼저인 835년 2월 직전에 죽어서[36] 실제로 왕위를 계승치는 못하였다.

결국 충공은 상대등이 아니라 태자에 책봉되었기에 왕위계승권을 획득한 것이다. 아울러 충공의 태자책봉 또한 아들이 아닌 弟가 太弟가 아니라 태자로 책봉된 것은 신라의 태자제가 가졌던 하나의 특성을 보여주는 것이며,[37] 이것은 앞에서 살펴본 흥덕왕의 왕위계승과 더불어 혈연적으로 형제계승의 가능성을 보였던 특별한 사례이다.

지금까지 살펴보았듯이, 신라 하대에 상대등을 역임한 수종과 충공은 태자로 책봉되었다. 이들이 태자로 책봉된 원인은 상대등 역임이 아니라 재위중인 왕의 동모제라는 혈족관계를 전제조건으로 한 것이었다. 그리고 태자에 책봉되어 수종(흥덕왕)은 실제 즉위하였고, 충공(선강태자)은 일찍 죽었기에 즉위치는 못하였다.

2. 유조에 의한 왕위계승과 상대등

1) 義正(憲安王)의 상대등 역임과 文聖王의 遺詔

헌안왕은 상대등을 역임하였고 문성왕의 유조에 의하여 왕위를 계승하였다.[38] 즉 문성왕은 자신의 죽음을 예상하고 미리 왕위계승에 대한 유조를 하였고, 이것에 의하여 숙부 義正(誼靖, 헌안왕)이 즉위하였다.

---

36) 종래 이때를 충공이 상대등에서 퇴임한 시점으로 추정하였으나(이기백, 「신라 하대의 집사성」 앞의 책, 180쪽), 충공이 이보다 앞선 시기에 태자에 책봉되었으므로 만약에 태자책봉 후에 상대등을 보유하지 않았다면 그가 상대등직을 면한 것은 이보다 이른 시기였을 듯하다.

37) 이와는 달리 중국에서는 왕위계승자가 아우인 경우 "皇太弟"(『新唐書』 권8, 武王 즉위조), 숙부인 경우 "皇太叔"(『新唐書』 권8, 宣王 즉위조)이라 칭하여 혈연적 관계를 동시에 표현하였다.

38) 『삼국사기』 권11, 문성왕 19년 참조.

비록 문성왕에게도 이름은 알 수 없지만 태자로 책봉되었던 아들이 있었지만, 이 태자는 왕위를 계승치 못하고 852년(문성왕 14) 11월에 죽었다.[39] 이런 사정으로 문성왕은 부득이 자신과 가장 가까운 혈족인 숙부 의정에게 왕위를 계승케 하였다.

의정은 문성왕의 숙부로서, 문성왕의 아버지인 신무왕의 異母弟이다. 그리고 의정의 아버지는 均貞이다. 그러므로 의정의 父系는 원성왕계 내에서 均貞系였다. 한편 의정의 어머니는 照明夫人이고, 그녀의 아버지는 宣康大王으로 추봉된 忠恭이다. 충공은 민애왕의 아버지로서, 그의 아버지는 仁謙이고, 할아버지는 원성왕이다. 결국 의정은 원성왕계 내에서 최대 가계인 仁謙系와 禮英系의 결합으로 이루어진 혼인에서 태어난 자손이다. 다시 말하면 誼靖은 진골의 신분이며 당시 왕실 내에서 최고 상층에 속하는 친족적 기반을 가졌으며, 또 문성왕과는 숙부라는 지근친의 혈연관계에 있었다.

이러한 혈연적 기반을 가진 의정은 政界에 나아가 문성왕을 보좌하였다. 836년(흥덕왕 11) 정월 假王子로 唐에 謝恩 兼 宿衛로 갔으며,[40] 840년(문성왕 2) 1월 侍中이 되어 재임하다가 843년(문성왕 5) 1월 병으로 사임하였다가, 그리고 849년(문성왕 11) 상대등을 맡아 문성왕 후반기의 王政을 협찬하였다. 특히 그는 魏昕과 더불어 南北相으로 활동하였다.[41] 남북상이란 바로 宰相인 南司의 장과 宮內部의 장으로서 兵權을 장악한 北司의 장을 일컫는 바이니, 위흔이 蘇判 兼 倉部令을 거쳐 侍中 兼 兵部令을 역임한 사실로 미루어[42] 의정 역시 시중을 지낸 뒤 兵部令 내지 宮內府인 內省(殿中省)의 私臣과 上大等을 역임한 듯하다.

이것은 즉위초에 있었던 잦은 반란을 경험한 문성왕이 병이 침중하

---

39) 『삼국사기』 권11, 문성왕 9년 8월 및 14년 11월 참조.
40) 『삼국사기』 권10, 흥덕왕 11년.
41) 「성주사낭혜화상백월보광탑비」 『조선금석총람』 상, 77쪽.
42) 『삼국사기』 권44, 金陽傳.

자 의정을 상대등에 임명하여 국정의 대리 운영자로 삼았던 것에 이유
가 있었던 듯하다. 그리고 문성왕은 자신의 사후 골품제상 하자가 있는
아들로 왕위계승을 시킬 경우 반대세력들이 문제를 삼을 것에 대비하여
신분상 하자가 없는 숙부 의정에게 왕위계승을 명하는 유조를 내렸던
것으로 짐작된다.[43]

　　그러므로 의정의 신분과 혈연관계에 더하여 이러한 정치적 경력과
정계에서의 위치로 보아, 문성왕이 후임자로 그를 지명한 것은 혈연적
관계에서나 정치적 관계에서 매우 당연한 것이라 하겠다.

　　결국 의정은 문성왕의 숙부라는 혈연적 관계를 매개로 하여 고위직
에 등용되어 문성왕을 보좌하면서 정치적 관계를 형성하였다. 그러다가
태자로 책봉되었던 문성왕의 아들이 852년 11월 죽음에, 857년(문성왕
19) 9월 의정이 문성왕의 유조를 받아 왕위를 계승하였다. 이로써 본다
면, 의정의 왕위계승은 유조의 내용에서도 그렇듯이 혈연적 관계를 기
본조건으로 하였던 것이고, 정치적 경력은 부차적인 충분조건을 충족시
킴으로써 가능하였던 것이다.[44]

2) 魏膺(景哀王)의 상대등 역임과 景明王의 無子

　　경애왕(魏膺)은 상대등을 역임한 뒤 즉위하였다. 위응은 제55대 景明
王의 同母弟로서, 아버지는 제53대 神德王이고, 어머니는 제49대 僖康王
의 딸인 義成王后이다. 결국 경명왕에게 왕위를 계승할 아들이 없는 상
황에서는 동모제가 왕과 가장 가까운 친족이므로, 위응은 혈연상 당연

---

43) 김창겸, 2000, 「신라 하대의 왕위계승과 유조」『백산학보』 56, 204쪽.
44) 이것은 857년(문성왕 19) 문성왕의 遺詔에서 叔父라는 혈연적 관계와 그의
　　人品을 논한 뒤에 정치적 경력을 언급하였음에서도 추측이 가능하다. 그
　　리고 비록 상대등을 역임한 경우는 아니지만 헌안왕·경문왕·진성여왕과
　　효공왕이 왕위계승할 때 있었던 유조의 내용에도 가장 우선적으로 유조를
　　하는 왕과 이들의 혈연관계가 전제조건으로 언급되었다.

히 왕위를 계승할 수 있는 인물이었다.

이러한 혈연적 관계를 기반으로 위응은 917년 8월 경명왕이 즉위하자 곧 상대등이 되었다. 위응을 상대등으로 임명한 이유는 아마도 朴氏로서 신덕왕에 이어 왕위에 오른 경명왕이, 다른 김씨왕족들의 도전에 대비하여, 자신의 친족으로써 정권의 안정을 도모하고자 취한 것이 아닌가 싶다.[45] 그 결과 위응은 경명왕의 왕권을 위하여 정치적으로 중요한 역할을 하였던 것으로 추측된다. 게다가 경명왕에게는 아들이 없었거나, 혹은 있다고 하더라도 어렸던 것으로 보인다. 그리하여 경명왕은 朴氏王權에 대한 종래의 金氏王族들의 도전이 존재하는 위기 상황에서 자신과 혈연적으로 가장 가까운 관계에 있고, 또 정치적 경험과 실력이 있는 위응에게 자신이 죽은 뒤 왕위계승을 당부하는 유조가 있었으리라 짐작된다. 그 시기는 경명왕이 죽은 924년(경명왕 8) 8월 직전이었을 것이다.[46]

이처럼 위응의 즉위는 우선 혈연적으로 경명왕의 동모제이기에 왕위계승을 위한 아들이 없는 상황에서는 당연한 것이었다. 그리고 그가 상대등의 관직을 가지고 경명왕대의 정치에 깊게 관여한 것은 왕위계승을 위한 준비과정이었다. 그러므로 그가 상대등이 아닌 다른 관직을 가졌다 하더라도 이미 태자에 버금가는 위치를 확보하고 있었다.

결국 위응이 왕위계승자로 지명된 원인은 경명왕의 동모제라는 혈족적 요건이 우선적으로 작용한 왕위계승이었다. 물론 그가 상대등을 역임하는 등의 정치적 관계도 작용하였지만 그것이 결정적인 요인은 되지 못하였고 부차적인 것이었다.

지금까지 살펴보았듯이, 헌안왕과 경애왕은 각각 상대등을 역임한 뒤 왕위계승자로 지명하는 유조를 통하여 실제 즉위하였다. 이들의 왕

---

45) 이는 6개월 뒤인 918년(경명왕 2) 2월에 玄昇의 반란이 일어난 것에서 짐작할 수 있다(『삼국사기』 권12, 경명왕 2년 2월).

46) 김창겸, 2000, 앞의 논문, 214~215쪽.

위계승에는 상대등의 경력도 작용하였으나 이보다는 유조의 내용에서
보듯이 혈연적 요인이 우선적으로 작용하였다.

3. 추대에 의한 왕위계승과 상대등

1) 金良相(宣德王)의 상대등 역임과 즉위

김양상은 780년(혜공왕 16) 2월 金志貞이 난을 일으켰을 때, 당시 상
대등으로서 군사를 일으켜 반란군을 진압하던 중 혜공왕과 왕비가 亂兵
에게 살해됨에 추대를 받아 즉위하였다. 선덕왕이 추대되어 즉위한 사
실은 비록 의례적인 요소가 있기는 하나, 그가 말년에 내린 유조에 잘
나타나 있다.[47)

김양상은 내물왕의 10세손으로, 할아버지는 元訓이고, 아버지는 孝芳
(孝方)이며, 어머니는 四照夫人인데 성덕왕의 딸이다. 그러므로 김양상
은 무열왕계의 外孫으로 제34대 효성왕과 제35대 경덕왕의 外姪이며, 경
덕왕의 아들로서 중대의 마지막 왕인 제36대 惠恭王의 姑從兄弟이다.
그런만큼 혜공왕에게 비록 아들이 없었다고 해도 부자계승을 원칙으로
하는 당시 상황에서 혜공왕과 부계친이 아닌 김양상이 혈연적 요인으로
는 왕위계승이 어려운 여건이었다.

이처럼 중대말 왕실의 外姪이라는 혈연적 기반을 가진 김양상은 746
년(경덕왕 23) 정월 阿飡으로 시중에 임명되었고, 771년(혜공왕 7) 大角
干 金邕과 함께 檢校使 肅政臺令 兼 修城府令 檢校 感恩寺使 角干으로

---

47) 詔書를 내려 말하기를 "과인은 본래 재주와 덕이 없어 왕위에 마음이 없었
으나 推戴를 피하지 못하여 즉위하였다. … "고 하였다(『삼국사기』 권9, 선
덕왕 6년 정월). 한편 金良相이 직접 혜공왕을 시해하였다는 기록과(『삼국
유사』 권2, 기이2, 景德王表忠寺表訓大德) 혜공왕은 亂兵에게 시해되었다(『삼
국사기』 권9, 혜공왕 16년 4월)는 기록이 있으나, 김양상이 추대되어 졌던
것으로 미루어 후자가 옳다고 보겠다.

聖德大王神鍾의 제작 책임을 맡았다. 또 774년(혜공왕 10) 伊湌으로 상
대등이 되었으며, 777년(혜공왕 13) 당시 정치를 비판하는 상소를 올렸
다. 이러한 사실에 대하여 김양상을 反惠恭王派로 이해하여, 그의 상대
등 취임으로 신라의 중대적 성격이 변질되는 계기로 보기도 한다. 즉
776년(혜공왕 12) 漢化된 官制의 복구작업은 그에 의해 주관되었고, 또
777년의 時政極論은 전제주의적인 왕권의 복구를 꾀하는 일련의 움직임
을 견제하는 것이었다고 보는 입장도 있으나,[48] 오히려 이와는 달리 그
는 親惠恭王派였던 것 같다.

우선 혈연관계가 혜공왕의 할아버지 성덕왕이 바로 김양상의 外祖父
이고, 혜공왕의 아버지 경덕왕이 그의 外叔이다. 그리고 그의 정치적 경
력면에서도 764년(경덕왕 23) 1월 侍中에 임명되어 759년(경덕왕 18)에 시
행된 官制 改革 등 개혁정치를 이어받아 수행하였으며, 760년(경덕왕 19)
王太子로 책봉된 乾運(혜공왕)이 765년(경덕왕 24) 즉위함에 혜공왕대 초
기 정치를 보좌하였다. 특히 혜공왕이 어린 나이로 즉위하자 어머니 滿
月夫人이 攝政하는 과정에서 왕권이 위약하여 많은 귀족세력들의 여러
차례에 걸친 도전을 받은 뒤, 혜공왕 정권의 유지를 위한 하나의 방안으
로 김양상이 774년(혜공왕 10) 상대등에 임명되었다. 또 그가 상대등이
된 뒤에도, 반대세력의 도전이 여전하자 혜공왕이 漢化政策에서 후퇴하
는 정책을 취함에, 오히려 이에 반대하는 上疏를 올려 강력한 전제화를
촉구한 듯하다. 그러므로 그는 친혜공왕의 성격을 가진 인물로 파악하
는 것이 옳다고 하겠다.[49]

그리하여 혜공왕대 후반기 정치권에서 宰相·上相으로 불리면서 최고

---

48) 이기백, 1974, 「신라 혜공왕대의 정치적 변혁」, 앞의 책, 228~254쪽.
49) 이영호도 金良相의 極論은 反王派로서가 아니라 親王派로서 諫言이었다
고 보았다(1990, 「신라 혜공왕대 정변의 새로운 해석」『역사교육논집』13·14
합집, 342~351쪽). 그리고 申瀅植은 김양상은 反王派는 될 수 있어도 反專
制主義派나 反中代派는 아니라고 하였다(1990, 「신라 중대 전제왕권의 전
개과정」『산운사학』4, 25쪽).

의 세력을 가졌던 김양상은 780년(혜공왕 16) 2월 김지정의 반란이 일어
나자 혜공왕 정권을 수호하기 위한 진압군을 일으켜 김지정을 주살하였
다. 그러나 이 과정에서 혜공왕과 왕비가 반란군에게 시해되어 闕位됨
에, 게다가 중대 경덕왕의 남자손이 끊어진 상황이라, 김양상은 성덕왕
의 외손으로서 또 攝知國事의 역할인 상대등의 지위에 있었기에 金敬信
등 지지세력의 추대를 받아 국정의 임시관리자로 즉위하였다.

이상에서 살펴보았듯이, 김양상의 즉위는 중대의 혜공왕과 母系로
밀접한 친족관계 때문이었고, 또 상대등으로서 반란의 진압과정에서 최
대의 정치적 세력과 군사력을 가졌던 까닭에 정치적 요인에 의한 추대
를 통한 비상수단으로 계승한 것이다. 결국 김양상의 즉위는 중대에서
하대로의 과도기에 있었던 난국 수습의 임시관리자 역할이었다.

2) 金敬信(元聖王)의 상대등 역임과 金周元 추방

金敬信 또한 즉위전에 상대등을 역임하였다. 사료에는 김경신을 제
37대 선덕왕의 弟(『삼국사기』 권10, 원성왕 즉위조), 從兄弟(『구당서』 권
199, 동이전 신라조와 『책부원구』 권965, 외신부 봉책3), 從父弟(『신당서』
권220, 동이전 신라조)로 표기되어 있다.[50] 그러면서도 『삼국사기』에는
선덕왕은 내물왕의 10세손이고, 원성왕은 내물왕의 12세손이라는 기록
이 있어 좀 혼란스럽다. 그러나 이것이 사실이라면, 아마 이들은 母系에
의한 從兄弟이었던[51] 듯하다. 그러므로 김경신은 중대의 무열왕계도 아
니고 또 새로이 즉위한 선덕왕의 부계친도 아니므로 혈연에 의한 정상

---

50) 이것에 대해 중국 사료의 기록은 원성왕이 즉위한 뒤 唐에 책봉 요청시
 '從兄弟(從父弟)'라 한 것에 원인이 있고, 『삼국사기』의 '弟'는 중국사료로
 부터 2차적 파생이라는 견해가 있다(濱田耕策, 2002, 「下代初期における王
 權の確立過程とその性格」 『新羅國史の研究』, 吉川弘文館, 244~245쪽).
51) 이기백, 1974, 앞의 책, 114쪽 주38.

적인 왕위계승 대상자는 아니었다.

김경신은 780년(혜공왕 16) 김지정의 난이 발생하였을 때 伊飡으로서 김양상과 함께 난을 평정하고 또 김양상이 선덕왕으로 즉위하는데 주동적인 추대자로서 공을 세웠다. 그리하여 선덕왕의 즉위와 동시에 상대등이 되어 선덕왕을 보좌하면서 정치적 세력을 확대시켰다. 그러다가 785년(선덕왕 6) 1월 선덕왕이 자식이 없이 죽자 추대세력의 지지를 받아 즉위하였다.

그러나 김경신의 즉위과정에는 많은 곡절이 있었다. 먼저 그의 즉위는 선덕왕과의 관계에 있어서 혈연적으로는 정상적인 것이 아니었다. 더구나 선덕왕의 즉위 역시 정상적인 것이 아니라 당시 정치적 난국을 타개하기 위한 임시적 재위에 불과하였다. 그래서 선덕왕은 재위중 종래 정통 왕실인 무열왕계에게 禪讓하려고 하였으나,[52] 그를 추대한 세력들의 만류와 반대로 뜻을 이루지 못하고 아들이 없이 죽었다. 이에 무열왕계의 金周元이 貞懿太后의 敎旨와 群臣들의 추대를 받아 왕으로 즉위하기에 앞서, 김경신이 홍수에 의한 자연재해를 틈타 國人으로 지칭된 지지세력의 추대를 받아 群臣會議의 결정을 번복시켜 즉위하였다.[53] 결국 원성왕의 즉위는 외형상은 추대에 의하였지만 실제는 왕위계승 예정자 김주원으로부터 탈취였다.[54]

그러므로 김경신의 즉위는 선덕왕과 혈연관계로는 불가능한 것이었고, 또 정치적으로 상대등에 있었으나 왕위계승서열은 김주원보다 뒤졌다. 이처럼 왕에게 정당한 계승자가 없는 경우라 해도 상대등은 왕위계승의 제1후보자가 되지 못하였고 상대등보다 더 유력한 왕위계승자가

---

52) 아마 禪位의 대상자는 金周元이었던 것 같다. 즉 이는 金周元으로 하여금 무열왕계를 계승케 하려는 의도라는 견해도 있다(신형식, 1984, 「무열왕계의 성립과 활동」『한국고대사의 신연구』, 일조각, 132쪽).

53)『삼국사기』권10, 원성왕 즉위조 ;『신증동국여지승람』권44, 강릉대도호부 인물.

54) 김창겸, 1994, 앞의 논문, 238쪽.

존재하였다. 결국 왕위는 왕위대로의 계승서열이 존재해 있었을 것이다.[55] 그렇기 때문에 김경신은 김주원으로부터 왕위를 탈취하는 비정상적인 방법으로 즉위하였다.[56]

3) 金均貞과 金悌隆(희강왕)의 왕위쟁탈전

흥덕왕대에 왕의 동생 忠恭은 왕위계승자로 예정되어 있었으나, 실제 즉위치 못하고 흥덕왕보다 앞서 죽었다. 그리하여 흥덕왕의 사후에는 왕위계승을 둘러싼 분쟁이 일어났다. 당시 상대등직에 있던 김균정은 즉위하려다가 희강왕(김제륭)에게 왕위를 빼앗겼다. 즉 희강왕은 당시 왕위계승 순위가 자신보다 우위인 김균정을 쫓아내고 즉위하였다.[57]

김균정은 흥덕왕의 從弟이다.[58] 또 김균정의 둘째 부인인 照明夫人은 흥덕왕의 동생으로서 태자에 책봉되었던 충공의 딸이다. 결국 김균정은 충공태자의 사위이면서, 또 당시 흥덕왕의 從弟인 동시에 姪壻라는 친족관계에 있었다. 한편 김제륭은 균정과 형제인 헌정의 아들이다. 그러므로 김균정과 김제륭은 叔姪 관계이다.[59] 또 김제륭의 부인은 文穆夫人인데, 그녀의 아버지는 忠恭이다. 결국 김제륭의 혈연적 관계는 원성왕계이기는 하나 김균정과 마찬가지로 禮英系에 속하는 인물이었다. 그러므로 흥덕왕과의 관계에서 보면 김균정은 從弟(堂弟)이고 김제륭은 堂姪이므로, 김균정이 좀더 가까운 혈족이다. 한편 양자의 처가는 동일하였다. 즉 김균정의 照明夫人과 김제륭의 文穆夫人은 모두 흥덕왕의 동생인 충공의 딸이다. 다시 말해 이들은 다같이 흥덕왕의 姪壻이다.

---

55) 이기백, 1974, 앞의 책, 119쪽.
56) 김창겸, 1995, 「신라 원성왕의 즉위와 김주원계의 동향」『부촌신연철교수정 년퇴임기념 사학논총』.
57) 『삼국사기』 권10, 희강왕 즉위조 참조.
58) 김균정의 아버지는 흥덕왕의 아버지인 仁謙의 동생 禮英이다.
59) 김제륭의 아버지는 禮英의 아들인 憲貞이니, 김균정과는 형제간이다.

그러나 당시 나이가 더 많았을 숙부인 김균정과 혼인한 照明夫人이 조카인 김제륭과 혼인한 文穆夫人보다 손위였을 것으로 보인다. 결국 이들 양자의 흥덕왕과의 혈연관계는 김균정이 父系와 妃系 모두에 있어 김제륭보다 우선적이었다.

한편 김균정은 802년(애장왕 3) 大阿湌이 되었으며, 그를 假王子로 삼아 일본에 인질로 보내려 함에 이를 사양하였고, 812년(헌덕왕 4) 봄 시중으로 승진되었다가 814년 8월 김헌창과 교체되었으며, 822년 3월 김헌창이 반란을 일으키자 伊湌으로서 단시일 내에 반란 토벌을 성공적으로 지휘하였다. 그리고 835년 2월에는 상대등에 임명되었다.

당시 흥덕왕이 嗣子가 없는 상황에서 김균정이 상대등에 임명된 것은 정치적 요건상 상당히 유리한 지위를 확보한 것이다.[60] 흥덕왕으로서는 비록 禮英系이기는 하나 자신의 姪壻이기도 한 김균정 외에 달리 가까운 친족으로서 자신을 지원해줄 상대등 후보자를 발견할 수 없었을 것이다. 그리고 균정은 바로 직전에 있었던 헌덕왕대 동모제 수종, 흥덕왕대 동모제 충공처럼 同行列의 인물을 태자로 책봉했던 것을 생각하면, 충공의 아들로서 자신보다 아래 항렬이고 나이도 어린 김명에 비하여 왕위계승에 유리한 위치를 확보한 것으로 믿었고, 또 일부 귀족들도 그렇게 여기고 그를 추종하였다고 보겠다. 그리하여 김균정은 흥덕왕의 嗣子가 없는 상황에서 자신 외의 다른 인물에 대하여 흥덕왕의 태자책봉이나 왕위계승자로 지명하는 유조가 없을 경우에는 혈연적 관계에서나 정치적 관계에 있어서 왕위계승자로 묵인된 인물이었다.

이처럼 김균정과 김제륭은 흥덕왕과의 혈연적 관계에 있어서는 물론 그들의 정치적 지위나 세력도 김균정이 월등히 우세한 위치에 있었다.

---

60) 한편 균정이 왕위계승권을 주장한 가장 큰 근거로 그가 상대등이었다는 사실일 것으로 본 견해도 있으나(이기백, 앞의 책, 117~118쪽), 이것은 무리한 해석이며 재고할 필요가 있다(권영오, 2000, 「신라하대 왕위계승분쟁과 민애왕」『한국고대사연구』 19, 283쪽).

그러므로 이들 양자만을 비교한다면 흥덕왕이 죽으면서 후계자 지명이 없는 이상 김균정이 즉위하는 것이 당시 상황으로 볼 때 좀더 순리적이었다.

그러나 당시 왕실 내에서 아주 크다란 변수로 작용할 수 있는 세력으로 金明이 있었다. 김명은 김충공의 아들로서, 만약에 흥덕왕에 의하여 태자로 책봉되어 있던 김충공이 일찍 죽지 않고 왕위를 계승하였다면, 부자계승원칙에 따라 김명 또한 태자로 책봉되어 왕위를 계승할 인물이었다. 또 흥덕왕이 김충공을 대신하여 그의 아들 김명을 다시 태자로 책봉하였던지 아니면 遺詔라도 있었다면 당연히 왕위를 계승할 인물이었지만 그렇지 못하였다. 그리고 흥덕왕이 죽을 무렵에 김명이 비록 侍中의 자리에 있기는 하였으나, 아마 나이도 어리고 아직까지 대단한 정치적 위치를 확보하지 못한 상태라 균정계에 직접 대항하기에는 역부족이었던 모양이다. 이에 김명은 김균정에게 직접 도전하지 못하고, 김균정의 조카이며 동시에 자신의 妹壻인 김제륭을 추대하여 김균정과 무력대결을 벌렸다. 균정파와 제륭파의 대립은 궐내에서 무력대결로까지 발전하여 김균정이 피살됨으로써 김제륭(희강왕)이 즉위하였다.

결국 김균정은 흥덕왕의 가까운 친족관계를 바탕으로 흥덕왕 말년 (835)에 상대등에 임명되어 정치적 실권을 장악하였고, 드디어 836년 12월 흥덕왕이 아들이 없이 죽자 김균정은 지지세력의 추대를 받아 왕위를 차지하려다가 도리어 김제륭과 김양 일파에게 피살을 당하였다.

지금까지 살펴본 바에 의하면, 하대의 상대등 역임자 중에서 선덕왕 (김양상)과 원성왕(김경신)은 추대의 형식을 통하여 즉위하였고, 김균정은 추대를 받았으나 오히려 왕위를 빼앗긴 경우이다. 이들이 추대를 받은 것은 전왕에게 정당한 왕위계승자가 없는 조건에서, 전왕의 姑從兄弟, (母系從)弟, 從弟·妹壻라는 혈연적 요인을 바탕으로, 그 당시의 정치적 요인에 의하여 지지세력의 추대를 받아 즉위한 것이다. 하지만 정당한 왕위계승자가 없고, 또 유조를 통하여 왕위계승자가 지명되지 않은 경우라 하더라도 상대등이 반드시 추대되는 것은 아니었다. 선덕왕의 사후 왕으로 추대되었으나 실패한 김주원은 상대등이 아니었으며, 경애 왕의 시해사건 후 옹립된 경순왕도 상대등이 아니었다. 이들은 전대 왕 족의 후손이라는 혈연적 요인과 더불어 당시 정치적 요인이 크게 작용 하여 추대되었다.

4. 찬탈에 의한 왕위계승과 상대등

1) 金彦昇(헌덕왕)의 상대등 역임과 애장왕 弑害

헌덕왕(김언승)은 제40대 애장왕을 시해하고 스스로 왕위에 올랐 다.[61] 그런데 김언승은 즉위 전에 상대등을 역임하였다.[62] 김언승은 상 대등 재임시 왕이었던 애장왕과는 叔姪간이다. 즉 김언승은 昭成王의 同母弟이다.[63] 그러므로 그의 아버지는 제38대 원성왕의 태자였던 仁謙 이고, 어머니는 聖穆太后로서 角干 金神述의 딸이다.[64] 그리고 김언승은 소성왕의 아들인 애장왕에게는 숙부가 된다.

결국 김언승은 소성왕의 아들이나 손자 등 直系孫이 없을 경우에는 가장 가까운 혈족의 관계에 있어 왕위계승의 가능성을 가진 자였다. 또 만약에 애장왕에게도 아들과 형제가 없을 경우에는 왕위를 계승할 수 있는 가까운 혈족 중의 하나였다. 그러나 당시 부자계승을 원칙으로 하 는 상황에서 숙부의 왕위계승은 불가능한 것이었다.[65] 결국 김언승은

---

61) 『삼국사기』 권10, 애장왕 10년 7월 ; 『삼국유사』 권1, 왕력 제40 애장왕.
62) "以兵部令彦昇爲御龍省私臣 未幾爲上大等 至是卽位"(『삼국사기』 권10, 애 장왕 2년 2월) ; "二年爲御龍省私臣 未幾爲上大等"(『삼국사기』 권10, 헌덕왕 즉위조).
63) 『삼국사기』 권10, 헌덕왕 즉위조.
64) 『삼국사기』 권10, 애장왕 2년 9월.
65) 다만 訥祇麻立干 이후 왕위의 부자계승이 두드러진 현상을 보이면서부터 가끔 비상조치로써 형제간에 계승하는 同世代間의 계승은 있었지만, 先世

소성왕대는 왕위계승권을 가진 범위에 속하였으나 애장왕대는 그 밖으로 밀려났다.[66]

한편 김언승의 정계진출은 그가 왕족이라는 혈연관계를 바탕으로 출발하였다. 그는 일찍이 원성왕대에 왕의 손자라는 신분으로 790년(원성왕 6) 大阿飡을 제수받아 唐에 사신으로 다녀왔고, 다음해 悌恭의 난을 진압하는데 가담하여 공을 세워 迊飡이 되었으며, 794년 시중이 되고, 795년 伊飡으로 宰相이 되었으며, 796년 병부령이 되었다. 이처럼 김언승은 원성왕 말년에 정치적 기반을 확고하게 갖추었다. 그리고 800년(애장왕 1) 애장왕이 13세로 즉위하자 병부령으로서 섭정을 하였으며, 곧 角干이 되었고,[67] 다음해에 御龍省을 攝政府로 확대 개편하여 그 장관인 私臣에 취임하였다. 그리하여 애장왕대의 정치권을 완전히 장악한 다음 곧 최고관직인 상대등에 취임하였다. 이처럼 김언승은 병부령·어룡성사신·상대등을 동시에 겸직하면서 실제는 왕을 능가하는 정치력을 행사하다가,[68] 드디어 809년(애장왕 10) 7월 擧兵하여 애장왕과 그 아우 體明마저 시해하고 스스로 즉위하였다.

代가 後世代로부터 계승을 하는 경우는 없었으므로 비록 헌덕왕이 애장왕의 가장 가까운 혈족이라 하더라도 신라의 왕위계승원칙상으로는 불가능하였을 것이다.

66) 특히 元聖王의 부자계승원칙을 고수하려는 강력한 의지가 아들·손자·증손자대에는 강하게 영향력을 미쳤을 것에서도 짐작이 가능하다. 한편 언승이 조카인 애장왕을 죽이고 즉위함으로써 원성왕에 의하여 이룩된 3대 20여년 동안의 부자상속원칙이 무너진 것인데, 그 역할을 담당한 것이 상대등이었다. 즉 언승의 애장왕 시해는 상대등 세력의 왕위부자상속제에 대한 반항이었다는 해석도 있으나(이기백, 앞의 책, 121~122쪽), 조선 초기 수양대군과 단종 사이의 권력구조에서 보듯이 오히려 攝政 언승과 애장왕 사이의 친정문제를 둘러싼 갈등이었다고 보는 것이 순리일 듯하다.

67) 『삼국사기』 권10, 헌덕왕 즉위조.

68) 실질적으로 애장왕대에 행하여진 개혁정치의 주도세력은 彦昇과 그의 아우들이라는 견해도 있다(김동수, 1982, 「신라 헌덕왕·흥덕왕대의 개혁정치」 『한국사연구』 39, 31~34쪽).

이상에서 살펴보았듯이 김언승은 즉위전에 상대등을 역임하였다. 그러나 그의 즉위가 상대등을 역임하였다는 것만으로는 성립될 수 없다. 그보다는 그가 애장왕의 숙부라는 혈연적 관계가 전제되었기 때문에 병부령과 어룡성사신을 가지면서 상대등을 왕의 다른 혈족에게 할양할 수 없어 스스로 보임하였다. 그리하여 幼少한 왕보다 더 강력한 정치력을 행사하다가 애장왕이 성장하여 親政을 펼쳐나가는 과정에서 최고 통치권의 행사는 물론 상대등직도 애장왕의 가장 가까운 혈족에게[69] 내어주어야 할 처지가 됨에, 드디어 왕마저 제거하고 스스로 즉위하였다.[70] 그러나 그가 막강한 정치력을 가졌다 하더라도 혈연관계상으로는 즉위가 불가능하였다. 이에 애장왕의 아우 體明마저 시해하여 자신보다 가까운 애장왕의 혈족은 모두 없어짐으로써 즉위하는데 어려움이 없어진 듯하다. 결국 김언승의 즉위는 정치력에 의한 찬탈이면서도 혈연적으로 왕위계승 범주상 자신보다 가까운 왕의 혈족을 제거한 결과 생존 인물 중에서 자신이 전왕과 가장 가까운 혈족이 되었다.

2) 金明(閔哀王)의 상대등 역임과 僖康王의 自盡

희강왕의 즉위에 큰 역할을 하였던 金明은 상대등에 임명된 뒤 찬탈하였다.[71] 김명의 아버지는 忠恭이고, 어머니는 貴寶夫人 朴氏이다. 그러므로 김명은 金憲貞의 아들인 희강왕과는 再從兄弟이다. 더욱이 김명의 누이가 희강왕의 비인 文穆夫人 金氏이므로, 이들은 혼인을 통하여 妻男·妹壻간의 인척관계에 있었다. 그러나 김명이 희강왕과 이러한 관계라 하더라도 부자계승원칙에서 희강왕에게 아들이 있는 이상 정상적

---

69) 아마 애장왕의 아우 體明이 첫째 대상 인물이었을 것이다.

70) 난의 원인은 당시 22세인 애장왕이 親政을 하면서 통치의 주도권을 둘러싼 갈등에서 비롯된 것인 듯하다.

71) 『삼국사기』 권10, 희강왕 3년 정월과 권10, 민애왕 즉위조 참조.

인 왕위계승은 불가능한 것이고, 혹 遺詔라도 있으면 가능한 것일 수도
있는 상황이었다.

 김명은 여러 관직을 거쳐서, 835년(흥덕왕 10) 2월 大阿湌으로 시중이
되어 재직하던 중, 836년(흥덕왕 11) 12월 흥덕왕이 죽자 당시 상대등이
던 흥덕왕의 從弟 김균정이 즉위하려함에, 阿湌 利弘·裵憲伯 등과 함께
흥덕왕의 堂姪 金悌隆을 받들어 大內에 들어가 싸워,[72] 김균정을 弑害
하고 김제륭(희강왕)을 즉위시켰다. 그리고 그는 희강왕을 즉위시킨 공
으로 837년(희강왕 2) 정월 상대등이 되었다. 하지만 1년 뒤인 838년 정
월 희강왕 즉위시 같은 공신이며 그의 상대등 임명으로 대신 후임 시중
에 임명되었던 利弘과 함께 난을 일으켜 희강왕의 側臣들을 살해하고
왕마저 핍박하여 自盡케 한 다음 즉위하였다.

 이처럼 김명은 희강왕과는 혈연적으로 父系를 달리하였고, 더욱이
희강왕의 아들이 있었기 때문에 정상적인 방법으로는 즉위할 수 없는
왕족이었다. 비록 이보다 앞선 흥덕왕과는 혈연적으로 왕위계승의 범주
에 속하였으나[73] 당시의 정치적 상황으로 직접 왕위쟁탈전에 참여치 못
하고 희강왕을 대신 내세웠다. 그리하여 희강왕이 즉위함으로써 왕통이
인겸계에서 예영계로 넘어간 상태에서, 김명의 혈연에 의한 왕위계승은
불가능하여 졌다. 이에 그는 인겸계의 왕위계승권을 회복하기 위하여
상대등의 관직을 가지고 희강왕대의 실질적인 정치력을 장악한 뒤 찬탈
을 하였다. 즉 김명의 왕위계승은 정치적 요인이 무엇보다도 강하게 작
용한 찬탈이었는데, 이는 흥덕왕의 사후 김균정을 제거하기 위하여 김
제륭은 이용한 뒤, 다시 김제륭을 시해함으로써 왕위를 차지한 일련의
정치사건이었다.

---

72) 이때의 대립양상은 『삼국사기』 권44, 金陽傳에 자세히 묘사되어 있다.
73) 특히 그의 아버지 忠恭은 興德王의 아우로서 太子에 책봉되었지만 일찍이
  죽음으로 인하여 왕위를 계승치 못한 상황이라 하더라도 그에게도 왕위계
  승의 여지는 있었다.

결국 김명의 즉위는 그가 상대등직에 있기는 하였으나, 그 자체가 왕위계승권을 가졌던 것은 아니었기에 무력에 의한 찬탈을 통해 즉위하였다. 이것은 설령 그가 상대등직에 있지 않았더라도 혈연적 요건이나 다른 정치적 요인으로도 가능하였다고 보겠다.

Ⅳ. 상대등과 왕위계승의 상관성

신라 하대에도 가장 보편적인 왕위계승방법은 재위중인 왕이 아들을 태자로 책봉해 두었다가 뒷날 즉위케 하는 방법이었다. 그러나 아들이 없거나 있어도 골품제적인 신분상의 하자가 있어서 정당한 왕위계승자의 자격이 없는 경우에는 弟나 姪을 태자로 책봉하여 선위와 계위하였다. 한편 태자책봉을 못한 경우에는 왕이 죽기 직전에 유조를 통하여 자신의 弟·叔父·妹·姪 등 가까운 부계친 중에서 왕위계승자를 지명하기도 하였다. 그러나 미처 이러한 방법을 통하여 왕위계승자를 정하지 아니한 경우에는 왕이 죽은 뒤 당시 사정에 따라 정치적인 알력과 합의를 거치거나 혹은 때로는 각 세력에 의하여 추대되어진 자들간에 경쟁을 거쳐 승리한 자가 즉위하였다. 하지만 이러한 것은 대체로 전왕의 自然死와 더불어 이루어진 왕위계승이고, 이와는 달리 재위중인 왕을 살해하고 왕위를 찬탈한 경우도 있었다.

한편 하대의 왕위계승을 살펴보면 20명의 왕 중 제37대 선덕왕, 제38대 원성왕, 제41대 헌덕왕, 제42대 흥덕왕, 제44대 민애왕, 제47대 헌안왕, 제55대 경애왕 등 7명(전체 35%)은[74] 즉위하기 전에 상대등을 역임한 경력이 있다. 이것은 거의 그런 일이 없었던 중대에 비하면 판이한 현상이다.

상대등을 역임하고 왕위에 오른 이들 7명의 전왕과의 혈연관계는 叔

---

74) 이기백은 6명으로 파악하였으나(앞의 책, 117쪽 〈표 라〉), 필자는 헌안왕을 추가하여 7명으로 본다.

父 2명, 弟 2명, 再從兄弟 1명, 姑從兄弟 1명, (母系從)弟 1명 등이다. 즉 7명 중 5명은 부계친(특히 그 중 4명은 3촌 이내의 지근친)의 관계에 있고, 2명은 모계에 의한 친척이다. 그러므로 부계친으로 왕위에 오른 상대등은 당시 왕과 상당히 혈연적으로 가까운 인물들이다. 이것은 실제 즉위한 상대등의 역임자가 미리부터 왕위를 계승할 수 있는 여지를 가지고 있었음을 말해주는 것이다.

이처럼 하대의 왕 가운데는 상대등 역임자가 많았다는 사실에서, 상대등은 '특히 下代의 上半期 - 神武王 이전 - 에 王의 弟·叔父 등 지극히 가까운 친척들이 되는 예가 늘어갔는데, 이런 경우 대개가 왕위를 계승하게 되었다. 그리고 그 계승은 무력에 의하여 강제로 행해지는 경우가 많다.'고[75) 볼 수도 있지만, 사실은 달리 해석되어야 할 듯하다.

앞에서도 살펴보았듯이, 하대의 상대등으로서 왕위에 도전한 예는 원성왕, 헌덕왕, 김균정, 민애왕 등 4차례뿐이다. 그리고 신무왕 이전 시기에 상대등을 역임한 뒤 실제 즉위한 왕은 선덕왕(추대), 원성왕(탈취, 추대), 헌덕왕(찬탈), 흥덕왕(副君, 계위), 민애왕(찬탈) 등이 있으나, 이 중에서 상대등의 직에 있으면서 무력을 통하여 즉위한 것은 원성왕, 민애왕의 2차례뿐이었다. 종래 혜공왕을 직접 시해하고 즉위한 것으로 이해한 선덕왕은 실제는 성덕왕의 딸의 아들(외손)로서 반란진압군의 최고 군사통수권자였기에 혜공왕의 유고에 따라 國政의 임시관리자로 추대된 것이다. 헌덕왕은 상대등보다는 어룡성사신이라는 섭정의 지위를 이용하여 찬탈하였고, 흥덕왕은 副君의 자격으로 계위한 것이다.

특히 상대등 역임자 중에서 하대의 전반기에 태자책봉을 받았던 2명(흥덕왕, 충공)은 굳이 상대등을 역임하지 않았다 하더라도 왕의 동모제로서 정당한 왕위계승자가 없는 경우에는 그 누구보다도 우선적으로 왕위계승권을 갖는 혈연관계에 있었다. 하대 후반기에 유조를 받은 문성

---

75) 이기백, 앞의 책, 128쪽.

왕의 숙부 헌안왕과 경명왕의 동생 경애왕도 또한 그러하다고 보겠다.

앞에서 살펴보았듯이, 엄격한 의미에서 상대등이 재위중인 왕과 대립하여 무력으로 왕위를 차지한 경우는 헌덕왕과 민애왕 단 2명뿐이다. 그러므로 정당한 왕위계승자가 없는 경우라 할지라도 상대등이 왕위계승의 제1후보였던 것은 아니다. 재위중인 왕의 아들이 아니면서도 태자로 책봉되거나 유조를 받은 인물은 설사 그 인물이 상대등이라는 특정 관직을 가지지 않아도 재위중인 왕의 지근친이라는 혈연관계에 의하여 왕위계승자가 될 수 있는 요건을 이미 갖추고 있었다. 그 자격만 있으면 효공왕과 경문왕·정강왕·진성여왕의 경우처럼 태자로 책봉되거나 혹은 유조를 받아 왕위를 계승하였던 것이다.

또 왕위계승자로 추대를 받은 3명(선덕왕·원성왕·김균정)도 반드시 그들이 상대등직을 가졌기 때문에 왕위계승자로 추대되어진 것은 아니었다. 비록 이들이 상대등의 관직을 가졌기에 정치적으로 다른 관직의 소유자에 비하여 추대되는데 유리하게 작용한 경우도 있었겠지만, 그보다는 이들이 추대되어짐에는 그들이 가지고 있던 당시 왕족내에서 혈연적 기반이 먼저 전제되었던 것이다. 제53대 신덕왕이나 제56대 경순왕의 경우에서 볼 수 있듯이 이들은 상대등을 역임한 적이 없었지만 그들의 혈연적 요인과 당시 정치적 사정에 의하여 추대되었고 실제 즉위하였다.

한편 왕위를 찬탈하여 즉위한 왕도 반드시 상대등직에 있었기에 그것이 가능했던 것은 아니었다. 만약 귀족회의의 의장 자격을 비롯한 요건에 의하여 상대등의 왕위계승이 가능하였다면, 특히 왕위계승에 도전하였다면 당연히 찬탈에 의하여 즉위한 3명(원성왕, 헌덕왕, 민애왕)을 제외하고 또다른 실패한 상대등의 반란도 있어야 한다. 그렇지만 피찬탈자에 해당하는 김균정의 왕위쟁탈전 외에 이렇다할 사례가 없다.

물론 상대등이 왕과 태자를 제외하고는 최고의 관직이었기 때문에 다른 관직의 소유자보다는 상대적으로 정치적인 실력을 장악하고 있었을 것이고, 그래서 이것이 찬탈에 유리한 요건으로 작용하기도 했을 것이다. 그러나 찬탈을 한 왕이 반드시 상대등 역임자는 아니었다. 사실 찬탈한 제43대 희강왕이나 제45대 신무왕은 상대등을 역임한 적이 없는 인물들이다. 그럼에도 이들이 찬탈하여 실제 즉위한 것은 이들을 지원해준 우세한 군사력이 있었기에 가능했던 것이다.

간혹 상대등이 예외적으로 개인적인 성향과 시대적 상황에 따라 자신이 왕위를 차지하고자 한 경우도 있었을 것이다. 이것은 권력의 속성상 있을 수 있다. 하지만 宗法制에 따라 적장자계승이 일반화된 뒤에는 왕의 지위는 일반 왕족보다는 격상된 존재였기에, 왕족이나 고위관료가 직접 왕위에 도전하기란 대단히 어려웠다. 물론 하대에 왕위찬탈형 반란이 빈번하였던 것은 사실이다. 이것은 고위관직을 보유하였기에 그러할 여지가 있기도 했다. 하지만 그보다는 분지화된 가계간에 있었던, 그리고 바로 직전의 왕족으로서, 혼인·찬탈·추대 등으로 타가계로 넘어간 왕위계승권의 회복을 목적으로 한 귀족들의 도전이었다.

현재까지 신라 하대의 상대등 역임자 중에서 당시 왕과의 혈연관계가 파악된 13명 중에서 왕위에 오르지 않은 6명의 상대등은 叔父 1명, 弟 2명, 從兄弟 2명, 從孫 1명 등으로서, 혈연관계에 있어서 오히려 왕위에 오른 자들보다 왕과 더 가까운 친척들이다.

먼저 상대등을 역임하고도 즉위하지 않은 왕의 지근친 중에서, 叔父 1명의 경우인 魏弘은 다음 왕위계승을 위한 예정자가 없을 경우에도 당시 헌강왕·정강왕이 숙부보다는 더 가까운 혈족인 형제에게 왕위계승을 지목하였기 때문이다. 그리고 弟 2명의 경우인 金崇斌·金忠恭은 모두가 헌덕왕·흥덕왕보다 먼저 죽었기 때문이다. 從兄弟 2명의 경우는, 먼저 金均貞은 흥덕왕과 혈연상 가깝지만 당시 시중 金明보다는 멀었고 또 정치적 실력을 동원하면 가능성이 있을 듯 하였지만 무력대결에서 金悌隆·金明의 연합세력에게 패하여 즉위치 못하였으며, 金禮徵은 문성왕보다 먼저 사망하였기에 즉위치 못하였다. 그리고 從孫 1명의 경우인 金安은 헌안왕이 왕위를 사위 膺廉에게 계승하라는 유조를 내림으로써 즉위치 못하였다.

사실상 신라 하대에 상대등 역임한 자가 즉위하는 경우가 더러 있었지만, 이것은 그가 상대등을 역임하였기 때문에 왕위계승을 한 것이 아니라[76] 그의 혈연적 신분이 왕위계승의 범주에 속했기 때문에 가능하였다(계위). 한편 왕위계승 범주의 밖에 있으면서 즉위한 상대등 역임자도 있는데 이 경우에는 불가피하게 무력(찬탈) 내지는 정치적 역학관계에 의하여 즉위하였다(추대). 그러나 이러한 현상도 하대 제1기와 제2기초에[77] 한정된 4차례(하대 전체 왕의 20%)에 불과한 것이었고, 그 뒤로는 유조에 의한 경애왕 1차례를 제외하고는 상대등 역임자의 왕위계승은 물론 왕위에 도전한 반란도 없었다.

결국 하대의 상대등은 왕의 제·숙부 등 지근친이 임명되어 국정을 수행하였기에 중대에 비하여 정치적 비중이 커졌고, 또 왕위계승에서도 역할이 확대된 것은 사실이나, 정당한 왕위계승자가 없는 경우라 해도 제1후보자는 아니었으며, 설사 즉위하는 경우라 해도 무력에 의한 강제적인 것보다는 태자책봉이나 유조에 의한 평화적인 계승이 일반적이라 하겠다.

---

76) 사실 헌안왕대 상대등에 있던 金安은 헌안왕의 정당한 父系親의 왕위계승자가 없음에도 즉위치 못하였고, 오히려 헌안왕의 사위 경문왕이 계승하였다. 만약 상대등에게 왕위계승권이 있었다면 金安이 도전하였을 것이다. 그러나 김안은 경문왕 즉위 뒤에도 계속 상대등직을 수행하다가 경문왕 2년 정월에 교체되었다. 그리고 헌강왕·정강왕대 상대등이었던 金魏弘과 진성여왕대 이름을 알 수 없는 상대등 역시 왕위를 계승하지 않았고, 도전하지도 않았을 뿐만 아니라 오히려 계속적 상대등직에 있었다. 이것은 결국 상대등이 왕위계승과는 직접적 관계는 갖지 못하였고 오직 왕의 보조자에 불과한 하나의 관직이었음을 말해주는 것이다.

77) 필자는 신라 하대를 왕통의 변화에 따라 네 시기로 구분한다(김창겸, 2003, 앞의 책, 339~340쪽).

V. 맺음말

신라 하대의 상대등은 왕의 叔父, 弟, 從兄弟, 再從兄弟, 從孫, 姑從兄弟와 (母系從)弟 등, 즉 대체로 6촌 이내의 부계친과 4촌 이내의 모계친으로 임명권자인 왕과는 대단히 밀접한 친족관계에 있었던 인물들이다. 이것은 당시 왕들의 왕권이 약했기 때문에 왕을 중심으로 하는 소가계의 왕권을 유지하기 위한 수단이었고, 권력의 집중화를 꾀하는 방법의 하나로서 왕의 가장 가까운 혈족을 상대등에 임명하여 그의 도움을 받으면서 왕정을 펼쳐 나갔던 것이다. 그러므로 상대등은 대체로 왕의 가까운 친족 중의 한 명으로서, 왕과 대립적인 위치에 있지 않았고 왕으로부터 가장 신임을 받고 관리의 인사문제 등 행정권을 위임받아 수행하였던, 왕권을 적극적으로 보좌하는 親王的인 최고의 관료였다.

하대의 상대등은 정당한 왕위계승자가 없을 경우에 가끔 왕위를 계승하였다. 이 중에서 태자책봉(흥덕왕, 충공)과 유조(헌안왕, 경애왕)에 의해 평화적으로 왕위를 계승한 왕의 제와 숙부는, 비록 상대등을 역임하지 않았다 하더라도, 왕에게 정당한 왕위계승자가 없을 경우에는 왕위계승권을 가장 우선적으로 갖는 혈연관계에 있었다. 그러므로 이러한 왕위계승은 혈연관계에 의한 것이지 상대등의 관직이 직접적인 요건은 되지 못하였다.

한편 하대의 상대등 중에는 전왕과의 혈연상으로는 정상적인 왕위계승이 불가능함에도 추대(선덕왕, 원성왕, 김균정)와 찬탈(헌덕왕, 민애왕)이라는 비정상적인 방법으로 즉위한 경우가 있기도 하지만, 그것은 단 몇 차례의 특수한 사례에 불과한 것이다. 특히 왕과 대립관계를 보인 상대등도 金彦昇(헌덕왕)과 金明(민애왕)의 찬탈 2차례 외에는 또렷한 것을 들 수 없다. 이들은 재위중인 왕과의 가까운 혈연관계에도 불구하고, 이들보다 더 가까운 혈족이 있어서 정상적인 왕위계승권 밖에 있었기에 자신이 속한 소가계가 왕통의 유지해 나가거나 또는 상실한 왕위계승권을 되찾기 위하여 정치적 여건을 이용하여 찬탈하였다.

　결국 신라 하대의 상대등이 왕위계승에 영향력을 미치는 정치적 요인이기는 하였으나, 정당한 왕위계승자가 없는 경우라 하더라도 상대등에게 왕위계승권이 주어졌던 것은 아니었다. 왕위는 일반 관직이 아닌 그 초월적인 것으로 혈연을 기준으로 하는 그 나름대로의 계승원칙이 있었다. 즉 하대의 상대등이라도 재위중인 왕과의 혈연관계가 소원하면 정상적인 왕위계승은 불가능하였다. 때문에 정치·군사적인 힘을 이용하여 비정상적인 왕위계승을 한 경우도 있을 뿐이다. 그럼에도 이것을 가능하게 한 것은 그의 혈연적 신분이 왕위계승의 전제조건을 충족하였기에 부차적인 정치·군사적 힘이라는 행위요건을 이용할 수 있었던 것이다.

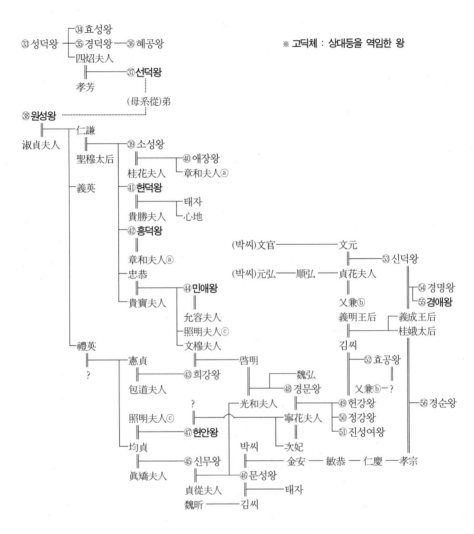

<그림> 신라 하대 왕위계승도

제11장 김유신의 興武大王 추봉과 '新金氏'

I. 머리말

신라는 532년(법흥왕 19)에 金官加耶를, 562년(진흥왕 23)에는 大加耶를 병합하고, 그 왕족을 비롯한 신민을 수용하였다. 그 결과 신라사회 내에서 金舒鉉, 金庾信, 强首, 金生, 金允中, 金巖, 審希(진경대사) 등 수많은 가야계 인물들의 활동이 있었다. 이 중에서도 특히 김유신 가문의 정치적·사회적 위상은 지대하였다.

신라사에서 가야계가 갖는 의미를 밝히려는 기존의 많은 연구업적이 이루어졌다. 게다가 얼마 전에는 신라 속의 가야인에 대한 종합적 검토가[1] 시도되어 약간의 대관이 나름대로 정리되었다.

그럼에도 진정 중요한 역사적 의미가 있는 몇몇 가지 사실에 대해서는 연구자들간에 논란이 거듭되고 있는 실정이다. 그 중의 하나가 신라 정치사회 내에서 활동한 가야계를 지칭한 '新金氏'라는 용어이다. 우리는 신라시대에는 신김씨가 있었고, 이 신김씨는 신라 정통 김씨와는 다른 또하나의 김씨라고 말한다. 하지만 이 신김씨의 명확한 개념 규정과 실체에 대한 이렇다할 정설도 통설도 없이, 금관가야계의 김씨라는 정도에서 이해되고 있을 뿐이다.

본고에서는 신라사회에서 가야계와 확실한 연관성이 있는 '신김씨'의 실체를 살펴보고자 한다. 연구방법으로는 우선 현존하는 금석문 자

---

1) 선석열, 2001, 「신라사 속의 가야인들」『한국 고대사 속의 가야』, 혜안 ; 주보 돈, 2004, 「가야인, 신라에서 빛나다」『가야 잊혀진 이름 빛나는 유산』, 혜안.

료에서 신김씨의 내용을 분석하여 그 실체와 그것의 등장시기를 살펴보
겠다. 그리고 신김씨의 필수적인 조건인 흥무대왕에 언급하겠다. 즉 김
유신을 흥무대왕으로 추봉한 시기와 배경, 이것이 신김씨의 성립에 갖
는 의미 등에 대해 다루고자 한다.

Ⅱ. 신김씨의 정체와 등장시점

1. 신김씨의 정체

문헌자료에는 보이지 않으나, 통일신라시대에 작성된 금석문에는
'新金'씨라는 용어가 몇 곳에서 확인된다.

그 사례를 보면 다음과 같다.

> A-① 監脩成塔事 守兵部令 平章事 伊干 臣 金魏弘 上堂 前兵部大監 阿干
>   臣 金李臣 倉部卿 一吉干 臣 金丹書 赤位 大奈麻 臣 新金賢雄 靑位
>   奈麻 臣 新金平矜 奈麻 臣 金宗猷 奈麻 臣 金歆善 大舍 臣 金愼行 黃
>   位 大舍 臣 金兢會 大舍 臣 金勛幸 大舍 臣 金審卷 大舍 臣 金公立
>   (「황룡사9층목탑찰주본기」)
>
> ② 大師諱審希 俗姓新金氏 其先任那王族 草拔聖枝 每苦隣兵 投於我國
>   遠祖興武大王 (「진경대사보월능공탑비」)
>
> ③ ○○○臣○漢功 奈麻 新金季 聖神忠寺 令伊○伊飡 臣 金順 央漠 (「황복
>   사비」)

위의 자료 중 924년(경명왕 8)에 건립된 것으로 추정되는 『진경대사
보월능공탑비』에는[2] '審希는 俗姓이 新金氏인데 선조는 任那王族이고

---

2) 「봉림사 진경대사보월능공탑비」(보물 제363호)는 본래 경상남도 창원시 봉

원조는 흥무대왕'이라 하여(A-①), 분명 '新金氏'라는 성씨가 보인다. 실제 신김씨가 이름 표기에 사용된 예가 872년(경문왕 12)에 작성된 「황룡사 9층목탑찰주본기」에[3] '大奈麻 新金賢雄 奈麻 新金平矜'(A-②), 또 「황복사비」에[4] '奈麻 新金季'라는(A-③) 기록이 있다.

여기서 보건대 하대의 신라사회 내에는 金魏弘·金李臣·金丹書 등 이름에 사용된 신라 왕족의 성씨인 金氏와는 혈연을 달리하는 新金賢雄·新金平矜·新金季 등의 이름에서 보이는 신김씨가 존재했던 것이 확인된다. 다시 말해 이 시기에는 신라의 왕족 김씨와는 다른 김씨로 이른바 신김씨가 있었음을 알 수 있다.

그러면 신김씨는 누구인가? 우리는 흔히 금관가야의 후손이 신라 사회에서 신김씨를 사용했던 것으로 이해하고 있다. 그러나 금관가야의 후손 안에서도 좀더 구체적인 친족 범위에 대해서는 연구자간에 이견을 보이고 있다.

일반적인 견해는 금관가야를 병합한 뒤에 신라에 투항해온 武力 -

림동 165번지 봉림사지에 있던 것을 현재는 국립중앙박물관에 옮겨 보관하고 있다. 탑비의 전체 높이가 3.37m이고, 비신 높이가 1.71m, 너비 99cm이며, 비신의 일부가 파손되어 새로 보완하였다. 탑비는 심희가 입적한 다음해인 924년 건립되었으며, 비문은 경명왕이 직접 지었다. 글씨는 幸其가 썼고, 崔仁渷이 篆額을 썼다. 비문의 내용은 신라 말기 봉림산문의 祖師 계승관계, 김해지역 호족세력의 변천, 선종사상을 연구하는데 중요한 자료이다.

3) 「황룡사9층목탑찰주본기」는 872년(경문왕 12)에서 873년까지 황룡사 탑을 새로 수리하고 나서 그 경위를 작성한 것이다. 「황룡사9층목탑사리함기」라고도 한다. 글자는 사리내함판에 음각으로 새겼는데, 3매의 판에서 현재 해독할 수 있는 글자는 모두 900여 자이다. 찰주본기는 朴居勿이 짓고, 글씨는 姚克一이 썼다. 전반부의 내용은 자장의 건의를 받아들여 9층목탑을 창건한 경위에 관한 것이고, 후반부는 文聖王에서 경문왕대에 이르는 重修 사실을 기록한 것이다. 그리고 말미에 9층목탑을 새로 짓기 위하여 설치한 여러 기관과 관계자들을 기록하였다.

4) 경주 皇福寺에서 발견된 碑片들은 대체로 통일신라시대에 조성된 것으로 추정되고 있다. '新金季'라는 명문이 있는 비편6은 길이 21cm, 너비 9cm이다.

舒鉉 - 庾信으로 이어지는 왕족의 후손이 眞骨에 편입되고[5] 성씨를 취득하면서 신김씨를 사용하였던 것으로 보고 있다. 이에 더하여, 금관국 왕족을 진골에 편입시킨 후에 신라왕실과 복수의 혼인관계를 맺은 진골 김유신가와 신문왕 3년에 蘇判의 관등과 김씨성을 하사받은 보덕국왕 金安勝家가 먼저 김성을 칭한 신라왕실 다음에 새로 칭성한 김씨라서 신김씨라 했다는 견해도 있다.[6] 또 한편에서는 신라사회 내에서 김유신 후손들의 위상이 저하되면서 성씨 사용에 변화가 생겼으며, 특히 김씨에서 신김씨로의 변화는 9세기 후반 경문왕가기에 이르러 왕족 김씨에 의해 김유신 가문은 구별을 강요당하고 김씨 칭성을 규제 당하여 신김씨를 칭할 수 밖에 없게 된 것이란[7] 주장도 있다.

심지어는 최근에 신김씨는 김유신의 후손이 아니라, 문무왕이 중대 왕실을 비롯해 종래 왕경에 거주하던 김씨 진골귀족들과 구분되는, 지방에서 올라온 김해 거주 금관가야 왕족의 후손들에게 새로운 김씨라는 의미를 지닌 신김씨를 하사함에 사용된 것이라는 견해도 제기되었다.[8]

이처럼 신김씨의 구체적 실체에 대해서는 견해의 차이가 있기는 하지만, 정통 신라김씨에 대해 이주해온 금관가야계 후손이 '新金氏'로 표현된 것에 대해서는 의견이 일치한다. 新金氏란 용어자체가 본래의 김씨, 옛 김씨, 심하게 말하면 헌김씨라는 의미의 本金氏 또는 舊金氏에

---

5) 금관가야계가 신라의 진골에 편입된 시기를 일반적으로 김유신 때로 보고 있지만, 이와 달리 법흥왕 19년 금관국왕 구해가 신라에 투항해 왔을 때(문경현, 2007, 「김유신의 혼인과 가족」 『문화사학』 27, 371~372쪽), 김유신의 부 舒鉉 때(이명식, 1992, 『신라정치사연구』, 형설출판사, 118~119쪽), 또는 조부 武力 때에 이미 편입되었다는 견해도 있다(선석열, 앞의 논문, 531~540쪽).
6) 문경현, 2007, 앞의 논문, 378~379쪽.
7) 이문기, 2004, 「금관가야계의 시조 출자전승과 칭성의 변화」 『신라문화제학술논문집』 25, 50~54쪽.
8) 이현태, 2006, 「신라 중대 신김씨의 등장과 그 배경」 『한국고대사연구』 42, 233~266쪽 ; 조범환, 2007, 「김유신의 가계와 후손들의 활동」 『신라사학보』 11, 62~63쪽.

상대되는 새로운 김씨, 새김씨라는 표현이다. 그렇다면 신김씨는 본김씨인 종래 신라 왕성은 정통 김씨(후대의 경주김씨)와는 다른 김씨 혈연집단을 지칭한 것이라 하겠다.

신김씨란 구체적으로 어느 가계인가? 이에 대해서는 853년(문성왕 15)에 태어나 923년(경명왕 7) 4월 24일에 70세의 나이로 입적한 審希의 일대기를[9] 적은 「진경대사보월능공탑비문」에서 경명왕이 심희는 임나 왕족의 후예로서 그의 원조는 흥무대왕이며, 신김씨라고 한 기록을 절대적으로 참조할 필요가 있다.

이 비문은 行其가 왕명을 받들어 썼지만 실제 비문의 찬자는 경명왕으로 추정되는데, 국왕이 찬한 비문의 내용에 주인공의 가계를 설명하면서 불확실한 내용으로 윤색 두찬하지는 않았을 것이다. 우리가 잘 알듯이, 여기서 흥무대왕은 김유신의 추봉호이다. 국왕이 심희의 비문을 찬하면서 신라국가에서 공식 추봉한 흥무대왕의 명칭을 도용 내지는 빙자하여 그 후손이라고 표기하지는 않았을 것이다. 이 비문의 내용을 사실로 인정하는 것이 순리라 하겠다. 그렇다면 이미 경명왕대에는 국왕은 물론 모든 백성들이 김유신(흥무대왕)의 가문과 그 후손을 신김씨라고 불렀고 그것이 사회적으로 인정되고 통용되었음을 짐작할 수 있다.

어쨌든 금관가야 왕족의 후손이 신라 사회에서 신김씨로 불리었던 것은 분명하다.

그리고 「진경대사보월능공탑비문」에서 흥무대왕의 후손인 심희를

---

9) 진경대사의 속성은 신김씨이고, 법호는 審希이며, 신라 하대에 鳳林山門을 개창하였다. 대사는 853년(문성왕 15)에 태어나 9세에 출가하였으며, 玄昱에게서 禪法을 배웠다. 888년(진성여왕 2)에서 904년(효공왕 8)까지 설악산, 溟州의 山寺, 김해의 進禮城 등지에서 교화활동을 폈고, 특히 進禮城에서는 김해지역의 호족인 金律熙와 金仁匡의 후원을 받기도 하였다. 918년(경명왕 2)에 경명왕의 부름을 받아 신라 궁궐에 들어가 설법하였고, 이후 봉림사로 돌아와 제자 양성에 주력하다가 923년(경명왕 7) 4월 24일에 70세의 나이로 입적하였다.

신김씨라 했음으로, 신김씨는 任那(금관가야) 왕족 출신으로 왕경의 김
유신 후손인 것은 분명하다. 즉 新金氏라는 정체성을 규정하는 요소로
는 任那王族의 후손과 興武大王의 후손이라는 필요조건과 충분조건을
모두 충족시켜야 한다. 결국 '신김씨'는 금관가야 왕족이면서 신라의 왕
실과 혼인한 김유신가의 후손을 지칭하는 친족용어이다.

2. 신김씨의 등장 시기

그러면 신김씨의 사용 시점은 언제부터인가?

앞에서 소개한 신김씨의 실체에 대한 여러 견해에 따르면 신김씨가
등장한 시기도 다르게 이해해야 한다. 우선 가장 일반적인 이해는 금관
가야가 멸망하고 그 왕족이 신라에 투항해와 신라 진골에 편입되고 성
씨를 취득하면서 신김씨를 사용했다는 것이다. 또는 진골 김유신가와
신문왕 3년에 보덕국왕 安勝에게 김씨 성을 하사하고 안승가가 신김씨
를 칭했다.[10] 그리고 9세기 후반 경문왕가기에 이르러 김유신 가문은 신
김씨를 사용하게 되었다.[11] 한편 최근에는 흥덕왕대 김유신의 흥무대왕
추봉으로 그 후손들이 스스로 신김씨를 표방했다는 적극적인 주장이 나
왔다.[12] 이상의 견해들은 모두 신김씨는 금관가야의 왕족, 김유신의 가
계라는 조건을 기본으로 하고 있다.[13]

---

10) 문경현, 2007, 앞의 논문, 378~379쪽.
11) 이문기, 2004, 앞의 논문, 50~54쪽 ; 김수미, 2009, 「신라 김유신계의 정치적
    위상과 추이」『역사학연구』 35, 16쪽.
12) 김태식, 2006, 「김유신의 흥무대왕 추봉시기」『신라사학보』 6, 207~210쪽.
13) 김유신 가문이 김씨를 칭한 시기가 아버지 舒鉉 때라는 견해(이순근, 1981,
    「신라시대 성씨취득과 그 의미」『한국사론』 6, 서울대학교, 21쪽 ; 이문기,
    2004, 앞의 논문, 26~28쪽)와, 김유신 당대라는 견해(문경현, 2007, 앞의 논문,
    378쪽), 보다 구체적으로 7세기 중반 무열왕이 김유신가문에 賜姓하면서
    부터라는 견해(武田幸男, 1984, 「朝鮮の姓氏」『東アジアの世界いおける日本
    古代史講座』 10, 學生社, 63~66쪽)가 있다.

심지어는 적어도 759년(경덕왕 18) 이전에 이미 신김씨가 사용되었으며, 문무왕대에 지방에서 올라온 새로운 김씨라는 의미를 지닌 신김씨를 680년(문무왕 20)에 김해 거주 금관가야 왕족의 후손들에게 하사함에 사용되었다는[14] 견해도 있다. 이 주장은 신김씨는 김유신의 후손이 아니라는 것이다.

이처럼 신김씨의 등장시기에 대해서는 모두가 금관가야의 멸망 이후라는 데는 생각을 같이 한다. 다시 말해 신김씨가 금관가야와 관련이 있음에는 의견이 일치한다. 다만 앞에서 언급했듯이 그 시기는 달리 이해하여 김유신 가문이 성씨를 취득할 때부터 신김씨라는 견해와 후대에 김유신 후손이 신김씨를 갖게 되었다는 주장, 또는 김해 거주 금관가야 왕족이 賜與받았다는 의견이 있다. 즉 구체적인 시기에 대해서는 그 왕족의 신라 진골 편입 이후, 신문왕 43년, 9세기 후반, 흥덕왕대, 문무왕대 등으로 견해의 차이가 있다.

그러나 필자는 앞에서 신김씨의 정체를 임나왕족으로서 흥무대왕의 후손이라고 규정했듯이, 신김씨는 김유신의 후손이다. 그러므로 신라사회에서 신김씨가 등장하는 시점은 언제인가 하는 것은 김유신의 후손만으로 한정해서 살펴보아야 한다. 다시 말해 앞에 열거한 견해 중 김유신의 후손에 한정하지 않은 신문왕 3년설과 문무왕대설은 고려할 필요가 없다고 본다.

어쨌든 현전하는 자료에서 신김씨라는 용어가 등장하는 시점이 신김씨의 등장 시기를 밝히는데 가장 필요한 요건이라고 본다.

이것을 알기 위해서는 우선 '新金'氏라는 용어가 등장하는 자료에 대해 살펴 볼 필요가 있다. 비록 그 예로서 통일신라시대 것으로 알려진 「황복사비」가 있으나, 이것의 작성 시기가 불분명하다.[15] 그러므로 부득

---

14) 이현태, 앞의 논문, 233~266쪽.
15) 경주 皇福寺에서 발견된 碑片들은 대체로 통일신라시대에 조성된 것으로 추정되고 있다. 특히 이 비를 759년(경덕왕 18) 이전에 건립된 것으로 추정

이 작성 연대가 보다 확실하게 알려진 자료인 「진경대사백월능공탑비문」
과 「황룡사9층목탑찰주본기」에 의거할 수 밖에 없다. 872년(경문왕 12)에
작성된 찰주본기에는 이 목탑 중건에 관여한 인물들의 명단이 나열되어
있는데, 여기에 신김씨가 보인다. 앞에서도 언급했듯이 赤位의 大奈麻
인 '新金賢雄'과 靑位의 奈麻인 '新金平矜'이 그들이다.

  이것에서 추측컨대, 문헌에서는 전혀 보이지 않는 신김씨는 현재 우
리에게 주어진 금석문 자료에 한해서는 아무리 늦어도 「황룡사9층목탑
찰주본기」가 작성되는 경문왕대(861~875) 무렵에는 출현해 있었음이 확
인된다. 그러므로 신라 사회에서 신김씨의 등장은 분명히 경문왕대 이
전에 있었다. 그렇다고 이것으로 신김씨 등장의 상한선으로 생각할 수
는 없다. 하지만 불행하게도 신라 중대에 사항을 전하는 문헌기록에는
물론 금석문을 비롯한 어떤 사료에도 신김씨와 관련성이 있는 자료가
확인되지 않았다. 이러한 까닭에 김유신가가 신김씨를 칭한 시기가 신
라 중대까지로 소급될 수는 없다고 본다. 더구나 673년 김유신의 사후에
건립된 것으로 추정되는 「김유신비」에는 "考蘇判金逍衍"이라[16] 하여, 김
유신의 아버지를 단순히 김씨이지 신김씨라고 하지는 않았다. 거꾸로
말하자면 김유신가가 673년 무렵에는 그냥 김씨이지 아직까지 신김씨라
하지 않았던 것이다. 이에서 추단컨대 김유신의 후손이 신김씨를 칭한
시기는 아무리 빨라도 신라 하대에 이르러서라고 본다.

  하는 견해가 있기는 하나(윤선태, 2000, 「신라의 사원성전과 금하신」『한국
  사연구』108, 13~14쪽) 재고할 여지가 있다. 왜냐하면 종래 이것의 수습지
  를 전황복사지라 하나 잘못이고, 宗廟聖靈禪院의 金銅舍利函이 나온 3층
  석탑이 서있는 聖廟지에서 수습한 비편이라고 보는 주장도 있다(문경현,
  2004, 『신라왕경오악연구』, 경주시·경북대학교인문과학연구소, 120~128쪽 :
  문경현, 2007, 앞의 논문, 379쪽). 그러므로 이 비의 759년 건립설을 따라 신
  김씨가 이전부터 사용되었다는 주장은(이현태, 앞의 논문, 255~256쪽) 신중
  할 필요가 있다.
16) 『삼국사기』권41, 김유신열전 상.

그렇다면 신라에 투항한 임나왕족의 후손이 신김씨로 불리게 된 직접적인 계기는 무엇인가? 그것은 바로 흥덕왕대 이루어진 김유신에 대한 興武大王 추봉이라고 하겠다.

금관가야의 왕족들은 신라에 투항한 뒤에 진골에 편입되었다. 그리고 김유신을 비롯한 후손들은 김씨를 사용하였다. 즉 이들은 신라의 다른 진골귀족들과 마찬가지로 진골이면서 김씨였다. 그러나 김유신이 흥무대왕으로 추봉되면서 이제는 단순한 진골김씨가 아니라 그 이상의 위상을 갖게 되었다. 이것은 신라 본김씨와의 차별화를 필요로 하게 된 것이다. 그리하여 이들은 단순히 신라에 멸망한 금관가야의 왕족만이 아니라, 신라 중대에는 왕실과 부계와 모계로 중첩 혼인한 혈족이요 일통삼한을 이룬 二聖의 한명이면서 신라 호국신인 김유신 후손이라는 것에서 하대에 이르러 김유신의 흥무대왕 추봉으로 보다 구분되고 격상된, 대왕의 후손으로서 왕족에 버금한 지위와 예우가 필요하였던 것이다.[17] 여기에서 신라 하대에 이르러 신라 본래 김씨와는 혈통을 달리하는 새로운 김씨, 즉 신김씨란 용어가 출현한 것이다.

결국 종래의 왕족인 본김씨에 대비하여, 김유신의 흥무대왕 추봉으로 새로운 왕족이 된 그 후손들을 신김씨라 대우한 것이라고 보겠다. 김유신이 일통삼한의 원훈공신에서 새로운 大王이 됨으로써, 그 후손 또한 종전의 가야왕족 후예나 신라 중대 왕실의 외가만이 아니라 이제는 신라 사회 내에서 하나의 새로운 대왕 후손이 된 것이다. 그리고 하대 원성왕계 왕실에서도 김유신 후손들을 과거와 달리 예우할 필요를 느낀 것이다. 이것은 형식상 김유신 후손에 대한 예우의 격상이면서, 아울러 한편으로는 본김씨와 영원히 구분하는 수단이면서 조치라는 양면성을 갖는 것이다.

---

17) 한편 주보돈은 신김씨의 등장시기와 획득방법에 대해서는 필자와 견해를 달리하나, 역시 김유신가가 스스로 신김씨라 칭하여 왕족에 버금감을 내세웠다고 보았다(주보돈, 2004, 앞의 책, 223쪽).

결국 신김씨의 출현은 김유신을 흥무대왕으로 추봉한 결과이다.[18] 하지만 김씨가 신라왕실과 동성인 김씨이기에 그들 스스로 신김씨를 함부로 사용하는 것은 불가능하였고, 설령 그러한 의식이 있었다손해도 왕실과 국가의 허가 내지는 승인 하에 불리어지고 사용되었을 것으로 보았다.

Ⅲ. 흥덕왕의 개혁정치와 흥무대왕 추봉

1. 김유신의 흥무대왕 추봉

지금부터 필자가 앞에서 신김씨 등장의 계기가 되었을 것으로 추정한 김유신의 흥무대왕 추봉에 대해서 살펴보자.

김유신은 595년(진평왕 7)에 가야왕족의 후손인 아버지 舒鉉과 신라왕족인 萬明夫人과의 사이에서 태어나 花郎을 거쳐, 金春秋(태종무열왕)의 즉위를 도왔고, 660년에는 나당연합군의 신라군 총사령관으로 백제를, 668년에는 고구려를 멸망시켜, 문무왕으로부터 太大角干의 관등을 받는 등 영예를 누리다가, 763년(문무왕 13) 79세로 세상을 떠났다. 그리고 一統三韓의 주역인 김유신은 후대에 興武大王으로 추봉되었다.

김유신의 흥무대왕 추봉 시기는[19] 언제인가? 이것에 대해서는 상이한 기록이 전해지고 있다. 이런 까닭에 오랜 기간에 걸쳐 논란이 되었으며 지금도 여전히 그렇다고 하겠다.

우선 한국고대사 연구에 있어 대표적인 기본 문헌인『삼국사기』와『삼

---

18) 한편 김태식, 2006, 앞의 논문, 209~210쪽에서 김유신의 흥무대왕 추봉으로 신김씨가 등장했다고 보아 필자와 생각을 같이 하지만, 다만 김유신 후손 스스로가 신김씨를 칭했다고 한 것은 다르다.

19) 이것에 대해서는 김태식, 2006, 앞의 논문이 참고가 된다.

국유사』의 기록조차 그러하다.

B-① 『삼국사기』: 후에 興德大王이 (庾信)公을 봉하여 興武大王으로 책봉
하였다.[20]

② 『삼국유사』: 54대 景明王에 이르러 (김유신)公은 興虎(武)大王으로 추
봉되었다. 능은 서산 毛只寺 북에 동향으로 뻗은 봉우리에 있다.[21]

이처럼 『삼국사기』에서는 흥덕왕대에 추봉되었다고 한 반면에, 『삼
국유사』에서는 경명왕대에 추봉되었다고 하였다.

이러한 기록은 연구자들에게 상당한 혼란을 초래하였다. 그리하여
후대의 역사서에서는 심지어 같은 책에서 두 가지 모두를 기록하는 현
상을 보이기까지 하였다. 그 사례를 들면 『삼국사절요』 권13, 乙卯 흥덕
왕 10년조에 "王追封金庾信爲興武大王"이라 하고, 또 권14, 癸未 경명왕
7년조에 "冬十一月追封金庾信爲興武大王"이라 하여, 흥덕왕 10년과 경
명왕 7년의 두 차례에 김유신이 흥무대왕으로 추봉된 것으로 기록되어
있다. 그리하여 이것을 근거로 흥무대왕 추봉시기에 대해 두 종류 사서
중 어느 하나가 잘못된 것이 아니라 나름의 이유가 있는 것으로[22] 보는
오해도 생겼다. 그 예를 들자면 흥무대왕 추봉의 처음 시기는 흥덕왕대
이며, 이후 박씨왕이 등장한 후 경명왕이 정치적 필요에 의해 흥덕왕대
의 사실을 다시 확인한 것이라는[23] 견해도 있다. 그러나 이것은 특정 연
구자의 편의적인 해석에 불과하다.

한편 이와는 달리 후대의 역사서 중에는 두 설 중 하나만을 취하는
경우도 있다. 즉 『동국통감』 권11, 을묘년 흥덕왕 10년조에는 봄 2월에

20) "後興德大王封公爲興武大王"(『삼국사기』 권43, 열전3 김유신 하).
21) "至五十四景明王 追封公爲興虎大王 陵在西山毛只寺之北 東向走峯"(『삼국
유사』 권2, 기이1 김유신).
22) 김태식, 2006, 앞의 논문, 210~211쪽.
23) 김수미, 2009, 앞의 논문, 13쪽 주41.

이찬 金均貞을 上大等에 임명한 기사에 이어서 "김유신을 추봉하여 興武大王이라 하였다."고 했다. 또 『東史綱目』권제5上, 신라 興德王 10년 을묘년(唐 文宗 太和 9, 835)조에도 봄 2월에 金均貞을 上大等으로 임명한 기사에 뒤이어 "옛 재상 金庾信을 追封하여 興武大王이라 했다."라 기록되어 있다. 그리고 『五洲衍文長箋散稿』와[24) 『洛下生集』[25) 등에도 흥덕왕대에 김유신을 추봉하였다고 기록되어 있다.

이처럼 김유신의 흥무대왕 추봉에 대해서는 크게는, 흥덕왕대설인 『삼국사기』 - 『동국통감』 - 『동사강목』의 계열과, 또 경명왕대설인 『삼국유사』와, 흥덕왕대와 경명왕대 두 가지 모두를 취한 『삼국사절요』의 계열로 구분된다.[26) 그리고 구체적인 추봉시기에 대해서는 『삼국사기』는 흥덕왕대(826~836), 『동국통감』과 『동사강목』은 흥덕왕 10년(835)이고, 반면에 『삼국유사』는 경명왕대, 『삼국사절요』는 흥덕왕 10년과 경명왕 7년(923) 11월이라 하였다. 결국 이들 기록에 의하면 김유신의 흥무대왕으로의 추봉은 아무리 빨라도 김유신의 사후 약 150여년이 지난 흥덕왕 즉위년인 826년 이후의 사건임을 알 수 있다.

그러면 흥무대왕 추봉시기가 언제인가? 이에 대해 알기 위해서는 우선 김유신의 사후에 그와 관련된 기록을 살펴보자.

김유신은 『삼국사기』권7, 문무왕 13년 7월 1일조에 "유신이 죽었다."는 기록과 『삼국사기』권43, 김유신 열전 하에서 咸寧 4년(673) 癸酉 문무

---

24) "金庾信 新羅蘇判舒玄子 … 十五歲爲花郎 時人洽然服從 號龍華香徒 佐太宗 與蘇定方滅百濟句麗 七十九卒 以軍樂鼓吹葬之 立碑記功 興德王追封興武大王 軍威縣西 有金庾信祠 俗稱三將軍堂"(『五洲衍文長箋散稿』經史篇 論史類 論史 香徒辨證說).

25) "金庾信 東京人 父舒玄 … 文武十三年薨 興德王追封 爲興武大王 金花郎國之光 行年十五龍華香 文獻武略百濟當 句麗百濟竊驚惶 今人誦爾興武王"(『洛下生集』 6,「嶺南樂府」金花郎).

26) 크게는 흥덕왕대설과 경명왕대설로 구분할 수 있다(김태식, 2006, 앞의 논문, 199~205쪽).

왕 13년 "가을 7월 1일 사제의 정침에서 돌아가시니 향년 79세다."고 하였다. 그리고 『삼국사기』 권6, 성덕왕 11년(712) 8월조에 "김유신의 아내를 夫人으로 삼고 해마다 곡식 1000섬을 하사했다."는 기록이 있다. 이 아내는 태종무열왕의 딸 智炤夫人이다.[27] 그런데 夫人이란 諸侯의 아내를 칭하는 용어이다. 이것은 아직까지는 김유신을 大王으로 추봉하지 않았음을 대변하는 것이라 하겠다. 만약에 이미 대왕으로 추봉되었거나 이때 대왕 추봉되었다면 그의 아내를 (王)妃로 봉했다고 해야 격이 맞을 것이다. 그러므로 이때까지는 김유신이 흥무대왕으로 추봉되지 못하였던 것을 알 수 있다.

한편 혜공왕대에 이르러 김유신에 대한 관심이 다시금 부각되었다.

C-① 여름 4월에 회오리바람이 세차게 일어나 유신의 묘소에서 시조대왕릉까지 이르렀는데, 티끌과 안개로 캄캄하여 사람을 분간할 수 없었다. 능지기가 들으니, 그 속에서 울고 슬퍼하며 탄식하는 듯한 소리가 났다. 혜공대왕이 그 말을 듣고 두려워하여 대신을 보내 제사 드려 사과하고, 이어 鷲仙寺에 밭 30결을 바쳐 명복을 빌게 하였다(『三國史記』 권43, 김유신 하).

② 제37대 혜공왕 大曆 14년 己未(779) 4월에 갑자기 회오리바람이 庾信公의 무덤에서 일어나며, 그 가운데 한 사람이 駿馬를 탔는데 그 모양이 將軍과 같았다. 또 갑옷을 입고 武器를 든 40명가량의 군사가 그 뒤를 따라 竹現陵으로 들어갔으며, 이윽고 陵 속에서 무엇인가 진동하고 우는 듯한 소리가 나고, 혹은 하소연하는 듯한 소리도 들려왔다. 그 호소

---

27) 『삼국사기』 권5, 태종무열왕 2년(665) 겨울 10월에 "딸 智炤를 대각찬 김유신에게 하가했다."와 권43, 김유신열전의 "아내 지소부인은 태종무열왕의 셋째 딸이다."고 한 기록이 있다. 즉 무열왕의 셋째 딸인 지소는 665년에 김유신과 혼인하여, 673년에 남편 김유신이 죽어 미망인이 되었고, 712년에 夫人으로 봉해진 것이다.

하는 말에, "臣은 평생 동안 어려운 시국을 구제하고 三國을 통일한 공이 있었습니다. 이제 혼백이 되어서도 나라를 보호하여 재앙을 제거하고 환난을 구제하는 마음은 잠시도 변함이 없습니다. 하온데 지난 庚戌년에 신의 자손이 아무런 죄도 없이 죽음을 당하였으니, 이것은 임금이나 신하들이 나의 높고 큰 공적을 생각지 않는 것입니다. 신은 차라리 먼 곳으로 옮겨가서 다시는 나라를 위해서 힘쓰지 않을까 합니다. 바라옵건대 왕께서는 허락해 주십시오." 하였다. 왕은 대답하기를 "나의 公이 이 나라를 지키지 않는다면 저 백성들을 어떻게 할 것인가. 공은 전과 같이 힘쓰도록 하오."라고 하였다. 세 번이나 청해도 세 번다 듣지 않았다. 이에 회오리바람은 돌아가고 말았다.

혜공왕은 이 소식을 듣고 두려워하여 곧 大臣 金敬信을 보내어 金庾信公의 능에 가서 잘못을 사과하고 金公을 위해서 功德寶田 30結을 鷲仙寺에 내려서 公의 冥福을 빌게 했다. 이 절은 김공이 平壤을 討伐한 뒤에 복을 빌기 위하여 세웠던 절이기 때문이다. 이때 未鄒王의 魂靈이 아니었던들 김공의 노여움을 막지는 못했을 것이다. 그러니 미추왕의 나라를 수호한 힘은 크다고 아니할 수 없다. 그런 때문에 나라 사람들이 그 덕을 생각하여 三山과 함께 제사지내어 조금도 소홀히 하지 않으며, 그 서열을 五陵의 위에 두어 大廟라 일컫는다 한다.

이것은 『삼국유사』에 실린 신라 호국신으로서의 김유신과 관련한 유명한 설화의 하나이다. 신라에서는 많은 호국신·호국룡을 모시고 있었는데, 이 설화의 내용을 보면 김유신이 호국신의 역할을 하고 있다. 인용문 C의 내용을 보면 김유신은 죽은 뒤에도 신라의 호국신으로 받들어졌던[28] 것을 알 수 있다.

---

28) 그리고 『삼국사기』 권8, 신문왕 12년조에 " … 선왕 춘추는 자못 어진 덕이 있었고, 더욱이 생전에 어진 신하 김유신을 얻어 한마음으로 정치를 하여 삼한을 통일하였으니, 그 공적을 이룩한 것이 많지 않다고 할 수 없다." 한

혜공왕은 김유신이 경술년에 그의 자손이 죄없이 죽음을 당한 것을 원망하자 사과하고 위로하였다고 한다. 여기서 김유신의 후손이 죄없이 죽음을 당했던 것이 경술년(770, 혜공왕 6)의 일이라고 하였다. 혜공왕 6년에 무슨 일이 있었을까?『삼국사기』권9, 혜공왕 6년조에는 '가을 8월에 大阿湌 金融이 반란을 일으켰다가 죽임을 당하였다.'는 기록이 있다. 이 김융의 난에 대해 김융은 반혜공왕적 입장을 취하고 있었다거나,[29] 김유신의 후손들이 외척의 경계를 받자 난을 일으킨 것,[30] 혜공왕대를 전후하여 김유신계가 6두품으로 전락함에 이르러 반발을 꾀한 것이라는[31] 해석도 있다. 결국 김유신의 자손이 죽음을 당하였다는 것은 김융이 반란을 일으켰다가 죽음을 당한 사건·사실과 연관성을 가리킨 것이라고[32] 생각이 된다.

우선 생각할 수 있는 것은 李基白의 추측대로 반란자 김융이 김유신의 후손이고, 779년 호국신 김유신이 미추왕릉에 읍소한 사건은 김유신계가 8세기 말에 반혜공왕파로서 신원운동을 일으킨 것이라 보는 것이다. 하지만 김융의 가계에 대한 직접적인 기록이 없어, 이것만으로 김융이 곧 김유신의 자손이었다고 단정할 수는 없다. 혹은 김유신의 자손이 김융의 난에 가담했거나 혹은 가담했다는 죄목으로 죽음을 당했을 가능성은 있다. 더구나 최근에는『삼국유사』미추왕죽엽군조에 보이는 내용

것과『삼국유사』기이1, '만파식적'에서 "聖考(文武王)께서 지금 海龍이 되시어 三韓을 鎭護하시며 더불어 金庾信公께서도 33天의 아드님으로서 지금 강림하시어 大臣이 되셨습니다. 二聖께서 德을 함께 하시어 守城의 보물을 주려 하시니, 만일 陛下께서 海邊으로 行幸하신다면 틀림없이 값을 따질 수 없는 大寶를 얻게 되실 겁니다."한 것에서, 文武王과 金庾信은 죽어 護國神이 된 것으로 신라인들이 믿고 있음을 잘 보여주고 있다.

29) 이기백, 1974,「신라 혜공왕대의 정치적 변혁」『신라정치사회사연구』, 일조각, 232쪽, 247~252쪽.
30) 박해현, 2003,『신라중대 정치사 연구』, 국학자료원, 164쪽.
31) 신형식, 1984,『한국고대사의 신연구』, 일조각, 255쪽.
32) 이기백, 앞의 책, 232쪽.

은 김융의 모반사건 이후 실추된 김유신계의 명예를 회복하고자 김유신
과 같은 무장 출신의 후손들이 사병화된 병사들과 취선사의 승병들을
동원하여 행한 무력시위라는[33] 해석까지 있다. 물론 인용문 C의 내용에
서 혜공왕이 김유신 관련 애기를 듣고 두려워 했다는 것은 그만큼 김유
신 후손들의 정치적 압박이 컸음을[34] 의미한다.

한편 779년 호국신 김유신이 신라를 떠나겠다면서 미추왕에게 하소
연한 것에 대하여, 신라 왕실은 김유신을 위로하는 조치를 취했다. 혜공
왕은 김경신을 김유신묘에 보내어 대신 사과하게 하고 공덕보전을 취선
사에 내려 명복을 빌게 하였다. 하지만 이때에는 김유신을 대왕으로까
지 추봉하지는 않았다. 결국 김유신의 흥무대왕 추봉은 이 사건보다는
뒤에 있었던 일이다.

지금까지 살펴보았듯이, 김유신이 죽은 673년(문무왕 13) 7월 이후부
터 779년 4월까지는 흥무대왕으로 추봉한 적이 없음을 확인하였다.

사실상 기존의 사서들은 김유신의 흥무대왕 추봉시기를 흥덕왕대 또
는 경명왕대로 기록하였다. 그러나 필자의 생각으로는『삼국유사』와『삼
국사절요』가 흥무대왕 추봉시기를 경명왕대라 한 것은 잘못된 것으로
보인다. 이미『삼국유사』에는 이러한 착오를 범한 사례가 있다. 즉 興德
王 이름 景暉와 神德王 이름 景徽가 유사한 것에서 생긴 중대한 착오가
있다.[35] 이와 같은 맥락에서『삼국유사』에는 흥무대왕의 추봉을 경명왕
대로 착오를 일으킨 것이라[36] 하겠다.

---

33) 김수미, 앞의 논문, 6쪽.
34) 즉 신원운동이 아니라 김유신 후손들의 정치적 지위를 더욱 강화하려는
    역할을 한 것이라는 해석까지 있다(조범환, 앞의 논문, 59~60쪽).
35)『삼국유사』에는 흥덕왕 이름 景暉, 신덕왕 이름 景徽라고 한데서 혼란을
    일으켜, 심지어 신덕왕의 본명을 秀宗으로 오기하였다("第四十二 興德王
    金氏 名景暉 憲德母弟"와 "第五十三 神德王 朴氏 名景徽 本名秀宗"『삼국
    유사』왕력). 秀宗은 흥덕왕의 본명으로 혹은 秀升이라고도 표기되었다.
    이러한 이유에서 경명왕의 아버지인 신덕왕에 대한 착오가 있었다.
36) 이러한 착오는 明活典의 설치를 신덕왕 3년(914)이라 한 것에서도 보인다.

이러한 이유로 『삼국유사』가 착오를 범하였고, 이것을 따른 『삼국사절요』는 경명왕 7년이라고 좀더 확실하게 오류를 범하였다. 게다가 『삼국사절요』가 흥무대왕의 추봉시기를 특히 경명왕 7년이라 하여, 이렇게 오류를 범한 이유로는 924년(경명왕 8)에 건립된 「진경대사보월능공탑비」와 깊은 관련이 있는 듯하다. 즉 여기에는 비의 주인공인 '심희는 흥무대왕의 遠孫'이라는 기록이 있다. 이 사실을 인지한 승려 一然이 이것에 의거하여 경명왕대에 흥무대왕이 추봉된 것으로 추정하여 『삼국유사』의 편찬시에 기록한 것이라 하겠다. 그리고 후대에 『삼국사절요』 편찬자는 이 기록을 바탕으로 보다 구체적인 시기인 진경대사의 입적 시기인 경명왕 7년(923)으로 추정하여 기록해 놓은 것이라 하겠다. 그러나 이는 잘못이다. 진경대사가 923년(경명왕 7) 4월 24일 입적할 당시에 이미 흥무대왕의 원손이라 기록되었기에, 『삼국사절요』에서 이보다 7개월이나 뒤인 경명왕 7년 11월에 김유신이 흥무대왕으로 추봉되었다고 한 것은 잘못된 것이다.

지금까지 서술하였듯이 김유신의 흥무대왕 추봉시기는 신라 흥덕왕대가 옳은 것이고, 경명왕대라고 한 것은 잘못이다. 그러므로 필자는 신김씨의 등장시기는 흥덕왕대 흥무대왕 추봉 이후라고 생각하였다.

2. 흥덕왕의 개혁정치와 金庾信家

그러면 왜 흥덕왕대 김유신을 흥무대왕으로 추봉하였을까? 흔히 『삼국사기』 미추왕·죽엽군 설화의 내용을 김유신 후손이 억울하게 죽임을 당한 것으로 보면서, 이것을 김유신 후손의 몰락으로 이해하고, 김유신

『삼국사기』 직관지 '신라'에는 "明活典 景暉王二年置 大舍一人 看翁一人"라는 기록이 있다. 여기서 景暉王은 신라 제42대 興德王의 이름인데, 『삼국사절요』에서는 景暉를 神德王으로 보고 명활전이 신덕왕 3년에 설치되었다는 착오를 범했다.

에 대한 흥무대왕 추봉 또한 멸문지화에 버금가는 피해를 본 김유신 가
문에 대한 달래기 차원에서 해석한다.[37] 그러나 최근에는 이와 달리 김
유신에 대한 흥무대왕 추봉은 가야계 달래기가 아니라 오히려 김유신
가문의 득세가 그 가문의 중시조격인 김유신에 대한 대왕 추봉을 가능
케 했다고 보는 견해가 제기되었다.[38]

  이 문제에 대해 알아보기 위해 김유신을 흥무대왕으로 추봉한 흥덕
왕대에 신라에서 김유신 후손들의 정치사회적 위상을 살펴보자.

  흥덕왕은 원성왕의 후손인 金氏로, 이름은 秀宗 또는 景暉·秀升이며,
헌덕왕의 동생이다.[39] 흥덕왕의 정치적 입장은 대체로 전왕인 헌덕왕과
비슷하였다. 그가 즉위하기 전인 804년(애장왕 5) 侍中에 임명된 것으로
미뤄볼 때, 彦昇(헌덕왕)과 함께 애장왕대의 개혁정치를 주도했다고 생
각된다. 그는 809년 언승이 애장왕을 몰아내고 왕위에 오르는데 공을 세
웠고, 헌덕왕대의 정치에 깊이 관여하였다. 819년(헌덕왕 11) 上大等에
임명되었고, 822년에는 副君이 되어 月池宮에 들어감으로써 왕위계승의
기반을 마련하였다.

  흥덕왕은 즉위하면서 애장왕·헌덕왕대로부터 이어지는 일련의 정치
개혁을 시도하였다. 이때의 개혁은 귀족세력의 억제와 왕권강화를 위한
것이었으며, 헌덕왕대 발생한 金憲昌의 난을 마무리 짓는 조치로 알려
져 있다.

  흥덕왕대의 개혁은 이에 그치지 않고 834년에 모든 관등에 따른 服
色·車騎·器用·屋舍 등의 규정을 반포하였다. 이 규정은 왕이 당시 사치
풍조를 금지시키기 위해 발표한 것이지만, 귀족들의 요구에 의해 골품

---

37) 이기백, 앞의 책, 252쪽.
38) 김태식, 2006, 앞의 논문, 207~210쪽.
39) 아버지는 원성왕의 큰 아들인 惠忠太子 仁謙이며, 어머니는 聖穆太后 金
    氏이다. 흥덕왕의 妃는 소성왕의 딸인 章和夫人 金氏인데, 흥덕왕이 즉위
    한 해에 죽으니 定穆王后로 추봉되었다.

간의 계층구별을 더욱 엄격히 하고자 취해졌다. 특히, 이 규정의 내용은 진골과 육두품을 비롯한 이하의 귀족이나 평민과의 차별을 더 뚜렷이 하고 있다는 점에서, 진골세력에 대한 배려를 깊이 깔고 있다.[40]

특히, 흥덕왕은 822년(헌덕왕 14)에 발생한 웅천주도독 김헌창의 난을 진압한 뒤에 대대적인 개혁과 조치가 필요하였다. 흥덕왕대 개혁 중 가장 핵심적인 것은 왕권의 강화를 추구하며 왕실의 권위와 신성화를 위한 선대의 추숭과 오묘의 배향이다.[41]

무열왕의 직계가 아닌 방계에서 정치적·군사적 실력으로 왕위에 올라 하대를 연 선덕왕 이후부터는 왕위에 오르지 못한 직계존속을 왕으로 추봉하는 일이 계속 해서 행해지는데, 이는 종묘 구성과 밀접한 관련이 있다.[42] 혜공왕대에 개정·정비된 종묘 구성의 원칙은 소성왕대까지 계속 지켜졌으나, 애장왕대가 되면 다시 한번 바뀌게 되었다.[43] 혜공왕 이래 '世世不毁之宗'으로서의 위치를 지녔던 태종대왕과 문무대왕의 廟를 別立하고, 애장왕 직계인 4친묘와 시조대왕으로 새로이 五廟의 구성

---

40) 827년(흥덕왕 2)에 明活典을 설치하였다. 829년에는 源谷羊典을 설치했으며, 執事部를 執事省으로 고쳤다. 또 828년에 弓福(장보고)에게 지금의 莞島에 淸海鎭을 설치하게 하였다. 다음해에는 唐恩郡에 唐城鎭을 설치하였다. 그리고 827년에는 중 丘德이 당나라로부터 경전을 가지고 들어왔으며, 830년에는 度僧 150명을 허가해 주었다. 한편, 828년에는 金大廉이 당에 사신으로 갔다가 가져온 茶 종자를 흥덕왕이 지리산에 심게 하여 성하게 되었다. 흥덕왕은 죽은 왕비를 사모하는 마음을 앵무새에 비유한 노래를 지었으며, 836년 12월에 흥덕왕은 승하하였다. 왕릉은 경상북도 경주시 강서면 육통리에 있는 장화왕비와 합장된 흥덕왕릉이다.

41) 중고기 왕의 직계 가족과 근친자에 대한 신성화 작업이 불교를 통해 이루어진 것에 비해 김춘추 일파는 대당 외교 관계 속에서 당의 문물제도를 적극 수용하여 국왕 중심의 중앙집권체제를 확고히 하려는 의도를 가지고 유교적 종묘제사에 주목을 하였다(나희라, 2003, 『신라의 국가제사』, 지식산업사, 186쪽).

42) 나희라, 앞의 책, 202~203쪽.

43) 『삼국사기』 권10, 애장왕 2년 2월

을 시도하였다.[44) 이러한 애장왕대의 오묘제 개정은 김언승 형제가 주
도하였다.[45)

 헌덕왕과 흥덕왕대에도 오묘를 새로 정하였을 것이다. 그 내용은 애
장왕대에 오묘에 모셔졌던 애장왕의 아버지인 소성왕은 헌덕왕과 흥덕
왕의 아버지가 아니라 형제이기에 제외되고, 대신에 소성왕·헌덕왕·흥
덕왕의 아버지인 혜충을 비롯하여 조부 원성왕, 증조부 명덕대왕, 고조
부 흥평대왕의 4친묘와 시조를 모시는 오묘 및 태종과 문무왕을 별묘로
모시는 모두 7묘가 정비되었을 것이다. 그리하여 원성왕대의 명덕대왕·
흥평대왕과 불훼지종 태종·문무왕, 시조로 구성되었던 오묘의 구성과는
또다른 오묘가 정해진 것이다. 이것은 원성왕의 즉위로 성립된 하대의
원성왕계 왕통을 헌덕왕과 흥덕왕대에 이르러 명실상부하게 직계 4대를
소목으로 구성하는 오묘제를 확립한 것이다. 이처럼 헌덕왕과 흥덕왕은
자신을 기준으로 오묘를 구성함으로써 왕실의 위상 강화에 노력하였다.
 아울러 하대에 새로운 왕실이 된 원성왕계로서는 그들의 친족 뿐만
아니라 무열왕계의 후손들, 그 중에서도 특히 하대의 개창에 협조한 바
있는 김주원가에 대한 배려가 또한 요망되었던 것이다.[46) 그리하여 이
것을 태종과 문무왕을 별묘로 모심으로써 해결하고자 했던 것이다.

---

44) 이러한 신라의 종묘 구성은 혜공왕대부터 천자 7묘의 구성 원리를 참조하
   였고, 애장왕대에 가면 아주 흡사하게 되었다고 할 수 있다(나희라, 앞의
   책, 197~199쪽).

45) 이문기, 1999,「신라 김씨 왕실의 소호금천씨 출자 관념의 표방과 변화」『역
   사교육논집』 23·24합집, 676~677쪽. 한편 이때 오묘제의 경정은 원성왕의
   사후 불안정한 왕실을 안정시키고 애장왕의 입지를 공고히 하려고 한 것
   이며, 불훼지종으로 모셔졌던 태종대왕과 문무대왕의 신위가 오묘에서 분
   리된 것은 김주원 세력에 대한 원성왕계의 강화라는 측면으로 이해할 수
   있다고 한다(채미하, 2008,『신라 국가제사와 왕권』, 혜안, 216쪽).

46) 이미 김양상은 무열왕계 김주원 세력을 포섭하기 위해 혜공왕대의 오묘개
   정시 태종대왕과 문무대왕을 不毁之宗으로 모시는 것에 동의했다고 한다
   (채미하, 2000,「신라 혜공왕대 오묘제의 개정」『한국사연구』 108, 53~54쪽).

이러한 조치는 또한 김유신 집안의 후예들에 대해서도 어떤 정치적 배려가 필요했을 것이다. 사실상 이미 앞에서 확인하였듯이 흥덕왕은 835년(흥덕왕 10)에 金庾信을 興武大王으로 추봉하였다. 당시 조야에 군사적 기운을 진작시킬 필요가 있었을 것이고, 나아가 爲國盡忠의 모범으로서 선전하는데 김유신이 적합하다고 판단했을지도 모른다. 즉 김유신에 대한 대왕추봉 조치는 그 집안사람들에 대한 일종의 우위책의 일환이었다고 생각된다.[47) 실제로 822년(헌덕왕 14) 웅천주도독 김헌창이 일으킨 난을 진압하는 과정에서 金雄元을[48) 비롯한 김유신의 후손이 공로가 있어 당시에는 사회적 위상이 오히려 직전보다 상승된 상황이었다. 이에 흥덕왕은 골품제 규정의 반포로 생겨난 김유신계의 불만과 반발을 해결하고 협조하는 방안으로[49) 그들의 중시조격인 김유신을 흥무대왕으로 추봉하고, 그 후손들을 일반 김씨 진골귀족과는 다른 특별한 예우를 하였던 것이라 보겠다.[50)

결국 835년 김유신의 흥무대왕 추봉은 822년(헌덕왕 14) 발생한 김헌창의 난을 평정함에 공을 인정받은 김유신 후손들의 현실적인 세력을 배경으로, 오묘제의 변화와, 834년 골품제 규정의 공포에서 생긴 문제를 해결하고자 취해진 조치였다.[51)

---

47) 이기동, 1991, 「신라 흥덕왕대의 정치와 사회」『국사관논총』 21, 123~124쪽.
48) 문명대, 1976, 「신라 신인종의 연구」『진단학보』 41, 198쪽 ; 김동수, 1982, 「신라 헌덕·흥덕왕대의 개혁정치」『한국사연구』 39.
49) 한편 '웅천주도독 김헌창의 난 이후에 즉위한 흥덕왕이 이 난의 진압에 공로가 큰 김유신계인 김웅원 세력과 금관경의 가야세력을 아우르는 방법으로 포상과 위로의 차원에서 김유신을 흥무대왕으로 추봉하였다.'는 견해도 있기는 하나(김수미, 앞의 논문, 12~15쪽), 과연 흥무대왕 추봉이 금관경의 가야세력에게까지 직접적으로 영향이 있었을지는 의문스럽다. 오로지 김유신 직계 후손에게만 혜택이 있었을 것으로 보인다.
50) 이것에 대해서는 Ⅳ장 '2. 신김씨의 성립'에서 언급하겠다.
51) 한편 '흥덕왕 10년은 흥덕왕 말년으로 김유신에 대한 흥무대왕 추증은 흥덕왕이 그 후계자를 위해 선택한 김유신계와의 정치적 연합, 즉 흥덕왕이 그의 후계자로 金明을 염두에 두고 시중 임명과 더불어 지위를 공고히 해

IV. 김유신의 추숭과 신김씨의 성립

1. 김유신의 추숭사업

후손이 실제 왕으로 즉위하지 않았음에도 김유신이 흥무대왕으로 추봉된 것은 대단히 특별한 일이다. 이로써 김유신의 지위와 대우가 국왕급으로 승격되고 그의 후손들의 정치사회적 위상도 종전과는 달라졌다. 김유신이라는 이름을 함부로 부를 수도 쓸 수도 없게 되었다. 오로지 흥무대왕으로 부르거나, 避諱를 해야만 했다.

이러한 김유신의 지위 상승은 그의 무덤 시설이나 제사격의 상향 조정 등 각종 의례상의 변화를 가져왔을 것이다. 다시 말해 김유신이 흥무대왕으로 추봉됨과 아울러 그에 대한 대대적인 추숭작업이 행해졌을 것이다. 무엇보다도 그와 관련된 유적, 그 중에서도 제사의 대상인 무덤과 사당을 신축·개축·증축하는 축조사업이 있었을 것이다.

먼저 김유신묘의 개수 작업이 있었다. 잘 아다시피 673년(문무왕 13)에 김유신이 79세로 세상을 떠나자 문무왕의 배려로 金山原 아래 매장하고 국가에서 기공비를 세우고 묘를 지키는 民戶를 배정하는 등[52] 대우를 지극히 하였다. 사실상 지금 경상북도 경주시 충효동 송화산 줄기에는 국가에서 문화재로 지정한 김유신묘(사적 제21호, 흥무대왕릉)가

두기 위해 김유신계를 끌어들였던 것'(김수미, 앞의 논문, 14~15쪽)이라는 견해가 있다. 하지만 이것은 억측이라 하겠다. 흥덕왕이 생전에 김명(민애왕)을 후계자로 생각한 것도 아니고, 김명은 희강왕으로부터 왕위를 찬탈하였다.

52) 『삼국사기』에는 김유신이 죽은 뒤 '葬于金山原'이라 하였고, 또 『삼국유사』에는 '西山毛只寺之北 東向走峰'이라고 하였다. 또 『삼국사기』에는 "문무왕이 그의 부음을 듣고 彩帛 1천 필과 租 2천 석을 贈賻하고 軍樂鼓吹 100인을 보내 金山原에 禮葬하고 有司로 하여금 碑를 세워 紀功을 기명하고 民戶를 배정하여 묘를 수호하게 하였다."고 기록되어 있다.

있다. 직경 30m나 되는 큰 무덤으로 봉분 아래에는 병풍처럼 판석으로 호석을 설치하였고, 호석 중간 중간에 무기를 든 십이지신상을 배치하였다. 능 앞에는 상석과 조선 숙종 36년(1710)에 慶州府尹 南至薰이 세운 「新羅太大角干金庾信墓碑」와 맞은편에 「開國公純忠壯烈興武王陵碑」가 있다. 능의 크기나 형태로 보아 통일신라시대 왕릉으로 추정된다. 비록 이 무덤은 김유신 장군의 묘가 아니라는 주장이 있기도 하나,53) 국가에서 문화재로 지정한 진짜 김유신묘로 보는 것이 일반적이다. 더구나 김유신묘의 십이지신상 조각은 흥무대왕으로 추봉한 뒤에 묘가 다시 꾸며져서 나타난 것이라고 한다.54)

　한편 김유신묘의 개수와 함께 추숭작업의 하나로 그를 기리는 기념비가 건립되었다. 사료에서 김유신의 사후에 건립된 비는, 하나는『삼국사기』권41, 김유신전 하에 보이듯이 673년(문무왕 13) 김유신이 죽은 직후 문무왕이 그의 공명을 전하기 위하여 有司에 명하여 세운 비와, 또

53) 일제침략기에 일본인 關野貞이『朝鮮美術史』第9節 陵墓 '金角干墓'에서 현재 김유신묘를 金仁問墓로, 서악리의 지금 김인문묘라 하는 당시 傳金陽墓를 김유신묘로 擬定하였다. 이후 이병도는 '현재 김유신의 무덤으로 전하는 묘는 신무왕릉이고, 김유신묘는 무열왕릉 부근에 있는 현재 김인문묘'라는 견해(이병도, 1969, 「전김유신묘고」『김재원박사회갑기념논총』), 또 '이 묘는 김유신묘가 아니라 경덕왕릉이고, 서악리 무열왕릉 앞에 있는 김인문묘가 실제 김유신묘'라는(문경현, 2009, 「김유신묘고」『신라사학보』17, 383쪽) 주장도 있다.

54) 일찍이 今西龍은 "김유신의 묘는 서악리 송화산에 있다. … 이 묘가 김유신의 묘임을 조금도 의심할 바 없다."고 하였다(今西龍, 1933, 「金庾信の墓」『新羅史研究』, 近江書店, 157쪽). 그리고 김상기는 김유신 묘의 진위를 의심한 李丙燾의 주장에 대하여 논박하며, 흥무대왕 추봉후 묘의 개수가 있었음을 확인하여 현재 김유신묘를 眞墓라고 변증하였다(김상기, 1969, 「김유신묘의 이설에 대하여」『고고미술』101, 3쪽). 현재 김유신묘에 장식된 십이지신상 조각은 혜공왕대(765~780)인 8세기 후반으로 보는 견해와 김유신이 죽은 후에 묘를 보수하면서 조각한 흥덕왕대로 보는 견해와 석물의 배치와 조각 솜씨로 보아 효소왕대일 것이라는 주장이 있다(김환대, 2009, 『신라왕릉의 십이지신상』, 한국학술정보, 107~109쪽).

같은 책에 기록된 「유신비」, 그리고 『삼국사기』 권28, 의자왕본기 말미의
사론에 언급된 薛仁宣이 지은 김유신비 등 3개가 언급되어 있다. 이 세
개의 비에 대한 관계는 분명치 않으나, 이 중에서 설인선이 찬한 비는
흥덕왕대 김유신이 흥무대왕으로 추봉된 사실과 깊은 관련이 있는 것으
로 생각되고 있다.[55]

　　사실상 김유신이 흥무대왕으로 추봉됨으로써 무덤은 물론 그를 기리
는 기념물들도 대왕의 격에 맞게 개수되었을 것이다. 그 중에서도 그의
업적을 기리고 大王으로 추봉된 사실을 추가하여 기록한 기념비가 새로
건립된 것은 당연하다. 따라서 이때 세워진 비석은 이전의 김유신비('태
대각간비')와는 다른 김유신비('흥무대왕비')가 새로 건립된 것으로 보인
다.[56]

　　그리고 김유신의 흥무대왕 추봉은 본인에 대한 추숭작업 뿐만 아니
라 그의 후손에 대한 보훈도 함께 하였다. 대왕 추봉은 단순히 특정 개
인에 대한 숭앙만이 아니라 여러 가지 면에서 많은 특혜가 그 후손들에
게도 주어졌던 것이다. 우선 외형적으로는 그 추봉 당사자에게 본래의
이름 위에 추봉된 雅號로써 諡號되었다. 그리하여 그의 본명을 부르는
것을 금지하고 추봉호를 불러야 하며, 부득이한 경우 避諱하였다.[57] 그
리고 사당에 배향되었고 그의 신주 앞에서는 모든 사람들은 신하를 칭
해야 한다. 또 정해진 시기에 정기적으로 제향이 이루어졌을 것이다.

　　그리고 김유신의 흥무대왕 추봉을 기념하기 위한 사업의 일환으로 김
유신의 현손 金長淸은 이 무렵 김유신의 『김유신행록』을 저술한 듯하다.[58]

---

55) 이문기, 2004, 앞의 논문, 50~54쪽 ; 이현태, 앞의 논문, 238~244쪽. 다만 비의
　　건립시기를 전자는 경문왕대에 이르러 건립되었다고 한 반면에, 후자는
　　흥덕왕대에 건립되었다고 보았다.
56) 이문기, 1999, 앞의 논문, 667쪽 주43,
57) 883년(헌강왕 9)에 조성된 「仲和三年銘金銅舍利器記」에는 '裕神'이라 표기
　　하였다.
58) 김수미, 앞의 논문, 15쪽. 반면에 김용의 모반 이후 몰락의 길을 걷고 있어

2. 신김씨의 성립

김유신의 흥무대왕 추봉으로 그의 후손은 신라사회 내에서 一統三韓한 공신의 후손일 뿐만 아니라 이에 더하여 대왕의 후손으로서 영광을 누리게 된 것이다. 즉 일반 가문과는 달리 특별한 가문으로 격상되었던 것이다. 그 결과 김유신의 가문은 종래 신라 진골 김씨 중의 하나가 아니라 왕족의 후손이 된 것이다. 그리고 이들은 흥무대왕의 후손임을 자랑으로 여겼다. 그리하여 김유신의 후손은 이후로는 여타 김씨들과 구분하기 위하여 대왕의 후손이라는 것을 표시하기 위해, 또 신라왕족 김씨와 구분하기 위해 새로운 김씨 가문이라는 '신김씨'를 칭했던 것으로 보인다.[59]

그러면 왜 김유신 후손들이 신김씨라고 하였을까?

김유신계도 신라 중대에는 무열왕계 왕실과 같은 김씨, 즉 동성의식을 갖고 있었다. 예를 들면 『삼국유사』권2, 기이2, 「駕洛國記」에 "法敏 … 朕是伽耶元君九代孫仇衡王之降于當國也 … 乃爲十五代始祖也"라 하였다. 그리고 『삼국사기』권41, 김유신 상에 "金庾信 王京人也 十二世祖

정치사회적 위상이 낮아진 금관가야계의 복권을 목표로 김장청이 玄祖인 김유신의 행록을 편찬하였고(이기백, 1987, 「김대문과 김장청」『한국사시민강좌』1, 111~112쪽 ; 이문기, 2002, 앞의 논문, 45쪽), 특히 주보돈은 김유신의 증손인 金巖이 일본에 사신으로 간 779년과 835년(흥덕왕 10) 김유신의 興武大王 추봉 시점 사이에 작성된 것으로 보았다(주보돈, 2007, 「김유신의 정치성향」『신라사학보』11, 10~11쪽). 한편 『김유신행록』은 김유신계가 정치적 위상을 보여주고자 한 것과, 더불어 김해 거주 금관가야 왕족들이 경주로 이주하여 신김씨를 받고, 『김유신행록』은 가야계 김씨인 신김씨와 차별성을 드러내고자 김장청이 저술하였다는 견해도 있다(조범환, 2007, 앞의 논문, 62~63쪽).

59) 신김씨를 칭한 배경과 원인은 양면성을 가지고 생각해 볼 필요가 있다. 즉 이들이 자의적인 것인가 아니면 타의적인가 하는 문제이다. 어쩌면 자의 반타의반이라고 하겠다. 그러나 경명왕이 찬한 「진경대사비문」에 심희를 신김씨라 한 것으로 보아 왕실과 국가 차원에서 인정하였음은 분명하다.

首露 … 羅人自稱少昊金天氏之後 故姓金 庾信碑亦云 軒轅之裔 少昊之胤
則南加耶始祖首露 與新羅同姓也"라 하였다. 또 國子博士 薛仁宣이 撰한
「金庾信碑文」을 인용하여 남가야(금관가야)의 시조 수로와 신라는 동성
이라 하였다.[60] 결국 신라 중대에는 금관가야의 왕족과 신라의 왕족은
같은 김씨로서 그 연원이 동일한 혈족,[61] 즉 同姓이라고 인식하고 있었
다.[62] 즉 누이동생 文姬의 혼인으로 맺어진 매부 金春秋의 즉위로 이제
김유신의 지위는 확고해 졌다.[63] 더욱이 김유신 자신이 무열왕의 딸 智
炤夫人과 혼인함으로써 진골 왕족 중에서도 더욱 핵심적 유력한 진골가
문이 되었다.[64] 그 결과 김유신은 정통 신라인 일뿐만 아니라 당당한 핵
심 왕족에 속했던 것으로 보인다.[65]

그리하여 김유신계는 신라 중대 무열왕계 왕실과 마찬가지로 중국
전설상의 黃帝 轅軒氏의 아들인 少昊 金天氏의 후예라고 자부하고 있었
다.[66] 이것은 신라가 중고기에 이르러 중국과 외교를 통해 중국의 성씨

---

60) "論曰 新羅古事云 天降金樻 故姓金氏 其言可怪 而不可信 臣修史 以其傳之
　　舊 不得刪落其辭 然而又聞 新羅人自以小昊金天氏之後 故姓金氏 見新羅國
　　子博士薛因宣撰金庾信碑及朴居勿撰姚克一書三郞寺碑文　高句麗亦以高辛
　　氏之後 姓高氏 見晋書載記 古史曰 百濟與高句麗 同出扶餘 又云 秦漢亂離
　　之時 中國人多竄海東 則三國祖先 豈其古聖人之苗裔耶 何其享國之長也 至
　　於百濟之季 所行多非道 又世仇新羅 與高句麗連和 以侵軼之 因利乘便 割
　　取新羅重城巨鎭不已 非所謂親仁善鄰 國之寶也 於是 唐天子再下詔 平其怨
　　陽從而陰違之 以獲罪於大國 其亡也亦宜矣"(『삼국사기』 권28, 의자왕본기
　　말미).
61) 이문기, 1999, 앞의 논문, 653~669쪽 : 2004, 앞의 논문, 29~37쪽.
62) 문경현은 "신라왕족과 同祖同根 사상을 가지고 同一 진골이던 김유신가는
　　신라왕실의 성인 金氏를 칭했다"고 하였다(문경현, 2007, 「김유신의 혼인과
　　가족」『문화사학』 27, 379쪽).
63) 이기동, 2002, 「김유신」『한국사시민강좌』 30, 15쪽.
64) 문경현, 2007, 앞의 논문, 372쪽.
65) 박문옥, 「『화랑세기』로 본 김유신의 세계, 인통과 혼인」『한국상고사학보』
　　43, 2004.
66) 다시 말해 三皇五帝의 첫째인 火官 즉 炎帝 神農氏의 아들인 黃帝 軒轅氏,

제를 수입·모방한 후에 신라 김씨 왕족은 소호 금천씨의 후예였기 때문에 金姓을 갖게 되었고,[67] 김유신가도 신라왕실과 동일한 혈족의식을 가지고 있었다.[68] 그 배경에는 김유신의 부인이 김춘추의 딸 智炤이므로 이 사이에서 소생한 김유신의 후손들은, 문무왕이 자신이 모계로 수로왕의 후손임을 강조하여[69] 중대 무열왕의 후손은 신라와 가야의 혈통을 융합하였음을 강조하였듯이, 중대에는 김유신 후손들 역시 모계와 부계가 모두 무열왕계와 동성의식을 가지고 있었던 듯하다. 그리고 이들은 왕의 직계자손이 계승하는 왕위를 제외하고는 대부분 고위 관직의 보임과 지위를 차지하는[70] 등 김씨 진골귀족들과 함께 사회적으로 최고의 지위를 누렸던 것으로 보인다.

이처럼 김유신가는 신라 중대 왕실과 同族意識을 가지고 있었다. 그러나 이것은 외형상의 정치사회적 인식으로서, 특히 김유신 후손의 희망사항이고 실제는 이들 양측은 혈연적 융합이 아니라 父系를 달리 하였기에, 무열왕계 측에서는 때로는 정치적 이해관계에 따라 구분코자

그리고 그의 아들인 少昊 金天氏에 갖다 붙인 것이다.

67) 이문기, 1999, 앞의 논문, 653~669쪽.

68) 이에 대해 조선 후기에 이익은 『성호사설』 권20, 經史文「氣化」에서 "金庾信은 南加耶 首露王의 자손이다. 그런데 그의 碑에는 '軒轅의 후예요, 少昊의 자손이다.'라고 하였다. 신라 사람은 자칭 金天氏의 후예라고 하니, 가야와 신라는 바로 同姓인 것이다. 그들이 멀리 先聖을 인용한 것은 비록 믿을 수 없는 말이나 처음부터 기화로 생겨나지 않았다는 것만은 당시에도 이미 정론이 되어 있었던 것이다."고 하였다.

69) 문무왕대에는 신라와 금관가야 두 왕실을 같은 김씨로서 연원을 추구하면서 친가와 외가의 시조인식도 동일한 세대로 이해하였다(선석열, 앞의 논문, 531쪽)

70) 잘 알듯이 김유신의 누이는 문명왕후이고, 아우 欽純은 大幢將軍과 角干, 김유신의 아들 三光은 파진찬을 거쳐 執政을 맡았고, 長耳와 元望은 대아찬, 손자 允中은 장군을 거쳐 중시, 손자 允文은 장군, 윤중의 서손 金巖은 집사시랑과 이찬을 역임하는 등 김유신의 후손들은 고위직과 지위를 누리면서 왕실과 친밀한 관계를 가졌다.

한 경우도 있었다. 그 예로, 성덕왕대 允中의 경우에서[71] 보듯이 김유신
의 후손은 국왕과 긴밀한 관계를 맺고 있었으며, 이것을 김씨 진골귀족
의 종실·척리들로부터[72] 견제와 질시를 받은 경우도 있다. 그럼에도 김
유신이 이룬 일통삼한의 공로로 그 후손은 국왕으로부터 특별한 예우를
받았던 사실을 알 수 있다.

원성왕의 즉위 이후 종래의 김씨 진골귀족에서 초월한 원성왕계라는
새로운 왕실을 형성하였다. 그 대표적인 작업의 하나로써 왕위에 오르
지 못한 직계존속을 대왕으로 추봉하면서 이들을 모신 새로운 오묘를
구성하여 원성왕계 왕통을 확립해 나갔다. 특히 애장왕대가 되면 태종
과 문무왕을 別廟하고, 애장왕 직계인 4친묘와 시조대왕으로 새로이 오
묘를 구성하여 실제는 천자의 7묘와 흡사하였다.[73] 헌덕왕과 흥덕왕대
도 4친묘와 시조를 모시는 오묘 및 태종·문무왕을 별묘로 하는 모두 7묘
가 정비된 듯하다. 여기서 일통삼한의 공로를 내세워 중대 왕실의 지주
인 태종과 문무왕을 별묘로 모신 것은 무열왕계의 불만을 무마하려는
목적이었을 것이다.

이러한 조치는 또한 김유신 가문의 후예들에 대해서도 어떤 정치적
배려가 필요했을 것이다. 김유신 역시 태종·문무왕과 더불어 일통삼한
의 원훈으로서 신라의 호국신으로 받들어지고 있었다. 태종과 문무왕을
불천지위로 봉사케 하면서, 또다른 삼국통일의 원훈이며 호국신인 김유
신에 대한 제향문제가 대두하였을 것이다. 게다가 김헌창의 난을 진압
하는 과정에서 김유신계의 공로는 지대하였다. 이것을 계기로 흥덕왕은
김유신가에 대한 優遇策으로 835년(흥덕왕 10)에 김유신을 興武大王으로
추봉하여 국가 차원에서 별도로 봉사케 하고, 그 직계 후손들을 정치사

---

71) 『삼국사기』 권43, 김유신열전 下.
72) 이 종실·척리는 성덕왕의 친속, 특히 첫째 왕비인 嚴貞王后의 세력으로 추
   정된다(김수태, 1996, 『신라중대정치사연구』, 일조각, 76쪽).
73) 김창겸, 2004, 「신라국왕의 황제적 지위」 『신라사학보』 2, 236쪽.

회적으로 특별한 지위를 갖게 하였다.

특히 834년 흥덕왕의 골품제 규정 공포는 김유신 가문에 새로운 문제를 안겨 주었다. 중대 이래 일통삼한의 원훈인 김유신의 후손이면서 동시에 무열왕의 외손으로서 일반 김씨 진골귀족보다는 특별한 위상을 가졌던 김유신의 직계가, 흥덕왕대에 왕족과 진골귀족의 구분을 확실하게 하고자 새로운 골품제 규정의 적용으로, 일반 진골귀족과 같은 하향 적용을 받아야할 위기를 맞이하였을 것이다.[74] 하지만 실상은 김유신계가 원성왕의 즉위를 도운 공로와,[75] 또 김웅원을 비롯한 김유신의 후손이 822년(헌덕왕 14) 김헌창의 난을 진압하는 과정에서 공로가 있어, 당시 그들의 정치사회적 위상은 오히려 직전보다 상승되어 있었다. 이러한 상황에서 흥덕왕의 새로운 골품제 규정에 대한 김유신계의 불만은 컸을 것이다. 이에 흥덕왕은 김유신계의 불만과 반발을 해결하고 협조하는 방안으로 그들의 중시조격인 김유신을 흥무대왕으로 추봉하고, 그 후손들을 일반 김씨 진골귀족과는 다른 특별한 예우를 하였던 것이라 보겠다.

그 방법으로 하대의 왕실인 원성왕계는 김유신 후손을 무열왕계와 분리시키고자 이들을 신김씨라 하였다. 이미 앞에서 언급하였듯이, 김유신가와 중대 무열왕계 왕실은 동성의식을 갖고 있었다. 그러나 원성왕계가 김헌창 난 이후 무열왕계와 김유신계를 확실하게 분리시켜 무열왕계를 약화시키고, 반면에 흥무대왕 추봉으로 김유신계는 독립된 혈족집단이 되었다. 그 결과 김유신의 후손은 흥무대왕의 후손이라 하여 중대 무열왕계 후손과는 구분 분리된 것이다.[76]

---

74) 심지어 김유신의 후손들은 혜공왕 때는 육두품으로 강등된 것으로 보는 견해도 있다(신형식, 1983, 「김유신가문의 성립과 활동」 『이화사학연구』 13·14합집 : 1984, 『한국고대사의 신연구』, 일조각, 255쪽 : 2004, 『신라통사』, 주류성, 560쪽 ; 문경현, 2007, 앞의 논문, 379쪽).

75) 김수태, 1996, 앞의 책, 145~146쪽 ; 신정훈, 2001, 「신라 선덕왕대의 정치적 추이와 그 성격」 『대구사학』 65, 31~32쪽 ; 김경애, 2006, 「신라 원성왕의 즉위와 하대왕실의 성립」 『한국고대사연구』 41, 286쪽.

결국 흥무대왕 추봉후 김유신을 중시조로 하는 신김씨가 형성되었다. 그러나 이때부터 김유신의 후손은 김씨가 아니라 신김씨라고 특별히 불리면서, 일통삼한 직후에 최고조에 누렸던 지위가 점차 위축되어, 하대에는 중대의 신라왕실 김씨와는 다른 가계로 차별화되고 점차 정치 사회적 위상도 낮아져 갔던 것이다.

V. 맺음말

지금까지 앞에서 다룬 내용을 간단하게 정리하면 다음과 같다.

'신김씨'는 금관가야 왕족이면서 신라의 왕실과 혼인한 김유신가의 후손을 지칭하는 친족용어이며, 신김씨는 835년(흥덕왕 10) 김유신을 흥무대왕으로 추봉함으로써 나타났으며, 이것은 국가와 왕실의 허가 내지는 승인 하에 불리어지고 사용되었다.

그리고 흥무대왕 추봉은 785년 원성왕의 즉위와 822년에 발생한 김헌창 난의 평정에 공을 세운 김유신 후손들의 현실적인 세력을 배경으로, 신라 오묘제의 변화와, 834년 골품제 규정의 공포에서 생긴 김유신계 후손들의 현실적인 문제를 해결하려는 목적에서 일반 김씨 진골귀족과는 다른 특별한 예우를 하기 위해 취해진 조치였다.

한편 김유신의 대왕 추봉은 시호 사여, 피휘, 분묘 개수, 사당 배향과 제사의 격상, 기념비 건립, 행장 편찬 등 본인에 대한 추숭작업과 함께 그 후손에게도 여러 가지 면에서 많은 특혜가 주어졌다. 그리하여 김유신 후손은 신라사회 내에서 일통삼한의 공신 후손일 뿐만 아니라 이에

---

76) 『삼국사기』 권44, 金陽列傳에 의하면, 金陽과 金昕처럼 태종무열왕의 후손임을 표시하고 있다. 즉 태종무열왕을 중심으로 한 계보인식을 드러내고 있다. 이것은 신라 하대에 이르러 계보의식이 강화되어 무열왕계와 김유신계가 확연히 구분되었음을 보여주는 것이다.

더하여 대왕 후손으로서 영광을 누리게 된 것이다.

반면에 이것은 하대 원성왕계가 김헌창 난 이후에 중대 왕실인 무열
왕계 세력을 약화시키고자 이들과 동족의식을 갖고 있던 김유신계를 흥
무대왕 후손이라 하여 구분 분리시킨 것이다. 그리하여 흥덕왕대 흥무
대왕 추봉후 김유신을 중시조로 하는 신김씨가 나타났다.

그러나 김유신계 후손은 신김씨라 별칭되면서, 일통삼한 직후에 최
고조에 누렸던 정치사회적 지위가 점차 위축되어, 신라 정통 김씨와는
차별화되고 그 위상도 낮아져 갔다.

제12장 경문왕 연구의 현황과 제안

I. 머리말

신라사에서 제38대 원성왕이 즉위함으로써 이른바 하대 원성왕계가 성립되었다. 그리고 830년대의 홍덕왕 사후에 전개된 치열한 왕위쟁탈전을 겪은 뒤, 제48대 경문왕이 즉위하고, 그의 자식 – 헌강왕, 정강왕, 진성여왕대에 걸쳐 한동안 안정기를 가졌다. 하지만 이러한 양상은 오래 가지 못하고 진성여왕대에 농민반란이 폭발하면서 전국은 혼란에 빠지고 신라왕조는 멸망을 향해 질주하는 모습을 보였다.

경문왕(재위 861~875)의 성은 김씨, 이름은 膺廉(혹은 疑廉)인데, 아버지는 啓明이며, 어머니는 光和夫人이고, 할아버지는 희강왕이며, 할머니는 忠恭의 딸인 文穆夫人 金氏이다. 경문왕을 이어 자식인 헌강왕·정강왕·진성여왕과 손자인 효공왕이 왕위를 계승하여 하나의 독자적 왕통을 이루었고, 또 뒤이은 박씨왕들 역시 경문왕의 아들인 헌강왕의 딸과 혼인한 사위와 그 후손이다. 그래서 경문왕은 신라 말기의 왕위계승상 하나의 정점에 있어, 그 위상은 크며 또 존재의 의미는 중요하다.

특히 880년(헌강왕 6) 왕이 月上樓에 올라 侍中 敏恭과 대화를 나눌 때, 서울 백성의 집들이 서로 이어져 있고 노래와 음악소리가 끊이지 않으며, 민간에서는 기와로 지붕을 덮고, 숯으로 밥을 지으니, 헌강왕이 즉위한 이래 陰陽이 조화롭고 비와 바람이 순조로워 해마다 풍년이 들어, 백성들은 먹을 것이 넉넉하고 변경은 평온하여 민간에서 즐거워한다면서, 서로 덕담을 주고받은 것에 근거하여[1] 경문왕과 헌강왕 재위기를 평화시대 또는 小康期로 평가하고 있다. 그리하여 일찍이 경문왕의 왕 권강화에 대한 李基東의 탁견이[2] 발표된 후로 여러 연구가 있었다.

그럼에도 불구하고 경문왕과 그의 재위기는 어느 정도의 왕권 강화 와 안정은 이루었으나, 신라사의 전체적인 흐름에서는 상당한 한계와 부정적인 특성을 안고 있다고 본다. 필자는 경문왕의 즉위와 업적을 통 해, 지금까지 경문왕에 대한 연구 현황을 살펴본 뒤, 향후 연구를 위해 문제점을 파악하고, 이 시기가 신라사에서 갖는 역사적 의미를 보다 적 합하게 부여하는데 약간의 도움이 될 만한 연구 방향을 제시해 보고자 한다.

그 방법으로는 경문왕에 대한 기존 연구의 주요한 주제였던, 경문왕 의 즉위배경이라 할 수 있는 가계와 혼인, 지지기반과 즉위과정에 대한 연구 동향, 또 즉위 후에 경문왕이 행한 여러 정책의 방법과 내용을 통 하여 왕권강화에 대한 연구 동향을 살펴본 뒤, 그리고 이들 연구가 안고 있는 문제점이랄까 한계를 언급하면서 아울러 향후 연구를 위한 나름의 제안을 할 것이다.

II. 즉위에 대한 연구 현황

1. 신분과 혼인

우선 경문왕이 즉위한 배경과 과정에 대한 기존의 연구를 살펴보자. 경문왕의 즉위배경은 무엇보다도 그가 전왕인 헌강왕의 사위가 되었

---

1) "因奏曰 上卽位以來 陰陽和風雨順 歲有年民足食 邊境謐靜 市井歡娛 此聖 德之所致也 王欣然曰 此卿等輔佐之力也 朕何德焉"(『삼국사기』 권11, 헌강 왕 6년 9월 9일).

2) 이기동, 1978, 「나말려초 근시기구와 문한기구의 확장」『역사학보』 77 ; 1984, 『신라골품제사회와 화랑도』, 일조각, 231~280쪽.

다는 사실이다. 이것은 헌안왕의 遺詔에[3] 잘 나타나 있다. 즉, 헌안왕은 아들이 없고 딸이 있었지만, 왕위를 여자보다는 남자에게 물려주려는 강한 뜻이 있어서, 사위 응렴이 왕위를 계승하였다. 응렴이 왕위를 계승한 것은 그가 남자로서 헌안왕의 사위가 된 사실이 무엇보다도 중요하게 작용하였다. 그리하여 오래전부터 응렴이 헌안왕의 사위가 된 배경과 과정에 대해 많이 회자되었다.[4]

그 내용에 의하면, 응렴이 헌안왕의 사위가 된 가장 직접적인 계기는 臨海殿에서 헌안왕이 베푼 연회에 참석한 사건이다. 이 자리에서 헌안왕이 응렴에게 花郎으로서 사방을 돌아다니면서 본 일 중에 착한 일이 무엇인가에 대한 물음에, 응렴은 권력자와 부자와 세력가의 자제·양보·겸손의 정신을 찬양하는 세 가지 미담을 잘 대답하였다. 이 행위는 어쩌면 여러 신하들의 앞에서 왕이 행한 특별면접시험을 잘 치른 것이다.

여기서 응렴이 연회에 참석한 것은 당시 화랑의 대표자격이었던 것 같다.[5] 그러면 응렴이 화랑이 될 수 있었던 배경은 무엇인가? 화랑의 자격에 대해서는 의견이 구구한 것이 사실이나, 대체로 화랑은 신라 골품제 사회에서 진골귀족 이상의 자제라고 한다. 비록 기존의 연구자 중에는 응렴의 신분이 진골이 아니라는 견해도 있으나,[6] 잘 알다시피 응렴은 시중 啓明의 아들이기에, 왕족에 속하는 진골귀족 신분이다.[7] 즉 응

---

3) 『삼국사기』 권11, 헌안왕 5년 정월 ; 『삼국유사』 48경문대왕 참조.
4) 『삼국사기』 권11, 헌안왕 4년 ; 『삼국유사』 48경문대왕 참조.
5) 그리고 최치원이 지은 「숭복사비문」에 응렴은 "別振玄風"이라 표현되어, 그가 화랑도(현풍)에서 활약한 사실이 기록되어 있다.
6) 이종항, 1975, 「신라의 하대에 있어서의 왕종의 절멸에 대하여」 『법사학연구』 2, 8쪽. 그 근거로 첫째는 헌안왕의 특별하고 애원적인 顧命이 그것이고, 둘째로는 왕의 父인 계명이 阿湌이었고, 셋째로는 王考에 대한 추봉이 이례적으로 늦어졌다는 점과 추봉 직후와 그 뒤에 격렬한 반란이 일어났다는 점을 들었다.
7) 김창겸, 1999, 「신라 하대 효공왕의 즉위와 비진골왕의 왕위계승」 『사학연구』 58·59합집 ; 2003, 『신라 하대 왕위계승 연구』, 경인문화사, 383~406쪽.

렴은 헌강왕의 손자이며 당시 가장 촉망받는 왕족 출신의 화랑이었다. 그리하여 헌안왕이 이미 응렴에 대한 여러 가지 정보와 지식을 가진 상태에서 그를 임해전에서 개최한 연회에 참석하게 했던 것이다.

이때 나이에 대한 기록과 이것에 대한 이해에는 차이가 있다. 응렴이 화랑이 되고 임해전 잔치에 참석한 때의 나이가 얼마인지?『삼국사기』에서는 응렴이 國仙으로서 遊學을 마치고 연회에 참석한 나이를 15세라 하였으나,『삼국유사』에서는 18세에 국선이 되어 四方遊學을 마친 뒤, 약관(20세)에 임해전에서 열린 잔치에 참석하였다고 하였다.

이에 대해 Vladimir Tikhonov(박노자)는 '진골 출신인 화랑의 초사시의 연령은 대개 15세 전후이므로, 후자의 기록이 전자보다 조금 더 신빙성이 있는 것 같다.'고 하였다.[8] 이에 비해 李基東은 신라의 화랑은 15세를 전후하여 국선이 되어 18세까지 3년 정도의 수련을 마친 뒤 관직에 진출한다고 하였다.[9] 더욱이 헌안왕이 유조에서 사위 응렴은 나이가 적다고 한 표현이 있음으로 16세에 즉위한 것으로 본 입장도 있다.[10]

어쨌든 과년한 두 딸, 즉 공주를 둔 헌안왕은 마땅한 배필감으로 미리 응렴을 마음에 두고 있다가, 그가 장성하자 연회에 초대하여,[11] 여러 王族과 群臣 앞에서 공개적인 면접과 구두시험을 행하였다. 헌안왕은 그 결과에 흡족하여 사윗감으로 공포한 것이다. 이것에 대해, 金昌謙은 헌안왕이 왕족과 퇴임한 원로와 현직 고위관료를 포함한 群臣들을 초대하여 연회를 베푼 것은 이들의 화합을 강조한 행위이며, 또 이 자리에서 화랑 응렴의 능력을 시험하고 사위로 결정한 것은 정상적인 왕위계승자

---

8) Vladimir Tikhonov, 1996,「경문왕의 유·불·선 융화정책」『아시아문화』12, 한림대학교. 48~49쪽.
9) 이기동, 1984,「신라 화랑도의 사회학적 고찰」『신라 골품제사회와 화랑도』, 일조각, 340~341쪽.
10) 최병헌, 1978,「신라 하대사회의 동요」『한국사』3, 국사편찬위원회, 492쪽 ; 권영오, 2004,「김위홍과 진성왕대 초기 정국 운영」『대구사학』76, 32쪽.
11) 전기웅, 1989,「신라 하대말의 정치사회와 경문왕가」『부산사학』16, 6쪽.

가 없을 경우에 다음 왕을 추대하는데 결정적인 역할을 할 군신들을 통하여 응렴을 왕위계승자로 묵시적인 결정과 동의를 구한 절차과정이었다고 해석하였다.[12]

그러면 이 자리에서 응렴의 답변은 무엇인가? 그 내용은 대단히 유교적인 덕목을 담고 있다. 그리하여 李基白은 응렴의 답에 대해 '대체로 지방호족의 실정을 말해주는 것'이라고[13] 하면서, 지방호족의 영향력 증가에 대한 중앙귀족의 우려 표시라고 한 바가 있고, 李基東은 '화랑으로서의 그의 실제 見聞을 이야기한 것이라기보다 오히려 그의 儒敎에 대한 지식을 갖고 당시 화랑도의 덕목을 윤색 부회한 것'이라 하였다.[14] 또 高明士도 응렴의 讓, 儉 그리고 恭의 덕목은 『論語』 권1, 學而篇 10章에서 언급한 孔子의 공·검·양 등의 美德과 전부 통하며, 또한 응렴이 이야기한 세 가지의 美點과 『孟子』 권6, 滕文公章句下 2章에서 이상적 선비(士)의 성격에 대하여 "富貴不能淫 貧賤不能移 威武不能屈"이라고 한 것과 일치한다고 보았다.[15] 한편 현답의 내용과 이른바 老子의 三寶(慈, 儉, 謙)의 사상을 반영한 老子(『道德經』) 제67장의 내용과 거의 일치된다는 견해도 있다.[16]

결국 헌안왕은 이미 마음에 두고 있었던 응렴이 자라서 청년이 되기를 기다렸다. 그리고 그가 화랑으로서 명망이 알려지자, 직접 불러서 심성과 자질을 시험하였다. 그 결과 응렴의 인품에 흡족하여 맏사위로 삼아 왕위계승자의 지위를 부여한 것이다.[17]

---

12) 김창겸, 2005, 「신라 헌안왕의 즉위와 그 치적」 『신라문화』 26.
13) 이기백, 1974, 「상대등고」 『신라정치사회사연구』, 일조각. 126쪽.
14) 이기동, 1980, 「신라 하대의 왕위계승과 정치과정」 『역사학보』 85, 29쪽.
15) 高明士, 1984, 『唐代東亞敎育圈的形成』, 臺灣國立編譯館, 308~309쪽 ; 이기동, 1988, 「화랑상의 변천에 관한 각서」 『신라문화』 5, 109~110쪽 : Vladimir Tikhonov, 앞의 논문, 54쪽.
16) Vladimir Tikhonov, 앞의 논문, 59~60쪽.
17) 전기웅, 앞의 논문, 6쪽.

한편 응렴이 헌안왕의 사위가 되는 과정과 그 후에는 그의 가계와 아버지 계명의 영향력이 크게 작용하였다는 주장도 있다. 경문왕의 아버지는 啓明, 할아버지는 희강왕, 증조부는 憲貞, 고조부는 禮英, 5대조는 원성왕이다. 즉 부계로는 원성왕계 왕족의 후손으로, 좀더 구분하자면 원성왕계 내의 예영계 중에서 헌정계에 속한다. 그리고 경문왕의 어머니 光和夫人은 신무왕의 딸이며, 문성왕의 누이이므로, 원성왕계 내의 예영계 중에서 균정계에 속한다. 결국 응렴의 아버지 계명과 어머니 광화부인은 같은 원성왕계 내의 예영계로서 각각 할아버지를 헌정과 균정을 형제로 하는 6촌 남매간의 근친혼으로 맺어졌다.[18]

이처럼 응렴의 아버지 계명과 어머니 광화부인이 혼인한 결과로 당시 정치세력 중에서 이른바 헌정계와 균정계의 결합이 이루어졌다, 다시 말해 흥덕왕이 후사가 없이 죽자 당시 상대등이었던 김균정이 즉위하려 하였으나, 충공계 金明(민애왕)의 지원을 받은 헌정의 아들 金悌隆(희강왕)이 김균정을 제거하고 즉위하였다. 그리하여 균정계와 헌정계 사이에는 갈등이 생겼고, 김균정의 아들 김우징(신무왕)은 부득이 서남해안의 淸海鎭에 있던 張保皐에게로 망명가서 몸을 의탁하는 등, 즉 김우징에게 희강왕과 민애왕은 불공대천의 원수가 되었다. 836년 김균정의 살해와 희강왕의 즉위 이후 지속되던 대립과 갈등의 양상이 마침내 김계명과 광화부인의 혼인으로 화해의 분위기로 전환되는 변화의 상징성을 띠게 되었다.

그리고 문성왕은 장보고 제거 이후 842년(문성앙 4) 왕의 장인이 되어 권력이 비대해진 공신 金陽을 견제하고자, 848년(문성왕 10) 여름 그를 시중에서 사직시키고, 대신 왕의 매부인 啓明을 임명하고, 곧이어 849년 1월에 왕의 숙부 義正을 상대등에 임명하였다. 그 결과 문성왕 후반기는 왕을 중심으로 헌정계의 시중 계명이 균정계의 상대등 의정과 외

---

18) 경문왕의 가계는 김창겸, 2003, 『신라 하대 왕위계승 연구』, 경인문화사, 60~63쪽 참조 바람.

척이며 공신세력인 김양과 함께 정국을 운영하는 삼두체제를 이루었다. 그러다가 857년 8월 김양이 죽자 문성왕 말기는 의정과 계명이 정국을 주도하여, 헌정계와 균정계의 연합에 의한 범예영계의 단결을 이루었고, 드디어 문성왕의 유조를 받아 헌안왕이 즉위하였다. 그런데 헌안왕의 즉위는 계명의 적극적인 후원을 받았고, 또 계명의 지지로 왕권을 유지해 나갔다고 한다.[19] 심지어는 시중인 계명이 상대등인 의정과 서로 결합하여 金陽이 죽자 문성왕을 협박하여 왕위를 의정에게 계승시킨다는 유조를 내리고 죽게 하였다는 추측도 있고,[20] 또 나아가 계명이 의정의 왕위계승을 적극 지원한 것은 그 다음 왕위계승자로 자신의 아들 응렴을 염두에 두고 왕위계승권을 의정에게 약속받은 것이었다는[21] 추측까지 나왔다. 이렇게 보면 응렴이 헌안왕의 딸과 혼인한 것은 헌안왕과 계명간에 정치적 거래의 결과였다는 것이다.[22]

응렴에게 헌안왕의 두 딸 중에서 맏공주와 혼인하도록 작용한 자는 누군인가? 『삼국사기』에는 '興輪寺僧'이라 하였으나, 『삼국유사』에는 '郎之徒上首 範敎師'라 하였다. 이처럼 『삼국유사』에서는 응렴이 國仙이고, 범교사가 郎徒라는 화랑도의 관계를 구체적으로 이야기한 반면에, 『삼국사기』에서는 이와 관련한 것을 기록하지 않고 오로지 王族과 '興輪寺僧'이라 하였다. 그 이유는 무엇일까? Vladimir Tikhonov는 화랑도를 賢佐忠臣良將勇卒을 배출하는 臣僚의 교육기관으로 인식하였지 왕족을 위한 교육기관으로 보지 않아, 왕이 한때 신료로서의 교육을 받았다는 사실은 王道와 臣道를 철저하게 구별하는 金富軾이 사서에서 기록될 것이 아니어서 누락시켰을 것이란 추측도 있다.[23] 그러면 『삼국사기』에서 거

---

19) 김창겸, 2005, 앞의 논문.
20) 윤병희, 1982, 「신라 하대 균정계의 왕위계승과 김양」 『역사학보』 96, 74쪽.
21) 송은일, 2004, 「신라 하대 경문왕계의 성립」 『전남사학』 22, 150쪽.
22) 김창겸, 1988, 「신라 경문왕대 수조역사의 정치사적 고찰」 『계촌민병하교수 정년기념 사학논총』, 55쪽 주11.
23) Vladimir Tikhonov, 앞의 논문, 48쪽.

론한 흥륜사의 승려가 곧 낭도의 우두머리 범교사인가? 아니면 각기 다른 사람인가? 대부분의 연구자들은 동일인으로 이해하고 있다.[24] 즉 범교사는 흥륜사의 승이라 하였다. 그리하여 응렴과 범교사의 관계를 국선과 승려낭도의 관계의 대표적인 예라고 하였다.[25]

그러면 응렴과 공주의 혼인문제에 대하여, 범교사가 관여하게 된 계기는 무엇일까? 『삼국사기』에서는 응렴이 먼저 흥륜사 승려에게 조언을 구한 것으로 기록되어 있으나, 『삼국유사』에서는 범교사가 자청에서 응렴에게 건의한 것으로 되어 있다. 즉 응렴은 당시 정치적 실세였던 계명의 결정에 복종하지 않고 왕실의 중심 사원이었던 흥륜사의 승려 범교사에게 자신의 혼인문제를 상의하고 물었던 것이다.

그러나 둘째 공주와 혼인하도록 결정한 부모의 의사를 무시하는 자식이 되면서까지 응렴이 자청하여 흥륜사 승려 범교사에게 자문을 구하지는 않았던 것 같다. 부모나 자신의 의사와는 달리 맏공주와 혼인하도록 강요한 것으로 보아, 범교사가 자진하여 응렴을 찾아가서 그 뜻을 전달한 것으로 보겠다.

이에서 보건대, 흥륜사에 속한 승 범교사는 응렴이 이끄는 화랑도에 소속되어 낭도들을 통솔하는 우두머리로서, 승려낭도로서 참모의 역할을 한 것이라 하겠다. 범교사는 응렴에게 간청이 아니라 만약 맏공주를 취하지 않는다면 면전에서 죽겠다면서 협박을 가하고 있다. 이것은 범교사 개인의 힘으로는 불가능한 것이고 낭도 전체의 힘을 등에 업고서 응렴에게 압력을 가한 것이다. 이 요구에 대해 응렴 자신도 수용하였을 뿐만 아니라 당시 정계의 거물인 응렴의 아버지 계명도 승복하고 말았다. 이것은 응렴이 거느린 화랑집단이 계명가의 정치사회적 배후 세력으로서 가졌던 위상이 대단히 막강했음을 보여주는 것이다. 그 결과 응렴은 맏공주와 혼인하였고, 응렴은 즉위후 범교사를 大德으로 삼고 금

---

24) 송은일, 앞의 논문, 152쪽.
25) 김영태, 1970, 「승려낭도고」 『불교학보』 7, 260쪽.

130兩을 하사였다. 범교사가 대덕에 임명된 것으로 보아 화엄계통에 속하는 승려라 하겠다. 즉 승려 범교사는 화랑 응렴을 받드는 승려낭도로서, 그리고 응렴이 왕으로 즉위한 후에는 大德에 임명되어 정치 고문의 역할을 하였던 것이다.

한편 범교사와 화랑세력들이 경문왕의 왕위계승과정에 관여할 수 있었던 것은 계명의 정치력과 함께 그의 준비된 계략이 있었기에 가능한 일이었다는 주장도 제기되었다.[26]

2 즉위과정

경문왕의 왕위계승 배경으로 흔히 아버지 김계명의 영향력, 응렴이 거느린 화랑세력, 임해전 연회에서 보여준 응렴의 현명함 등이 언급된다. 그렇지만 경문왕이 헌안왕의 총애를 받고 유조를 통하여 즉위하는 데는 무엇보다도 헌안왕의 장녀와 혼인하여 왕의 사위라는 입장과 지위가 크게 작용하였던 것이라는 주장이 있다.[27] 사실상 헌안왕대의 시대적 상황에서 응렴과 헌안왕의 딸이 혼인한 것은 정치사적으로 대단히 중요한 의미를 갖는 사건이었다.

신무왕과 문성왕 부자의 즉위로 한동안 왕족간의 이해관계에 따라 복잡하게 전개되었던 왕위쟁탈전이 종식되고 점차 화합을 위해 노력하고 있었다. 먼저 840년 전반에[28] 희강왕의 아들로서 응렴의 아버지인 계명과 문성왕의 누이인 광화부인의 혼인으로 헌정계와 균정계의 결합의 단초를 열었다.[29] 그리고 정계에 진출한 계명은 의정(헌안왕)과 협력하

---

26) 송은일, 앞의 논문, 153쪽.

27) 전기웅, 1989, 앞의 논문, 4쪽.

28) 계명의 혼인 시기를 840년 전반으로 본 견해(이기동, 앞의 책, 169쪽 ; 김창겸, 1988, 앞의 논문, 54~55쪽)와 문성왕 즉위년(839) 이후 또는 문성왕이 김양을 딸을 차비로 맞이한 842년(문성왕 4) 3월 전후로 보는 견해도 있다(송은일, 앞의 논문, 131쪽 주16).

며 문성왕을 도왔다.

또 헌안왕이 문성왕의 유조를 받아 즉위하는 과정에서 계명은 헌안왕을 적극 도와주었고, 이에 대한 상호 모종의 합의가 있었을 것이며, 헌안왕은 그 보답으로 계명의 아들 응렴에게 왕위를 물려주었을 것이라는 추측도 있다.[30]

그리고 이번에는 계명의 아들인 응렴과 헌안왕의 딸 영화부인(文資皇后)의 혼인이 이루어진 것이다. 이 또한 헌정계와 균정계의 결합을 의미하지만, 대국적으로는 예영계의 단합을 상징하는 대사건인 것이다. 더구나 문자왕후의 어머니 조명부인이 충공의 딸이기에(민애왕의 누이) 인겸계에 속하는 반면에 아버지 헌안왕은 균정의 아들이기에 예영계에 속한다. 즉 이미 헌안왕과 조명부인의 혼인으로 예영계와 인겸계가 화해한 상태였다. 이런 상황에서 응렴이 영화부인과 혼인한 것은 자신의 조부 희강왕을 죽인 원수인 민애왕계까지 포용한, 이른바 범원성왕계의 화합을 추구한 것이다.[31]

어쨌든 「숭복사비명」에 의하면 응렴은 임해전에서 헌안왕과 왕비 및 군신 앞에서 물음에 현답으로 합격한 후 왕의 사위가 되고 또 초고속 승진하여 높은 자리에 올라 모든 관직을 통제하고 나라의 습속을 淨化하였으며, 임금이 될 자리에 있으면서 덕을 심고 궐내에 살면서 여덟 가지의 중요한 權柄을 장악하고, 즉 宰相의 권한을 모두 집행하였다고 한다.

이상에서 살펴본 것과 같은 혈연과 정치사회적 배경으로 헌안왕의 사위가 된 응렴은 왕위를 계승하였다.

---

29) 문성왕의 혼인정책에서 헌정계인 계명과 왕매의 혼인을 통한 결연은 신무왕이 거사를 목적으로 내세운 명분을 합리화하는 작업임과 동시에, 그 합리화 작업은 자신의 왕권에 대한 당위성을 내세우는 결과가 되기 때문이라는 주장도 있다(송은일, 앞의 논문, 135쪽).

30) 김창겸, 2005, 앞의 논문, 4~23쪽,

31) 이러한 노력은 경문왕이 행한 여러 차례의 수조지사의 의도에서도 잘 보여준다(김창겸, 1988, 앞의 논문).

그러면 경문왕은 어떠한 방법과 절차를 거쳐 즉위하였는가? 『삼국사기』와 『삼국유사』의 기록을 보면 헌안왕이 죽기 직전에 사위 응렴에게 왕위를 계승하라는 유조를 내렸다. 신라에서 유조를 통한 왕위계승방법은 혈연적으로 정당한 왕위계승자가 아닌 경우에 전왕이 마지막 명령을 의미하는 유조를 더해주어 왕위계승자를 정당화시켜 주는 방법이다.[32]

한편 『삼국사기』와 『삼국유사』의 기록을 보면 경문왕의 즉위가 순조롭게 이루어졌던 것처럼 기록되어 있으나, 사실상은 그의 즉위과정이 순조롭기만 했던 것은 아니다. 실제는 즉위시 다른 정치세력의 도전이 약간 있었다. 당시 상황을 최치원이 찬한 「숭복사비」에는 "마침 杞國의 근심이 침범하여 왕의 자리가 비어 산악이 흔들리는 것과 같았다. 비록 逐鹿之原은 아니지만 역시 集烏之原은 있었다. 그러나 어질고 유순하며 어른스럽고 인자함으로써 백성에게 추대되었다."고 하였다. 여기서 '集烏之原'이란 宋 景文公이 죽은 뒤에 왕위계승 경쟁이 일어났던 것을 말하는 것으로, 즉 헌안왕이 죽은 뒤 경문왕이 즉위하는 과정에서 정치세력간에 대립이 있었음을 말한다. 이러한 사정은 경문왕이 백성들에게 추대되었다는 표현에서도 추측이 가능하다. 신라시대 왕위계승에서 國人이나 群臣 또는 民이 추대하였다는 표현은 혈통상 당연하고도 정상적인 왕위계승이 아닌 경우에 표현하는 방법이다.[33]

사실상 경문왕의 즉위과정에서 헌안왕에게 아들이 없으니 다른 왕실의 인물들이 왕위를 넘보았을 것이다. 그리하여 경문왕의 즉위과정은 순탄하지만은 않았고 원성왕계 내 왕족들의 도전이 있었을 것이다. 그

---

32) 특히 신라 하대에 이르러 치열한 왕위쟁탈전이 종식된 이후 문성왕이 숙부 의정(헌안왕)을 왕위계승자로 지정하는 유조를 내려 평화적인 왕위계승이 이루어진 것을 본받아 헌안왕 역시 사위 응렴(경문왕)에게, 이후에 정강왕은 진성여왕, 진성여왕은 효공왕에게 遺詔를 더해주는, 즉 非父子繼承에서 평화적인 왕위계승을 가능케 한 하나의 수단과 방법이 되었다(김창겸, 2005, 앞의 논문).

33) 김창겸, 1988, 앞의 논문, 54쪽 : 앞의 책, 201~216쪽.

럼에도 헌안왕대에 최고의 실력자였던 김계명의 힘으로 무사히 즉위할 수 있었다.[34] 이러한 저간의 사정을 확대 해석하여, 심지어 김계명은 문성왕 말년경부터 시중이 되어 실권을 장악하고 있다가 헌안왕의 사망을 계기로 하여 실력으로 아들인 경문왕을 즉위케 한 것이라 보거나,[35] 경문왕이 거느린 낭도들의 잠재적인 군사력, 즉 화랑세력의 지원도 있었던 것으로 거론되었다.[36] 그러나 이것을 절대적인 요인으로 강조하는 것은 지나침이 있다. 앞에서 보았듯이, 경문왕은 분명히 헌안왕의 유조를 받아 외형상 대체로 평화적인 왕위계승을 하였다.

한편 경문왕의 즉위는 眞骨 남자 왕족의 소멸을 보여주는 한 사례라는 견해도 제기되었다. 헌안왕은 아들이 없어 부계에 의한 남자의 상속은 불가능해 졌다. 이 경우 신라 중고기에는 '聖骨男盡'을 이유로 선덕여왕이 즉위하였다. 만약 헌안왕도 이 원칙을 준용한다면 딸에게 왕위를 계승시켜야 한다. 하지만 신라 중대 이래 왕위의 부자계승이 확립되었고, 부자계승이 어려운 경우라 하더라도 반드시 왕위는 부계친의 남자계승이 원칙이었다. 그러나 이것을 거부하고 남자계승의 원칙을 적용하여 부득이 女壻이면서 再從孫인 부계친의 경문왕에게 계승케 하였다.

이처럼 헌안왕은 예외적으로 여서인 경문왕에게로 왕위를 계승시켰다. 그리하여 신라의 골품제가 확립된 뒤로는 행해지지 않았던 왕위의 女壻繼承이 다시 등장하게 되었다. 이것은 헌안왕이 左右에게 특별히 부탁하였듯이, 왕위쟁탈전의 재발을 방지하고 좀더 큰 범주의 禮英系 내에서나마 王統을 지속적으로 유지시키려는 정치적 배려에 의하여 나타난 하대 왕위계승에서 특수한 현상이다.[37]

---

34) 김창겸, 1988, 앞의 논문, 56쪽 : 2005, 앞의 논문 ; 전기웅, 앞의 논문, 9~10쪽.
35) 최병헌, 1978, 「신라 하대사회의 동요」 『한국사』 3, 국사편찬위원회, 492쪽.
36) 이기백, 1959, 「신라사병고」 『역사학보』 9 : 1974, 『신라정치사회사연구』, 일 조각, 260쪽 ; 전기웅, 앞의 논문, 9쪽 : 1994, 「신라 하대의 화랑세력」 『신라문화』 10·11합집, 114~117쪽.
37) 김창겸, 1999, 「신라하대 효공왕의 즉위와 비진골왕의 왕위계승」 『사학연구』

Ⅲ. 왕권 강화에 대한 연구 현황

경문왕은 즉위한 861년 3월에 대사면을 실시하고, 862년 정월에 伊湌
金正을 상대등으로, 阿湌 魏珍을 시중에 임명하는 인사 조치를 행하고,
2월에 神宮에 親祀하였다. 863년 2월 國學에 幸하여 經義를 강론하게 하
는 한편 崇福寺를 중창하고, 민애대왕원탑을 건립하였다. 그리고 866년
에는 아버지 계명을 懿恭大王, 어머니 광화부인을 光懿王太后로 봉하고,
왕자 晸을 왕태자로 책봉하여 왕위의 부자계승을 대비하며, 왕실의 권
위를 과시하였다.

이러한 노력의 치적에 대해 연구자들은 경문왕대는 왕권이 상당히
강화되어 왕실의 권위가 높았던 시기로 이해하여, 경문왕의 왕권강화
방법과 노력에 대해 많은 관심과 분석이 있었다.

1. 왕족 연합과 초월화

경문왕대에 왕족간의 타협과 연합이 이루어진 사실이 지적되었다.

그 대표적인 것으로 李基白이 신라시대 최고의 관직이었던 上大等의
성격을 살피는 과정에서 신무왕대 이후에 상대등의 위치가 안정되고 있
는데, 이것은 지방세력의 대두에서 오는 위협에 대처하려는 의도로서
중앙귀족들 사이에 새로운 결합이 이루어진 것으로, 왕권이 전제적이기
보다는 귀족세력과 타협하려는 경향을 나타내는 것이라고 신라 하대 정
치사에 대한 대개적인 견해를 제시한 것을 들 수 있다.[38]

여기서 발전하여 경문왕 이후의 상대등이나 시중들이 왕위를 얻기
위하여 모반하거나 왕실의 적대적인 동향을 보인 사실을 찾을 수 없고
오히려 왕실의 보호와 유지에 노력하고 있었다는[39] 견해도 제기되었다.

58·59합집, 416쪽.
38) 이기백, 1974, 「상대등고」『신라정치사회사연구』, 일조각, 123~126쪽.

그리하여 경문왕의 즉위를 계기로 하여 원성왕계 내의 왕위계승을 둘러
싼 분규가 종식되어 갔다는 해석도 있다.[40]

한편 丁元卿은 경문왕대는 신무왕대 이후 문성왕대부터 시도되었던
각 파벌의 화합 및 타협 모색의 기운을 배경으로 하여 전대의 치열한 왕
위쟁탈전에서 남은 후유증을 제거하기 위한 한편, 좁은 의미의 친족집
단의식에서 벗어나서 보다 확대된 친족집단 의식을 확립하고 그 바탕에
서 권력 집중의 노력과 왕권강화책을 적극적으로 시도하였던 시기로 볼
수 있다고 하였다. 즉 경문왕대의 많은 願塔 건립에 주목하였다. 이때의
원탑 건립의 양상은 전대와는 차이가 있다고 보고, 이들 원탑의 발원 내
용과 참여한 인물들을 분석하여 경문왕대의 원탑 건립은 원탑의 일반적
특성인 親祖에 대한 冥福을 비는 祈願의 의미나 자신의 현세 이익을 위
한 경우 외에 친족 관념의 범위가 확대되고 있는데, 이것은 신라 하대의
귀족연립 상태에서 왕권강화를 시도한 것이며, 또한 願塔 건립과정에서
禪門을 매개로 하여 지방 세력과 연결되어 그들을 회유하거나 혹은 결
합하여 중앙 귀족세력에 대한 견제를 시도한 것이라는 것이다.[41]

또 修造役事를 통하여 왕권강화를 시도하였던 시기로 보기도 하였
다.[42] 경문왕 초년에 오랫동안 방치되어있던 원성왕의 원찰인 鵠寺를
원성왕의 夢感을 핑계 삼고 孝의 중요성을 강조하면서 宗室과 釋門에게
공사를 맡겨 崇福寺로 중창하고 자신이 檀越이 되었다. 이것은 경문왕
이 하대 왕실친족집단의 창시자로서의 원성왕에 대한 인식을 새롭게 하
고[43] 원성왕계 왕족들의 공동시조인 원성왕의 추모사업을 통해 단합을

39) 전기웅, 1989, 앞의 논문, 19쪽.
40) 전미희, 1989,「신라 경문왕·헌강왕대의 능관인 등용정책과 국학」『동아연
　　구』17, 45쪽 주1.
41) 정원경, 1982,「신라 경문왕대의 원탑건립」『연보』5 : 1992,『박물관연구논
　　집』1, 부산시립박물관, 86~104쪽.
42) 김창겸, 1988, 앞의 논문.
43) 정원경, 앞의 논문, 96쪽.

도모하면서,[44) 자신의 즉위에 대한 정통성을 확인시키는 동시에 스스로 하대의 중시조로서 인식하여 '專制主義의 理想'을 추구하고자 한 것이란 해석조차 있다.[45)

그리고 원성왕의 원찰인 숭복사의 중창과 민애대왕원탑의 건립을 통해 추모사업과 함께 원성왕계 내 각 소가계의 분파의식을 없애고 범원성왕계라는 큰 범주에서 회유와 연합으로써 경문왕의 왕권을 안정시키려 하였다. 그리고 경문왕의 親弟 魏弘이 감독관을 맡았던 황룡사9층탑을 비롯해 朝元殿, 月上樓, 臨海殿, 正堂의 중수를 통하여 왕권을 과시하였다. 결국 경문왕 전기의 수조역사는 범원성왕계를 회유·포섭하는 조상의 추숭작업을 위한 것이었는데, 후기에는 자신의 권위를 높이면서 경문왕계에 의한 집권으로 구조를 개편하였다는 것이다.[46)

이와 같은 맥락에서 경문왕대 佛事를 분석한 글도 있다. 경문왕 초년에는 김계명을 중심으로 선대부터 활동하였던 왕족의 참여를 통해 鵲寺 중창과 동화사 비로암 3층석탑을 건립하는 등 원성왕계의 후손을 하나로 묶어 각 분파 관념을 없애고 자신의 정당성을 인정받아 왕권을 강화하려고 하였다. 그러나 경문왕이 점차 새로운 측근 세력을 등용하자 이들은 반발하였고, 자연히 경문왕은 새로운 측근 세력을 양성하는데 주력하였다는 것이다.[47)

그리하여 즉위한 해부터 끊임없이 불교 조형물이 건립된 경문왕대는 신라 하대의 정치적 혼란이 이 시기에 이르러 비교적 안정을 되찾아 다

---

44) 鵲寺의 중창작업은 경문왕의 정통성을 공고히 함은 물론, 이후 경문왕계 왕실의 권위를 높이는데 유효한 방법이었다는 해석도 있다(장일규, 2006, 「숭복사비명과 경문왕계 왕실」『역사학보』192, 43쪽).
45) 정원경, 앞의 논문, 97쪽.
46) 김창겸, 1988, 앞의 논문.
47) 황룡사9층탑의 중수 불사는 선대부터 활동하였던 왕족을 그대로 용인하면서 새로운 측근 세력을 중용하여 왕권을 강화하려는 경문왕의 의도가 드러난 것이었으며, 새로운 측근세력을 양성하려는 왕실의 노력은 헌강왕대에도 계속되었다고 한다(장일규, 앞의 논문, 57~59쪽).

시 한번 강력한 왕권을 회복하고, 문화적으로는 중대의 경덕왕대에 버금가는 다양하고 화려한 예술의 발전을 이룩한 시기로 파악하기에 이르렀다.[48]

2. 제도 개편과 외교 강화

응렴이 헌안왕의 질문에 행한 현답에서 보여주듯이, 응렴의 유교에 대한 상당한 지식은[49] 그가 즉위 후 개혁정치를 추진하는데, 하나의 정치적 사상으로 작용하였을 것이다.

사실 경문왕은 유학을 진흥하여 몰락되어 가는 전제주의적 중앙집권제를 뒷받침하려고 하였던 것을 부인할 여지가 없다.[50] 『삼국사기』에 의하면. 863년(경문왕 3) 2월 왕이 國學에 나가 博士 이하에게 經義을 강론케 하였고, 또 865년(경문왕 5) 4월 唐의 冊封使 胡歸厚를 맞아서 왕경의 佳景을 시로 읊어 책봉사로 하여금 그 화답을 궁하게 할 정도로 뛰어났다고 한다. 아울러 「지증대사탑비」의 내용을 보면 경문왕의 유교 경전에 대한 지식 수준을, 「숭복사비」의 내용에도 경문왕의 孝인식과 儒家의 經典에 대한 깊은 이해의 수준을 잘 보여주고 있다.

이보다 적극적 입장에서 李基東은 그 당시에 만들어진 것으로 확인된 금석문 자료의 분석을 통하여 경문왕은 儒學 및 漢學에 대한 조예가 매우 깊었으며, 9세기 후반의 관제 개혁의 예를 들어 국왕의 文翰機構와

---

48) 박경식, 1989, 「신라 경문왕대의 석조미술에 관한 연구」『사학지』 22, 85~127 쪽.

49) 「숭복사비」에는 경문왕이 즉위하기 이전부터 화랑으로 활동한 것 외에도 주로 玉鹿에서 이름을 날렸다고 하였다. 여기서 옥록이란 敎授官을 말하는 것으로 해석하기도 하나(이기동, 앞의 책, 172쪽), 이보다는 國學에서 수학한 사실을 말하는 것이라 하겠다. 특히 당의 사신 胡歸厚의 언급처럼 경문왕은 시문에 능통하였고(「숭복사비」 참조), 유학에 조예가 깊었다.

50) Vladimir Tikhonov, 1996, 앞의 논문, 54쪽.

近侍機構의 확장을 통한 개혁정치를 행하여 近親王族에 의한 국왕의 권력집중과 왕권강화를 끊임없이 시도하였다고[51] 하였다. 즉 9세기 중엽 이후 근시기구를 확장하면서 內朝의 강화에 집착해 있던 국왕들은 진골귀족 세력의 포위망 속에서 벗어나려고 했는데, 이것은 바로 6두품 출신의 정치적 입장과 합치되는 점이었다. 그들은 진골귀족 만능의 골품체제에 대한 불만을 품고 있었으므로 그들이 결탁해야 할 대상은 국왕 밖에는 달리 없었다.[52] 한편 국왕의 입장에서 볼 때 6두품 출신 유학자들이 주장하는 유교정치 이념은 왕권강화를 이론적으로 뒷받침해 주었다. 바로 여기에 6두품출신 유학자를 주축으로 한 문한기관이 확장되어 간 원인을 찾을 수 있다.[53]

특히 경문왕 후반기에 들어서면서 866년(경문왕 6) 10월 允興 형제의 반란과 868년(경문왕 8) 정월 金銳의 모반 이후 경문왕은 문한·근시기구를 설치하고 측근정치를 지향하면서 親弟 魏弘을 중용하고 경문왕가를 중심으로 권력 집중을 시도하였다는 보다 구체적인 견해도 제기되었다.[54] 아울러 경문왕은 위홍을 통하여 신라 고유사상을 강조하면서 왕실 권위의 회복과 왕권강화에 주력하였다고 한다. 그리고 「성주사낭혜화상비」에서 경문왕이 無染과 주고받은 대화에 근거하여 경문왕이 聖人의 정치를 하려고 노력한 것으로 이해한 견해도 있다.[55]

한편 경문왕은 能官人의 취지에서 유학적 능력이나 실무적인 행정능력이 뛰어난 6두품 신분들을 관직에 등용하려 하였고, 국학의 개편과더불어 6두품 신분을 통한 왕권강화에 노력한 것으로 보기도 한다.[56]

51) 이기동, 1978, 「나말려초 근시기구와 문한기구의 확장」 『역사학보』 77 ; 1984, 앞의 책, 231~304쪽.
52) 이기백, 1971, 「신라육두품연구」 『성곡논총』 2 : 1974, 앞의 책, 51~63쪽.
53) 이기동, 1996, 「신라 하대의 사회변화」 『한국사』 11, 국사편찬위원회, 43~44쪽.
54) 김창겸, 1988, 앞의 논문, 71~72쪽.
55) 김지은, 2002, 「신라 경문왕의 왕권강화정책」 『경주사학』 21, 49쪽.

결국 경문왕이 유교적 지식을 토대로 왕권을 강화하려는 노력은 유학지식인의 등용을 지향하고 있었으며 문한기구의 확장으로 나타났고, 이것은 당시 골품제적 지배원리의 포위망 속에서 벗어나고자 하는 6두품 신분들은 진골귀족에 반대한 것이지 국왕에게는 반대하지 않았기 때문이며, 中事省과 宣敎省을 통해 국왕 측근의 관료집단을 형성하여 왕권강화에 주력하였다고 한다.[57] 또 유학에 관심을 가졌던 경문왕은 국왕에게 경의를 강하기 위해 일종의 경연관이었던 侍讀을 설치하였고, 중국제도의 영향을 받은 宰相制度의 도입, 行守制의 확대, 새로운 官階의 시행 시도, 관직명의 중국적 개정 등을 통해서도 새로운 정치 운영을 모색한 흔적이 보인다는 주장도 있다.[58] 그리하여 경문왕은 제도적 변혁을 통하여 정치체제의 정비를 꾀하는 것으로써 唐制를 수용하고 경덕왕대의 개편된 관제를 복구하려는 방향이 있었다고 보기도 하였다.[59]

한편 이러한 관제의 변화와 함께 경문왕 자신과 왕실의 호칭에 대한 격상을 통하여 국왕의 위상과 왕실의 권위를 제고하고자 노력하였다는 이채로운 주장도 있다. 경문왕이 직접 황제를 칭한 기록은 없으나, 890년(진성여왕 4) 건립된 「月光寺圓朗禪師塔碑」에는 그를 '皇王'으로 표현하였고, 그의 아내를 「開仙寺石燈記」에는 '文懿皇后'와 『삼국유사』 王曆에는 '文資皇后'라고, 또 왕위계승자 아들 晸을 太子, 아우 魏弘을 太弟, 누이를 '端儀長翁主'라 하여, 황제체제의 친족용어를 사용한 것에서 볼

---

56) 전미희, 앞의 논문.
57) 김지은, 앞의 논문, 52쪽.
58) 이문기, 1996, 「신라의 문한기구와 문한관」 『역사교육논집』 21, 117~119쪽.
59) 이기동, 1984, 「나말려초 근시기구와 문한기구의 확장」, 앞의 책, 231~280쪽. 특히 전기웅은 경문왕의 번영과 안정은 경문왕 왕실 혈통의 신성의식과 고유신앙적 요소의 강화와, 유교적 지식인층이 앞장서서 추진하였던 중국 문물과 제도의 수용을 통한 변혁의 시도라는 두 가지 경향이 조화를 이루고 보완관계를 유지할 수 있었기 때문이라 하였다(전기웅, 1996, 「신라 말기 정치사회의 동요와 육두품지식인」 『나말려초의 정치사회와 문인지지층』, 혜안, 26~27쪽).

때, 경문왕이 帝王의 지위를 가졌던 것을 알 수 있고, 이것은 경문왕가 왕실은 진골왕족이나 진골귀족들보다 초월화한 지위를 가졌던 것을 보여주는 것이라고 하였다.[60]

아울러 경문왕은 중국의 당 및 일본과 외교를 통해 왕권을 강화하려고 했다는 이야기도 있다. 당에 대한 빈번한 조공, 일본과 접촉, 특히 869년(경문왕 9) 당에 사은사를 파견할 때 많은 종류의 진귀한 방물을 보내는 등의 기사에서 외교적인 방도를 통하여 왕권 안정 및 강화를 일면 모색한 것으로, 대외적으로는 당과 외교강화 및 일본과 외교적 접촉을 통하여 강력한 왕권의 이상 실현을 추구하여 가던 시기로 보기도 하였다.[61]

3. 사상 종교 이용

경문왕과 그 시대를 종교 사상 측면에서 분석한 노력도 있었다.

경문왕은 불교에 비교적 관심을 많이 보였다. 이미 즉위전부터 그가 이끄는 화랑의 무리에는 興輪寺의 範敎師 등 승려가 속해 있었을 뿐만 아니라, 즉위후에는 864년 感恩寺에 행차했고, 866년 皇龍寺에 행차해 燃燈을 보기도 했다. 그리고 871년에는 황룡사9층탑을 개조하였다. 이처럼 경문왕은 불교계와도 깊은 관계를 맺었으며, 이 시기에는 중앙과 지방에서 많은 불사가 이루어 졌다. 그리하여 경문왕의 불교정책에 대하여 관심을 가진 연구가 있었다.

그 중에는 전국 불교계의 정신적 중추의 역할을 담당하던 황룡사를 통해 불교계의 정비를 이루고자 한 것이란[62] 견해가 있다. 또 지방 禪門에 대한 願塔을 건립하는 과정에서 경문왕이 왕실과 대립관계에 있으면

---

60) 김창겸, 1999, 「신라 원성왕계 왕의 황제·황족적 지위와 골품 초월화」『백산학보』 52, 841~872쪽.
61) 정원경, 앞의 논문, 100쪽 ; 전미희, 앞의 논문, 56~57쪽.
62) 조범환, 1999, 「신라 하대 경문왕의 불교정책」『신라문화』 16, 35~36쪽.

서 선문과 밀착되어 있는 낙향 귀족을 포함한 지방 호족세력을 회유하
고, 또한 지방 세력을 형성하고 있는 선사를 왕실에 봉사하여, 왕실은
반기를 들 가능성이 있는 중앙 귀족 세력을 견제하려는 목적으로 禪師
들과 긴밀한 관계를 맺음으로써 왕권강화를 도모했다는 주장도 있다.[63]

그 방법으로 경문왕은 당시 여러 선사들과의 관계를 유지하려 하였
고 禪宗을 적극 이해하면서 敎宗과의 융화를 시도하였다는 주장이 있
다.[64] 반면에 당시 중앙보다 지방에서의 佛事 활동이 더 활발하게 이루
어지는 이유를 당시 지방에서 眞表系의 미륵신앙이 확산되는 것을 방지
하고 그것을 수용하려고 노력하면서, 또한 황룡사를 중시하고 화엄종의
재편을 추진하였으며, 禪僧을 國師로 임명하여 선종불교에 대한 회유를
꾀하여 왕권의 안정을 추구한 것으로[65] 파악하기도 하였다. 이처럼 사
상적인 면에서 경문왕계 왕들은 사찰의 檀越이 되어 불교를 중흥시킴은
물론 당시 불교지도자인 선사들과의 결합을 통해 유교와 더불어 피폐해
진 정신세계를 충족시켜 왕권강화라는 측면을 한층 심화시키는 계기를
삼았다고 보았다.[66] 결국 이들 연구의 대체적인 결론은 경문왕이 불교
계의 재정비를 통하여 왕권의 안정을 꾀하였다는 것이다.[67]

잘 알듯이 신라말에 이르러 유교사상은 불교·풍수사상 등 여러 종교
와 갈등을 일으키기 보다는 서로 융합되어 있었다.[68] 사실상 신라 말의
유교는 불교 외에도 노장사상 및 도교의 영향을 받았고, 선종의 새로운
지적 훈련을 받는 등 그 정신세계의 변동은 결국 3교의 융합된 관념형

---

63) 김두진, 1973, 「낭혜와 그의 선사상」『역사학보』 57, 38쪽 ; 정원경, 앞의 논
    문, 99~100쪽.
64) 한기문, 1983, 「고려태조의 불교정책」『대구사학』 22, 41쪽.
65) 조범환, 1999, 앞의 논문.
66) 박경식, 1996, 「통일신라 석조미술 연구」, 학연문화사, 379쪽.
67) 김지은, 앞의 논문, 38쪽.
68) 최영성, 1990, 『최치원의 사상연구』, 아세아문화사, 63쪽 ; 김영미, 1999, 「신
    라 하대 유불일치론과 그 의의」『백산학보』 52, 897~922쪽.

태라는[69] 지적은 적절하다. 사실상 경문왕이 헌안왕과의 현답을 중심으로 하여 그의 사상이 유·불뿐만 아니라 도가적 측면도 지니고 있으며, 경문왕이 주장하였던 유·불·선의 융화를 강조하면서, 유·선의 經書를 똑같이 '漢學'으로 공부하며 전제왕국의 사회질서를 확립하기 위해서 兩家의 윤리의 실천을 장려하였던 것은[70] 의미심장한 지적이다.

그런데 특히 경문왕의 사상적 배경에서 관심을 끄는 부분이 도가적 요소와 고유신앙이라는 면이다. 경문왕이 즉위하기 이전에 화랑으로서 四方遊學한[71] 것과 풍류에 떨쳤다는 기록에서 그가 신라 고유적 사상을 가졌던 것은 충분히 짐작되는 것이다. 이것은 최치원이 경문왕을 三敎를 융화한 사람으로 평가한 것에서도, 道家的인 면도 있었음은 사실이라 하겠다.[72] 여러 학자들의 연구에 의하면 노장사상은 6세기 초엽부터 신라에 유입되어,[73] 7~9세기의 상류층의 교양의 필수적인 일부분이 되었고, 그래서 왕족 응렴도 적어도 도가철학에 대한 기본의 지식을 가지고 있었고, 이에 대한 깊은 조예도 있었을 가능성이 많다.[74]

결국 경문왕은 또 불교계에 대해서는 교종사찰에는 많은 조영활동이 이루어졌고 선종산문에 대해서는 회유책과 통제책을 취하였으며, 유교적인 측면에서는 유학진흥책과 함께 문한기구와 근시기구를 확장시켰으며, 친제 위홍을 통해서는 경문왕 가계의 신성의식과 신라 고유신앙적 요소를 고양시키면서 왕권강화에 주력하였을 것이란[75] 견해도 제기

---

69) 김철준, 1962, 「신라 귀족세력의 기반」『인문과학』 7, 서울대학교, 270~271쪽.
70) Vladimir Tikhonov, 앞의 논문. 43~65쪽.
71) 화랑도의 유람의 풍습은 土着信仰(山神·天神의 숭배)에 기인한 것이며, 국선의 유학의 진리탐구적 기능은 儒·仙思想이 한반도에 전파되어서 고유신앙과 융화됨에 따라서 생겼을 것이라 견해가 있다(Vladimir Tikhonov, 앞의 논문, 51쪽 주22).
72) 응렴이 헌안왕에게 이야기한 미행은 도가적 색채를 띤 것이라 한다(Vladimir Tikhonov, 앞의 논문, 58~59쪽).
73) 정경희, 1990, 『한국고대사회문화연구』, 일지사, 203쪽.
74) Vladimir Tikhonov, 앞의 논문, 63쪽.

되었다.

한편 경문왕은 범원성왕계의 연합을 추구하여 이것이 어느 정도 성
공하자, 이제는 새로운 왕실로서 경문왕가의 권위를 높이고자 신성화
작업에 들어갔다. 그 중에서도 이채로운 견해가 있다. 그 핵심은 경문왕
이 중국적 禮制의 수용을 상징하는 '少昊金天氏 出自說'을 다시 표명함
으로써 閼智에서 연원을 구하는 '天降金櫃說'을 내세웠던 기존의 왕실
과 여타 김씨세력과의 차별성을 강조하고 새로운 시대의 등장을 선언하
고자 했다는[76] 것이다.

이러한 연구들은 경문왕대는 前代와는 달리 신라 정치사에 있어서
안정 내지는 나아가 왕권의 강화가 있었음을 드러내고자 한 것이다.

Ⅳ. 연구 한계와 새로운 제안

경문왕대는 신라 하대사에서 하나의 중요한 전환점이다. 그리하여
이미 경문왕과 그의 시대에 대한 많은 관심과 연구가 있었고, 앞에서 기
존 연구들의 주요 내용을 살펴보았다. 그 결과 우리는 지금까지 연구들
이 대부분 경문왕에게 긍정적인 해석과 의미 부여를 강조하고자 한 것
을 알 수 있다. 그것은 신라의 멸망을 필연적인 것으로 이해하려니, 곧
뒤이어지는 진성여왕과 박씨왕대에는 총체적으로 신라사회가 대단히
혼란하였음을 강조하고자, 앞 시기인 경문왕과 헌강왕대는 나름대로 태
평성대로 대비되게 본 결과라고도 하겠다.

그러나 기존의 연구를 살펴보면, 연구자간에 많은 부분에서 의견을
같이하기도 하지만, 의견을 달리하는 사항도 제법 있다. 심지어는 '강력

---

75) 김지은, 앞의 논문, 31~56쪽.
76) 이문기, 1999, 「신라 김씨왕실의 소호금천씨 출자관념의 표방과 변화」『역
사교육논집』23·24합집.

한 전제왕권'을 추구하였다는 등 과장된 평가도 있었음을 보았다. 그렇기 때문에 기왕의 연구가 가지고 있는 한계를 살펴보고, 나아가 보다 객관적인 평가를 위해서는 다양한 방법과 각도에서 검토와 분석이 필요하다. 필자는 이러한 의도에서 약간의 제안 내지는 연구의 가능성을 언급해 보겠다.

앞에서 살펴보았듯이, 경문왕 연구에서 아직까지 논란이 있는 것들이 제법 있다. 우선 그의 신분에 대하여 진골인가 비진골인가부터 정리되어야겠다. 이에 대해 필자는 신라 왕위계승에서 골품제 규제는 효공왕 이전까지는 유효한 것으로 파악하였듯이,[77] 아직 신라의 골품제가 완전히 소멸되지 않았고, 또 경문왕은 아버지 啓明이 희강왕의 아들이고 어머니가 신무왕의 딸로 6촌 남매간의 근친혼에 의해 출생한 禮英系 왕족이므로 진골로 보는 것이 순리라고 생각한다.

또 경문왕의 즉위시 나이가 16세인지 21세인지도 합의를 보지 못했다. 필자는 이에 대해서는, 응렴이 화랑도에 처음 들어간 것은 15세로 보아도 될 것 같고, 18세에 國仙이 되었고, 弱冠에 이르러 임해전의 연회에 참석하여 혼인한 뒤, 다음해 21세에 즉위한 것이라 보아도 될 것 같다는 절충안을 제기해 본다.[78]

그리고 응렴에게 헌안왕의 맏공주와 혼인할 것을 강권한 범교사가 왜 흥륜사 소속의 승려인가에 대한 것이다. 잘 알다시피, 흥륜사는 신라 최초의 사원이며, 법흥왕의 발원에 의해 개창되어 진흥왕 때에 완성된 중고기 초엽의 대표적인 왕실사찰로서, 법흥왕의 원찰로서 출발하였다. 흥륜사의 승려들은 화랑과 긴밀한 모습을 모였다. 흥륜사 승려 眞慈師

---

77) 김창겸, 1999, 「신라 하대 효공왕의 즉위와 비진골왕의 왕위계승」『사학연구』 58·59합집.

78) 이 연회에 응렴의 참여가 冠禮의 성격을 지녔다는 사실을 암시해 주는 것이라 하면서, 응렴의 사회진출 연령은 20세라는 주장도 있다(Vladimir Tikhonov, 앞의 논문, 51쪽).

가 未尸郎을 찾고 그를 측근에서 모셨으며, 흥륜사 승려 安臧은 법흥왕 갑진년에 서석곡을 찾고 진흥왕 즉위후 大書省에 발탁되었다는 기록이 있다.[79] 흥륜사는 이처럼 중고기까지 왕실과 밀접하였으나, 중대에는 침체되었으며, 하대에 다시 부각되었다. 원성왕대에는 흥륜사에서 殿塔을 도는 福會와 관련한 '金現感虎'설화가 『삼국유사』에 전한다.

또 최근 연구에 의하면, 하대에 이르면 불교 공인 공덕을 내세워 왕실의 권위를 강조함과 동시에 새로 수용된 禪宗의 대두에 대응하기 위해 興輪寺를 중심한 불교 교단을 재정비하면서 그 위상이 강화되었다고 한다. 특히 하대에는 흥륜사 金堂 十聖이 봉안되었는데, 봉안사업은 국왕의 지원으로 이루어졌다고 한다.[80] 이처럼 흥륜사는 신라왕실에 중요한 사찰 중의 하나였으며, 아마 흥륜사의 승려들은 화랑도와 밀접한 관련이 있었고, 이들은 국선을 받들고 이끌어가는 역할을 하였던 것이라 하겠다. 이러한 역사적 배경에서 응렴도 화랑으로서 흥륜사 승려인 範敎師와[81] 밀접한 관계에 있었던 것으로 추측된다.

한편 경문왕의 즉위에 막강한 영향력을 행사한 것으로 보이는 아버지 계명의 시중 재임 시기 및 정계 활동과 사망 시기에 대해 의견이 분분하다. 그 이유는 계명은 848년(문성왕 10)에 시중에 임명되었으나, 862년(경문왕 2) 1월에 魏珍이 임명될 때까지 또다른 시중의 임면기사가 보이지 않는다. 그래서 계명이 862년 1월까지 시중에 재임한 것으로 볼 수도 있다. 그러나 상식적으로 생각하건대 아들이 왕으로 즉위하였는데 왕의 아버지가 그 밑에서 시중이라는 일개 관료로서 재임한다는 것은

---

79) 박남수, 2008, 「울주 천전리 서석명에 나타난 진흥왕의 왕위계승과 입종갈문왕」 『한국사연구』 141, 40쪽 주119.

80) 한기문, 2002, 「신라 하대 흥륜사와 금당 십성의 성격」 『신라문화』 20, 171~195쪽 ; 곽승훈, 2002, 『통일신라시대의 정치변동과 불교』, 국학자료원, 194쪽 ; 최인표, 2007, 『나말려초 선종정책 연구』, 한국학술정보, 60쪽.

81) 한편 範敎師는 단순한 인명이라기보다 자구에서 보건대 흥륜사 또는 낭도들의 규범·규율을 담당한 스승격의 승려이자 화랑이었던 것으로 보인다.

납득하기 어렵다. 그래서 계명은 문성왕·헌안왕대에 걸쳐 14년간, 즉 헌안왕 말년(861)까지 시중직에 있었으나, 아들 응렴의 즉위로 물러나지 않을 수 없었다고 추측하였다.[82]

그런데 「숭복사비」에는 경문왕이 즉위에 앞서 八柄을 장악했다고 말하고 있어, 응렴이 즉위전에 이미 집권하여 宰相의 권한을 행사한 것으로 해석된다. 그렇다면 이것은 일반적으로 연구자들 사이에 응렴이 즉위시 나이가 어려 직접 집권한 것이 아니고 실권은 그의 아버지 계명이 장악하고 있었다는[83] 주장과는 차이가 있다. 이것에 대한 적절한 해석이 필요하다. 즉 경문왕이 즉위한 지 1년이 지난 뒤에야 시중을 임명한 사실에 대한 적절한 해석이 있어야 한다는 것이다. 1년간 시중이 공석이었는가? 응렴이 헌안왕의 사위가 되어 즉위 전에 이미 팔병을 장악하였다는 것은 그가 태자와 같은 지위에 있어 외형상 권한을 행사한 것을 의미한다. 그러나 실제는 시중 계명이 실권을 막후에서 행사하였고, 경문왕 즉위후 비록 계명이 시중에서 물러났지만 후견인 노릇은 한동안 계속한 것으로 보인다.[84]

그러면 그 기간이 얼마나 되었을까? 金昌謙은 865년(경문왕 5)까지를 경문왕 전기라고 하면서 '계명생존기'라고 하였다.[85] 즉 계명의 大王 추봉과 태자 책봉 등이 866년(경문왕 6)에 이루어졌기에, 이때 경문왕의 친정체제가 시작된 것으로 보아, 직선인 865년(경문왕 5)까지 계명이 생존했던 것으로 본 것이다. 그러나 과연 계명이 경문왕 5년에 사망했는지

---

82) 이기동, 1984, 「신라 하대의 왕위계승과 정치과정」, 앞의 책, 169쪽 ; 전기웅, 1989, 앞의 논문, 20쪽.
83) 최병헌, 앞의 논문, 491~492쪽.
84) 계명의 사망 시기를 분명하게 언급한 기록이 없다. 그래서 경문왕의 즉위 후에 한동안 후견인 노릇을 하다가 죽은 것으로 추정하고 있다. 신라시대 새로 즉위한 왕이 亡父에 대한 추봉이 대체로 신왕 즉위 2년 1월에 행해지는 것인데, 김계명은 경문왕 6년(866) 1월에 의공대왕으로 추봉된 것으로 보아 그 전년에 졸거한 듯하다(이기동, 1984, 앞의 책, 169쪽 주84).
85) 김창겸, 1988, 앞의 논문.

문제는 좀더 고려해 볼 필요가 있다. 왜냐하면 경문왕 5년(함통 6, 865) 唐 毅宗이 보낸 胡歸厚가 도착하여 경문왕을 신라왕으로 책봉하였기 때문이다. 이에서 의례상 당으로부터 책봉을 받은 다음해(경문왕 6) 1월에야 비로소 아버지 계명을 추봉한 볼 것으로 수도 있다. 즉 계명은 실제는 이보다 앞서 졸거했을 가능성이 있다.

한편 경문왕의 왕권강화에 대한 기존 연구는 다른 시각에서의 이해가 필요하다. 더구나 신라사에서 경문왕대의 시대적 상황에 부정적인 시각도 있다. 경문왕을 이은 헌강왕대에 자신들은 태평성대라 자찬했으나, 이것은 왕경 귀족들의 생활이 사치와 퇴폐가 극해 달해 '병든 도시'의 타락한 모습을 보여주며,[86] 또 비록 신라가 아직 파멸이라는 큰 태풍권 내에는 들어있지 않았지만 헌강왕대의 小康은 말하자면 폭풍전야의 일시적인 고요에 지나지 않았고 지방은 신라로부터 이탈하여가는 붕괴과정을 거닐고 있어,[87] 곧 신라 멸망의 전조라는 해석 등이 그것이다.

무엇보다도 종래 연구와는 관점을 달리 하여, 경문왕의 개혁정치는 오히려 그 자체에 많은 문제점을 가졌던 것으로 볼 필요도 있다. 사실상 경문왕의 개혁정치에도 문제점을 내재한 것에 대한 지적이 이미 있었다. 경문왕의 측근정치의 지향은 근본에 있어 진골 귀족의 합의제를 그 기본원리로 하는 골품제적인 정치운영 방식과는 배치되는 것이라,[88] 당시 현실을 무시한 지나친 왕권강화의 추구가 도리어 지지층의 이탈을 초래하였을 것으로 해석된다.

경문왕대에 모반사건이 세 차례나 있었는데, 이처럼 다른 귀족들의 왕위에 대한 도전이 끊임없이 계속되는 불안정한 상태에서 과감한 정치개혁을 추진할 수는 없었다는 것이다. 특히 경문왕이 아들 晸을 태자로

---

86) 이우성, 1969, 「삼국유사소재 처용설화의 일분석」『김재원박사회갑기념논총』, 을유문화사, 116쪽.
87) 이종항, 앞의 논문, 10쪽.
88) 이기동, 1980, 「신라 하대의 왕위계승과 정치과정」『역사학보』 85, 31쪽.

책봉하고 왕위계승자의 지위를 확고히 해나가자, 즉 헌안왕과 부계를
달리하는 경문왕이 즉위하고 또 부자계승을 고수하자 왕위계승에 대한
조금의 기회마저도 완전히 상실하게 된 다른 소가계의 왕족과 귀족들의
반발이 표출되었다.

그리고 설화적인 형태로 기술되어 있어 긍정적인 것으로 이해되고
있는 경문왕이 맏공주와 혼인함으로써 얻었다는 세 가지 이익이라는 것
도 달리 생각해 볼 여지가 있다. 경문왕이 즉위후 둘째 공주마저 왕비로
취하는[89] 행운을 가졌다고 했으나, 이것은 오히려 왕위계승의 합리화를
꾀하면서 다른 왕족에게 왕위계승에 대한 가능성마저 주지 않고자 헌안
왕의 딸 모두와 중복 혼인한 것이다. 즉 둘째 공주를 다른 유력한 세력
이 취할 경우 그 세력이 왕위계승권을 내세울 여지를 원천적으로 없애
버린 것으로 해석해 볼 수도 있겠다. 그리고 이것은 타가계에게 왕실과
의 혼인을 통한 권력의 약간 분배와 공유마저도 허용하지 않고 왕과 태
자 그리고 太弟 宰相인 魏弘 등 경문왕 측근만이 권력을 독점함으로써
지지세력의 협소화를 낳아 왕실의 고립화를 낳았던 것이다.

또 경문왕이 왕위쟁탈전의 근본적인 원인이 되는 좁은 범위의 족벌
의식을 벗어난 것도 아니었기에, 경문왕에게 있어서 유교정치사상에 대
한 이해도 보다 진전된 사회의 운영원리로서가 아니라 그것을 외면한
채 시문이나 짓는 것으로써 만족하는 것이었다는[90] 것이다. 즉 경문왕
이 추구한 왕족의 연합과 유교정치사상에 의한 개혁정치는 한계가 있다
는 지적이다.

곧 경문왕대에 시도한 개혁정치는 골품제적 정치운영의 탈피에 그

---

89) 868년(경문왕 8)에 건립한 「개선사석등기」의 문구 '景文大王主 文懿皇后主
   大娘主'에서 大娘主를 경문왕의 큰딸 진성여왕(北宮長公主)이라고 해석하
   는 것이 일반적이나, 경문왕 3년에 혼인한 次妃(헌안왕의 둘째 공주)라는
   해석이 있어 흥미롭다(김창겸, 1994, 『신라하대왕위계승연구』, 성균관대학
   교 박사학위논문, 44쪽 : 2003, 앞의 책, 63쪽).
90) 최병헌, 앞의 논문, 491~494쪽.

목표를 두고 있었다.[91] 그럼에도 당시 중국 당의 새로운 문물과 제도를
섭렵한 新進知識人層이 대두하여 활동하던 시대적 상황과는 너무 거리
가 멀다고 할 수 있는 親弟 魏弘을 중심으로 한 측근정치를 통한 왕권강
화 시도는, 일부 6두품 출신의 唐에 다녀온 儒學知識人들에게 翰林과 같
은 문한직과 근시직에 진출함으로써 호기가 되었을지언정,[92] 왕실에서
멀어진 다른 많은 진골귀족들과 국내에서 성장한 대부분의 6두품 지식
인은 오히려 반발하였을 것이다. 9세기 경문왕대는 물론 신라 말에 6두
품 출신 유학지식인들은 신진세력으로서 골품제적 특권을 유지하려 한
보수적인 진골귀족들과 대립하였다는, 즉 골품제의 모순에서 6두품과
진골의 대립이라는 단순한 이해는 지양되어야 하겠다. 해외파와 국내파
등 보다 여러 형태의 인물군에 대한 다각적 해석이 필요하다. 또 6두품
의 정치사회적 성장이 곧 경문왕의 왕권강화를 의미하는 것인지에 대해
서도 심도 있게 고려해야 할 듯하다.

경문왕대와 그 이후 시기의 정치사에서 중요한 위치에 있었던 위홍
의 역할과 그에 대한 평가는 일정하지 않다. 잘 알듯이 『삼국유사』 '진
성여왕거타지'에서 '진성여왕의 유모 鳧好夫人과 그 남편 魏弘 匝干 등
3·4 寵臣이 더불어 權勢를 잡고 政事를 휘두르니, 도적이 벌떼와 같이
일어났다.'고 하여 매우 부정적인 평가를 하였다. 그러나 최근에 위홍에
대한 언급이 있는 금석문 자료가 나타나면서 그에 대한 다양한 추측이
있다. 먼저 그가 경문왕의 친아우라는 사실이 밝혀짐으로써 헌강왕·정
강왕 및 진성여왕의 叔父로서 이들 왕을 잘 보좌한 당시 정치사에서 핵
심 인물이었을 것이란 평을 하게 되었다.

그러면서 위홍이 왜 왕위에 오르지 못했고, 정치적 역할이 어떠했던

---

91) 이문기, 1996, 「신라의 문한기구와 문한관」 『역사교육논집』 21, 126쪽.
92) "臣竊以東人西學 惟禮與樂 至使攻文以餘力 變語以正音 文則俾之修表章
陳海外之臣節 語則俾之達情禮 奉天上之使車 職曰翰林 終身從事 …"(「遣宿
衛學生首領等人朝狀」 『東文選』 권47).

가에 대한 것이 논의되었다. 신라 하대에 왕위에 오를 정당한 계승자가 없을 경우에는 상대등은 왕위계승의 제1후보자로 간주되거나, 능히 실력으로 후계자가 될 수 있는 존재였다는 주장에 따르면,[93] 경문왕의 친제이며 정강왕 때 왕위계승 서열에서 왕의 숙부이자 상대등으로서 가장 유력한 위치에 있었던 위홍은[94] 현실적인 정치적 지위나 군사력에서 왕위계승을 주장하거나 찬탈하였을 것이나 그렇지 않았다. 오히려 위홍은 경문왕과 그 자식들의 재위기 동안 왕정의 협조자로서 역할을 하였다. 앞에서도 언급하였듯이, 위홍은 경문왕대에는 개혁정치에 핵심 인물로서 왕권강화를 도왔다. 871년(경문왕 11) 太弟 相國으로서 경문왕의 초빙을 받고 왕경에 올라온 無染을 맞이하였고, 또 경문왕으로부터 황룡사9층탑 중수를 명받아 上宰相 伊干으로서 공사책임자가 맡았으며, 다음해 중수를 완료할 시에는 監修成塔事 守兵部令 平章事 伊干이었다. 그리고 헌강왕이 즉위하자 상대등에 임명되어 왕정을 도왔다. 그리하여 최근에는 헌강왕이 月上樓에 올라 太平聖代를 논하면서 이것은 卿들이 보좌한 힘이라고 했는데, 가장 큰 공은 위홍이었다는 추측도 있다.[95]

다만 정강왕대 위홍의 정치적 위상에 대해서는 상반된 견해가 있다. 헌강왕대와 마찬가지로 계속 지위를 가졌다는 견해와[96] 정강왕 즉위 이후 위홍은 상대등의 지위에서 물러났을 가능성이 크다는 주장이 있다.[97] 그러면서 종실의 대신으로서 왕의 숙부로서 진성여왕 즉위 직후

93) 이기백, 1974, 「상대등고」, 앞의 책, 120쪽.
94) 이배용, 1985, 「신라 하대 왕위계승과 진성여왕」『천관우선생환역기념 한국사학논총』, 351쪽.
95) 권영오, 2004, 「김위홍과 진성왕대 초기 정국운영」『대구사학』76, 47쪽.
96) 헌강왕대 왕의 숙부로 상대등이었던 김위홍은 정강왕이 즉위한 뒤에도 계속하여 상대등직을 수행하였으며(김창겸, 앞의 책, 237쪽 주19), 진성여왕 즉위후 정강왕 때에 누렸던 세력을 만회하기 위한 위홍의 접근으로 여왕의 남편이 될 수 있었고(이배용, 앞의 논문, 350쪽), 진성여왕은 헌강·정강왕 때처럼 훌륭한 업적을 보인 김위홍에게 정국운영을 믿고 맡겼다(권영오, 2004, 앞의 논문, 54쪽).

에 夫君 역할을 하며 정치를 장악하거나,[98] 정국운영에 적극 협조하여 攝政의 역할을 한듯하다고[99] 추측되고 있다.

한편 경문왕의 사상 종교 이용에 대해서도 생각해 볼 여지가 있다. 그가 취한 정책과 태도는 오늘날 우리가 나누듯이 유교적인 면, 불교적인 면, 도교적인 면 내지 고유사상적인 면으로 구분된 것은 아니었다. 이 모두가 복합된 것이었다. 최치원조차도 「지증대사탑비문」에서 경문왕은 삼교를 융화한 분이라고 평가하였던 것이다. 응렴이야말로 최치원이 「鸞郎碑序」에서 말한 '우리나라에 玄妙한 道가 있으니 이것을 일러 風流道라 하는데, 이 가르침의 연원은 仙史에 상세히 실려 있거니와, 근본적으로 세 교를 포함하고 있다.'고 한 것과 같은 것이다.[100] 그러므로 경문왕의 사상종교계에 대한 태도는 사상의 습합이라는 것을 고려하여 복합적이고도 종합적인 분석이 요구되는 것이라 하겠다.

아울러 경문왕과 화랑의 관계에 대해서는 그의 즉위과정에서 세력으로 작용하였을 것이라거나 그가 화랑의 생활을 하였기에 도교나 고유신앙적인 면이 강했다는 근거로 이야기되고 있다. 그렇지만 경문왕 즉위 후 당시 화랑인 邀元郎·譽昕郎·桂元·叔宗郎 등이 金蘭에 유람하여 경문왕을 위해 나라를 다스리려는 뜻을 가지고 노래 3首를 지어 大矩和尙에게 보내어 3歌를 짓게 하자 경문왕이 크게 기뻐 칭찬한 것에 대한 정치적 해석이 필요하다. 즉 당시 화랑 전체를 대표하는 화랑도 지도자 4인이 모여 경문왕에 대한 지지를 결의하고 화랑세력의 결속을 다지는 대

---

97) 이문기, 2007, 「최치원찬 9세기 후반 불국사 관련자료의 검토」『신라문화』 26, 254쪽

98) 전기웅, 1989, 앞의 논문, 12쪽.

99) 김창겸, 1999, 「신라 하대 효공왕의 즉위와 비진골왕의 왕위계승」『사학연구』 58·59합집, 418쪽 주25 ; 권영오, 앞의 논문, 50쪽.

100) "國有玄妙之道 曰風流 設敎之源 備詳仙史 實乃包含三敎 接化群生 且如入則孝於家 出則忠於國 魯司寇之旨也 處無爲之事 行不言之敎 周柱史之宗也 諸惡莫作 諸善奉行 竺乾太子之化也"(『孤雲集』 권3).

집회라고 볼 수도 있고,[101] 나아가 경문왕이 화랑의 무리를 자신의 통치
와 왕권강화의 외곽 후원집단으로 이용하면서 여론을 호도하는 공작정
치를 편 것으로 추측해도 되겠다. 그리고 경문왕이 거느렸고 지원해준
화랑이라는 것도 다른 귀족세력들의 도전을 물리칠 수 있는 자신의 물
리적인 기반, 즉 사병적인 군사 기반이었던 것이라 보겠다. 그러나 경문
왕이 이른바 '당나귀 귀 설화'에서, 바람이 불면 '임금님 귀는 당나귀'라
는 외침이 들리는 대밭을 베어내는 행위는, 진실을 말하는 중의와 여론
을 무시하고 탄압하는 권력의 상징으로 지나치게 화랑을 통해[102] 여론
조작과 공작정치를 편 것에 대한 비판을 의미하는 것은 아닌지?

한편 당시 진골귀족세력과 왕권의 강약의 정도에 대해서는 연구자간
에 차이가 있으며, 또 경문왕의 개혁정치가 그처럼 훌륭한 것이었고 성
공적이었다면 그 뒤에 왜 신라 정치사회는 더욱 어려워지고 말기적인
현상을 보이게 되며, 더욱이 왕위마저도 김씨에서 박씨로 변하게 되었
는지 등 생각해야 될 것들이 많이 따른다.

왕위계승을 둘러싸고 혼란을 거듭하며 제 위치를 찾지 못하였던 하
대 왕실의 한계를 극복하려는 노력으로 경문왕 이후에는 上代로의 복고
적 지향이라는 형태가 더욱 강화되고 있었다. 그러나 왕실의 上代志向
的 인식은 당시의 광범위한 사회의식의 성장과 고대적 체질에 반발하는
각 계층의 욕구에 역행하는 것으로서 명백한 한계를 갖는 것이었다. 비
록 경문왕과 헌강왕대는 어느 정도 효과를 거두어 왕경의 지배층은 번
영과 태평을 구가한 듯하였으나, 진성여왕의 즉위 이후 모순은 외부로
표출되어 지식층의 반발이 일어났고, 魏弘의 죽음과 함께 국정은 혼란
해지고 전국은 순식간에 반란의 물결에 휩쓸리고 말았다.[103]

101) 전기웅, 1994, 「신라 하대의 화랑세력」『신라문화』 10·11합집, 117~119쪽.
102) 이러한 설화의 분위기는 경문왕가의 화랑적인 요소가 왕경민에게 긍정적
    으로 받아들여지지 않았음을 의미하는 것으로 해석될 수 있다고 한다(전
    기웅, 1994, 앞의 논문, 127쪽).

결국 경문왕과 헌강왕대에는 사상과 종교적인 면에서 불교와 신진지
식인으로 대표되는 유학, 그리고 화랑으로 대표되는 仙道라는 三敎를
적절히 포용하여 안정을 이루려는 노력이 효력을 발휘하였으나, 점차
신라 고유신앙적 요소를 보다 중시하였고, 이러한 경향은 유조를 통한
진성여왕의 즉위에 이르러서는 다른 세력들의 이반현상을 나타나게 하
였다.[104]

그리고 경문왕과 헌강왕을 중심으로 한 문한기구와 근시기구를 통한
왕권의 강화 노력은, 반면에 진골귀족과의 연합을 해이시켜 왕실의 고
립화를 낳았고, 한편으로는 종래 진골 중심의 체제에서 입지를 넓혀 자
신들의 웅지를 펴보려던 신진 유학지식인들이 점차 한계를 절감해가고
있었다. 이러한 상황에서 詩文이나 즐기는 일개 文人으로 변한 국왕으
로서는 차츰 강도를 더해가는 혼란과 위기의 국면을 극복하고 타개하기
에는 한계가 있었다. 또 능관인정책을 통하여 실력있는 유학자에 대한
우대와 국학의 개편 등으로 많은 인재들이 배출되었지만, 실제 그들을
등용하는 데에는 진골세력의 반발 등으로 인하여 적지 않은 제약이 있
어, 경문왕의 왕권강화에는 한계가 있었을 것이다.[105]

이와 같은 한계로 인하여 경문왕과 그의 통치에 대하여는 이미 당대
인 866년 伊湌 允興과 동생 叔興·季興의 모역, 868년 伊湌 金銳·金鉉의
모반, 874년 近宗의 모역으로 표출되었다. 경문왕은 이러한 불만을 강력

---

103) 전기웅, 1994, 앞의 논문, 131쪽.
104) 경문왕의 부름에 응한 朗慧와 大通·智證 등이 왕실에 계속 머물지 않고
    산문으로 돌아갔으며, 그 뒤에는 아예 응하지도 않았고(김두진, 1996, 「불
    교의 변화」 『한국사』 11, 국사편찬위원회, 193쪽), 또 왕실의 선종에 대한
    정책은 진성여왕 이후 대규모 민중봉기가 일어나고 후삼국이 성립하면
    서 더 이상 진행하기 어려운 상황에 이른 듯하다(최인표, 앞의 책, 318쪽).
    그러나 이와 달리 선종산문이 지방보다는 중앙과 밀접한 관계를 가졌다
    는 견해가 제기되었다(조범환, 2001, 『신라선종연구』, 일조각). 그러므로
    왕실과 선종의 관계에 대한 종합적인 연구가 필요하다.
105) 전미희, 앞의 논문, 58쪽 주35 참조.

한 무력진압과 처벌로 일시 수습하였으나, 그것은 근원적인 해결책은 아니었다.

한편 당시 어려워진 사회경제적 사정에도 불구하고, 경문왕은 국학 幸行, 근시직 등용과 토목공사 등을 통해 왕권 강화를 꾀하려고 노력하였다. 계속되는 가뭄·홍수·유행병·병충해에 대한 근원적인 해결책을 찾지 못하고, 겨우 사자를 파견하여 위문하거나 구제하는 고식적인 방법에 그치며, 오히려 자신의 왕으로서 권위를 높이고자 修造役事를 벌여 많은 인적·물적 자원을 동원하였다. 그러나 잦은 사찰의 중수와 원탑의 건립 등 토목공사는 국가 재정을 더욱 궁핍하게 하였다. 또 자원 조달 요구에 견디지 못한 백성들은 流亡하여 신라사회를 혼란과 파탄으로 몰아가서, 신라 멸망의 한 가지 요인이 되었다.[106]

이상에서 검토하였듯이, 경문왕의 즉위와 왕권강화를 위한 노력은 이전 시기에 있었던 왕위를 둘러싼 갈등과 대립을 극복하고 경문왕가 왕통을 성립시켜 소강의 시대를 만들었다. 그러나 이것은 서산으로 넘어가는 석양과 같은 것이었다. 경문왕의 관제개혁과 토목공사, 여론 조작, 종교사상의 융합, 그리고 경문왕가라는 협소한 소가계에 의한 왕실 고착화는 다른 왕족과 귀족들의 반발을 초래하고, 유학지식인들마저 등을 돌렸다. 그리하여 경문왕은 노력에도 불구하고 하대 사회의 혼란을 수습하지 못하고 승하하였다.

이러한 개혁정치의 실패와 그에 따른 후유증은 경문왕 당대에는 물론 자식들인 헌안왕, 정강왕, 진성여왕이 재위한 시기에는 귀족들의 반란을 비롯하여 유행병의 만연, 홍수, 도적의 봉기 등에 따른 유이민의 발생과 그에 의한 골품제적 사회구조가 붕괴하는 신라사회에서 말기적 증상으로 표출되었다. 결국 경문왕과 그의 치적은 신라가 멸망으로 달려가는 과정에서 마지막 몸부림에 불과한 것이었다.

---

106) 김창겸, 1988, 앞의 논문, 74쪽.

V. 맺음말

지금까지 기왕의 경문왕에 대한 연구 현황과 그것이 갖고 있는 한계점을 살펴보고, 또 몇몇 가지 나름대로 생각을 적어보았다. 맺음말에서는 경문왕과 그 후손들이 재위한 시기에 대한 신라사에서의 시기구분과 이 시기에 대한 호칭 문제를 언급하는 것으로 대신하겠다.

경문왕과 그의 후손들이 재위한 시기는 신라사, 특히 신라 하대사에서 나름대로 특성있는 시기였다. 그래서 경문왕의 즉위를 기점으로 하여 신라 하대사를 시기 구분해 보기도 하였다.

李光奎는 혼인집단으로 대별하여 경문왕을 기점으로 하여 후기 내물집단(38대 원성왕~47대 헌안왕)과 하대 김씨왕실집단(48대 경문왕~56대 경순왕)으로 구분하였다.[107] 한편 金昌謙은 신라 하대의 왕통의 변천과 정치세력의 변화에 근거하여 크게 네 시기로 구분하였는데, 제3기를 경문왕~효공왕까지를 '景文王系期'라고 하였다.[108] 한편 李培鎔은 48대 경문왕에서 56대 경순왕까지는(53대 신덕왕은 헌강왕의 사위 자격으로 즉위) 경문왕 가계 중심의 왕위계승을 고수하였다고까지 하였다.[109]

또 시기구분과 더불어 경문왕의 즉위로 성립된 왕통을 특별히 '景文王家期' 또는 '景文王系' 왕실이라고 명명하기도 한다.[110] 그러나 과연

---

107) 이광규, 1976, 「신라왕실의 혼인체계」『사회과학논문집』 1, 서울대학교, 127~148쪽.

108) 하대의 제1기(37.선덕왕~43.흥덕왕), 제2기(44.희강왕~47.헌안왕), 제3기(48. 경문왕~52.효공왕), 제4기(53.신덕왕~56.경순왕)로 구분하였다(김창겸, 앞의 책, 336~340쪽). 하지만 여기서 金昌謙이 '景文王系期'라고 한 것에서 경문왕계는 단지 왕위에 오른 경문왕, 헌강왕, 정강왕, 진성여왕만으로 한정한 것이 아니라 경문왕의 아우 魏弘과 端義長翁主를 비롯해, 헌강왕의 자녀 義成王后·桂娥太后·효공왕 등 경문왕의 부계친 후손 모두를 포함하는 용어로 사용한 것임을 밝혀둔다.

109) 이배용, 앞의 논문, 352~354쪽.

110) 金基雄은 경문왕과 자녀인 헌강왕·정강왕·진성여왕, 손자인 효공왕이 왕

이 용어들이 타당한지는 좀 더 고려해 볼 필요가 있다. 경문왕과 그 자녀의 재위기만으로 한정한다면 경문왕가기도 괜찮은 용어이지만, 경문왕계라고 한다면 적어도 경문왕과 그의 아들 및 손자·손녀 등을 포함한 친족용어라야 하겠다.[111] 경문왕과 그의 자녀까지를 일컫는 가계를 표기하자면 차라리, 흔히 학계에서 인겸계·예영계·균정계·헌정계라 한 것 등에서 보듯이, 직접 왕위에 오르지 못한 경문왕의 아버지 啓明을 기준으로 하여, 친족상으로나 정치적 역학상 헌정계와 충공계의 혼인으로 탄생한 '啓明系'라고 할 수도 있겠다.[112]

위를 계승한 기간(861~911)을 '景文王家期'라고(전기웅, 1994, 앞의 논문, 123쪽 주34), 장일규는 경문왕계 왕실은 직계를 중심으로 한 왕위계승을 추구하였으므로, 헌강왕의 서자 효공왕을 제외한 헌강왕·정강왕·진성여왕을 '景文系 王室'이라고 하였다(장일규, 앞의 논문, 36쪽 주1).

111) 김창겸, 앞의 책, 335~364쪽 참조.
112) 김창겸, 2006,「확대되는 한국고대사, 2005년 회고와 전망」『역사학보』171, 44쪽.

참고 논저

1. 저서

강진철, 1980, 『고려토지제도사연구』, 고려대학교출판국

경주시, 1971, 『경주시지』

고유섭, 1975, 『한국탑파의 연구』, 동화출판공사

곽승훈, 2002, 『통일신라시대의 정치변동과 불교』, 국학자료원

권덕영, 1997, 『고대한중외교사』, 일조각

권덕영, 2015, 『한국의 역사 만들기 그 허상과 실상』, 새문사

권영오, 2011, 『신라 하대 정치사연구』, 혜안

김갑동, 1990, 『나말려초의 호족과 사회변동연구』, 고려대학교출판부

김두진, 2007, 『신라 하대 선종사상사 연구』, 일조각

김두헌, 1980, 『한국가족제도연구』, 서울대학교출판부

김수태, 1996, 『신라중대정치사연구』, 일조각

김창겸, 2003, 『신라 하대 왕위계승 연구』, 경인문화사

김창겸, 2018, 『신라와 바다』, 문현

김태식, 2002, 『화랑세기, 또 하나의 신라』, 김영사

김환대, 2009, 『신라왕릉의 십이지신상』, 한국학술정보

나희라, 2003, 『신라의 국가제사』, 지식산업사

명주군, 1981, 『명주의 향기』

문경현, 2004, 『신라왕경오악연구』, 경주시·경북대학교인문과학연구소

문화재관리국, 1978, 『안압지』

박경식, 1996, 『통일신라 석조미술 연구』, 학연문화사

박해현, 2003, 『신라중대 정치사 연구』, 국학자료원

사회과학원 력사연구소, 1979, 『조선전사』 5, 북한 과학백과사전출판사

송기호, 1995, 『발해정치사연구』, 일조각

선석열, 2015, 『신라 왕위계승 원리 연구』, 혜안

신형식, 1981, 『삼국사기연구』, 일조각

신형식, 1990, 『통일신라사연구』, 삼지원 ; 2004, 한국학술정보

신호철, 1993, 『후백제견훤정권연구』, 일조각

이기동, 1980, 『신라 골품제사회와 화랑도』, 한국연구원 ; 1984, 일조각

이기백, 1974, 『신라정치사회사연구』, 일조각

이문기, 2015, 『신라 하대 정치와 사회연구』, 학연문화사

이병도, 1977, 『국역삼국사기』, 을유문화사

이병도, 1980, 『고려시대의 연구』, 아세아문화사

이영호, 2014, 『신라 중대의 정치와 권력구조』, 지식산업사

이인철, 1993, 『신라정치제도사연구』, 일지사

이종욱, 1980, 『신라상대왕위계승연구』, 영남대학교민족문화연구소

전기웅, 1996, 『나말려초의 정치사회와 문인지식층』, 혜안

전기웅, 2010, 『신라의 멸망과 경문왕가』, 혜안

전봉덕, 1968, 『한국법제사연구』, 서울대학교출판부

정경희, 1990, 『한국고대사회문화연구』, 일지사

조범환, 2001, 『신라선종연구』, 일조각

조범환, 2018, 『중세로 가는 길목 신라하대사』, 새문사

채미하, 2008, 『신라 국가제사와 왕권』, 혜안

최근영, 1993, 『통일신라시대의 지방세력연구』, 신서원

최영성, 1987, 『주해사산비명』 아세아문화사

최영성, 1990, 『최치원의 사상연구』, 아세아문화사

최영성, 1999, 『역주최치원전집』 2-고운문집-, 아세아문화사

최인표, 2007, 『나말려초 선종정책 연구』, 한국학술정보,

하일식, 2006, 『신라 집권관료제 연구』, 혜안

한국고대사회연구소, 1992, 『역주한국고대금석문』 3, 가락국사적개발연구원

황선영, 1988, 『고려초기왕권연구』, 동아대학교출판부

황수영 편, 1976, 『한국금석유문』, 일지사

황수영, 1974, 『한국의 불교미술』, 동화출판공사

高明士, 1984, 『唐代東亞敎育圈的形成』, 臺灣國立編譯館,

王承禮, 1984, 『渤海簡史』, 黑龍江人民出版社 ; 송기호 역, 1987, 『발해의 역사』,
　　　　한림대학아시아문화연구소

今西龍, 1933, 『新羅史硏究』, 近江書店 : 이부오 외 옮김, 2008, 『신라사 연구』,
　　　　서경문화사

末松保和, 1954, 『新羅史の諸問題』, 東洋文庫

濱田耕策, 2002, 『新羅國史の硏究』, 吉川弘文館

井上秀雄, 1974, 『新羅史基礎硏究』, 東出版

坂元義種, 1978, 『古代東アジアの日本と朝鮮』, 吉川弘文館

2. 논문

강희웅, 1999, 「신라 골품체제하의 왕권과 관료제」 『동양 삼국의 왕권과 관료제』, 국학자료원

곽승훈, 1994, 「신라 중대 말기 귀족들의 불사활동」 『이기백선생고희기념 한국사논총』 상

곽승훈, 1995, 「신라 원성왕의 정법전 정비와 그 의의」 『진단학보』 80

권덕영, 2008, 「신라하대 박씨세력의 동향과 박씨왕가」 『한국고대사연구』 49

권영오, 1995, 「신라 원성왕의 즉위과정」 『부대사학』 19

권영오, 2000, 「신라하대 왕위계승분쟁과 민애왕」 『한국고대사연구』 19

권영오, 2004, 「김위홍과 진성왕대 초기 정국 운영」 『대구사학』 76

권영오, 2014, 「신라 하대와 신라말」 『역사와 경계』 90

김경애, 2006, 「신라 원성왕의 즉위와 하대왕실의 성립」 『한국고대사연구』 41

김기덕, 1986, 「고려조의 왕족봉작제」 『한국사연구』 52

김기덕, 1997, 「고려의 제왕제와 황제국체제」 『국사관논총』 78

김기흥, 2001, 「신라 처용설화의 역사적 진실」 『역사교육』 80

김동수, 1982, 「신라 헌덕왕·흥덕왕대의 개혁정치」 『한국사연구』 39

김두진, 1973, 「낭혜와 그의 선사상」 『역사학보』 57

김두진, 1996, 「불교의 변화」 『한국사』 11, 국사편찬위원회

김병곤, 2013, 「신라 헌덕왕대의 부군 수종의 정체성과 태자」 『동국사학』 55

김상기, 1935, 「고대의 무역형태와 나말의 해상발전에 대하여」 『진단학보』 12

김상기, 1969, 「김유신묘의 이설에 대하여」 『고고미술』 101

김상현, 1981, 「만파식적설화의 형성과 의의」 『한국사연구』 34

김상현, 1986, 「고불사 및 불국사의 연구」 『불교연구』 2

김선주, 2017, 「신라 하대 선덕여왕 재인식과 추숭」 『한국고대사연구』 86

김수미, 2009, 「신라 김유신계의 정치적 위상과 추이」 『역사학연구』 35

김수태, 1983, 「통일신라기 전제왕권의 붕괴와 김옹」 『역사학보』 99·100합집

김수태, 1985, 「신라 선덕왕·원성왕의 왕위계승」 『동아연구』 6

김수태, 2011, 「신라 혜공왕대 만월부인의 섭정」 『신라사학보』 22

김수태, 2015, 「신라 헌강왕대 국왕 친영례의 변화」 『신라문화』 45

김수태, 2018, 「신라에서의 전제정치론과 왕권」 『역사와 담론』 85

김영미, 1988, 「성덕왕대 전제왕권에 대한 일고찰」 『이대사원』 22·23합집

김영미, 1999, 「신라 하대 유불일치론과 그 의의」 『백산학보』 52

김영태, 1970, 「승려낭도고」『불교학보』 7

김영하, 1987, 「신라중고기의 중국인식」『고대한중관계사의 연구』, 한국사연구회편

김영하, 2007 「신라 중대 전제왕권론과 지배체제」『한국고대사 연구의 새동향』, 한국고대사학회

김은숙, 1991, 「8세기의 신라와 일본의 관계」『국사관논총』 29

김인곤, 1980, 「화백회의의 기능」『사회과학』 11, 영남대학교

김정숙, 1984, 「김주원세계의 성립과 그 변천」『백산학보』 28

김지은, 2002, 「신라 경문왕의 왕권강화정책」『경주사학』 21

김창겸, 1988, 「신라 경문왕대 '수조지사'의 정치사적 고찰」『계촌민병하교수정년기념 사학논총』

김창겸, 1993, 「신라시대 태자제도의 성격」『한국상고사학보』 13

김창겸, 1994, 『신라하대왕위계승연구』, 성균관대학교 박사학위논문

김창겸, 1994, 「신라 하대 왕위찬탈형 반역에 대한 일고찰」『한국상고사학보』 17

김창겸, 1995, 「신라 원성왕의 즉위와 김주원계의 동향」『부촌신연철교수정년퇴임기념 사학논총』

김창겸, 1997, 「신라 '명주군왕'고」『성대사림』 12·13합집

김창겸, 1999, 「신라 원성왕계 왕의 황제·황족적 지위와 골품 초월화」『백산사림』 52

김창겸, 1999, 「신라 하대 효공왕의 즉위와 비진골왕의 왕위계승」『사학연구』 58·59합집

김창겸, 2000, 「신라 하대의 왕위계승과 유조」『백산학보』 56

김창겸, 2002, 「신라 하대 추대에 의한 왕위계승의 성격」『청계사학』 16·17합집

김창겸, 2003, 「신라 하대 왕실세력의 변천과 왕위계승」『신라문화』 22

김창겸, 2004, 「신라 하대 인겸계 왕권과 김승빈」『신라사학보』 창간호

김창겸, 2004, 「신라국왕의 황제적 지위」『신라사학보』 2

김창겸, 2005, 「신라 헌안왕의 즉위와 그 치적」『신라문화』 26

김창겸, 2006, 「확대되는 한국고대사, 2005년 회고와 전망」『역사학보』 171

김창겸, 2009, 「신라 경문왕에 대한 연구의 현황과 제안」『한국 고대사 연구의 현단계』, 주류성출판사

김창겸, 2010, 「신라 원성왕의 선대와 혈연적 배경에 대한 재검토」『한국학논총』 34, 국민대학교

김창겸, 2010, 「신라시대 김유신의 흥무대왕 추봉과 '신김씨'」『신라사학보』 18

김창겸, 2012, 「9세기 일본 서부 연안에 나타난 신라인들」 『신라사학보』 26

김창겸, 2013, 「신라 승려 심지 연구」 『신라문화제학술논문집』 34

김창겸, 2014, 「신라 경순왕의 가계와 그 신분」 『신라문화』 44

김창겸, 2016, 「신라 하대 정치형태와 국왕의 위상」 『한국고대사연구』 83

김철준, 1962, 「신라 귀족세력의 기반」 『인문과학』 7, 서울대학교

김태식, 2006, 「김유신의 흥무대왕 추봉시기」 『신라사학보』 6

김현길, 1992, 「중앙탑의 건립연유에 대한 고찰」 『중원경과 중앙탑』, 충주공업
　　　전문대학박물관

나희라, 1997, 「신라의 종묘제수용과 그 내용」 『한국사연구』 98

남풍현, 1993, 「신라시대 이두문의 해독」 『서지학보』 9

노명호, 1997, 「동명왕편과 이규보의 천하관」 『진단학보』 83

노태돈, 1978, 「나대의 문객」 『한국사연구』 21·22합집

노태돈, 1988, 「5세기 금석문에 보이는 고구려인의 천하관」 『한국사론』 19

강성원, 1983, 「신라시대 반역의 역사적 성격」 『한국사연구』 43

문경현, 1990, 「신라 박씨의 골품에 대하여」 『역사교육논집』 13·14합집

문경현, 1992, 「신무왕의 등극과 김흔」, 『조항래교수화갑기념 한국사학논총』

문경현, 2007, 「김유신의 혼인과 가족」 『문화사학』 27

문경현, 2009, 「김유신묘고」 『신라사학보』 17

문명대, 1975, 「김천폐갈항사동서삼층석탑」 『한국탑파의 연구』, 동화출판공사

문명대, 1976, 「불국사금동여래좌상2구와 그 조상찬문(비명)의 연구」 『미술자
　　　료』 19

문명대, 1976, 「신라 신인종의 연구」 『진단학보』 41

문명대, 1978, 「신라 하대 비로사나불상조각의 연구(속)」 『미술자료』 22

문명대, 1981, 「김천갈항사석불좌상의 고찰」 『동국사학』 15·16합집

민영규, 1965, 「불국사고금역대기해제」 『고고미술자료』 7.불국사화엄사사적

박경식, 1989, 「신라 경문왕대의 석조미술에 관한 연구」 『사학지』 22

박남수, 1992, 「신라 화백회의의 기능과 성격」 『수촌박영석교수화갑기념 한국
　　　사학논총』

박남수, 2008, 「울주 천전리 서석명에 나타난 진흥왕의 왕위계승과 입종갈문
　　　왕」 『한국사연구』 141

박남수, 2012, 「신라 하대 왕실의 제례와 원성왕 추숭의 정치사회적 의의」 『사
　　　학연구』 108

박문옥, 2004, 「『화랑세기』로 본 김유신의 세계, 인통과 혼인」 『한국상고사학
　　　보』 43

박인희, 2004, 「처용의 실체와 처용가」『어문연구』 124

박재우, 2005, 「고려 군주의 황제적 위상」『한국사학보』 20

박춘식, 1987, 「나말려초의 식읍에 대한 고찰」『사총』 32

박해현, 1997, 「혜공왕대 귀족세력과 중대 왕권」『전남사학』 11

박해현, 2003, 「신라 성덕왕대 정치세력의 추이」『한국고대사연구』 31

방동인, 1981, 「한국인의 국경의식」『월간조선』 12월호

방학봉, 1991, 「정효공주묘지의 '대왕·성인·황상'」『발해문화연구』, 이론과
　　　실천

서영교, 2016, 「진골귀족의 반발과 개혁의 좌절」『신라의 왕권강화의 발전』,
　　　경상북도

서의식, 1995, 「9세기말 신라의 '득난'과 그 성립과정」『한국사의 시대구분』,
　　　한국고대사연구회편

서정목, 2016, 「신라 제34대 효성왕의 생모에 대하여」『한국고대사탐구』 23

선석열, 2001, 「신라사 속의 가야인들」『한국 고대사 속의 가야』, 혜안

손흥호, 2003, 「9세기 전반 신라의 정국변화와 김양의 정치활동」『역사교육논
　　　집』 30

송은일, 2004, 「신라 하대 경문왕계의 성립」『전남사학』 22

송은일, 2005, 「신라 하대 헌강왕의 친정체제 구축과 위홍」『신라사학보』 5

신정훈, 2004, 「신라 원성왕의 즉위초의 정치적 추이와 그 성격」『백산학보』
　　　68

신천식, 1982, 「강릉지방의 역사적 변전」『임영문화대관』, 강릉문화원

신형식, 1971, 「신라왕위계승고」『유홍렬박사화갑기념논총』

신형식, 1974, 「신라병부령고」『역사학보』 61

신형식, 1977, 「무열왕계의 성립과 활동」『한국사논총』 2, 성신여자사범대학

신형식, 1977, 「신라사의 시대구분」『한국사연구』 18

신형식, 1990, 「신라 중대 전제왕권의 특질」『국사관논총』 20

신형식, 1990, 「신라 중대 전제왕권의 전개과정」『산운사학』 4

양기석, 1983, 「4-5세기 고구려 왕자의 천하관」『호서사학』 11

양기석, 1984, 「5세기 백제의 왕·후·태수제에 대하여」『사학연구』 38

오 성, 1979, 「신라 원성왕계의 왕위교체」『전해종박사화갑기념 사학논총』

유승국, 1981, 「최치원의 동인의식에 관한 고찰」『제4회국제불교학술회의논
　　　문집』, 한국전통불교연구원

윤국일, 1990, 「고구려 최고통치자의 황제적 지위」『력사과학』 1990-1

윤병희, 1982, 「신라 하대 균정계의 왕위계승과 김양」『역사학보』 96

윤선태, 1993, 「신라 골품제의 구조와 기능」『한국사론』 30, 서울대학교

윤선태, 2000, 「신라의 사원성전과 금하신」『한국사연구』 108

음선혁, 1997, 「신라 경순왕의 즉위와 고려 귀부의 정치적 성격」『전남사학』 11

이계표, 1993, 「신라 하대의 가지산문」『전남사학』 7

이광규, 1976, 「신라왕실의 혼인체계」『사회과학논문집』 1, 서울대학교

이기동, 1972, 「신라 내물왕계의 혈연의식」『역사학보』 53·54합집

이기동, 1978, 「나말려초 근시기구와 문한기구의 확장」『역사학보』 77

이기동, 1978, 「신라 태조성한의 문제와 흥덕왕비의 발견」『대구사학』 15·16합집

이기동, 1978, 「신라금입택고」『진단학보』 45

이기동, 1979, 「신라 화랑도의 사회학적 고찰」『역사학보』 69

이기동, 1980, 「신라 하대의 왕위계승과 정치과정」『역사학보』 85

이기동, 1984, 「신라 중고시대 혈연집단의 특질에 관한 제문제」

이기동, 1988, 「화랑상의 변천에 관한 각서」『신라문화』 5

이기동, 1991, 「신라 흥덕왕대의 정치와 사회」『국사관논총』 21

이기동, 1996, 「신라 하대의 사회변화」『한국사』 11, 국사편찬위원회

이기동, 1998, 「신라 성덕왕대의 정치와 사회」『역사학보』 160

이기동, 2002, 「김유신」『한국사시민강좌』 30

이기백, 1958, 「신라 혜공왕대의 정치적 변혁」『사회과학』 2, 한국사회과학연구회

이기백, 1962, 「상대등고」『역사학보』 19

이기백, 1964, 「신라 집사부의 성립」『진단학보』 25·26·27합집

이기백, 1971, 「신라육두품연구」『성곡논총』 2

이기백, 1987, 「김대문과 김장청」『한국사시민강좌』 1

이기백, 1993, 「신라 전제정치의 성립」,『한국사 전환기의 문제들』, 일조각

이기백, 1993, 「통일신라시대의 전제정치」『한국사상의 정치형태』, 일조각

이기백, 1995, 「신라 전제정치의 붕괴과정」『학술원논문집』 인문사회과학편 34

이기봉, 2012, 「신라 경문왕대의 정국운영과 재이」『신라문화』 39

이기봉, 2016, 「신라 진성여왕대의 재이와 농민반란」『역사학연구』 62

이명식, 1984, 「신라 하대 김주원계의 정치적 입장」『대구사학』 26

이명식, 1992, 『신라정치사연구』, 형설출판사

이문기, 1988, 「6세기 신라 '대왕'의 성립과 그 국제적 계기」『신라문화제학술

발표회논문집』9

이문기, 1994, 「통일신라기의 북진과 군사적 위상」『황종동교수정년기념 사학논총』

이문기, 1996, 「신라의 문한기구와 문한관」『역사교육논집』21

이문기, 1999, 「신라 김씨 왕실의 소호금천씨 출자 관념의 표방과 그 변화」『역사교육논집』23·24합집

이문기, 2004, 「금관가야계의 시조 출자전승과 칭성의 변화」『신라문화제학술논문집』25

이문기, 2007, 「신라 효공왕(요)의 출생과 왕실의 인지 시기에 대하여」『신라문화』30

이문기, 2007, 「신라 효공왕(요)의 태자책봉과 왕위계승」『역사교육논집』39

이문기, 2007, 「최치원찬 9세기후반 불국사 관련자료의 검토」『신라문화』26

이배용, 1985, 「신라 하대 왕위계승과 진성여왕」『천관우선생환역기념 한국사학논총』

이병도, 1969, 「전김유신묘고」『김재원박사회갑기념논총』

이병로, 1992, 「8세기의 나·일관계사」『일본학연보』4, 계명대학교

이병로, 1996, 「일본 지배층의 대신라관 정책 변화의 고찰」『대구사학』51

이순근, 1981, 「신라시대 성씨취득과 그 의미」『한국사론』6, 서울대학교

이영택, 1979, 「장보고 해상세력에 관한 고찰」『한국해양대학논문집』14

이영호, 1990, 「신라 혜공왕대 정변의 새로운 해석」『역사교육논집』13·14합집

이영호, 2003, 「신라의 왕권과 귀족사회」『신라문화』22

이영호, 2016, 「개관」『신라의 왕권강화와 발전』, 경상북도

이용범, 1969, 「처용설화의 일고찰」『진단학보』32

이우성, 1969, 「삼국유사소재 처용설화의 일분석」『김재원박사회갑기념논총』

이인철, 1991, 「신라의 군신회의와 재상제도」『한국학보』65

이인철, 1992, 「8·9세기 신라의 지배체제」『한국고대사연구』6

이인철, 1993, 「신라의 군신회의와 제상제도」『신라정치제도사연구』, 일지사

이인철, 1994, 「신라 중대의 정치형태」『한국학보』77

이재호, 1969, 「삼국사기와 삼국유사에 나타난 국가의식」『논문집』10, 부산대학교

이재호, 1983, 「삼국유사에 나타난 자주의식」『삼국유사연구』상, 영남대학교 민족문화연구소

이재환, 2014, 「신라사 연구에 있어서 귀족개념의 도입과정」『한국고대사 연구의 시각과 방법』, 사계절

이종욱, 1981, 「신라시대의 혈연집단과 상속」『역사학보』 121

이종욱, 1985, 「신라시대의 진골」『동아연구』 6

이종욱, 1990, 「신라하대의 골품제와 왕경인의 주거」『신라문화』 7

이종욱, 1997, 「화랑세기의 신빙성과 저술에 대한 고찰」『한국사연구』 97

이종항, 1974, 「신라의 신분제도에 관한 연구」『법사학연구』 창간호

이종항, 1975, 「신라의 하대에 있어서 왕종의 절멸에 대하여」『법사학연구』 2

이현주, 2018, 「신라 하대 초기 왕실여성의 책봉과 그 의미」『신라사학보』 42

이현태, 2006, 「신라 중대 신김씨의 등장과 그 배경」『한국고대사연구』 42

이호영, 1996, 「신라의 통일의식과 '일통삼한'의식의 성장」『동양학』 26

장일규, 2005, 「최치원의 삼교융합사상과 그 의미」『신라사학보』 4

장일규, 2006, 「숭복사비명과 경문왕계 왕실」『역사학보』 192

장일규, 2011, 「응렴의 결혼과 그 정치적 의미」『신라사학보』 22

전기웅, 1989, 「신라 하대말 정치사회와 경문왕가」『부산사학』 16

전기웅, 1991, 「나말려초 정치사회사의 이해」『역사고고학지』 7

전기웅, 1994, 「신라 하대의 화랑세력」『신라문화』 10·11합집

전기웅, 2005, 「헌강왕대의 정치사회와 '처용랑망해사'조 설화」『신라문화』 26

전기웅, 2006, 「신라말 효공왕대의 정치사회 변동」『신라문화』 27

전덕재, 1997, 「신라 중대 대일외교의 추이와 진골귀족의 동향」『한국사론』 37, 서울대학교

전덕재, 2003, 「서평 김창겸 저 '신라하대 왕위계승 연구'」『한국사연구』 123

전덕재, 2009, 「신라 정치사회사의 전개에 대한 고전적 이해와 그 한계」『한국사연구』 144

전덕재, 2018, 「신라 혜공왕의 시해와 역사적 평가에 대한 고찰」『신라문화제학술논문집』 39

전미희, 1989, 「신라 경문왕·헌강왕대의 '능관인'등용정책과 국학」『동아연구』 17

전미희, 1997, 『신라 골품제의 성립과 운영』, 서강대학교 박사학위논문

전유태, 1983, 「안압지와 임해전복원」『문화재』 16

정동락, 2016, 「신라 하대의 왕궁거주자」『서강인문논총』 45

정운용, 2006, 「신라 중대의 정치」『한국고대사입문』 3, 신서원

정원경, 1992, 「신라 경문왕대의 원탑건립」『박물관연구논문집』 1, 부산시립박물관

조경시, 1989, 「신라 하대 화엄종의 구조와 경향」『부대사학』 13

조범환, 1991, 「신라말 박씨왕의 등장과 그 정치적 성격」『역사학보』 129

조범환, 1998, 「나말 성주산문과 신라왕실」『국사관논총』 82

조범환, 1999, 「신라 하대 경문왕의 불교정책」『신라문화』 16

조범환, 1999, 「신라말 화랑세력과 왕위계승」『사학연구』 57

조범환, 2007, 「김유신의 가계와 후손들의 활동」『신라사학보』 11

조범환, 2011, 「신라 중대 성덕왕대의 정치적 동향과 왕비의 교체」『신라사학보』 22

조인성, 1994, 「최치원찬술비명의 주석에 대한 일고」『가라문화』 11

주보돈, 1984, 「신라시대의 연좌제」, 『대구사학』 25

주보돈, 2004, 「가야인, 신라에서 빛나다」『가야 잊혀진 이름 빛나는 유산』, 헤안

주보돈, 2007, 「김유신의 정치성향」『신라사학보』 11

진홍섭, 1965, 「경주감산사지·숭복사지의 조사」『고고미술』 58

진홍섭, 1987, 「삼국유사에 나타난 탑상」『삼국유사의 종합적 고찰』, 한국정신문화연구원

채미하, 2000, 「신라 혜공왕대 오묘제의 개정」『한국사연구』 108

채미하, 2015, 「신라왕실의 김유신에 대한 인식변화와 추존」『한국사학보』 61

최근영, 1997, 「'중원탑평리칠층석탑' 건립배경에 대한 추론」『한국사학보』 2

최병헌, 1978, 「신라 하대사회의 동요」『한국사』 3, 국사편찬위원회

최완수, 2001, 「신라 선종과 비로자나불의 출현」『신동아』 6월호

최의광, 2009, 「신라 원성왕의 왕위계승과 국인」『한국사학보』 37

최재석, 1986, 「신라시대의 골품제도」『동방학지』 53

최재석, 1986, 「신라의 시조묘와 신궁제사」『동방학지』 50

최재석, 1987, 「고대삼국의 왕호와 사회」『한국고대사회사연구』, 일지사

최재석·안호룡, 1990, 「신라 왕위계승의 계보인식과 정치세력」『한국사회사연구회논문집』 17

하현강, 1965, 「고려식읍고」『역사학보』 26

한규철, 1993, 「발해와 일본의 신라협공계획」『중국문제연구』 5, 경성대학교

한기문, 1983, 「고려태조의 불교정책」『대구사학』 22

한기문, 1990, 「고려시대 관인의 원당(상)」『대구사학』 39

한기문, 2002, 「신라 하대 흥륜사와 금당 십성의 성격」『신라문화』 20

홍기자, 1998, 「신라 하대 독서삼품과」『신라문화제학술발표회논문집』 19

홍승기, 1989, 「후삼국의 분열과 왕건에 의한 통일」『한국사시민강좌』 5

황선영, 2006, 「신라 하대 경문왕가의 왕위계승과 정치적 추이」『신라문화』 27

Vladimir Tikhonov, 1996, 「경문왕의 유·불·선 융화정책」『아시아문화』 12, 한림

　　　　대학교

宮崎市定, 1959,「三國時代の位階制について」『朝鮮學報』14

今西龍, 1922,「新羅骨品考」『史林』7-1

今西龍, 1933,「金庾信の墓」『新羅史研究』, 近江書店

末松保和, 1949,「新羅三代考」『史學雜誌』57-5·6

木村誠, 1977,「新羅の宰相制度」『人文學報』118, 東京都立大學

武田幸男, 1975,「新羅骨品制の再檢討」『東洋文化研究所紀要』67, 東京大學

武田幸男, 1984,「朝鮮の姓氏」『東アジアの世界いおける日本古代史講座』10,
　　　學生社

濱田耕策, 1987,「朝鮮古代の大王と太王」『响沫集』5

濱田耕策, 1990,「新羅'大王'號の成立とその特質」『年報朝鮮學』創刊號, 九州
　　　大學

井上秀雄, 1968,「新羅朴氏王系の成立」『朝鮮學報』47

井上秀雄, 1969,「三國史記にあらわれた新羅の中央行政官制について」『朝鮮
　　　學報』51

酒寄雅志, 1977,「八世紀におけろ日本外交と東アジア政勢」『國史學』103

酒寄雅志, 1983,「古代東アジア諸國の國際意識」歷史研究別冊『東アジア世界
　　　の再編と民衆意識』, 靑木書店

酒寄雅志, 1993,「華夷思想の諸相」『アジアのなかの日本史』, 東京大學出版部

池內宏, 1941,「新羅の骨品制と王統」『東洋學報』28-3

浦生京子, 1979,「新羅末期の張保皐の擡頭と叛亂」『朝鮮史研究會論文集』16

和田軍一, 1924,「淳仁朝におけろ新羅征討計劃について」『史學雜誌』35-10·11

찾아보기

아

자